Die Hoffnung ist wie ein wildes Tier

Der Briefwechsel zwischen Heinrich Böll und Ernst-Adolf Kunz

1945-1953

Herausgegeben und mit einem Nachwort von
Herbert Hoven

Mit einem Vorwort von Johannes Rau

KIEPENHEUER
& WITSCH

Besonderer Dank an Annemarie Böll
René Böll
Viktor Böll
Gunhild Kunz

Karl Heiner Busse
Markus Schäfer

Mit Unterstützung der

Nordrhein-Westfalen-Stiftung
Naturschutz, Heimat- und Kulturpflege

und der
Heinrich-Böll-Stiftung e. V.

100% 104906 T

Umschlaggestaltung: Kalle Giese, Overath
Gesetzt aus der Berthold Garamont Amsterdam
bei Kalle Giese Grafik, Overath
Druck und Bindearbeiten Pustet, Regensburg
ISBN 3-462-02329-2

Inhalt

Vorwort

Aus amerikanischer Kriegsgefangenschaft entlassen, schrieb Heinrich Böll seinem Freund Ernst-Adolf Kunz von »einer ganz tollen Freude«, die er empfunden habe, als er »abends spät so unerwartet für immer und ganz endgültig heimkehrte.« In dem ersten Brief, den Böll an seinen Freund richtete, den er in der Kriegsgefangenschaft kennengelernt hatte, nannte er auch die Aufgaben, die jetzt vor ihnen lagen: »Wir wollen abschwören allem Irrsinn vergangener Jahre, wirklich ein neues Leben beginnen ...«. Diese wenigen Sätze lassen erkennen, welche Erfahrungen von jetzt an für das literarische Schaffen Heinrich Bölls bestimmend werden sollten.

Für Böll hatte der Krieg den Menschen seines Menschseins beraubt und ihn so seiner selbst entfremdet. Eine damit vergleichbare Entfremdung des Menschen geschah nach seiner Auffassung auch durch die Verhältnisse der Nachkriegszeit: Die Trümmer, vordergründig und im übertragenen Sinn, kamen zu dem Kriegserlebnis hinzu: »Wir schrieben also vom Krieg, von der Heimkehr und dem, was wir im Krieg gesehen hatten und bei der Heimkehr vorfanden: Von Trümmern.« (Erzählungen, Hörspiele, Aufsätze 1961, S. 339).

Nach langen Jahren des Krieges und der Gefangenschaft kehrte Heinrich Böll in seine Heimat zurück, die er liebte und kannte und jetzt fast doch nicht wiedererkannte. Diese Heimat war sein geliebtes Köln und Rheinland. Dort fühlte sich Böll heimisch und verwurzelt, hier begann das, was er später als »ungeheure, oft mühselige Anstrengung der Nachkriegsliteratur« beschrieben hat, als das Bemühen, »Orte und Nachbarschaft wiederzufinden«.

Aus der Suche Bölls nach Orten und Nachbarschaft, aus seinen Beschreibungen des rheinischen, katholisch geprägten »Milieus« entstand ein unverwechselbares Panorama der westdeutschen Nachkriegsgesellschaft.

Vieles, was Böll in seinen Briefen an Adolf Kunz formulierte, hat später Eingang in seine literarische Arbeit gefunden. Die

Briefe geben einen Einblick in die persönliche und literarische Entwicklung des Autors, wie man ihn sich besser nicht wünschen kann. Sie führen uns in ein Werk, das religiöse Enge, nationale Engstirnigkeit und politisches Dogma nicht kennt, das bodenständig und weltoffen zugleich ist. Bölls Erzählkunst ist ebenso stark gesellschaftlich engagiert wie personengebunden. Sein Eintreten für den Menschen zeigt sich gerade in der Darstellung seiner Figuren, und aus dieser Perspektive heraus werden seine Arbeiten zum leidenschaftlichen Plädoyer für ein menschliches Miteinander.

Im Sommer 1994, neun Jahre nach dem Tod Heinrich Bölls und fast fünf Jahre nach dem Fall der Mauer, sind Prosa und Briefe des Dichters auch Schlüsseldokumente der westdeutschen Nachkriegsgeschichte. Indem sie uns den Weg zeigen, auf dem es Heinrich Böll möglich war, in der Topographie der Trümmergesellschaft »Ort und Nachbarschaft« zu bestimmen, geben sie uns Gelegenheit, mit einem menschlichen Auge auch hinter die Dinge zu sehen – eine Fähigkeit, die uns in der Hast des Alltages gelegentlich abhanden zu kommen droht.

Ein Teil des Briefwechsels ist Eigentum der Nordrhein-Westfalen-Stiftung und ist im Heinrich-Böll-Archiv in Köln zugänglich. Ich freue mich, daß die »Nordrhein-Westfalen-Stiftung« die wissenschaftliche Edition des Briefwechsels zwischen Heinrich Böll und Ernst-Adolf Kunz finanziell ermöglicht hat. Ich wünsche dem Buch viele interessierte und nachdenkliche Leserinnen und Leser.

Johannes Rau

Vorsitzender des Stiftungsrates der Nordrhein-Westfalen-Stiftung Naturschutz, Heimat- und Kulturpflege

1   Ernst-Adolf Kunz an Heinrich Böll
Gelsenkirchen, d. 8. IX. 45

Mein lieber Hein!
Von ›Klara‹ hörte ich die freudige Kunde, dass Du nun auch zu
Hause bist. Ist es nicht herrlich?! Ach, Worte können das gar
nicht schildern. Nun warte ich brennend auf Nachricht von Dir.
Ich schrieb meine neue Adresse schon. – Kurz den Werdegang
meiner Entlassung. Von La Hulpe ging es nach Wunsdorf in ein
Lager. Dort wurden zwei Tage meine Nerven aufs tollste belastet. Dann endlich war es soweit. So glaubten wir; doch öffne-
ten sich die Tore des angeblich letzten Lagers bei Bielefeld. Dort
wanderte ich eine Nacht durch die Gegend. Viel dachte ich an
Dich, der Du sicher zu der Zeit ebenfalls in Deutschland lagst.
Am 1. 9., also Samstag, rauschten wir nach Wiedenbruck, um
dort wirklich ganz frei zu sein. Hein, es war so ein heiliges Gefühl, wie ich es bisher noch nicht kannte. –
Mit Milsch, dem guten Kumpel, fuhr ich nach Rietberg und von
dort mit dem Rad nach Delbrück. Wie erwartet: Familie mit
Krach auf und davon. Ich erfuhr, dass Nita in Geseke ist und ra-
delte dorthin. Freude! Am Montag nach Paderborn, umgemel-
det nach Gels. Abends hier bei meiner gesunden Familie. Eine
herrliche, bequeme Wohnung nahm mich auf. Bitte Hein,
schreib bald, wie es bei Dir zu Hause ist. Hätte ich etwas zu rauchen, ich legte es bei. Grosse Entsagung in der Beziehung.
Hein, grüsse Deine Frau.
Immer Dein Ernst.

BK, eh

2   Heinrich Böll an Ernst-Adolf Kunz
Neßhoven, den 19. 9. 45

Mein lieber Ernst, Dein Brief vom 8. 9. erreicht mich heute, an
Deinem Geburtstag, den Du hoffentlich nicht nur mit der nötigen Freude des Geistes und der Seele, sondern auch wohlver-

sorgt mit leiblichen Freudenspendern – vor allem Nikotin, Nikotin – im Kreise Deiner Familie als freier Mann feierst ... Jetzt
wahrscheinlich in dem Augenblick, wo ich dieses schreibe!! Ich
rauche zur Feier Deines Geburtstags eine kräftige Pfeife voll
»Rhein-Sieg« Tabak, den man hier als neugebackener Civilist auf
seine kümmerlichen [?] Marken bekam ...
Nun der schuldige Bericht über den Weiterverlauf meiner Gefangenschaft. »Klara« hat Dich offenbar getäuscht. Ich sah »Klara« mit vielen anderen noch scheiden, einige Tage, bevor wir in
la Hulpe erst noch einmal umzogen!! Oh, Nervenprobe auf Nervenprobe! Am 2. September zogen wir um ins Lager 10, wo auch
nur Versehrte lagen; dann verließ uns Ernst Fey am 5. 9., nachdem wir noch – Helmut, Ernst und ich – den restlichen Tabak
aus unserem alten 5:1-Bestand aufgeraucht hatten. Wir mußten
es dann erleben, daß sowohl Arnsberg wie Köln dreimal verlesen wurden, ohne daß unsere Namen fielen. Es war vollkomme-
ner Wahnsinn. Selbst der eiserne und scheinbar so kühle Helmut, mit dem ich fortan Runden drehte und alles trug, wurde in
diesen Tagen schwach. Denk Dir nur, wir mußten auch innerhalb des Lagers noch ein paarmal umziehen, wurden einmal
ums Essen beschissen; ach, es war absoluter Wahnsinn!! So waren wir schließlich bei den letzten 300 von 5000 Versehrten, die
entlassen wurden. Es kam dann ganz plötzlich mitten in der
Nacht! Ich hatte abends noch Seife gegen aktive Zigaretten
beim belgischen Posten verscheuert, ... und mitten in der Nacht
wurden wir dann am 12. September endlich verlesen ... Gott sei
Dank waren wir nicht bei den immer noch übrigbleibenden 100
Mann (u. a. Micha!). Am 13. verließen wir im L.K.W. la Hulpe –
glaubten zum Bahnhof zu fahren und endeten hinter Stacheldraht in Maria ter Heide bei Antwerpen!! Oh, Wahnsinn, Wahnsinn, Nerven, Nerven! Gott sei Dank nur wenige Stunden!
Nachts wurden wir doch verladen und fuhren tatsächlich nach
Deutschland, in dieses traurige trostlos aussehende Deutschland! In Weeze am Niederrhein lagen wir dann noch 2 Tage – oh
Nerven, Nerven! – hinter Stacheldraht ohne Tabak, wurden
dann endlich – wieder mit L.K.W. – nach Bonn gebracht, wo
dann der aller-, allerletzte Stacheldraht uns aufnahm ... o Gott!

Am 15. September 1945 nachmittags 16.15 verließ ich endlich den letzten Stacheldraht im Schatten der Bonner Universität, wo ich glücklichere Tage gesehen hatte ... es erfaßte mich ein Schwindel, das Bewußtsein, frei zu sein nach fast 7 Jahren ...

Eine tolle Fügung war es, daß ich in Bonn auf der Fähre gleich meine Schwester traf, die mir erzählen konnte, daß mein Sohn Christoph am 20. Juli geboren sei, meine Frau gesund, der Junge im Augenblick traurigerweise mit Brechdurchfall im Krankenhaus. So fuhr ich nach Siegburg, besuchte noch abends spät, zum Schrecken aller Nonnen, mit ungarischem Mantel bekleidet, meinen P. o. W. Sachen und Büchse auf der Schulter, meinen armen kleinen Sohn im Krankenhaus in Siegburg und fand diesen, einen außergewöhnlich sympathischen Säugling, auf dem Wege der Besserung, leider jedoch noch nicht so ganz stabil. Er begrüßte seinen unterernährten Vater mit leichtgeschürzten Lippen ohne zu schreien; von Siegburg fuhr ich mit Rad die letzten 30 Kilometer bis zu meiner Frau, die auch inzwischen umquartiert ist. Es war eine ganz tolle Freude als ich abends spät so unerwartet für immer und ganz endgültig heimkehrte, lieber Ernst ...

Wir haben bei einem mittleren Bauern zwei bescheidene Zimmer, vollkommen ausreichend, aber einfach; leben einfach, und freuen uns auf die Heimkehr unseres armen kleinen Sohnes. Ernährungsmäßig sind wir ziemlich gesichert. Leider ließ sich bei mir ein schwerer Herzfehler feststellen. Ich bin so schwach und krank wie ein alter Mann, hoffe aber hier zu Kräften zu kommen. Im Laufe der nächsten Woche hoffe ich stark genug zu sein, um einmal nach Köln fahren zu können, vor allem, auch um die Fühler nach einer Art von Existenz auszustrecken. Meine Frau war von dem Gedanken, eine Buchhandlung zu beginnen, sehr begeistert. Es wäre schön, wenn unser Plan sich realisieren ließe; toll wäre es, wenn wir etwa bis zum Frühjahr die nötigen Voraussetzungen schaffen könnten. Du bleibst bei Deinem Plan? Schreibe mir, was Du überhaupt treibst. Ich selbst habe vor, mich mindestens einmal sechs Wochen von der Unterernährung und Schwäche zu erholen, ehe ich arbeite. Ich trage mich mit dem Plan, eventuell den Winter über hier als Privat-

stundengeber mich zu betätigen; Nachfrage ist genug da. Die
Arbeit im Geschäft meines Bruders – der übrigens unter tollen
Umständen, als Geistlicher verkleidet, der Gefangenschaft ent-
ging; später allerdings entlarvt wurde – wäre physisch untragbar
für mich … Jedenfalls irgend etwas wird sich finden …
Das neue Leben erscheint mir oft zu schön; oft auch ergreifen
mich [unlerserliches Wort] und eine dunkle Lebensangst; das
sind alles Nachwehen der höllischen Finsternis unseres
P. W.-Daseins; ich lese viel, esse gut, gehe spazieren und hoffe,
so zu Kräften zu kommen. Für mich ist alles, alles kostbar.
Schlimmeres als wir es vor und während der Gefangenschaft ertragen mußten, kann uns nicht mehr widerfahren …
Wir wollen abschwören allem Irrsinn vergangener Jahre, wirk-
lich mit Gottes Hilfe ein neues Leben beginnen …
Wenn Du Dich stark genug fühlst zu einer Reise, komm mal zu
uns. Vielleicht kommst Du gerade in einer glücklichen Tabakpe-
riode und ich kann Dir wieder »eine drehen«.
Jedenfalls, Ernst, die alte, alte Angst, die mich noch bis Bonn be-
gleitet hat, ist nun doch von mir gewichen und ich fühle mich
doch als Mensch langsam frei …
Ich grüße Dich und alle Deinen, auch von meiner Frau
Dein Hein
Schreibe mir bald wieder.
Meine Adresse: Neßhoven über Much/Siegkreis
bei Fam. Joh. Franken

BA5, 6S, eh

3   *Ernst-Adolf Kunz an Heinrich Böll*
Anfang Oktober 1945

Mein lieber Hein –
Es ist mir fast nicht (möglich), meine grenzenlose Faulheit zu entschuldigen. Nun liegt Dein lieber, langer Brief schon fast drei
Wochen hier, und ich habe noch nicht geantwortet. Je schlechter
mein Gewissen mit der Zeit wurde, desto weiter verschob ich

diesen Antwortbrief. Und wie oft drängte es mich, Dir so viel zu
schreiben, da ich doch so viel erlebt habe. Ich verspreche Dir, alles nachzuholen und nie wieder so lange zu zaudern. Also sei bitte nicht böse. –
Zuerst meinen Glückwunsch zu Deinem kleinen Söhnchen.
Doll, dass es wirklich ein Junge ist. Ach, ich habe mich ja so gefreut, dass alles gutgegangen ist. Hoffentlich ist der neue Erden-
bürger ganz gesund. Seine Erkältung macht mir Sorge, da ich
weiss, wie gefährlich sie kleinen Kindern werden kann. – Deinen Entlassungsgang stellte ich mir lebhaft vor. Es muss grausig
für Dich gewesen sein. Aber das ist ja nun wirklich alles vorbei
und die Angst, die uns zur Gewohnheit wurde, ist ganz fort.
Ernst Fey war schon zweimal hier. An meinem Geburtstag wurde hier toll gefeiert, und auf meine Anregung wurde oft auf
Dein Wohl getrunken! Das Ende war allgemeine Betrunkenheit.
Hättest Du doch dabei sein können! –
Seit beinah zwei Wochen bin ich jetzt als Schauspieler bei der
Essener Volksbühne engagiert. Das hatte ich in meinen kühn-
sten Träumen nicht erwartet. Stell Dir vor, ich als blutiger Anfänger zwischen Grössen, von denen die Stadt sprach. Ich bekam
sofort eine ziemlich lange und dankbare Rolle in dem Schwank
»Logenbrüder«. Nun sind die Tage ausgefüllt mit Lernen und
Reisen. Morgens fahre ich um 8.00 Uhr los und komme mittags
um 15.00 Uhr wieder. Anfang November soll die Premiere steigen. – Trotzdem behalte ich auch den Plan, eine Buchhandlung
aufzumachen, im Auge. Wie schön wäre es, wenn es klappte. In
meiner freien Zeit lese ich alles, was mir in die Finger kommt. Es
ist wie im Himmel. Manchmal kann ich das grosse glückhafte
Gefühl gar nicht unterbringen. – Aber Du kennst mich ja und
weisst, dass ich auch trotzdem unzufrieden bin. –
Lieber Hein, grüsse Deine Frau recht herzlich von mir. Im Dezember wird wohl ein Wiedersehen klappen. Noch drei Tage haben wir Probe und danach eine Zeit Ruhe. Bis dahin, Hein,
musst Du warten.
Ich bin immer Dein Ernst.

BA5, 4S, eh

4   *Ernst-Adolf Kunz an Heinrich Böll*
Gelsenkirchen, d. 3. 11. 1945

Mein lieber, armer Hein.
Könnte ich doch jetzt bei Dir sein, um Dir wenigstens etwas zu
helfen. Sicher, es wäre ein geringer Trost, doch wie oft haben wir
uns in verzweifelten Lagen gegenseitig aufgerichtet. Wir waren
zusammen deprimiert und zusammen glücklich. Ersteres liess
sich zu zweit leichter tragen, letzteres war erst vollkommen zu
zweit. Du weisst, wie nah ich Dir in Gedanken bin und wie ehrlich erschüttert ich war, als gestern Dein trauriger Brief in meine
Hände kam. Wir haben gelernt Worte und Phrasen gering zu
achten, daher ist es mir nicht möglich, kondolierende Worte zu
finden. Wie könnten sie Deinen Kummer lindern? –
Mein guter Hein, einmal muss ja ein Ende dieser unfassbaren
Prüfungen kommen, die Du weiss Gott nicht verdient hast. Ich
bin überzeugt, dass Du doch noch zur Ruhe kommst und glücklich wirst. –
Ja, was soll ich Deiner lieben Frau sagen? Ich weiss es nicht. –
Zwei Briefe schrieb ich Dir schon. Sollten sie nicht angekommen sein? Hein, kannst Du nicht mal rüber kommen oder geht
das nicht. Jedenfalls komme ich im Dezember. In diesem Jahr
müssen wir doch noch mal in Freiheit zusammensein. –
Meine Tage sind mit Proben angefüllt. Es ist keine grosse Arbeit,
doch verdiene ich genug Geld, was mir jetzt sehr gelegen
kommt, da ich viel brauche für unseren geliebten Tabak. Ich sage
mir, ehe ich mir einen Tag verbiestere ohne Tabak, kaufe ich ihn
für jeden Preis. Das Essen ist hier nicht besonders, doch habe
ich noch nie auch nur das geringste Hungergefühl gehabt. – Heute morgen hatten wir Generalprobe, so dass in Kürze mit der
Premiere der »Logenbrüder« zu rechnen ist. Die nächste Woche
nun, habe ich ganz frei für mich. Meine Schwester Nita hat Geburtstag, den wir würdig feiern wollen. – Da fällt mir ein, dass
Du versuchen musst Anfang Dezember zu kommen. Nicht, weil
ich zu bequem wäre, die Reise zu machen, sondern weil wir
dann ein richtiges Saufgelage veranstalten können. Wäre das
nicht schön, Hein? Mein Vater bekommt monatlich eine Flasche

reinen Alkohol, den wir in Likör umwandeln. Tabak ist natürlich da. Wie wäre das? Überleg Dir die Sache doch mal und richte es so ein, ja? Aber melde Dich telegrafisch an. –
Hein, meine Gedanken sind bei Dir. Sie wünschen Dir alles Frohe und möchten jeden Schmerz von Dir nehmen.
Dein Ernst
Grüße Deine Frau von mir.

BA5, 4S, eh

5   *Heinrich Böll an Ernst-Adolf Kunz*
Köln, den 24. 11. 45

Mein lieber Ernst, Du bist hoffentlich nicht wirklich böse, daß ich Dich so lange habe warten lassen. Dein herzlicher Brief zum Tode unseres kleinen Jungen hat mich wirklich erfreut. Ach, es klingt so unwahrscheinlich, und für Außenstehende so unfaßbar; dieser kleine Knabe von drei Monaten war so reizend und vielversprechend! Uns bleibt nichts als sein kleines Grab da oben in Marienfeld; und die Gewißheit, daß er eben nicht tot ist, sondern lebt in einem besseren Leben; glücklich, weil er ja ganz ohne Schuld war und doch unschuldig sehr viel hat leiden müssen ... Wir beide, meine Frau und ich, haben uns in Köln in ein tolles Arbeitsgewühle gestürzt; wir bauen hier ein tolles Haus für unsere ganze Familie; es ist ein irrsinniges Beginnen bei Mangel an Material und geschulten Facharbeitern, aber es geht doch vorwärts und das macht uns Freude; wir arbeiten bis spätabends; es macht trotz aller Quälerei Spaß. Das Wichtigste ist nun, daß ich meine Frau nicht allein zu lassen brauche oben in dem öden Nest, mit ihrem Leid und ihren Gedanken an den Kleinen. Es ist alles so dunkel und schwer, lieber Ernst ...
An irgendeine Berührung mit dem »akademischen Leben« kann ich nur mit Schrecken denken. Ich werde wahrscheinlich bei meinem Bruder bleiben, mit dem ich mich glänzend verstehe und in dessen Dienste ich auch jetzt beim Aufbau unserer zukünftigen Wohnung stehe; weißt Du, wir bilden so mehr eine

brüderliche Tabak- und Arbeitsgemeinschaft; haben außerdem
noch einige Lehrlinge und Hilfsarbeiter und es geht eigentlich
ganz gut vorwärts. Ach, Ernst, es ist eben nur das Eine, sehr
Schwere, daß unser Kleiner gestorben ist. Es wäre alles so schön
gewesen mit ihm ...
Ob ich Dich vor Neujahr noch werde besuchen können, ist sehr
fraglich. Die Arbeit drängt eben sehr, weil wir doch gerne nach
den Zigeuner-Jahren des Krieges für alle Familienteile endlich
ein nettes Heim schaffen möchten, vor allem für meinen alten
Vater. Trotzdem; es könnte sein, daß ich bald einmal nach Brilon
muß, wo wir bei einer Tante meiner Frau noch wertvolle Wä-
schepakete stehen haben. Vielleicht könnte ich das mit einem
Besuch bei Dir verbinden. Ich melde mich dann vorher an.
Der treue Helmut hat mir schon mehrmals geschrieben und
fragt jedesmal nach Dir. Schreibe Du doch mal (Oeventrop/
Krs. Arnsberg, Bahnhof). Vielleicht beginnen wir drei dann
auch bald ein Wiedersehensfest zu organisieren. Was macht der
Duisburger Ernst? Ich hörte lange nichts mehr von ihm.
Ach, lieber Ernst sei mir nicht böse, daß ich Dich so lange habe
warten lassen und schreibe mir trotzdem bald wieder.
Grüße auch bitte Deine Eltern und Schwestern von mir.
Du selbst sei herzlich gegrüßt von Deinem Hein und seiner
Frau.
Du wirst Dich wundern, wie gut ich mich erholt habe!

BA4, 2S, eh

6   *Ernst-Adolf Kunz an Heinrich Böll*
Gelsenkirchen, d. 4. 1. 46

Mein lieber, guter Hein!
Seit zwei Tagen ist das wunderschöne Buch in meinen Händen.
Wie kann ich Dir dafür danken? Ich habe es natürlich schon ge-
lesen und viele Vergleiche zu unserer Gefangenschaft gestellt.
Ich konnte mir alles so genau vorstellen, dass ich manchmal
nicht mehr weiterlesen konnte. –

Seit einer Woche habe ich sehr viel zu tun. Jeden Tag waren Proben, so dass ich für mich wenig Zeit hatte. Man hat mir eine neue Rolle in den »Logenbrüdern« gegeben, da der bisherige Spieler fortgegangen ist. Ich bin sehr froh über diese grosse Rolle, habe oder hatte viel Arbeit damit. Morgen ist Vorstellung in Velbert, und dann geht es so weiter. Schön ist so das Leben und voller Abwechslung. –

Wie bist Du ins neue Jahr gekommen? Ernst wollte eigentlich hier feiern, sagte aber im letzten Moment ab. Der Feigling! Nun, es ging auch ohne ihn. Um 3.00 ging keiner mehr gerade. Ich musste immer wieder an Dich denken.

Ja, in Kürze müssen wir uns mal alle treffen. Ich befürchte aber, dass dieser Monat für mich ziemlich besetzt ist. Jedenfalls gebe ich Dir Nachricht. –

Stratmann ist immer noch nicht zurück, auch von Kerkhoff, der erst mit mir zusammen war, weiss die Familie nichts.

Ach Hein, haben wir noch ein Glück gehabt. – Bald mehr.

Ich danke Dir Hein und werde mich bald revanchieren.

Dein Ernst

BA5, 3S, eh

7   *Heinrich Böll an Ernst-Adolf Kunz*
Köln, Schillerstraße 99, den 8. Februar 1946

Mein lieber Ernst, die letzten drei Wochen lang habe ich hier in Köln meinen Bruder vollkommen vertreten müssen, da er auf einige Zeit im Bett liegen mußte. Du glaubst gar nicht, welch eine Fülle von praktischer Arbeit, von Laufereien, von Ärger und Plagen auf mich hereingestürzt ist. Nun ist aber das Schlimmste hinter uns und es geht mit Riesenschritten auf die Vollendung unserer Wohnungen zu. Ach, es ist qualvoll, sich mit diesem völlig demoralisierten, selbstsüchtigen, geschwätzigen Gesindel herumzuschlagen, das man vielleicht Volk nennen könnte. Dazwischen immer wieder die unvermeidlichen Tabaksorgen, finanzielle Sorgen, alles mögliche; kleine

Familienreibereien und das, worüber man nicht sprechen kann, außer mit meiner Frau; die alte Schwermut des vergangenen langen Soldatenlebens, fürchterliche Erinnerungen an den Krieg, die nun erst heraufkommen, wo man jeden Tag in einem Bett schläft; Krankheit, Schmerzen, ach, und alles, alles das auf einem mit Möbeln vollgestopften Raum, einem einzigen Raum ...

Aber es geht vorwärts; bald werde ich mit meiner Frau – wenn alles gut geht – zwei wunderbare schöne Räume bewohnen, und ein Badezimmer; ach, mal wieder etwas Raum und Luxus. Dann mußt Du aber einmal kommen, unbedingt. Spätestens zu Beginn des Frühjahrs. Ach, dann möchte ich ein neues Leben beginnen. Im übrigen stelle ich fest, daß die Erfahrungen, die wir in Gefangenschaft mit den Menschen gemacht haben, auch in unserem »zivilen Leben« sich anwenden lassen.

Ach, Ernst, ich bin nicht zum Schreiben aufgelegt, Du verstehst das wohl. Wir müssen mal ganz ernsthaft an unser Wiedersehen denken; das dürfen wir auf keinen Fall einschlafen lassen. Und vergiß doch bitte nicht, mal Helmut [unleserlich] zu schreiben. Und ihn auch über ein evtl. Zusammentreffen zu unterrichten. Schreib mir mal wieder, Ernst! Ach, und sei nicht böse über mein schlechtes Schreiben. Grüße Deine Eltern und Schwestern und Dir viele, viele herzliche Grüße von
Deinem Hein und Frau

BA4, 1 1/2S, eh

8   *Ernst-Adolf Kunz an Heinrich Böll*
Gelsenkirchen, d. 12. 2. 1946

Mein lieber Hein!
Ich habe Dir gegenüber wirklich ein sehr schlechtes Gewissen. Aber so geht es mir mit allen Bekannten, die sich im Laufe der Zeit gemeldet haben. Immer, wenn ein lieber Brief von Dir ankommt, nehme ich mir vor, sofort zu schreiben. Werde ich jedoch daran gehindert, ist es aus mit dem guten Willen. Ich könnte Dir Gründe angeben, warum das so ist, doch würde es die

Sache nicht ändern. Sobald wir mal zusammen sind, werde ich Dir alles erzählen. Es ist nicht so einfach, da mir die letzte Zeit viel zu schaffen machte. Dazu kommt meine nicht leichte Arbeit, die geistige wie körperliche Kräfte beansprucht. Fast jede Woche drei Vorstellungen in den entlegensten Gegenden wie Lemgo, Wülfrath, Mülheim, Kettwig etc. Dass ich ganz zum Bonvivant aufgerückt bin und nun die Hauptrolle spiele, schrieb ich es Dir? Ja, Hein, ich habe Glück, wenn man es als Glück bezeichnen kann in seinem Beruf etwas zu leisten und anerkannt zu werden. Für die Zukunft prophezeit man mir alles erdenkbar Günstige. Aber ich bin vorsichtig und muss es sein, da ich viel älteren Schauspielern die Rollen wegspiele. Nun, Du wirst Dir denken können welche Intrigen es beim Theater gibt. – Nebenbei bin ich in eine Sängerin verliebt, die sich nur durch ihre Hübschheit auszeichnet. Wir sind viel zusammen und es lenkt mich ab. Sie ist älter und wirklich gut. –
Sobald ich mal eine Woche ganz frei bin, reise ich zu Dir und von dort aus zu dem Maler Derkum, der in Hüls oder Hülsen wohnt. – Hier habe ich keinen Freund oder wie man es nennen soll und sehne mich nach einem vernünftigen Gespräch mit Dir. – Neulich war ich mal wieder bei der Schwester von Stratmann. Er ist immer noch nicht da und man macht sich grosse Sorgen. Mit Recht! Nun will die Frau Nachforschungen anstellen. Weisst Du noch, wann Willi uns verlassen hat? Schreib es doch bitte sofort, damit ich der Frau helfen kann so weit es geht. – Wie geht es Dir? Tabak? Ich werfe ein Vermögen dafür weg und habe selten etwas. 50g = 70 M.!!
Sei gegrüsst, lieber Hein, und sei mir nicht böse. Du wirst alles verstehen, wenn ich Dich besuche.
Immer Dein Ernst.
Grüsse auch Deine liebe Frau von mir.

BA5, 4S, eh

9   *Heinrich Böll an Ernst-Adolf Kunz*
Köln, den 27. April 1946

Mein lieber Ernst, es ist schon so lange her, daß wir voneinander
gehört haben; ich weiß schon gar nicht mehr, ob Du mir oder
ich Dir zuletzt schrieb. Das ist ja auch gleichgültig. Vor einigen
Wochen fuhr ich für meinen alten Herrn nach Essen. Ich habe
auf der Rückreise Ernst Fey für eine knappe Stunde besucht. Er
hatte sehr viel zu tun und schimpfte sehr auf die Arbeit und alles
mögliche. Es war vielleicht dumm von mir nur so plötzlich und
unvorhergesehen hineinzuschneien, das hat das Wiedersehen
mit dem ersten Leidensgenossen etwas verdorben. Aber die Reise kam so plötzlich und ich war so wahnsinnig müde und erschöpft, daß ich möglichst bald wieder nach Hause wollte. Ich
hoffe, daß unser beider Wiedersehen sich etwas vorbereiten
läßt. Was treibst Du eigentlich? Ich bin fast ein wenig lebens-
überdrüssig. Ich arbeite immer noch bei meinem Bruder, habe
mich aber auch für die Universität angemeldet, um wenigstens
ein paar Semester zusammenzubringen. Ich weiß gar nicht, ob
es überhaupt viel Sinn hat, sich eine sichere sogenannte »Existenz« aufzubauen. Mir ist das alles so gleichgültig und erscheint
mir nach den Erlebnissen des Krieges und der Gefangenschaft
auch ziemlich belanglos, welche Rolle ich in der so sehr erfreulichen menschlichen Gesellschaft spielen soll. Denn eine »Rolle
spielen« ist es ja doch, es ist doch alles lächerlicher Blödsinn. Ich
darf nicht im geringsten klagen, obwohl ich viel Leid zu tragen
gehabt habe. Sicher, ich habe jetzt eine wirklich reizende Wohnung als Erfolg meiner wilden Wühlerei; ich bin mit meiner
Frau sehr glücklich, habe meine Bücher; das ist doch ungeheuer
viel im Vergleich zu vielen, vielen Millionen anderen; was uns
unglücklich macht, uns alte Soldaten, das ist der Mangel an Nikotin und Alkohol; wir sind in den Jahren unseres harten Soldatenlebens eben daran gewöhnt worden; ach, es ist schlimm, daß
man davon regelrecht abhängig ist, ich bemühe mich immer
wieder, aber es gelingt mir nicht, und so schreite ich todsicher
dem finanziellen Ruin entgegen, denn es ist mir nicht gegeben,
das Geld auf dieselbe Weise wieder einzubringen, obwohl das

die einfachste Sache der Welt wäre; vielleicht kommen wir
Deutschen auch einmal wieder so weit, daß man uns etwas Tabak gönnt.

Ach, Ernst, ich fange meine Briefe immer mit sehr viel gutem
Willen an, aber es gelingt mir doch nicht, etwas Vernünftiges zu-
stande zu bringen. Wir müssen uns einmal wiedersehen, komm
uns doch mal besuchen. Sonst komme ich eines Tages einfach
mal nach Gelsenkirchen. Schreibe mir wenigstens bald mal wieder. Ach, ist es nicht traurig, daß unsere Brotträume, die Träume
von riesigen Mengen frisch, duftender Brote, nun immer noch
lebendig und ungestillt sind? Es ist vielleicht ganz gut, daß wir
des Hungers nicht so ganz entwöhnt werden, das hält wach, und
es ist auch gut, zu leiden. Bei Ernst Fey sah ich solche wahrhafti-
gen Berge von frischen Broten, und ich muß sagen, es war eine
kleine Nervenprobe für mich ...

Ach, Ernst, schreibe mir bald und schreibe auch unserem Genossen Helmut einmal. Ich grüße dich von Herzen
Dein Hein

BA4, 1 1/2S, eh

10   *Ernst-Adolf Kunz an Heinrich Böll*
Gelsenkirchen, d. 2. Mai 46

Mein lieber, guter Hein! –
Eben, also nach sieben Tagen, kam Dein Brief in meine Hände.
Wie froh bin ich, mal wieder von Dir zu hören. Hab vielen Dank
für die Zeilen. Es ist komisch, wenn ich mich nicht sofort auf-
raffe zu schreiben, komme ich gar nicht dazu. – Warum bist Du
von Essen nicht hierhergekommen? Bei uns hättest Du keinen
Nervenschock bei dem Anblick von frischen, vielen Broten bekommen, doch ich vielleicht vor Freude. In diesen Tagen hatte
ich vor nach Köln zu kommen, doch kamen dann wieder Proben dazwischen, die ich einfach nicht versäumen kann. Letzten
Montag hatten wir hier in Gels. Premiere von »Nur Du«, eine
Operette von Kollo. Stell Dir vor Hein, ich spiele da einen

ungarischen Pianisten mit schwarzem Haar und Temperament.
Die Rolle ist kurz aber reizvoll. Jetzt hat mich das Theater ganz
gefressen und ich werde wohl kaum davon loskommen. Wenn
ich doch mal eine Woche Zeit hätte!! Komm doch einfach mal
her Hein! Wir haben zwar nichts zu essen und ich nichts zu rauchen, doch das spielt keine Rolle. Komm einfach, ja? Ich bin
meist hier, da mich ab gestern das »Neue Theater« engagiert hat.
Also schieb alle Bedenken beiseite und handle. Aber wenn,
dann schon für mindestens 3-4 Tage. Ich erwarte Dich Mitte des
Monats. Grüsse Deine liebe Frau von mir und sag Dich bald te-
legraphisch an.
Dein Ernst.

BA4, 2S, eh

11   *Heinrich Böll an Ernst-Adolf Kunz*
Köln, den 15. VI. 46

Mein lieber Ernst, meine Reise muß ich immer wieder verschieben. Es sind tausenderlei neue Gründe, die immer wieder auftauchen. Hauptsächlich anhaltende Ernährungssorgen. Es ist
wirklich fürchterlich, daß der Hunger nun unser ständiger Be-
gleiter zu werden scheint. Ich glaube auch an keine Besserung.
Aber eines Tages komme ich, Ernst, dafür garantiere ich, ich
komme, sobald ich noch einige schwebende Anliegen, die wirklich meine Anwesenheit hier erfordern, erledigt habe. Ich habe
auch mein Studium wieder aufgenommen, und zwar mache ich
es so: Die halbe Woche arbeite ich bei meinem Bruder, um mich
finanziell zu halten; die andere Hälfte habe ich an der Universität belegt. Es macht mir wirklich Freude, und auch diese Einteilung ist wirklich ideal. Wenn nur diese ewigen, bohrenden,
widerlichen Sorgen um das tägliche Brot nicht wären. Oft bin
ich wirklich fast soweit, daß ich einfach im Bett liegenbleiben
möchte, und alles laufen lassen möchte. Aber der Mensch ist ein
unheimlich mobiles Tier. Irgendwie bringe ich es doch immer
wieder fertig, einigermaßen satt zu werden, zur Universität zu

gehen und auch noch zu arbeiten. Ach, Ernst, komm doch mal zu mir. Es würde mich wirklich ganz unheimlich freuen. Zu einer anständigen Tasse Tee mit »Pan-cake« und einer Zigarette hintendrauf langt [es] ganz gewiß immer noch.

Ach, es wäre doch schön, wenn wir uns einmal wiedersehen könnten; ich komme auch, ich komme ganz bestimmt, glaube mir; aber vielleicht gelingt es Dir vorher, Dich freizumachen. Wir wollen uns gegenseitig keine Vorwürfe machen, auch nicht über Briefeschreiben oder ähnliches; dafür kennen wir uns gegenseitig wirklich viel zu gut. Haben wir uns nicht manchmal fast bis zum Überdruß kennengelernt? Die Gefangenschaft ist und bleibt das furchtbare Gespenst meines Lebens, gegen das alles andere verblaßt . . .

Von Ernst Fey bekam ich vor einigen Tagen einen netten Brief, wirklich »inhaltsreich« in jeder Beziehung. Ich habe ihn in einer Berufsangelegenheit meines Schwagers um Rat gefragt, weil ich annahm, daß er zu Duisburger Schifferkreisen Verbindung hätte. In meiner Kirchenzeitung stand ein kleiner Artikel über »Pfingsten 1945-Attichy«. Das hat mich wirklich erschüttert, so realistisch und fast platt war die Atmosphäre von Hunger und Hitze geschildert . . .

Also, Ernst, eines Tages komme ich, ganz bestimmt, wenn ich es auch jetzt immer wieder hinausschiebe. Bestimmt, Du, ich komme . . .

Ob ich Dich beleidige, wenn ich eine kleine »Gedrehte« beilege? Tausend herzliche Grüße an Dich und alle Deinen
Dein Hein

BA5, 4S, eh

12   *Heinrich Böll an Ernst-Adolf Kunz*
Köln, den 15. Oktober 1946

Mein lieber Ernst, lange, lange habe ich nichts mehr von Dir gehört. Die Schuld liegt wohl bei mir, denn zu einem Besuch hätte ich wahrscheinlich mehr Zeit als Du, weil Du beruflich sicher sehr gebunden bist. Aber ich komme eines Tages, ja, eines Tages komme ich ...

Gestern Abend vor einem Jahr ist mein kleiner Junge gestorben und im nächsten Jahr wird bei uns wieder Taufe sein. Das Leben ist fürchterlich, ich kann es gar nicht begreifen. Tausendmal schon habe ich in mich hineingebohrt, um hinter dieses Geheimnis zu sehen, aber es langt niemals. Man kann sich nur beugen ... Oft zerreißen mich Angst und Not und Elend; mein einziger wirklicher und auch sichtbarer Trost ist meine Frau, alle anderen Tröstungen sind nicht von dieser Welt ...

Mein eigenes Leben verläuft eigentlich ohne jede äußere Not ... Ich habe ein Dach über dem Kopf, habe meistens etwas zu essen und sogar Tabak habe ich oft; das sind unermeßliche Reichtümer, aber das Elend ringsum in unserer niedergerissenen Stadt erdrückt mich jeden Tag aufs neue ...

Die Universität besuche ich alle halbe Jahre einmal – was soll mir das wesenlose Gerede da nützen; meinen Lebensunterhalt verdiene ich im Moment noch bei meinem Bruder als Hilfsarbeiter ... Und meine eigentliche Arbeit, meine große Freude und meine große Not ist, daß ich abends schreibe; ja, ich habe das Wagnis begonnen und schreibe ... Im nächsten Jahr hoffe ich Dir einige Ergebnisse vorlegen zu können. Es ist ein großes Auf und Ab des Überzeugtseins von mir selbst und des Bewußtseins meiner vollkommenen Unfähigkeit ...

So übe ich also drei Berufe nebeneinander aus; das kann ja nichts Rechtes werden ...

Aber vielleicht bringt ja wirklich die Zeit Rat, und wenn wir ein Jahr weiter sind, das weiß ich gewiß, werde ich zwei von meinen Berufen über Bord geworfen haben – welche beiden, das weiß Gott allein, dem ich mich völlig anvertraue ...

Schreib mir noch einmal, damit ich wenigstens weiß, daß Du noch lebst ...

Viele, viele tausend Grüße (auch von meiner Gattin)
Dein Hein

BA5, pers K, 2S, eh

13   Heinrich Böll an Ernst-Adolf Kunz
Köln, den 19. 11. 47

Mein lieber Ernst!
Ich kann Dir die glückliche Geburt eines sehr gesunden Bur-
schen mitteilen, der in der hl. Taufe den Namen Raimund Johan-
nes Maria erhalten wird. Entgegen aller Kalkulation seiner El-
tern kam er mitten in dieser Nacht; nach einigen dramatischen
Szenen – es war nicht leicht, einen Arzt zu bewegen!! – ging alles
sehr glatt und gut, und Mutter und Kind sind bereits wohlauf.
Auch der Vater . . .
In sehr großer Freude, mit tausend Grüßen
Dein Hein und Frau

BA5, pers K, 1S, eh

14   Ernst-Adolf Kunz an Heinrich Böll
Gelsenkirchen, d. 25. 11. 47

Mein lieber, guter Hein –
Ich habe Deinen Brief bekommen. Hab Dank! Du weisst, wie
gern ich kommen möchte, doch geht es vorerst wirklich nicht.
Wir hatten in letzter Zeit so viel Abstecher, dass wir kaum zu
Atem kamen. Am 1. III. fangen wir schon wieder mit den Proben
zum »Verkauften Grossvater« an. Meine Rolle ist 29 Seiten lang.
Grauenhaft! Und nur urbayrischer Dialekt. Die muss ich nun
lernen. Sobald es sich jedoch einrichten lässt, komme ich mit
Voranmeldung.
Neulich passierte mir im Biberpelz etwas Entsetzliches. Mein
2. Akt war einigermassen glatt verlaufen – nicht so wie ich ihn
wünschte, aber es ging. Der 3. Akt ist vorbei und ich steige auf
die Bühne zum 4ten. Da plötzlich bekomme ich grauenhafte
Atembeschwerden und fühle, dass ich ohnmächtig werde. Verzweifelt rufe ich einem Kollegen zu, den Vorhang nicht aufzu-
ziehen, da ich nicht auftreten kann. Stell Dir vor, dieser Trottel
lacht und glaubt, ich mache Spass, der Vorhang geht auf und

unerbittlich – wie ein Verhängnis naht mein Stichwort. Mir
bricht am ganzen Körper der Schweiss aus und ich taumele
durch die Tür in mein Amtszimmer. Mit aller Kraft versuche ich
zu sprechen – lalle – stell Dir vor – kaum verständlich – setze
mich – sehe die Gefahr, umzufallen – stehe auf, fasele was von etwas vergessen und torkele durch die Tür ab, um dann umzufallen. Du hättest die erstarrten Gesichter der Kollegen sehen
sollen.

Leise weinend fiel der Vorhang, Erdmann kommt, ich werde auf
die Anklagebank gelegt und nach 5 Minuten ging es wieder. Ich
stehe und bin wieder völlig klar. Erdmann hatte vorher dem Publikum erklärt, was vorgefallen. Nach 10 Minuten öffnete sich
der Vorhang und ich spielte wie im Traum.

Ende des Aktes kämpfte ich mit einem dollen Schüttelfrost,
aber auch der Akt ging vorüber und nachdem der Vorhang gefallen war, rannte ich in die Garderobe und hatte einen Schüttel-
frostanfall wie noch nie in meinem Leben. Mit Schnaps wurde
ich geheilt und gelangte auch glücklich nach Hause. – Am nächsten Tag war alles wieder völlig gesund. – Die Ursache dieses An-
falls ist bis heute ungeklärt. – Ich war nur froh, dass Du nicht in
der Vorstellung warst! –

Morgen fahren wir nach Gronau, das ist ein Städtchen an der
holländischen Grenze. Wahnsinn!

Ich atme mit Dir auf, dass Du alle Verpflichtungen erledigt hast.
Ja, ich kenne das Gefühl – es ist herrlich! Also nächste Woche
kann ich nicht kommen, was später ist, weiss ich noch nicht.

Grüsse Deine liebe Frau, Deinen stattlichen Jungen.

Deinem Bruder muss ich auch noch für die Holzkohle danken.
Er ist ja rührend.

Auf bald, lieber Hein.

Dein Ada.

BA5, 6S, eh

15   Heinrich Böll an Ernst-Adolf Kunz
Köln, den 3. März 1947

Mein lieber Ernst!
Zunächst vielen Dank für Deinen Brief. Ach, es ist wirklich verhängnisvoll, daß wir [uns] 1 1/2 Jahre lang – kannst Du Dich
noch entsinnen, wo wir uns zuletzt sahen? Mein Gott! – nicht
wiedersehen konnten. Ich setze alle Hoffnung auf den nun wirklich beginnenden Frühling! Zu allem Unglück habe ich mich
auch noch für mindestens drei Wochen zu Bett legen müssen,
mit einer schauderhaften Grippe. Ich hoffe aber diese Woche
wenigstens teilweise wieder aufstehen zu können. Meiner Frau
und dem kleinen Jungen geht es ausgezeichnet. Nachdem ich
zuerst die Pflege meiner Frau hatte, bin ich jetzt bei ihr in Pflege.
Einige Tage lang war unser ganzer junger Haushalt ein kleines
Krankenhaus! Zum Glück wohnen meine Geschwister im gleichen Hause, und später war dann eine nette Freundin meiner
Frau als ständige Pflegerin bei uns. Jetzt geht es mit Macht bergauf!
Damit ich es nicht vergesse, will ich Dir zunächst etwas von den
Kölner Theatern schreiben. Das eigentliche Schauspielhaus zer-
fällt in drei Spielgruppen:
1. Schauspielhaus, das jetzt nach der Rückkehr René Deltgens
wohl stark aufblühen wird. Im allgemeinen – ohne Deltgen –
ganz gut. Leider hatte ich in diesem Winter keine Gelegenheit,
mir ein eigenes Urteil zu bilden.
2. Das sogenannte Studio, eine sehr exklusive, ausgezeichnete
kleine Bühne, auf der ich eine tadellose und kühne Aufführung
des »Woycek« von Büchner gesehen habe. Eine wirklich gute
Bühne unter der Leitung eines gewissen Herrn Schalla, der vor
und nach jeder Aufführung zu sprechen ist. Das Studio spielt
vor etwa 60 Zuschauern. Sehr intim, ausdrucksvoll, unter Verzicht auf jede »Theatralik«.
3. haben wir die »Kammerspiele«, auch ein kleines Ensemble,
das auch kleinere Stücke spielt, klassische Stücke, griechische
und deutsche Klassiker. Leider mir selbst aus eigener Anschau-
ung unbekannt, aber von zuständigen Bekannten gelobt.

Als 4. ist noch eine Art Heimatbühne, das sogenannte »Millowitsch«, populär und beliebt. Nicht schlecht, aber ich könnte
mir denken, daß Du von dieser Art vorläufig genug hast. Das Beste wäre wohl das »Studio«. Und ich glaube, Du könntest leicht
mit dem Spielleiter in Konnex kommen. Herr Schalla wird allerdings, soviel ich höre, bald nach Düsseldorf gehen. Vielleicht
versuchst Du mal Dein Glück. Die anderen drei Theater fallen
unter die Kategorie der »Städtischen Bühnen Köln«.
Sobald ich wieder aus dem Bett bin, werde ich Dir alles, was ich
selbst an verfügbaren und brauchbaren Bühnentexten habe, zuschicken. Zu kaufen gibt es fast nichts, aber ich werde die Augen
offenhalten. Was ich Dir von mir schicke, kannst Du vorläufig
als auf 99 Jahre geliehen betrachten; es muß sehr qualvoll für
Dich sein, auch darin behindert zu sein. Aber Mut, Mut und Vertrauen! Wir werden beide viel arbeiten müssen! Ich setze nach
diesem grauenhaften Winter alle Hoffnung auf den beginnenden Frühling. Hätte man nur nicht diese tägliche Plackerei um
das Essen und den Brand – nicht diesen aufreibenden Kampf
um die allernotwendigsten Dinge! Aber vielleicht gehört das
mit zu unserem Beruf! Sobald ich Papier und Nerven genug habe, schicke ich Dir auch die Abschriften einiger Novellen von
mir. Ich werde jetzt die ersten Schritte an die Öffentlichkeit wagen . . .
Mein Roman ist im Entwurf fertig, danach kommt die lange,
sehr mühevolle Kleinarbeit und das elende Maschinenschrei-
ben! Ich werde bald von mir wieder hören lassen . . .
Viele Grüße auch von meiner Frau und vielen Dank für die herzlichen Wünsche.
Mit vielen Grüßen an alle Deine
Dein Hein

BA4, 2S, eh

16   Heinrich Böll an Ernst-Adolf Kunz
8. 5. 47

Mein lieber Ernst, verzeih, daß ich Dir auf Dein schönes kleines
Päckchen so lange nicht geantwortet habe: Ich habe schwer gearbeitet und bin nun mit meinem Roman und etwa zehn [unle-
serliches Wort] Geschichten fertig. Die ersten Schritte an die
Öffentlichkeit sind getan! Fehlt nur noch Antwort ... Anbei
noch einen (leider recht schmutzigen und defekten) Shaw, den
ich noch in einem Antiquariat fand. Besuch im Laufe des Juni gewiß!!
Dein Hein

APK, eh

17   Heinrich Böll an Ernst-Adolf Kunz
Köln, den 4. Juni 1947

Mein lieber Ernst!
Ich muß Dir unbedingt noch einmal schreiben, obwohl im
Augenblick die Hitze hier bei uns geradezu erdrückend ist.
Meine Arbeit schreitet gut fort. Sogar einige kleine Möglichkeiten eines Erfolges zeigen sich bereits am Horizont. Im »Karussell« (erscheint in Kassel) wird demnächst eine kleine Geschichte von mir erscheinen, und im »Rheinischen Merkur«
(einer Zeitung) hatte ich neulich als bescheidenen Beitrag,
einen Teil einer umfangreichen Novelle. An sich könnte ich mit
diesen Ergebnissen nach nur halbjähriger Arbeit zufrieden sein.
Aber ich sehne mich natürlich nach einem durchschlagenden
Erfolg, nicht um des Erfolges willen, sondern weil ich dann
künstlerisch und inhaltlich keine Kompromisse mehr zu machen brauche.
Ich werde Dir selbstverständlich alles »Gedruckte« von mir
gleich zuschicken. Es würde mich riesig interessieren, Deine
Kritik und Deine Anteilnahme zu hören.
Leider kann ich Dir so nichts schicken, weil ich wegen Papier-

mangels keine Abschriften machen konnte. Jetzt, wo es fast zu spät ist, habe ich Papier genug, durch die Hilfe meines Bruders, der mir neulich 1500 Bogen besorgte.

So habe ich im ganzen 17 kleine Geschichten bei verschiedenen Zeitschriften und Verlagen unterwegs, und warte natürlich mit Spannung auf das Echo.

Ansonsten habe ich den Roman fertig. Er wird in spätestens 10 Tagen seine Reise antreten. Es war eine wahnsinnige Arbeit, 200 Schreibmaschinenseiten entwerfen, überarbeiten, dreimal abschreiben, wieder überarbeiten. Ich bin vollkommen »erledigt«, sehe aber aufreizend gut aus. Vielleicht darum, weil diese Arbeit mir ungeheure Freude macht.

Nun wird die ganze Chose noch einmal korrigiert, und dann weg damit! Ich werde diesen Roman nie mehr im Leben lesen, er kommt mir zum Halse heraus!

Wenn das Paket endlich auf der Post ist, werde ich mir mit meiner Frau eine Flasche Wein leisten!

Aber wie geht es Dir? Hast Du Hunger? Hast Du Tabak? Und was macht Deine Arbeit? Schreibe mir einmal alles, es interessiert mich lebhaft. Schreibe mir einmal ausführlich alles!

Bei diesem Wetter bin ich oft in Attichy!

Was macht Ernst Fey? Er kündigte [unleserliches Wort] einen Besuch an (er scheint in Bonn zu studieren), ist aber nicht gekommen!

Hast Du die »Heilige Johanna« von Shaw bekommen? Schreibe mir alles, noch besser: komm selbst. Eines Tages komme ich bestimmt nach Gelsenkirchen. Unser kleiner Raimund macht uns nur Freude. Er ist von einer sehr stabilen Gesundheit, hat sein Geburtsgewicht in drei Monaten reichlich verdoppelt und lächelt schon seit geraumer Zeit höchst freundlich. Er ist wirklich ein reizender Bursche, meistens sehr liebenswürdig, aber in puncto Nahrung unerbittlich. Außerdem ist er – tatsächlich! – der Haupternährer der Familie. Was wir an Fett, Zucker und Nahrungsmitteln von ihm »mitbekommen«, ohne ihn zu schädigen, übersteigt schwarzmarktmäßig unser gemeinsames Monatseinkommen ganz erheblich. Wahrhaft eine tolle Leistung für einen dreieinhalb Monate alten Säugling.

Schreibe mir sofort. Soll ich Dir lieber mit der Schreibmaschine
schreiben?
Auch meiner Frau geht es ausgezeichnet. Die ganze Familie
blüht und gedeiht. Ich werde geradezu fett!
Schreibe mir!
Ich grüße Dich herzlich, auch von meiner Frau und dem Jungen
Dein Hein

BA5, 3 1/2S, eh

18   *Ernst-Adolf Kunz an Heinrich Böll*
Gels., d. 9. Juni 47

Mein lieber Hein –
Bei einem anderen Menschen hätte ich jetzt ein unendlich
schlechtes Gewissen. Bei Dir nicht –.
Ja, Hein, ich weiss, dass Du mich verstehst, wenn ich Dir sage,
dass ich Dir nicht schreiben konnte, weil es in meinem Leben etwas gab, das alle Begriffe auf den Kopf stellte und das mir fast
keine Zeit liess, mich selbst wiederzufinden –
In dieser Zeit kam mir oft der Gedanke, zu Dir zu fahren, doch
das ging wieder nicht, weil mein Beruf mich jeden Abend in Anspruch nimmt. – »Die heilige Johanna«, wieviel Freude hast Du
mir damit gemacht. Hab tausend Dank, lieber Hein. Und jetzt
Dein Brief. Ach, weisst Du, es gibt so viel, was ich Dir sagen
möchte, doch womit soll ich anfangen? Deine Gedichte – wie
gern hätte ich sie hier und wie gespannt bin ich darauf. Und erst
der Roman! Ich glaube, dass Du sehr viel Arbeit damit hattest. –
Im Juli bekommen wir 28 Tage Ferien. Soll ich dann für 2-3 Tage
zu Dir kommen? Es wäre zu schön! Ich habe da noch einen Plan,
den ich mit Dir besprechen möchte. Vielleicht kann man ihn
realisieren. Nun, Anfang Juli schreibe ich Dir noch mal und warte dann auf Deinen Bescheid. –
Schön ist das Leben hier nicht. Nun Du weisst ja. Das Essen so
viel, dass man nicht verhungert. Tabak! Bald bin ich Nichtrau-
cher im Verhältnis zu unserer Gefangenschaft. Oft habe ich Tage

nichts. – Aber wem geht es nicht so? Ich erzähle Dir mal, was ich schon alles gegen Tabak getauscht habe.

Hein, wir müssen uns mal wiedersehen. Weisst Du noch, vor 2 Jahren so was, lernten wir uns kennen. – Vielleicht kannst Du auch eher mal kommen? Das macht keine Umstände bei uns. Schreib mir bald. Ich grüsse Deine liebe Frau und Deinen Sprössling.

Immer Dein Ernst

BA4, 2S, eh

19   *Heinrich Böll an Ernst-Adolf Kunz*
Köln, den 13. Juni 47

Mein lieber, lieber Ernst!

Schnell will ich Dir auf Deinen Brief antworten! Morgen fahre ich nämlich aufs Land, Kartoffeln hamstern, eine mühselige Quälerei. Da komme ich nicht zum Schreiben. Und Du sollst sofort Antwort haben.

Zunächst: Komm unbedingt! Im Juli, vielleicht in der ersten Hälfte des Juli, solange Du willst und kannst. Wir müssen uns unbedingt noch einmal sprechen und ich möchte Dir gerne meine Arbeiten zeigen. Wir haben eine prächtige Couch, auf der Du pennen kannst, wohnen 3 Minuten vom Rhein; eine herrliche Allee, wo man keine Trümmer sieht, und ich bin frei: Jederzeit frei! Also, komm, und ernährungsmäßig geht es uns nicht schlecht; alle vier Wochen bekommen wir ein Paket aus England. Leider immer ohne Tabak. Aber immerhin . . .

Also: für Essen und Rauchen sorge ich hier, mach Dir keine Bange. Und meine Frau freut sich sehr, Dich kennenzulernen. Ebenso mein kleiner Bursche, gewiss. Mein Roman liegt fix und fertig verpackt auf dem Tisch und geht morgen auf die Reise zum Verlag. Im ganzen über 1200 Schreibmaschinenseiten (6 Exemplare)! Wahnsinn, Wahnsinn! Mir brummt der Schädel. Ich werde ihn nie mehr in meinem Leben lesen! Das »Karussell« – kennst Du es eigentlich? – hat noch eine zweite Geschichte

von mir angenommen, und hat mir einen sehr ermutigenden
Brief geschrieben.
Vor allem also: komm! Anfang Juli, wenn Du willst früher, ganz
gleichgültig. Bis zum 15. Juli sind wir hier. Später wollen wir zu
einem Besuch nach Brilon. Also: los!
Ich grüße Dich herzlich, auch von meiner Frau
Dein Hein

Wir können dann alles, alles besprechen! Vielleicht ahne ich
einiges!

BA5, pers K, 2S, eh

20   *Heinrich Böll an Ernst-Adolf Kunz*
Köln, den 17. 7. 47

Mein lieber Ernst, mit grosser Spannung warte ich auf das Echo
meines Romans. Hier hat wieder Hitze eingesetzt, als deren Folge die ganze Familie schachmatt ist. Ausserdem bringt der Briefträger hartnäckig: nichts. Zu allem kommt ein gewisses Reise-
fieber, denn die Umstände, die mit unserer Reise verbunden
sind – Kinderwagen und grosse Koffer – machen uns völlig nervös. Ausserdem hat man meiner Frau gestern in der Strassenbahn sämtliche Marken geklaut, sämtliche. Das bedeutet zum
Glück noch keinen Hunger, aber unendlich viel Ärger und
Kampf mit bürokratischen Institutionen. Und trotzdem geht es
uns gut, wirklich. Wenn Du mir schreiben willst: ab Dienstag
nächster Woche: Brilon i. W., am Etzelberg, bei Fam. Schneider.
Schreibe mir bald. Ich grüsse Dich und die Deinen alle von meiner Frau, dem kleinen Burschen und mir herzlich
Dein Hein

APK, m

21   Ernst-Adolf Kunz an Heinrich Böll
Gels., d. 20. Juli 47

Mein lieber Hein –
Nun bin ich schon über eine Woche zu Hause, und immer noch
nicht habe ich Dir geschrieben. Diesmal kann ich mich aber mit
einer anspannenden Arbeit entschuldigen. – Kaum hier angekommen, bat mich Erdmann in der Operette »Land d. Lächelns«
zu gastieren. Ihm zu Gefallen nahm ich an und schon am nächsten Tag begannen die Proben. 16 Tage lang – Tag für Tag – muss
ich nun nach Bochum. Heute am Sonntag zwei Vorstellungen!
Natürlich macht es mir auch Spass. Ja, und morgens war so viel
zu besorgen – zu regeln, dass ich kaum weiss welcher Tag gerade
ist. Erst spät am Abend kam ich dazu, Deinen Roman zu lesen.
O ja, dazu habe ich mir die Zeit genommen. Hein, was soll ich
Dir jetzt darüber schreiben!? Ach, es gäbe so viel zu sagen. 2mal
las ich den Roman und nun bin ich fest davon überzeugt, dass
ich ihn bald ein drittes Mal lesen werde: gedruckt und gebunden.
Doch Hein, Du kannst voll Zuversicht sein. – Wenn die kritisie-
renden Herren auch nur einen Tag Landser waren, müssen sie
sich für Dich aussprechen. Vielleicht hast Du auch darin Glück,
dass sie nebenbei noch Menschen sind, nicht wahr? – Noch in
nächster Woche hoffe ich, Dir alles zurückschicken zu können.
Meine Schwestern interessieren sich sehr dafür. – Wenn Du
kommst, sprechen wir über alles. –
Unglaublich märchenhaft scheinen mir die Tage, die ich im
Kreis Deiner Familie erlebte. Jetzt dieser Trubel reibt mich zu
sehr auf. Nein, wirklich es war sehr schön bei Dir. – Bitte, ich
vergass ganz, mich von Deiner Schwester, Deinem Bruder und
Vater zu verabschieden, grüsse sie herzlich. Die innigsten
Grüsse Deiner lieben Frau. Der kleine Schwergewichtler soll
gesund bleiben wie bisher.
Ich bin immer
Dein Ernst.

BA4, 2S, eh

22   *Heinrich Böll an Ernst-Adolf Kunz*
Brilon, den 29. VII. 47

Mein lieber Ernst, Dein Brief hat uns sehr gefreut, weil daraus zu
entnehmen war, daß es Dir wirklich bei uns gefallen hat. Es waren auch für uns schöne Tage, sehr sorglos und frei und üppig.
Unsere Ferienreise ließ sich erst sehr betrüblich an, weil meiner
Frau sämtliche Marken geklaut wurden, für die es keinen Ersatz
gab, und weil meine Geld-Reserven natürlich vor der Abfahrt
völlig erschöpft waren. Aber im Zusammenspiel aller Böller
wurde auch dieser Schaden behoben, die Reise verlief prächtig
mit dem Kleinen. Wir bekamen sogar in Arnsberg ein Hotelzim-
mer. Sogar etwas Tabak hatte ich noch.
Da unser »Brotcoup« mitgeklaut war, schrieb ich in völliger Verzweiflung den ersten und letzten Bettelbrief meines Lebens an
Ernst Fey: ich wußte mir einfach keinen Rat mehr, und hoffe,
daß du mich deswegen nicht verachtest. Seidem der Brief weg
ist, habe ich mir schon viele Kopfschmerzen gemacht. Schreibe
mir unbedingt, was Du davon hältst.
Hier ist es herrlich. Nur Wald, Wald, unabsehbare Wälder, die
wir glücklich umschlungen mit dem Kinderwagen durchwan-
dern. Der Kleine kräht vor Vergnügen. Ansonsten schwelgen
wir geradezu in Obst. Meine Frau hat im Augenblick zu klebrige
Finger vom Kirschenpflücken, um persönlich einen Gruß zu
schreiben: Sie läßt Dich herzlich grüßen, auch der kleine Raimund.
Aber auch Dich muß ich anbetteln. Könntest Du uns je eine Flasche »Wundersam« besorgen? Und schicken? Du Armer! Du
scheinst auch in Deinen Ferien keine Ruhe zu haben. Nächstens
mehr
herzlich Dein Hein
Ich wünschte ich könnte Deinen Optimismus bezügl. des Romans teilen!
[unleserlich] Grüsse
Dein Hein

BA5, 2S, eh

23   Ernst-Adolf Kunz an Heinrich Böll
Gelsenk. 18. VIII. 47

Mein lieber Hein –
Ich habe wirklich ein ganz schlechtes Gewissen. Nun bekomme ich schon Deinen zweiten Brief und habe nicht mal auf den ersten geantwortet – geschweige Deine »Wundersam«-Wünsche erfüllt. Verzeihst Du mir? – Es ist nämlich so, dass ich in letzter Zeit so wahnsinnig viel zu laufen, zu organisieren und zu planen habe, dass ich kaum an etwas anderes denken kann. Stell Dir vor: am 2. Sept. wollen wir unser »Central-Theater« eröffnen und die Schwierigkeiten der Beschaffung von Holz, Zement, 400 Stühlen, Farben, Leinwand, Kostüme, Rollenmaterial, ja Tänzerinnen etc., das alles wächst uns fast über den Kopf. Noch knappe 14 Tage und noch keine Probe für »Katharina Knie« von Carl Zuckmayer. Wirklich eine Kuliarbeit! In den letzten Tagen engagierte ich eine Soubrette, eine komische Alte, eine Sängerin, eine Souffleuse und einen Elektriker. Ich habe in dieser Hinsicht freie Hand. 3 Tänzerinnen muss ich nun in 3 Tagen beschaffen. Ich weiss keine. Weisst Du, wenn es nicht um die Existenz von so vielen Kollegen ginge, möchte man die Sache hinschmeissen. – In dem Stück habe ich eine prächtige Rolle, die mir etwas Sorge macht, da sie im badischen Dialekt geschrieben ist. (Das Kölner fiele mir leichter!!) Ja, und gelernt muss diese Rolle auch noch werden. – Trotzdem, lieber Hein, Du bekommst das »Wundersam« und noch andere Medikamente und nicht zu vergessen den Roman. Ach, es ist sehr schade, dass ich Dich nicht mal sprechen kann, um alle Deine pessimistischen Anwandlungen zu zerstreuen. Du schaffst es, Hein, bestimmt, mehr kann ich Dir jetzt nicht sagen, da ich ja noch Vorstellung habe und diese beginnt gleich. Zum Erfolg im Rhein. Merkur gratulier. Hein, in diesem Monat und Anfang des nächsten hätte ich wenig Zeit für Dich. Vielleicht kommst Du Mitte Sept. – zu meinem Geburtstag am 19ten, ja? Ich würde mich rasend freuen. Und bring alles mit, was Du geschrieben hast. Auch die Gedichte!! Grüsse an Deine Frau, an den Klotz, an Dich. Dein Ernst.

BA5, 2S, eh

24   *Ernst-Adolf Kunz an Heinrich Böll*
Gelsenkirchen 28. VIII. [1947]

Mein lieber Hein –
Na also, was soll denn Dein Pessimismus? Gerade erhielt ich
das »Karussell«. Herrlich, Hein! Ich glaube, das ist ein ganz grosser Satz nach oben. Und habe ich es nicht gesagt, nachdem ich
gerade diese Novelle gelesen hatte? Ach, ich möchte jetzt bei
Dir sein, schon allein, um Dich mal ganz glücklich zu sehen – in
jeder Beziehung –. Die kleine Biographie am Schluss des Heftes
ist köstlich. Dienst am Kunden!! Z. B. weiss ich jetzt für immer,
wann Du Geburtstag hast. –
Ich danke Dir sehr, dass Du mir das Heft geschickt hast. In meiner Buchhandlung werde ich es auch bekommen – Du kannst
dieses dann wiederhaben. –
Trotz erschütterter Finanzen (in 3 Tagen ist der »erste«) leiste ich
mir eine »Camel« auf Dein Wohl. Den Likör verwahre ich, bis
Du hier bist. – Ich freue mich enorm! Auch Dein Brief ist hier. –
Na, Mitte Sept. sehen wir uns wieder. – Grüsse Weib und
Kind!
Sind sie sehr stolz?
Bald mehr! Stets Dein Ernst

Bitte, Deine Geschwister lasse ich grüssen! Alois und Schwester.

BA5, 2S, eh

25   *Ernst-Adolf Kunz an Heinrich Böll*
Gelsenk. d. 5. Sept. 47

Mein lieber Hein.
Deine Novelle feiert Triumphe. – Bestimmt! In der Familie hat
sie grossartig gefallen. Die kleine Kollegin von mir, ich erzählte
Dir davon, ist wirklich begeistert. Sie ist eine der wenigen Frau-
en, die unbestechlich sind und die etwas von Literatur verstehen – weniger aus erlesener Bildung als aus unverdorbenem

Impuls. Heute bat sie mich, das Karussell noch einen Tag behalten zu dürfen, da ihre Mutter ebenfalls die »Botschaft« lesen wolle. – Gern erfüllte ich ihr die Bitte. – Hein, wenn Du herkommst,
bring doch etwas mit. »Die blaue Kaskade«, »Die Brücke« etc.,
ja? Auch die Gedichte! – Meine Zeit langt wirklich nur für diesen Brief. – Vielleicht kannst Du den Roman mitnehmen?!
Nicht böse sein! – Anbei schon mal das Rezept mit Anleitung
von meinem Vater verfasst.
Bald mehr. –
Stets Dein Ernst
Grüsse die ganze Familie!

BA5, 2S, eh

26   *Heinrich Böll an Ernst-Adolf Kunz*
Köln, den 8. Sept. 47

Mein lieber Ernst, es freut mich, dass Euch die Geschichte gefallen hat. Leider ist auch durch ihr Erscheinen meine Depression
nicht überwunden. Vielleicht bin ich allzu ungeduldig. Wir sprechen noch darüber.
Das Manuskript des Romans will ich gerne selbst wieder mitnehmen. Also, wenn nichts Aussergewöhnliches geschieht,
komme ich am 19. 9., muss aber dann spätestens am 21. morgens
wieder abfahren. Es ist wirklich sehr schwierig. Meine Frau hat
am 19. wieder in der Schule angefangen, da muss ich während
einiger Stunden das Kindermädchen spielen. Diese Beschäftigung ist mir die liebste, lieber als alles andere. Der Bursche kostet mich unheimlich viel Zeit und Schlaf. Denn wenn ich mit
ihm spiele, bleibt die Arbeit liegen und zieht sich bis in die
Nacht, morgens aber stehe ich früh auf, schon durch das Erscheinen der Taube gezwungen. Ich hoffe, dass ich Dich wegen der
Kürze meines Besuches durch eine Wiederholung entschädigen
kann. Ende des Monats reise ich wieder in Eure Gegend, dann
komme ich selbstverständlich wieder. Vor allem möchte ich die
nun einsetzende Regenperiode zur Arbeit ausnutzen. Die Hitze

hatte mich völlig demoralisiert. Herzlichen Dank auch für das Schweissfussrezept, richte doch bitte Deinem Vater meinen Dank aus und grüsse alle Deinen.

Von allen hier, Bruder und Schwester und Vater natürlich, ebenso von Frau und Kind soll ich Dich herzlich grüssen.

Also, ich komme am 19.

Dein Hein

[ehZ] Du kannst das »Karussell« selbstverständlich behalten. Demnächst erscheint »Der Angriff«.

BA5, 2S, m

27   *Heinrich Böll an Ernst-Adolf Kunz*
Köln, den 27. 9. 47

Mein lieber Ada, es war sehr, sehr nett bei Euch, was zur Folge haben wird, daß ich nun öfters komme. Die Rückfahrt war reibungslos, ich war bereits um Viertel nach sieben in Köln, brauchte aber von Deutz noch einmal zwei Stunden bis nach Hause. Wahnsinn wäre fast die Folge gewesen. Trotz äußerst deprimierender Post – einige Geschichten kamen zurück! – bin ich sehr zuversichtlich. Ein seit Stunden strömender Regen versetzt mich in eine berauschte Stimmung. Gestern reizende Wiedersehensfeier mit Frau und Kind. Der Kleine brachte mir als Geschenk zwei weitere Zähne dar und begrüßte mich mit schallendem Gelächter. Jetzt werde ich arbeiten, arbeiten, arbeiten! Hoffentlich hat Deine [unleserliches Wort] Expedition doch noch geklappt. Also, bald sehen wir uns wieder, vielleicht findet einer von Euch auch noch einmal den Weg zu uns. Vielleicht [unleserlich] Köln. Grüße Deine Schwestern herzlichst, ebenso Deinen Vater, dem ich Bericht erstatten werde. Viele Grüße von Frau und Kind

Hein

Das Gummiband ist für die jungen Damen!

APK, eh

28   *Ernst-Adolf Kunz an Heinrich Böll*
28. 9. 47 [Stempel]
Recklinghausen
= Hein Böll, Schillerstr. 99, Köln-Bayenthal =
= Dienstag 30. 19 Uhr Premiere = Ernst Kunz

T

29   *Heinrich Böll an Ernst-Adolf Kunz*
Köln, den 4. 10. 1947

Mein lieber Ada, eben finde ich noch einen Gutschein für den »Merkur«. Falls Du noch Interesse daran hast, schicke ihn ausgefüllt nach Koblenz. Es war wieder sehr nett bei Euch, gerne käme ich öfter, aber ich muß jetzt endlich einmal etwas tun, ernsthaft. Trotzdem, ich komme noch einmal. Richte Deinem Vater folgendes aus: Ich habe einen Interessenten aufgegabelt, der sich im Laufe der nächsten Woche entscheidet. Sollte das Ergebnis positiv sein, schreibe ich Deinem Vater sofort. Noch etwas Praktisches: Deine Schwester Wera wollte mir freundlicherweise bei einem Schuhtausch Beziehungen und Hilfe zur Verfügung stellen. Frag sie doch bitte, ob ich ihr die Schuhe schicken darf! Schreib mir noch mal und schicke mir unbedingt die Kritiken von »Katharina«.
Ich bin meistens deprimiert, bin wirklich in einer sehr ernsthaften Krise, ohne Scherz. Künstlerisch sowohl wie menschlich. Es ist schade, daß du so weit wohnst, es wäre schön, manchmal mit Dir darüber zu reden. Ich bin froh, daß ich nun auch Deine Mutter kennengelernt habe. Grüße sie besonders herzlich von mir. Sehr, sehr gerne würde ich Euch noch einmal [ein] paar Geschichten vorlesen, vielleicht komme ich eines Tages einfach, wenn die elenden praktischen Winterfragen geklärt sind. Kartoffeln, Briketts, Anstreichen!!! Grüße Deine Schwestern innigst von mir, auch Deinen Vater,
herzlich und auf Wiedersehen Hein und Frau und Raimund
Denk an die Kritik!

BK, eh

30   Heinrich Böll an Ernst-Adolf Kunz
Köln, 28. 10. 1947

Mein Lieber, ich schicke Dir die Kritik gleich zurück, damit ich
sie nicht verliere. Das ist doch ausgezeichnet, nicht wahr? Jedenfalls doch sehr »wohlwollend«. Selbstverständlich komme ich
zum »Biberpelz«. Deiner Schwester Wera vielen Dank für ihre
Bereitwilligkeit mir zu helfen, aber die Schuhe sind inzwischen
verscheuert. Ich habe noch ein Paar englische D.Schuhe, die ich
von einem Bekannten geschenkt kriegte. Ich wünsche Dir viel
Freude an Deiner Arbeit. – Hier ist es grausam kalt geworden. Es
friert schon.
Herzliche Grüße an Eltern und Schwestern
Hein

APK, eh

31   Heinrich Böll an Ernst-Adolf Kunz
Köln, den 29. 10. 47

Mein lieber Ada!
Schreib mir doch noch mal, was Euer kleines Theater macht,
und wie es Dir geht. Auch die Kritiken von »Katharina« interessieren mich sehr. In vier Wochen vielleicht werde ich Dir
meinen ersten dramatischen Versuch vorlegen, ich bin sehr gespannt, was Du dazu sagen wirst. Aufführbar wird das Ding bestimmt nicht sein, schon seiner politischen Offenheit wegen,
aber zunächst interessiert mich einmal zu erproben, wie ich mit
den sprachlichen, technischen und bühnenhaften Momenten
fertig werde. Es ist sehr schwer. Vielleicht komme ich dann noch
einmal einen Tag. Es tut [mir] wirklich sehr leid, dass ich betr.
des Bilderverkaufs noch kein positives Ergebnis erzielt habe.
Ich habe mehreren Leuten Abschriften von der Liste gegeben,
die Dein Vater mir damals aufstellte. Jetzt besitze ich leider keine Abschrift mehr, um weitere mögliche Käufer zu interessieren. Kannst Du mir noch einmal eine Liste schicken? Die

meisten Kunsthändler suchten die Namen der Maler in irgendeinem für sie offenbar massgebenden Lexikon, fanden sie dort
nicht und liessen dann nichts mehr von sich hören. An sich ist aber
das Interesse gross, so dass ich es weiter versuchen möchte.
Schreib mir nur ganz kurz. Das Schicksal Eures kleinen Theaters
liegt mir wirklich sehr nahe. Wir schlagen uns ganz gut durch,
sogar Heizmaterial haben wir zunächst bis Weihnachten sicher.
Finanziell bin wieder einmal völlig ruiniert, auch bringt der
Briefträger keine literarischen Novitäten mehr, ich habe aber
sehr viel unterwegs, und hab sogar in Köln einige kleine Verlage,
die sich für meine Arbeit interessieren, leider hab ich nur im
Augenblick gar nichts, was ich ihnen anbieten könnte, da ich alles weggeschickt habe. Einzig »die blaue Kaskade«, aber ich habe
keine Lust, sie so gründlich zu überarbeiten, wie es erforderlich
wäre. Grüss mir Deine charmanten Schwestern, besonders herzlich Deine Mutter und Deinen Vater, ich komme bald noch einmal, und schreib mir einmal nur ein paar Zeilen. Besuch, ganz
kurzer, völlig unmöglich, vielleicht Weihnachten? Überleg es
Dir.
Mit vielen herzlichen Grüssen
an Euch alle
Hein und Frau und Kind

Z, m

32   *Heinrich Böll an Ernst-Adolf Kunz*
Köln, den 16. XI. 47

Mein lieber Ada!
Ich bin froh, daß du noch einmal etwas von dir hast hören lassen. Im übrigen bist du wirklich jederzeit bei mir wegen Arbeits-
überlastung entschuldigt. In den Tagen, die ich bei Dir war, habe
ich genug Einblick gehabt, wie anstrengend Euer Leben ist. Ich
glaube nicht, daß ich soviel regelmäßige Energie aufbrächte.
Uns geht es ernährungsmäßig ganz gut. Wir haben Kartoffeln,
Brot und Briketts. Aber unser kleiner Bursche leidet schon seit

fast zwei Monaten an einer für ihn sehr beängstigenden Bronchitis, die ihn nachts buchstäblich alle zehn Minuten aufwachen läßt. Dann muß er immer sehr liebevoll beruhigt und in Schlaf gewiegt werden. Unsere Nerven sind restlos zu Ende, wie Du Dir denken kannst, und zur Arbeit komme ich fast gar nicht mehr; dauernd bin ich müde und oft auch gereizt. Meine Frau tut mir besonders leid, sie hat nicht nur die meiste Mühe, auch noch die Schule und meine gelegentliche Gereiztheit zu ertragen.

Nun ging es dem Kleinen einige Tage besser; da mußte er mühsam wieder seiner nächtlichen Privilegien entwöhnt werden, was bedeutet »schreien lassen« bis zu 4 Stunden, von 8-12 oder 9-1 nachts, je nach dem Erwachen. Der arme kleine Kerl ist wirklich noch bewundernswerter als wir, er ist ja absolut unschuldig. Er ist ein reizender Bengel geworden: hübsch, lebhaft und sehr freundlich, wenn er nicht krank ist. Sein Appetit hat nie nachgelassen; diese asthmatische Beklemmung wird von seiner Ärztin auf allzu vehementes Zahnen zurückgeführt. Es ist in keiner Weise gefährlich, der Bursche gedeiht prächtig dabei; nur sehr sehr aufreibend für beide Teile ...

Wir haben, solange der Vorrat reichte, fast eimerweise Tee getrunken. Unsere Nerven sind restlos hinüber, aber der Kleine scheint jetzt besser zu werden und wir freuen uns wenn wir bald wieder einige Nächte friedlich pennen können ...

Ich habe einige kleine Arbeiten wieder anbringen können. Eine in »Merkur«, die aber erst frühestens Ende Januar erscheinen kann wegen Papiermangels. Zwei andere kleine Geschichten in den »Hessischen Nachrichten«, vermittelt durchs »Karussell«; ich werde Dir jede gleich schicken ...

Vom Roman höre und sehe ich nichts, pumpe aber frischweg auf die fatal geringe Möglichkeit hin, daß er untergebracht wird.

Demnächst wird hier bei uns Zuckmayers »Des Teufels General« mit Deltgen gespielt. Vielleicht kannst Du dann doch mal schnell kommen. Aber vorher hoffe ich doch noch zu Dir kommen zu können. Meine dramatischen Versuche sind unter den beschriebenen Umständen steckengeblieben. Von geplanten 5 Szenen, die ich im Plan fertig zu haben glaubte, ist eine glücklich zu Papier gebracht; ziemlich kläglich, aber ich werde weiter wühlen.

Demnächst – ich hoffe bis Weihnachten – werde ich auch oben meine kleine Bude haben; für meine Arbeit hoffe ich viel davon.

Jetzt hat sich zu allem Unglück – auch zum Glück – der Anstreicher angemeldet; das kostet wieder eine volle Woche Chaos und Unmöglichkeit zu arbeiten, abgesehen von der erneuten Belastung meines Kredits, die unerläßlich sein wird.

Nebenbei bin ich auch gründlich erkältet, eine Folge nächtlicher Barfuss-Unternehmungen zur Beruhigung des Sohnes. Der Kleine ist wirklich reizend geworden. Wenn Du Dir das vorstellen kannst: seine Mutter in Blond.

Schreib mir noch mal, sobald Du Zeit hast und Ruhe. Sollte es Dir gar möglich sein, mir Optalidon oder Saridon zu schicken, wäre ich restlos glücklich. Es ist das einzige, was mir hilft. Vor allem für meine Frau wäre ich froh darum.

Ich kann es hier nirgendwo bekommen. Wird wahrscheinlich alles vermaggelt. Auch meine inzwischen zu Ärzten gewordenen Schulkameraden versagen vollkommen. Laß Dich aber dadurch nicht beunruhigen.

Am liebsten wäre ich gleich nächste Woche zu Eurem Molière gekommen, aber ich kann meine Frau jetzt schlecht alleine lassen. Sie ist völlig aufgerieben. Sobald der Kleine wieder mobil ist und nachts durchschläft, komme ich noch einmal, auf jeden Fall vor Weihnachten. Ich freue mich wirklich darauf.

Grüße Deine Mutter herzlich von mir, auch Deinen Vater und nicht zu vergessen die jungen Damen des Hauses . . .

Herzlich, viele, viele Grüße von Frau und Kind

Dein Hein

BA5, 4S, eh

33   Heinrich Böll an Ernst-Adolf Kunz
Köln, den 1. Dez. 47

Mein lieber Ada! Ich brauche Dir nur ein Wort zu sagen: Anstreicher. Seit 10 Tagen Anstreicher in unserer Wohnung, und noch weitere 8 Tage. Ich irre völlig heimatlos umher, helfe hier und da,

habe sämtliche Möbel schon mindestens 6mal umgepackt, ebenso alle Bücher. Aber der Erfolg ist die Mühe wert: es wird alles
schön.

Angesichts des beklagenswerten Zustandes unserer beiden Räume habe ich mich entschlossen, diese arbeitslosen 3 Wochen an
die vergangenen 6 noch anzuhängen, so daß ich Weihnachten
mit vollen Segeln in einer schönen Wohnung auf das wüsteste
wieder zu arbeiten hoffe. Inzwischen ist »Der Kumpel mit dem
langen Haar« erschienen, leider habe ich vom Verlag kein Exemplar bekommen, nur mit knapper Not eines hier aufgetrieben;
mein Abonnement ist mir gekündigt, da die Auflage des Karussell um 10 000 Exemplare verringert werden mußte. Ich muß
Dich also um etwas Geduld bitten.

Außerdem erhielt ich einen sehr Hoffnung erweckenden Brief
von einem Verlag, der mich aufforderte, einige Arbeiten einzureichen, die möglicherweise in einem Sammelband »Junger und
jüngster deutscher Prosa« erscheinen sollen. So sehe ich auch
meine finanzielle Lage etwas aufblühen.

Wie geht es Dir? Schreib mir noch einmal. Im Augenblick bin ich
außerstande, das Haus zu verlassen. Meine Schuhe sind kaputt
und draußen ist wilder Schneematsch.

Unserem kleinen Jungen geht es wieder gut. Er hat sich toll gemacht. Er hat mit Riesenschritten die halbbewußten Gefilde des
Säuglings verlassen und wird allmählich Knabe. Die Ähnlichkeit
mit seiner Mutter nimmt von Tag zu Tag zu. Gott sei Dank!

Was macht Euer Theater und was spielt Ihr? Mein dramatischer
Versuch ist natürlich in den Anstreicherarbeiten steckengeblieben. Bald, bald geht es weiter.

Schreibe mir sofort und habe, bitte, ein wenig Geduld mit dem
»Kumpel mit dem langen Haar«. Mir selbst gefällt die Geschich-
te nicht mehr, ich würde sie nicht noch einmal veröffentlichen.
Ich glaube, sie erweckt ein falsches Bild von meinen Zielen.

Ich grüße dich herzlich; ebenso Deine Eltern und die zarten
Schwestern

Hein und Frau und Kind!

BA5, 3S, eh

34   Ernst-Adolf Kunz an Heinrich Böll
Gelsenkirchen, 7. Dez. 47

Mein lieber Hein –
Zwei Briefe liegen wieder vor mir, für die ich Dir vielmals danke.
Der erste erfüllte mich mit Sorge um Deinen kleinen Bengel.
Nun, auch diese Gefahr scheint ja jetzt behoben zu sein. Der
zweite Brief steht im Zeichen der Anstreicher. Grauenhaft! Ob-
wohl ich mich über Deine Panikstimmung sehr amüsiert habe,
verstehe ich Dich nur zu gut. Ich entsinne mich solcher Prozedu-
ren, die Jahr für Jahr für eine Woche meine Jugend beschatteten.
Heute, zwar nötiger denn je, ist diese Gefahr gebannt und ich
leide auch ehrlich gesagt nicht unter einer schwarzgewordenen
Zimmerdecke oder Küche. –
Hätte ich etwas überlegt, so wäre ich heute für einen Tag zu
Euch gekommen. Plötzlich am Freitag abend stellte ich fest,
dass ich 3 Tage völlig frei bin. Eine einmalige Gelegenheit, nach
Köln zu kommen. Doch dann war es zu spät und einige Verpflichtungen hier in Gelsenk. liessen sich auch nicht rückgän-
gig machen. So benutze ich nun den Sonntagnachmittag und
will Dir von unserer manchmal verzweifelten Aufgabe erzählen. – Also augenblicklich gastiert unsere Operette: »Das
Schwarzwaldmädel«. Ein entsetzlicher Quatsch! Ich schrieb
Dir sicher schon, dass ich darin frei bin. Mit diesem Unsinn haben wir fast nur ausverkaufte Häuser. Und diese Einnahmen
brauchen wir. Natürlich leidet darunter das Interesse der Direk-
tion für das Schauspiel. Nur noch dieses Operettengetingel
zieht das Publikum an. Schauspiel – vor allem gutes Schauspiel
– hat gar keinen Zweck. So haben wir unsere »Kath. Knie«
12mal gegeben und nur 2x ausverkaufte Häuser gehabt. Auch
der Schwank war ein glatter Misserfolg. Um weiter zu bestehen,
denkt man jetzt natürlich nur an Operette. Nächste Woche Première: »Frauen haben das gern« von Kollo. Leider bin ich besetzt. Ja und der Biberpelz wird verschoben. Ich hätte jetzt Zeit
die ziemlich lange Rolle des Wehrhahn zu lernen, doch fehlt
mir die Lust dazu. Wer weiss, ob es überhaupt Zweck hat. – Ein
nettes Märchen haben wir jetzt auch herausgebracht. »Das tap-

fere Schneiderlein«, eine nette, kleine Komödie von Bürkner, die sehr wirkungsvoll auf Kinder ist. Ich habe die Rolle des »Riesen, der gar nichts hört«. Auf 20 cm hohen Schuhen schwanke ich über die Bühne zum Entsetzen aller Kinder. Unser Tageslauf besteht aus Proben am Morgen – nachmittags Märchen – abends Operette. Es ist keine Seltenheit, wenn wir tagelang nur 5 Stunden nachts schlafen. Leider leidet unter diesen Anstrengungen bei manchen Kollegen der einst so grosse Enthusiasmus. Dolle Auseinandersetzungen, Meutereien, Krankheiten versuchen die Sache immer wieder zu gefährden. Vor allem die Bühnenarbeiter machen Schwierigkeiten. Nur ganz wenige sind so vom Theater besessen, dass sie die allgemeine Gefahr für das Theater an sich erkennen. Und wir müssen über diese Zeit hinwegkommen. Gerade in diesen Tagen geht es mit einer Nachbarbühne zu Ende. Die Gagen können nicht gezahlt werden und die Mitglieder spielen nicht umsonst. – Erdmann und ich, wir wollen diese Zeit überstehen und wir lassen uns unsere Begeisterung nicht nehmen. – Genug von mir. Du müsstest jetzt mal kommen. Ob das vor Weihnachten noch geht? Schreib es mir – Du bist jederzeit willkommen. Anfang Januar kommst Du dann bestimmt. – Sehr gern würde ich auch runterkommen, doch ich kann nie disponieren, da alle Termine so spät kommen. – Deine offensichtlichen Erfolge freuen mich sehr. Oder ist es kein Erfolg, von einem Verlag aufgefordert zu werden? – Ich bin gespannt. – Anbei etwas Optalisches. Ich könnte Dir mehr schicken und werde es auch, doch meine Mutter schluckt pro Tag 5 Stück und verbraucht daher sehr viel. Ich schicke mal ähnliche Medikamente, die vielleicht auch helfen.

Lieber Hein, grüsse Deine Frau und die Familie.

Immer Dein A.

BA5, 4S, eh

35   Heinrich Böll an Ernst-Adolf Kunz
Köln, den 10. XII. 47

Lieber Ada!
Es ist natürlich Wahnsinn, daß ich dich nicht angetroffen habe.
Aber warten konnte ich mit bestem Willen nicht. So war es mir
nur vergönnt, völlig unrasiert mit Deiner ebenso reizenden
Mutter wie Schwester zu plaudern, von ersterer mit Heringen
und von letzterer mit einem lange gesuchten Verlaine bedacht
zu werden, beides ganz unverdienterweise. Hier traf ich dann
Deinen Brief und Optalidon an. Meine Frau dankt Dir sehr herzlich. Sie ist ganz begeistert von dieser Droge, es hilft ihr nicht
nur gegen ihre Kopfschmerzen, auch angeblich gegen aufkom-
mende Erkältungen. Hoffentlich wird sie nicht süchtig.
Mein Lieber, ich wünsche Eurem Theater wirklich innig, daß es
die Schwierigkeiten überwindet. Laßt Euch nicht durch die
»Umstände« besiegen. Ich kann mir denken, daß es sehr schwer
ist. Hoffentlich kommt Ihr drüber. Wenn Du einmal plötzlich
Zeit hast, komm einfach her.
Der Weihnachtsbaum liegt abholbereit in unserem Keller. Heute morgen setzte hier ein toller »Run« ein, aber ich habe noch
2 erwischt. Solltet Ihr doch dort einen bekommen, so kann ich
diesen gut als Grünschmuck verwerten. Aber schöner wäre es,
wenn Du oder Wera ihn holtest. Wir freuen uns immer sehr,
wenn Besuch kommt. Viele, viele Grüße und herzlichen Dank
für alles, besondere Wünsche für Eure kleine Bühne
Hein

BK, eh

36   Ernst-Adolf Kunz an Heinrich Böll
Gelsenkirchen d. 20. XII. 47

Mein lieber Hein –
Bestimmt werden die Weihnachten schön bei Euch. Ich bin in
Gedanken da und beneide meine Schwester, dass sie Euch stö-

ren darf. Aber Du weisst ja, wie anspruchsvoll das Theater ist.
Komm so bald wie möglich. Anfang 48 »Biberpelz«. Die Rolle
des Wehrhahn erschüttert mich vorläufig noch. Sieh sie Dir mal
an und überlege, welche Nerven es kostet sie zu lernen. 100 g Tabak helfen mir dabei –.
Aber ich denke an die Premiere und daran, dass Du da bist und
dass ich vor Dir bestehen muss – so wie Du es vor mir schon lange getan hast. – Alles andere erzählt Dir Wera. Komm immer
und jederzeit.
Frohe Weihnachten!!!!
Deiner lb. Frau und Quittung
Dein A.

BA5, 2S, eh

37   *Heinrich Böll an Ernst-Adolf Kunz*
Köln, den 4.1.48

Mein lieber Ada!
Nun bin ich sehr tief in Deiner Schuld. Buch, Brief und Karte
noch unbestätigt und ohne Dank hingenommen, vor allem
auch den kostbaren Tee, ohne den unseren Weihnachtstagen
das nötige Narkotikum gefehlt hätte. Besonders meine Frau
lässt Dir nochmals herzlichst für den Tee danken. Sie ist im
Augenblick sehr überlastet, da die Taube infolge des Hochwas-
sers am Kommen verhindert ist, und labt sich in Stunden der Er-
müdung an grossen Dosen Tee. Inzwischen haben wir die Vorrä-
te wieder etwas aufgefrischt.
Weihnachten war schön und friedlich. Am Heiligen Abend
kam gerade noch rechtzeitig der Bescheid, dass ein Paket aus
der Schweiz abzuholen sei, welches sehr nahrhaft und üppig
war.
Weras Besuch war leider zu kurz, wir hätten sie gerne noch zu
einem friedlichen und gemütlichen Abend hier gehalten, aber
sie fühlte sich verpflichtet, Euch nicht zu beunruhigen und
pünktlich heimzufahren. Grüsse sie besonders herzlich von

uns und richte ihr aus, dass wir ihren Reisebericht erhalten haben.

Meine Arbeit geht schlecht voran, trotz wochenlangen Regens und milder Witterung. Hoffentlich ist es noch ebenso milde, wenn ich zum »Biberpelz« komme. Ob ich gerade zur Premiere dort sein kann, ist nicht sicher, aber auf jeden Fall werde ich ihn mir ansehen kommen.

Ich warte mit Spannung auf Bescheid über den Roman. Der Einsendetermin war am 31. 12. abgelaufen. Du bekommst sofort Nachricht. Manchmal bin ich sehr hoffnungsvoll, oft auch sehr deprimiert und vom Misserfolg überzeugt.

Wenn ich zu Euch komme, werden wir hoffentlich unter uns sein. Dann möchte ich Euch einige kleine Sachen vorlesen, über die ich gerne Euer Urteil hören würde.

Lass Dich doch bitte auf keinen Fall durch meine mögliche Anwesenheit beim »Biberpelz« irritieren. Was ich bisher von Dir gesehen habe, war ausgezeichnet. Sonst wüsste ich nichts zu sagen. Also, ich bitte Dich . . .

Viele herzliche Grüsse an Euch alle

Hein und Frau und Kind

BA5, 1 1/2S, m

38   *Heinrich Böll an Ernst-Adolf Kunz*
Köln, den 20. Jan. 48

Mein lieber Ada!

Du mußt mir unbedingt noch einmal schreiben! Schon allzu lange hörte ich nichts von Dir!

Uns geht [es] gut. Meine Frau und das Kind sind gesund, ich habe eine lästige Bindehautentzündung und ärgere mich mit einer Augenklappe herum. Müde sind wir dauernd, aber das liegt wohl an diesem phantastischen Frühlingswetter.

Jetzt habe ich in der »Literarischen Revue« (bisher »Die Fähre«) eine Arbeit untergebracht, die, wenn sie richtig verstanden wird, eine kleine Revolution verursachen könnte. Aber ich bin schon

froh, daß sie nur gedruckt wird. Vom »Roman« habe ich immer noch nichts gehört. Meine Frau bucht das als positives Zeichen. Immerhin warte ich jetzt 7 Monate!
Aber schreib mir doch mal, was Du machst! Kannst Du nicht, wenn Du mal frei hast, wenigstens 1 Tag kommen. In spätestens 3 Wochen hoffe ich endlich in meine Mansarde einziehen zu können.
Wenn Du mal kannst, könntest Du doch den Zug nehmen, den Wera benutzte, und am anderen Morgen falls notwendig zurück, das wäre immerhin ein Tag. Für Tabak und Kartoffeln garantieren wir jederzeit!
Wenn es Dir und den Deinen nichts ausmacht, komme ich Anfang Februar noch einmal einen Tag. Aber schreib mir, was Euer Theater macht und Deine Arbeit!
Viele Grüße von Gattin und Kind und mir an Dich und alle Deinen
Dein Hein

BA4, 1 1/2S, eh

39   *Heinrich Böll an Ernst-Adolf Kunz*
Köln, den 9. II. 48

Mein lieber Ada!
Es war wieder sehr schön bei Euch, eine wirkliche Erholung für mich, einmal aus meiner oft recht mühsamen Arbeit und aus der gewohnten Atmosphäre rauszukommen. Ein großer Trost für mich, wenn ich Euch manchmal besuchen darf . . .
Für diese Woche ist zu »Des Teufels General« folgendes zu sagen: Es sind 5 Aufführungen, davon vier geschlossene und eine freie am nächsten Samstag (den 14. 2.). Ich werde Dir laufend darüber Bericht geben. Ihr könnt ruhig zu zweien kommen, wir werden Euch schon unterbringen. Kommt aber wirklich.
Die Rückfahrt war herrlich. Ich habe die ganze Zeit am offenen Fenster gestanden und mich keine Sekunde gelangweilt und nichts von dem Geschwätz der Mitreisenden gehört. Frau und Kind traf ich gesund an.

Weiteren Holzkohle-Nachschub werde ich veranlassen.

Der »Biberpelz« war glänzend, und ich mache mir Deinetwegen nicht die geringste Sorge. Du bist ein guter Schauspieler und wirst bei Erdmann noch vieles dazulernen.

Wenn es mit meinem Roman irgendwie klappen sollte, komm ich nach der Feier hier mit einigen Flaschen Wein zu Euch und [wir] feiern und ich lese Euch vor. Aber das ist ja nur ein »Wenn«.

Hier herrscht in der ganzen Stadt ein toller Karnevalstrubel. Fast wie früher, es wird nun jedes Jahr wieder toller. Die Trümmer bilden eine schaurige Kulisse dazu.

Die Sehnsucht, einmal aus diesem Gefängnis, das Deutschland heißt, rauszukommen, beschäftigt meine Frau und mich Tag und Nacht. Wir platzen vor Ungeduld und Unlust, noch länger ohne die Möglichkeit einer Befreiung in dieser furchtbaren Kümmernis festgehalten zu werden.

Also, komm Ada, und bring ruhig eine der jungen Damen mit. Wir gehen dann alle zusammen rein in den Zuckmayer.

Grüß vor allem Deine liebe, liebe Mutter, Deinen Vater, Anita und Wera, Dich natürlich auch

von Deinem Hein und Frau und Kind

BA5, 3 1/2S, eh

40   *Heinrich Böll an Ernst-Adolf Kunz*
Köln, den 20. 2. 48

Lieber Ada!

Immer noch warte ich auf Deinen Besuch. Oder hatte es sich nicht einrichten lassen? Ich bin immer hier, wenigstens nur halbetageweise weg, und in der nächsten Woche werde ich 1 1/2 Tage weg sein, entweder Dienstag-Mittwoch oder Mittwoch-Donnerstag. Ich muß meinem Siegburger Bruder beim Umzug helfen. Seit ich von Euch weg bin, habe ich wirklich schwer geschuftet. Ich habe noch vier Arbeiten in 14 Tagen geschrieben, überarbeitet, noch mal geschrieben, neu gefaßt und so weiter.

Heute gehen die letzten beiden weg, und ich bin jetzt wieder
»frei«, frei von Verpflichtungen. Also, nächste Woche Dienstag
-Mittwoch bin ich wahrscheinlich nicht hier. Aber meine Abwesenheit dauert höchstens bis Mittwoch nachmittag. Komm
also!
Viele Grüße an Deine Mutter besonders, Deinen Vater und die
jungen Damen
Dein Hein

Z, eh

41   Heinrich Böll an Ernst-Adolf Kunz

Köln, den 2. 3. 48

Mein lieber Ada!
Dein Brief erreichte mich im Krankenbett. Beim Umzug meines
Bruders habe ich mir eine nette Grippe geholt und lag 4 Tage
mit hohem Fieber. Heute bin ich aufgestanden und meine Frau
hat mich gleich abgelöst. Natürlich hat der kleine Bengel gründlich alles gefangen, hustet, niest, weint und ist sehr unglücklich.
Insgesamt geht wieder ein manierliches Quantum Nerven dabei flöten.
Aber Du machst ja viel tollere Dinge! Sei doch vorsichtig und
laß Dich mal gründlich untersuchen. Nimm doch ruhig mal
14 Tage Krankenhaus, schlaf Dich aus und so weiter. Du bist bestimmt vollkommen überanstrengt und erschöpft. Euer Leben
ist wirklich sehr, sehr zermürbend. Sei doch um Gottes willen
vernünftig! Das ist ja wirklich schrecklich!
»Des Teufels General« wird hier am 6. 3. zum letztenmal gespielt,
weil Deltgen einige Zeit nach Konstanz geht. Im April erscheint
es dann wieder auf dem Spielplan. Bis dahin kommst Du aber
doch bestimmt mit einer Deiner Schwestern. Bis April ist meine
Bude oben (mit fließendem Wasser!) fix und fertig – so hoffe ich
– da könnt Ihr prächtig und ungestört pennen, solange Ihr wollt.
Waschen und alles mögliche. Also, los. Vielleicht kommst du
auch früher . . .

Deine Schwester Nita muß jetzt sicher bald ins Examen; ich wünsche ihr viel Erfolg und wenig Aufregung. Ist es nicht herrlich, daß wir überhaupt kein Examen mehr zu machen haben ...
Wir sind dabei, unsere letzten [unlerserliches Wort] in Fressalien zu verwandeln. Es geht nicht mehr anders. Meine Frau ist wahnsinnig runter und muß unbedingt etwas Vernünftiges bekommen.
Ach, Ada, komm. Und sei doch vorsichtig mit Deiner Gesundheit. Oder hast Du vielleicht selbstmörderische Absichten? In Deinem Alter, Bursche!
Ich habe einen ganz neuen Kriegsroman angefangen, von dem ich mir viel verspreche! Ich muß unbedingt Geld verdienen!
Grüße besonders Deine gute Mutter, Deinen Vater, Anita und Wera und natürlich Dich von
Hein und Frau und Kind

Wollt Ihr noch Holzkohle?
2Z, *eb*

42   *Ernst-Adolf Kunz an Heinrich Böll*
Gelsenk. d. II. III [1948]

Mein lieber Hein –
Es war sehr schön bei Euch. Ich habe mich wirklich etwas erholt. Habt Dank dafür –.
Nun pass auf: Ich habe mit Erdmann gesprochen über die Erstaufführung einer Kriminalkomödie (-stück) von Dir. Er war ebenfalls sehr angetan von der Idee, was ich kaum zu hoffen wagte. – Hein, versuch es. Du hast 5 Monate Zeit. Ich möchte es dann zur Eröffnung der neuen Spielzeit (Sept.) bringen.
Darf ich Dir die mitwirkenden Personen nennen? Sie sollen Dich nicht begrenzen – nur könnten wir dann erstklassig besetzen. Also es können 2 Dekorationen sein, 3 oder 4 Akte, wie Du willst. Personen: Erdmann (älterer, vornehmer Herr, alle Fächer, alle Anzüge vorhanden), Krische (Charge, also Diener, Herr, alle Anzüge), Suntinger (junger Bursche, Frack vorhanden), Kunz

(Charakterfach, Verbrecher im Frack oder ohne, wie Du willst). Dann haben wir an Herren noch eine komische Charge – weisst Du der lange Doktor Fleischer und noch einen Naturburschen (Wulkow, oder Ignaz in Knie). Frl. Schäfer (vornehme ältere Dame oder Köchin, die Wolffen), Helga Rädel (Salondame oder Dienstmädchen), Margot Grimm (Naive, leichtes Mädchen, Biest), vielleicht noch eine Dame.

So, Hein, das sind die möglichen Personen. Aber wie gesagt, wir lassen Dir alle Freiheit. (Es kann auch nur 1 Dame und 4 Herren sein.) Vielleicht elegantes Milieu, da das am besten gefällt. (Frack, Abendkleid, Salon). Wenn Du Fragen hast schreib oder komm her. Wir helfen Dir mit bühnentechnischer Erfahrung. Also versuch es mal –. Dass es gut wird, dafür sorgen wir. Du wirst dann mit einem Schlag bekannt.

Ich habe wenig Zeit. – Bis bald, Hein.

Grüsse ganze Familie Dein A.

43   *Heinrich Böll an Ernst-Adolf Kunz*
Köln, den 13. III. 48

Mein lieber Ada!

Deine Zuversicht betreffend mein dramatisches Können macht mir ein wenig Kopfschmerzen. Hoffentlich wirst Du über das mögliche Ergebnis meiner Bemühungen nicht enttäuscht sein. Immerhin wirds ein Erstling sein, möglicherweise gar eine Mißgeburt. Aber ich werde mich drangeben und Deine Anweisungen über verfügbare Personen und Kleider sind sehr wertvoll. Mir fehlt nur das Wichtigste noch: Der Vorwurf ... aber das kommt schon. Ich habe meine Frau auch interessiert, einen »Stoff« ausfindig zu machen. Das weitere kommt dann schon.

Weißt Du, eigentlich bin ich jetzt einigermaßen sicher und ich habe in der Woche, seit Du weg bist, sicher 3 neue Stories geschrieben, die ganz nett sind. Ich freue mich sehr auf meinen nächsten Besuch bei Euch, vielleicht komme ich ganz plötzlich mal.

Hier ist herrliches Wetter und ich möchte mich am liebsten je-

den Tag besaufen und die Schule schwänzen. Doch ich komme
von meiner Arbeit nicht mehr los, nie mehr. Es gibt praktisch
nie so etwas wie »Feierabend« für mich.
Meine Frau ist heute in »Carmen«. Ich bin seit sieben Uhr mit
dem Dicken allein, habe ihm seinen Brei gebracht, ihn gefüttert
und gewickelt und nun pennt er schon 3 1/2 Stunden vollkommen friedlich. Ich werde gleich anfangen das Abendessen vorzubereiten. Es macht mir viel Spaß, meiner Frau mal etwas Erleichterung zu verschaffen und ich werde sehr froh sein, wenn sie in
10 Tagen endgültig vom Joch der Schule befreit sein wird. Gestern kam ein sehr aufmunternder Brief von einer »angesehenen« Zeitschrift, die mich um weitere Mitarbeit bittet.
Lieber Ada, also ich werde es versuchen, hoffentlich gibts keine
allzu große Pleite. Du wirst selbstverständlich eine Verbrecher-
rolle bekommen, ganz ausgekocht, so daß Du Deine »schlum-
mernden Halunken-Instinkte« wirst zeigen können.
Gruß an alle, besonders Deine liebe Mutter
von Deinem Hein
mit Frau und Raimund
beiliegendes Buch [?] für Anita bitte!

BA4, 2S, eh

44   *Heinrich Böll an Ernst-Adolf Kunz*
Köln, den 19. III. 48

Mein lieber Ada!
Ich habe noch einige praktische Fragen wegen des »Stückes«.
(Ach, hoffentlich wirst Du nicht völlig enttäuscht sein.)
Also, wieviel normale Tippseiten (Din-Format) würde wohl ein
halbstündiger Akt umfassen?
Ich habe wie ein Irrer geschuftet und von 6 Uhr nachmittags bis
1 Uhr nachts den ganzen Entwurf in einem Zug hingeschrieben.
Sprich bitte noch mit niemand darüber! Wenigstens nicht mit
Leuten von Euerem Theater, auch Erdmann nicht. Deinen
Schwestern, falls ihre Verschwiegenheit sicher ist, kannst Du ru-

hig davon erzählen. Dir habe ich die Rolle eines halb verbreche-
rischen Hellsehers zugedacht; was bisher da ist, umfaßt etwa
20-25 Tippseiten. Ich werde eine lesbare Abschrift machen, Dir
die ganze Sache schicken, und dann schreibst Du mir zunächst
die gröbsten Fehler, ich überarbeite das Ganze und nach Ostern,
wenn ich nach dort komme, besprechen wir das Nähere, die
Feinheiten. Ich bin wahnsinnig gespannt auf Dein Urteil, und
werde gleich morgen mit der Abschrift beginnen, damit sie vor
Sonntag auf der Post ist.
Vielleicht ist die Sache manchmal ein bißchen zu »schwer«. Ich
habe mehrere Personen: Dich, Erdmann, Suntinger und Krische, Schäfer, Rädel und Grimm, ansonsten noch ein Dienst-
mädchen. Zwei Dekorationen und Anzüge wie Du mir
schriebst. Ein ulkiges »Biest« habe ich mit bestem Willen nicht
unterbringen können.
Also, ich schicke Dir bald die Sachen und Du schreibst mir dann.
Vorher werde ich doch nichts mehr daran ändern können.
Besteht irgendeine Möglichkeit, daß Du etwa Ostern hierher-
kommst?
Ich grüße Dich herzlich lieber Ada, sei [unleserlich]! Grüß auch
Deine liebe Mutter, Vater, Anita und Wera bis bald
Dein
Hein mit Frau und Kind

BA5, 3S, eh

45   *Heinrich Böll an Ernst-Adolf Kunz*
Köln, den 23. III. 48

Mein lieber Ada!
Da ist das Stück! Wie gesagt, an einem Abend geschrieben und
dann nur beim Insreineschreiben einmal überarbeitet. Ich werde nichts mehr daran ändern können. Was zu ändern wäre, müß-
test Du schon machen. Andernfalls schreibe ich ein neues.
Schreib mir nichts darüber und zeige es noch niemand außer
den Deinigen. Ich zittere vor Deinem Urteil wie ein Sextaner

vor einer Klassenarbeit. Wenn [es] Dir nicht gefällt, mach ich
ein anderes, wir haben ja auch noch Zeit. Ich selbst möchte das
Ding nicht mehr sehen. Ich komme dann, wenn Du keinen ge-
genteiligen Bescheid schickst, in der Woche nach Ostern Mitt-
wochabend (17.45 ab hier) zu einer kleinen Besprechung, muß
dann aber am nächsten Abend wieder weg. Ich arbeite wie ein Ir-
rer auf meiner Bude hier oben. Es geht jetzt wirklich um meine
Existenz. Ich muß halten, was ich den Literaturfritzen verspro-
chen habe.
Ada, wenn es klappt mit dem Stück, dann bearbeite Du es. Aber
ich denke, wir lassen es erst mal einige Zeit gären. Jedenfalls hast
Du zu Ostern was zu lesen!
Vielleicht kommst Du auch bis dahin noch einmal für einen
Tag!
An alle Deinen recht herzliche Ostergrüße und Wünsche (richte
sie aber auch aus!), besonders Deiner guten Mutter
Dein Hein
Viele herzliche Grüße auch von meiner Frau an Euch alle.
Der Dicke ist so wahnsinnig vital, daß wir immer mehr erschrek-
ken!

BA5, 2S, eh

46   *Ernst-Adolf Kunz an Heinrich Böll*
Gels. d. 23. III. 48

Mein lieber Hein –
Ich habe Deine beiden Briefe bekommen. Den ersten konnte
ich aus Zeitmangel nicht sofort beantworten, da mich die Proben für eine neue Operette »Marietta« zu sehr in Anspruch nahmen. »Grossvater« ist zurückgestellt, da Operette das Geld
bringt. – Heute früh um 6.00 kam ich von einem dreitägigen Abstecher nach Gronau nach Hause. Nun liegt schon Dein zweiter
Brief hier, der mich wirklich sehr erfreut hat. Hein, ich möchte
Dir alle pessimistischen Gedanken vertreiben und Dir vor allem verbieten, anzunehmen, dass ich über irgendeine Sache von

Dir enttäuscht bin. Du kannst mich fragen soviel Du willst und
belästigst mich dadurch doch nicht im geringsten. Im Gegenteil,
ich bin froh, dass ich Dir mal, wenn doch auch nur so technisch,
helfen kann. An der Güte Deiner Idee zweifele ich keinen
Augenblick und was Du mir schreibst, ist alles günstig – vor
allem die Besetzung. Du brauchst Dich aber keineswegs an meine Kleiderrichtlinien zu halten oder die Typen. Ich weiss nur,
dass elegantes Milieu in Kriminalstück am besten zieht, und
dass wir so mit diesem Personal gut besetzen können. Ich bin
gespannt auf die Abschrift. Das beste wäre ja, Du kämest mal
herüber. Ich kann leider nicht wegen der Proben. Du kannst bleiben, solange Du willst. Nur am 30., 31. und 1. bin ich auf Abstecher. Am 10. April ist Première von »Marietta«. Vielleicht kannst
Du so am 2. April kommen und bis dahin bleiben. Wir könnten
dann viel zusammen tun. Ich sage vorerst natürlich sowieso
nichts im Theater. –
Kurz etwas zur Dauer des Stückes (wir besprechen das am besten, da es viele Abweichungen gibt): Also ungefähr 1/2stün-
diger Akt hat 20-22 Schreibmaschinenseiten. Genau kann man
das nicht sagen, da es auf den Dialog ankommt. Meist ist es
beim Schauspiel so, dass es, es kann so lang sein wie es will, auf
1 1/2 – 1 3/4 Stunden zusammengestrichen wird vom Regisseur,
da so ein Stück mit Umbau höchstens 2 1/4 Stunden dauern
kann. Hast Du also 4 Akte, so ist es gut, Du hast 70-75 Seiten, die
also ohne Unterbrechung 2 Stunden dauerten und auf 2 Stunden mit Umbau gestrichen werden können. Ist Dein Dialog zu
knapp (in der Zeitdauer), kann man nicht streichen, und das ist
ungünstig. –
Bei »Biberpelz« hatten wir 2 Dekorationen und 3 Umbauten, die
zusammen bestimmt 1/2 Stunde dauerten. Hätte Hauptmann
die beiden ersten Akte bei Mutter Wolffen spielen lassen und
die nächsten 2 beim Wehrhahn wäre nur 1 Umbau nötig gewesen (10 Min.). Das nur als Hinweis. –
Hein, ich bin fest davon überzeugt, dass Du es schaffst. Du
brauchst Dir keine Kopfschmerzen zu machen. Noch neulich
sagte Erdmann, hätte ich nur ein Kriminalstück. Sobald Du es
fertig hast, bringe ich es an. Du hast Zeit, doch bist Du eher so

weit, können wir es schon im Mai bringen. – Also, lieber Hein,
komm her. Ich freue mich sehr auf die Arbeit mit Dir. (Nebenbei, ich verkaufe das Stück auch gut für Dich).
Ich grüsse Dich und alle Deine Lieben.
Dein Ada

BA5, 4S, eh

47   *Heinrich Böll an Ernst-Adolf Kunz*
Köln, den 4. April 48

Mein lieber Ada!
Ich lege Dir die Karte bei zum Beweise meiner Ehrlichkeit. Die
Rückreise war sehr strapaziös, weil ich den Duisburger Zug um
1 1/2 Minuten versäumte. Dreimal umsteigen und dann von
Deutz nach hier. Um vier Uhr war ich zu Hause. Schmerzlich zu
wissen, daß ich also bis 12 Uhr hätte bei Euch bleiben können
statt in kümmerlichen Wartesälen fragwürdigen Bonikum zu
trinken. Doch der [unleserliches Wort] hat mich sehr getröstet,
sehr. Es ist mir im Grunde weder langweilig noch schwer gewesen, nur war ich völlig erschöpft und von allzu vielem Teetrin-
ken übernervös.
Nun werde ich versuchen an die Arbeit zu gehen, damit ich Dir
bei meinem »Marietta«-Besuch vielleicht schon etwas vorlegen
kann. Wenn nichts dazwischenkommt, bin ich also am 12. oder
14. wieder für 1-2 Tage da.
Es ist immer sehr schön bei Euch, trotz aller angedeuteten »Sensen«, die mich nicht im geringsten ärgern oder stören, mir nur
sehr, sehr schmerzlich sind, weil ihr Euch so sinnlos und über-
flüssig quält. Ach, Ada, sei doch liebevoller zu Deiner guten
Mutter! Grüße sie ganz, ganz besonders von mir!
Ich habe Wera mal einen Balzac geschickt, einen ebenso interessanten wie alle anderen; aber sollte Euer Balzac-Bedarf damit
vorläufig gedeckt sein, schreibe mir und ich bringe Dir andere
schöne französische Romane mit.
Sei mutig, Ada, und habe ein wenig Geduld mit meiner Komö-

die. Ich möchte auch gerne einmal für Dich eine schöne ernste
Rolle schreiben, vielleicht gelingt es mir einmal. Vielleicht weiß
ich wirklich, was Dir fehlt.

Also, auf Wiedersehen und wenn Du keine Lust hast, schreib
mir nicht. Quäl Dich nicht.

Viele Grüße, Wünsche an alle, Deine Mutter, Vater, Anita und
Wera von Deinem

Hein

BA4, 1 1/2S, eh

48   *Heinrich Böll an Ernst-Adolf Kunz*
10. 4. 48

Lieber Ada, wir haben schreckliche Tage hinter uns – eine furchtbare Angst und sicherlich noch einige schwere Tage vor uns:
Der Kleine hat eine schwere doppelseitige Lungenentzündung.
Es ist furchtbar! Jede Minute, jede, jede Minute Angst! Ach Ada,
das nur in aller Eile! Wenn Du kannst, bete für uns. Du kannst
es! Bestimmt! Das ist die einzige Möglichkeit. Grüße alle herzlich von uns, ganz besonders Deine liebe Mutter. Kannst Du
mir schnell sofort einen kleinen Brief schreiben und mir Weras
Krefelder Adresse mitteilen?

Viele herzliche Grüße auch von meiner Frau

Dein Hein

Meine Reise nach Euch verschiebe ich auf unbestimmte Zeit.
Hoffe in spätestens 10 Tagen! Schreibe mir gleich und bete!

PK, eh

49   Heinrich Böll an Ernst-Adolf Kunz
Köln, den 10. April 1948

Mein lieber Ada, ich brauche Dir nur zu sagen, was wir eben ge-
messen haben: Der Kleine hatte 38,3 Fieber! Wir sind selig; es ist
gar nicht zu beschreiben! Vollkommen selig, obwohl die Vernunft
uns sagen müßte, daß das mittags um halb drei vielleicht noch genug ist. Immerhin, es scheint besserzugehen und gleich wird der
Arzt kommen und möglicherweise auch beim Abhorchen eine
Besserung feststellen. Zwei furchtbare Tage voll schrecklicher
Angst. Unsere Mühen und Arbeit und Schlaflosigkeit ist ja neben-
sächlich, nur die Angst!! Dabei kann man nichts tun, nur beten.
Ach, ich werde keine Ruhe haben, auch nur das Haus zu verlassen, ehe der Kleine wieder vollkommen gesund ist. Ich wäre
gerne Montag gekommen, hätte mal lange pennen können in
Deinem schönen, dunklen Zimmer und Euch abends zwei Ge-
schichten vorgelesen. Nun müssen wir alles verschieben. Ich
denke, daß in zehn Tagen alles wieder gut ist.
Seit ich von Euch weg bin, hat es ununterbrochen geregnet; dieses Klima verträgt der Junge schlecht. Heute endlich scheint die
Sonne, das wird ihm auch guttun. Oben in meiner Bude ist der
Maurer schwer am wühlen. Ende der Woche wird sie vorschrifts-
mäßig fertig. Wunderbar, wunderbar ...
Ach, wäre nur der Kleine wieder vollkommen gesund! Ich kann
nicht arbeiten. Den ersten und zweiten Akt der Komödie habe
ich schon neu geschrieben. Ich nehme als Quantitätsmesser den
Shaw, damit ich eine Übersicht über den Umfang habe. Ganz so
umfangreich kann ich es nicht machen, ich bin nun einmal für
die Kürze. In spätestens 10 Tagen denke ich wieder bei Dir zu
sein. Ich schreibe vorläufig nicht ins Reine und spreche es erst
mit Dir durch. Deine Anregung war ausgezeichnet und die
durchgesprochene Szenenfolge erweist sich als sehr gut.
Lieber Ada, darf ich Dich noch einmal an Glühbirnen erinnern?
Ich brauche 3-4 ganz kleine (15 oder 25 Watt), kann hier einfach
nichts kriegen und 100 oder 200 sind so schrecklich teuer!
Schreib mir, ob Du welche durch Euren Maggler bekommen
kannst. Ich schicke Dir dann Geld.

Ach, das niedrige Fieber bei dem Jungen stimmt mich sehr optimistisch. Und auch der Sonnenschein! Es war furchtbar, besonders die vergangene Nacht; stündlich kalte Umschläge, Fieber messen, und ewig dieses Zittern vor dem Ansteigen der Temperatur, und es war so schmerzlich, den Kleinen mit Medikamenten zu quälen; wir mußten sie ihm gewaltsam unter Qualen einflößen. Jetzt ißt er wenigstens etwas und wir können sie darunterschmuggeln.

Ach, Ada hoffentlich ist bald alles wieder gut. Ich grüße Dich und alle Deinen herzlich

Dein Hein

BA4, 2S, eh

50 *Heinrich Böll an Ernst-Adolf Kunz*
Köln, 11. 4. 1948

Mein lieber Ada, die Besserung von gestern morgen scheint dauerhaft zu sein. Zunächst kann ich nur sagen »scheint«, hoffe aber, daß sie ist. Jedenfalls ißt »er« wieder und wird schon wieder frech: das beste Zeichen wiederkehrender Vitalität. Ich denke, daß ich doch vielleicht Montag oder Dienstag in 8 Tagen kommen kann. Näheres und Genaueres schreibe ich dann. Wir sind beide vollkommen erschossen, aber glücklich; abwechselnder Schlaf, die übrige Zeit wird durch Narkotika überbrückt. Viele herzliche Grüße an alle, besonders an Deine liebe Mutter von Deinem Hein mit Frau und Kind

Pk, eh

51 *Heinrich Böll an Ernst-Adolf Kunz*
Köln, den 14. April 48

Mein lieber Ada, die Krankheit nimmt ihren normalen Verlauf. Immer zwischendurch ein oder zwei fieberfreie Tage, dann Rückfälle, die uns jedesmal sehr erschrecken. Ach, ich weiß alles,

was vernünftigerweise in solchen Fällen zu sagen und zu tun ist.
Aber ich weiß ebenso gut, daß bei aller vernünftiger Überlegung
der Schrecken und die Angst nicht schweigen.

Ich denke, daß ich der Diagnose des Hausarztes trauen kann, ich
denke aber – nachdem, was wir bisher bei dem Kleinen beobach-
tet haben –, daß es sich um eine verkappte (latente TB) handelt.
Natürlich können wir ihn in diesem Zustand nicht zum Rönt-
gen bringen, werden es aber nach der Genesung tun. Die sogenannte Krisis scheint jedenfalls überwunden. Aber ich traue nie-
mandem mehr, nachdem unser kleiner Christoph gestorben ist,
bei dem von mehreren Kapazitäten eine fast völlige Heilung
festgestellt war. Du wirst das verstehen . . .

Ende dieser Woche wollte ich zu Euch kommen. Aber ich kann
unmöglich verreisen – hätte auch keine Ruhe – ehe der Junge
vollkommen wiederhergestellt ist. Auch wäre es mir furchtbar
schmerzlich, meine Frau in ihrem Zustand der Gefahr auszusetzen, möglicherweise allein eine neue Attacke zu bestehen. So
werde ich vor Mitte nächster Woche keinesfalls überhaupt das
Haus verlassen können. Ich habe keine Ruhe. Ende der nächsten
Woche habe ich eine aufgeschobene, dringende andere Aktion
zu erledigen. So könnte ich, wenn alles klappt, Mitte der übernächsten Woche kommen. (Also etwa am 26.-28. April)

Ich kann weder arbeiten noch schlafen, habe aber doch so nebenbei noch eine Kurzgeschichte geschrieben, die ich Euch vorlesen werde.

Vielen Dank, lieber Ada, für Deine Bereitschaft zur Hilfe und
Anteilnahme. Ich denke wirklich, daß jeder Grund zur Beunruhigung besiegt ist. Aber ich möchte doch noch eine Woche warten, ehe ich »Heim und Herd« wieder einmal verlasse. Wir sind
wirklich völlig erledigt und haben nachts auch jetzt noch wenig
Schlaf. Der Junge ißt sehr schlecht und ist natürlich sehr quengelig und verwöhnt. Ach, hoffe mit mir, daß es wirklich überwunden ist.

Euch allen herzliche Grüße, ganz besonders Deiner Mutter
von Deinem Hein

BA4, 2S, eh

52 *Heinrich Böll an Ernst-Adolf Kunz*
18. 4. 48

Mein lieber Ada!

Nachdem ich alles getan habe, um Dich zu beunruhigen, möchte ich es auch nicht versäumen, Dich wieder zu beruhigen: Der Kleine ist jetzt nach 14 Tagen zum erstenmal wieder 2 Tage fieberfrei; schläft und ißt wieder. Blaß und schmal geworden, zeigt er dennoch den Willen, wieder dick zu werden.

Seinetwegen auch ist mir die sonst so verhaßte Sonne willkommen.

Es ist herrlich hier am Rhein und in den schönen Alleen und außerdem ist mein Zimmerchen oben morgen endgültig beziehbar. Dann werde ich arbeiten, arbeiten, arbeiten. Zunächst will ich mich mal an »richtigen« Novellen versuchen, umfangreicheren Sachen.

Meiner Frau gehts gut. Wir sind immer müde, immer und ewig schlafbedürftig.

Im Laufe dieser Woche oder Anfang der nächsten muß ich aus »literarischen« Gründen nach Mühlheim/Ruhr. Dann komme ich zu Euch. Von den englischen Freunden sind für Ende Mai wieder Schweizer Pakete angekündigt. Also, auch die Ernährungssorgen mal wieder überwunden. Ich freue mich, Euch alle wiederzusehen und wünsche Euch so sehr, daß Ihr einmal etwas mehr Ruhe und Frieden bekommt. Nur Hoffnung.

Besondere Grüße an Deine gute Mutter, im übrigen an alle anderen ebenso. Also, auf Wiedersehen bis spätestens Mittwoch in 8 Tagen (28. 4.).

Dein Hein

BA5, K (Viktor Böll), 2S, eh

53 *Ernst-Adolf Kunz an Heinrich Böll*
Gelsenk., d. 19. IV. 48

Lieber Hein – ich habe Deinen etwas ermutigenden Brief bekommen. Da bis jetzt keine Nachricht zur Besorgnis gekommen ist, hoffe ich sehr, dass sich der Zustand Eures Sohnes gebessert hat. Schreib mir, sobald Du keine Gefahr mehr siehst. Dass Du unter diesen Umständen nicht kommen kannst, ist selbstverständlich. Es würde auch mir schlecht passen, da wir in der nächsten Zeit jeden Tag mit dieser Operette weg sind. Sobald am Horizont mal wieder freie Tage auftauchen, schreibe ich sie Dir sofort. Wir freuen uns alle, wenn Du kommst! Habe heute den Abend frei und sehe mir hier in Gelsenk. den Urfaust an. Viel Lust habe ich nicht, doch man empfahl es mir so. Ich hoffe, die von Dir gewünschten Glühbirnen bald zu bekommen. Vielleicht bringe ich sie Dir dann rasch mal. Bald mehr, Hein. Grüsse Deine liebe Frau, die so viel Kummer hat. Wenn alles wieder gut, feiern wir mal alle zusammen. Ich werde das irgendwie deichseln.

Immer Dein Ada

BA5, 2S, eh

54   Heinrich Böll an Ernst-Adolf Kunz
Köln, den 21. April 1948

Mein lieber Ada, ich schreibe Dir zur Abwechslung noch einmal mit der Maschine, weil es schneller geht, weil ich dann mehr schreiben kann und nicht zuletzt auch deswegen, weil Du es besser wirst lesen können. Ich würde mich sehr freuen, wenn Du plötzlich einmal auftauchtest. Das lässt sich bestimmt machen. Das Tollste ist, dass meine Bude jetzt fertig ist und dass sie zur meiner völligen und alleinigen Verfügung steht. Seit gestern. Das hat wieder manche Aufreibung gekostet. Zunächst musste ich zehn Tage noch einmal Bauarbeiter spielen. Sand sieben, Kalk bearbeiten, Mörtel mengen und alles das auf den dritten Stock tragen, ausserdem Steine kloppen und ebenfalls auf den dritten Stock schleppen. Ohne diese Mühe wäre ich nie zu meiner Werkstatt gekommen, die zugleich auch meine einzige Retirade ist. Es ist so schön hier oben, dass ich richtig Gewissensbisse habe: alle Gärten sind wunderbar in Blüte, die vielen grossen Alleen sind herrlich und überall sind grosse Fliederbüsche und blühende Bäume. Ich habe zu rauchen, keinen Hunger und vor allem ist der Kleine wieder ganz gesund und ausser jeder Gefahr. Es war wirklich eine furchtbare Zeit voll Angst und Sorge, vierzehn Tage mit immer wieder ansteigendem Fieber. Das Kind ist richtig schmal und blass geworden und ist immer noch sehr empfindsam. Zum Glück kam ein kleines Paket aus England mit Wipulver, Schokolade und Mehl, so dass meine arme Frau ihn ein wenig päppeln kann; auch die ganze Sippe (15 Böller) war rührend im Herbeischleppen von allerlei Leckereien; es ist doch eine grosse, grosse Erleichterung, wenn man in diesem Fall einem Kind wenigstens etwas Vernünftiges zu essen geben kann. Ausserdem sind für den Monat Mai, der ja bald anbricht, wieder einige Schweizer Pakete angekündigt. Ernährungsmässig und wohnungsmässig sind wir damit wirklich vorläufig sicher. Das englische Paket enthielt auch ein halbes Pfund Tee zu unserer sehr grossen Freude und zum Nutzen unserer sehr mitgenommenen Nerven.

Kannst Du Dir vorstellen, wie ich hier oben an meinem Fenster sitze, eimerweise Tee trinke und rauche, immer mit dem Blick in die herrlichen Gärten? Mein erster Arbeitstag hier oben war sehr erfolgreich. Ich habe eine grosse Novelle angefangen, die etwa vierzig Tippseiten umfassen wird; davon sind gleich in der ersten Nacht zwanzig fertig geworden und heute geht es weiter, ich denke, dass sie bei meinem übernächsten Besuch bei Euch soweit fertig und überarbeitet sein wird, dass ich sie werde vorlesen können. Ich komme wahrscheinlich im Laufe der nächsten Woche. Einen Tag habe ich in Mülheim zu tun, dann käme ich abends zu Euch und führe morgens wieder weg. Ich kann meine Frau nicht länger allein lassen. Sie ist sehr, sehr erschöpft und leidet nicht nur an den Folgen der aufreibenden Nachtwachen und Ängste, auch sehr unter der beginnenden Hitze; es sind ja nur noch drei Monate, und die irrsinnigen Strapazen der letzten Jahre zeigen sich vielleicht erst jetzt, wo es anfängt uns besserzugehen. Vielleicht geht es uns viel zu gut . . .

Du musst unbedingt, wenn Du Ferien hast, mehrere Tage hierherkommen. Leider steht das Bett zwar nicht mehr hier (darin schläft jetzt wieder das hübsche Mädchen meines Bruders), dafür eine sehr bequeme Couch. Ich habe jetzt auch einen elektrischen Kocher hier oben und einen grossen Spiegel und Du könntest Dich völlig ungeniert in aller Seelenruhe stundenlang rasieren und waschen wie in einem Hotel, fliessendes Wasser sowieso.

Nebenbei habe ich eine vorläufig noch sehr vage Empfehlung an den Verlag Kurt Desch. Immerhin wieder eine Hoffnung, deren Erfüllung von meiner Arbeit abhängt. Meine Frau ist sehr optimistisch. Ich fahre nach Mülheim vor allem, um unsere Übersetzungspläne etwas zu realisieren, dann muss ich noch nach Hamborn, wo ich einen alten Freund sitzen habe, der Photograph ist und den ich unbedingt bewegen will, unsere ganze Sippe knipsen zu kommen. Auch habe ich Willi Stratmann versprochen, ihn einmal in Düsseldorf zu besuchen. Hast Du noch nichts von ihm gehört?

Das »Stück« ging bis zur Krankheit des Jungen gut vorwärts. Die ersten beiden Akte sind im Rohen fertig, ich bringe sie Dir mit. Aber die beiden anderen wollen nicht gedeihen. Ich muss etwas warten. Der Stoff gefällt mir nicht mehr so recht. Manches kommt mir richtig blöde vor. Aber ich habe viel daran gelernt und werde bestimmt bis Herbst eins fertig haben, auf jeden Fall eine Komödie. Wenn ich zu Euch komme, bringe ich ein paar neue Geschichten mit.

Grüsse alle herzlich von mir, lieber Ada, zuerst und am meisten Deine liebe Mutter, Deinen Vater, Anita und Wera (wenn sie wieder aufgetaucht ist, richte ihr doch bitte aus, dass ich ihr das Buch besorgen werde).

Immer Dein
Hein und Familie

BA4, 1 1/2S, m

55   *Ernst-Adolf Kunz an Heinrich Böll*
Gelsenkirchen d. 3. Mai 48

Lieber Hein – eben kam Dein schönes Päckchen an. Mit der Begleichung Deiner »Schulden« hast Du mich gerettet. Es gab in ganz Gel. keine Blättchen mehr. Habe Dank für Tabak, Blätt-

chen und Buch! Wir sind alle gespannt auf Deinen Roman. Erdmann war neulich hier und las den »Mann mit d. Messern«. Bestimmt, er war überrascht und fand die Geschichte sehr gut. Er
glaubt auch, dass Du Dich mal dramatisch betätigen sollst. Ich
hatte ja vor, in Kürze nach Köln zu kommen mit elektr. Birnen,
doch ist es diesem lunarischen Menschen nur noch möglich 200
U Birnen zu besorgen. Kannst Du diese gebrauchen? Schreib es
mir. Sie sind nicht sehr teuer – ich glaube eine 80 M (»nicht sehr
teuer!«), Dir sicher zu hell. Meine Mutter hat am 28. Mai Geburtstag. Schön wäre es, Du könntest dann kommen. – Ich fahre
übermorgen für 3 Tage an die holländische Grenze. Gronau und
Umgebung verlangt nach »Marietta«. – Am 1. Mai musste ich lebhaft an den Stacheldraht vor 3 Jahren denken. Jetzt kennen wir
uns schon so lange. – Du, Hein, wenn Du kommst, gehen wir
mal morgens ins Kino und dann durch die Lokale bummeln
und abends ins Theater.
Nach der Tournee mehr. Grüsse Frau und Kind.
Immer Dein Ada

BA5, 2S, eh

56   *Ernst-Adolf Kunz an Heinrich Böll*
5. Mai [1948)

Lieber Hein –
Deinen Brief habe ich. Hab Dank! Ich freue mich auf Dein Kom-
men. Rechne mit Dir nächste Woche. Anbei der Tabak 1/4 Pfund.
Das andere Viertel, wenn Du hier bist. Wir spielen jeden Tag in
Herne. Ich wollte, wir hätten Ferien, da ich den ganzen Kram
ziemlich über habe.
Also bis nächste Woche. Grüsse alle. Dein Ada

APK, eh

57 *Heinrich Böll an Ernst-Adolf Kunz*
Köln, den 6. Mai 48

Mein lieber Ada, ich bin froh, dass das Päckchen gut angekommen ist. Traurig bin ich, weil du nicht gekommen bist. Diese Woche hatte ich Dich bestimmt erwartet. Es ist nach vier
grauenvollen Regentagen, die sogar meinen Bedarf an Regen
völlig gedeckt haben, nun herrlich hier und heute abend werde
ich [mit] meiner neuen Arbeit (80 Tippseiten) fertig und hätte
viel Zeit für Dich. Die Ernährungslage war bis zum Nullpunkt
gesunken, wurde aber im entscheidenden Augenblick (als ich
mich fast gezwungen sah, wieder per Rucksack über Land zu ziehen) durch ein Schweizer Paket wieder auf 45° über Null getrie-
ben, was uns in unserer Philosophie bestärkte, auf keinen Fall
(in materiellen Dingen) den Mut zu verlieren. Wärest Du also
diese Woche noch gekommen, Du hättest Bienenhonig zu
schmecken bekommen. Nächste Woche wird nichts mehr da
sein, höchstens noch Tee und Zucker und ein paar Pfanneku-
chen. Also, beeile dich!.
»Jak, der Schlepper« ist schon vom Karussell zu[m] Abdruck genommen. Wieder 500.– Mk, die ich zu kriegen habe! Genau das
Gegenteil von Schulden! Ein wahnsinnig unwahrscheinliches
Gefühl! Ich bin ganz wirr ...
Meine Arbeit ist gut geworden und ich bin sehr, sehr gespannt
auf Euer aller Urteil. Das waren drei Wochen wüstester Schufterei, leider wurde ich unterbrochen durch eine ekelhafte Zahn-
fleischentzündung, die mich fünf volle Tage völlig brachlegte.
Schlaf kenne ich kaum noch, dafür Tee so schwarz wie meine
Seele, kaum noch von Kaffee zu unterscheiden ...
Heute abend gedenke ich wirklich drüber zu sein. Morgen und ue-
bermorgen gehe ich ins Konzert und die übrige Zeit wird gepennt.
Es wäre schön gewesen, du hättest jetzt kommen können.
Ob ich zum Geburtstag Deiner Mutter werde zu Euch kommen
können, glaube ich nicht. Wahrscheinlich früher, denn Ende Mai
bekommen wir Besuch, der länger hierbleibt.
Meine Versuche, den Sportmediziner wegen Weras Meniskus-
Verletzung zu konsultieren, waren bisher erfolglos. Der Bursche

liegt selbst mit einer ähnlichen Geschichte in einem auswärti-
gen Krankenhaus. Ich hoffe, dass ich ihn gelegentlich erreiche,
um bei einem möglichen Rückfall raten zu können.
Die Birnen sind mir wirklich zu hell, Ada. Du weisst doch, dass
ich ein Dämmerfreund bin. Wenn du mal kleinere bekommen
kannst (bis zu 100 Watt) sofort. Hoffentlich hast Du nicht zuviel Mühe damit gehabt. Wann ich komme, schreib ich dann
noch genau, wahrscheinlich so zwischen dem 23. und 25. Mai
oder früher, vielleicht in der Woche nach Pfingsten. Ich freue
mich sehr darauf. Vorlesen können werden wir die Sache nicht,
sie ist zu lang. Ich lasse sie Euch dann da.
Grüsse alle herzlichst von mir, zuerst Deine gute Mutter (hoffentlich hat dein Vater meinen faux pas vergessen), Anita und
Wera.
Immer Dein und Euer
Hein

BA5, K (Viktor Böll), 2S, m

58   Heinrich Böll an Ernst-Adolf Kunz
Köln-Bayenthal, Schillerstr. 99, 12. 5. 48

Mein lieber Ada, damit ihr Pfingsten nicht möglicherweise wieder auf dem trockenen sitzt – wie Ostern – Dir und Wera einen
kleinen Beitrag zur Tabaksdose. Leider kann ich weder Zigarren
für Deinen Vater, noch Kaffee für Deine gute Mutter noch irgendeine Schnupperei für Nita auftreiben. Ihnen darum nur viele herzliche Grüße
Dein Hein
P. S. Habe neues »Stück« angefangen, vollkommen existentialistisch. Hoffe in der Woche nach Pfingsten kommen zu können.
Hein

BA5, K (Viktor Böll, Viktor« durchgestrichen und mit »Hein« überschrieben.), 1S, eh

59 *Ernst-Adolf Kunz an Heinrich Böll*
Gelsenkirchen d. 14. Mai 48

Mein lieber, guter Hein – Dein Brief kam vor 2 Tagen und heute
Dein Päckchen. Obgleich ich es nicht für richtig halte, dass Du
mir Tabak schickst in solchen Mengen, habe ich mich natürlich
sehr gefreut. Bei Wera wird die Reaktion ebenso sein – sie
kommt erst gegen Abend. Deshalb danke ich Dir auch in ihrem
Namen. Zwar hätte ich zu Pfingsten Tabak kaufen können, doch
ist all dieses Zeug hier so schlecht und stark geworden, dass
selbst ich manchmal nicht mehr kann. Also Hein, Deine Vermu-
tung war schon richtig – hab Dank. – Man hat mir jetzt 1/2 Pfund
zu 60 M angeboten. Ist er gut (ich muss ihn noch probieren)
schicke ich Dir 1/4 davon. Stell Dir vor 12 M das Päckchen!! – Als
ich in der Familie von Deinem neuesten Erfolg (Jak, der Schlepper) erzählte, war wirklich alles glücklich. Mein Vater hat den
Abend nie erwähnt und spricht stets sehr nett von Dir. Alle sind
wir auf Dein neues Werk gespannt. Ich werde es gern vorlesen.
Also wir erwarten Dich in den Tagen nach Pfingsten.
Allerdings habe ich jeden Abend Vorstellung in Sterkrade bei
Oberhausen, doch die 6 Stunden, die ich fort bin, werden Dir ja
nicht lang. Und dann musst Du länger bleiben – bitte – wir würden uns alle riesig freuen. Ich konnte leider nicht kommen.
Auch in kommender Zeit wird jeder Tag besetzt sein. Ja, das ist
schrecklich und kostet Nerven. Ich müsste auch so frei sein wie
Du. Nun im Sommer – spätestens August – komme ich für länger. Bis dahin musst Du eben kommen. Es tut mir wirklich leid. –
Du schreibst mir heute von einem neuen Stück. Ich verstehe
schon, dass Du von dem Hellseher die Nase voll hast, da Du solche Arbeit nicht gewöhnt bist, doch ich werde es verwahren
und Dir bei Gelegenheit geben, auf dass Du es vollendest. Es ist
wahrlich interessant und durchführbar. Nun, es ist besser, Du
versuchst Dich an anderen Sachen. Du glaubst nicht wie rasend
gern ich eine von Dir geschriebene Rolle spielen würde. – In der
Quelle las ich gestern »Asmodi« von François Mauriac. Mauriac
kommt vom Roman (wenn man so sagen kann) und zweifelte
immer an seinen dramatischen Fähigkeiten. Er sagte zu Edouard

Bourdet, der ihn aufforderte, ein Stück zu schreiben: »Ich habe keine Idee für ein Stück – sondern nur Ideen für Gestalten.« Darauf Bourdet: »Na also, dann ist Ihr Stück ja fertig!« – Ich finde, dass das sehr gut auf Dich zutrifft. Hast Du die Technik, die gar nicht so schwer ist, schreibst Du genauso erfolgreiche oder sagen wir gute Stücke wie Deine Stories. Ein geschickter Handwerker (POET) könnte aus Deiner »Blauen Kaskade« ein Stück erfolgreich machen. – Aber das weisst Du ja. –
Ich muss noch weg gleich – darum genug für heute. – Lieber Hein – komm, solange es geht. Für heute sei gegrüsst von der ganzen Familie – besonders Mutter – und schreibe mir oder vielmehr erzähle bald von Deiner Frau und Raimund. Ich grüsse beide herzl.
Dein Ada

BA5, 4S, eh

60   *Heinrich Böll an Ernst-Adolf Kunz*
18. 5. 48

Lieber Ada, mit ziemlicher Sicherheit komme ich Donnerstag. Meine Arbeit ist noch immer nicht fertig. Ich erzähle Dir alles: üble Zahngeschichte und Hitze. Der Kleine ist gesund, seine Mutter auch, aber doch allmählich sehr erschöpft. Ich bringe Euch einen Roman von Mauriac mit. Wir sprechen über alles. Viele herzliche Grüße an alle
Hein

APK, eh

61   *Heinrich Böll an Ernst-Adolf Kunz*
Köln, den 24. Mai 48

Mein lieber Ada, heute bin ich ohne Schreibmaschine und kann diese erzwungene Pause dazu benutzen, Dir zu schreiben, meine ganzen Papiere einmal wieder nach dem Grad ihrer Vollständigkeit zu ordnen, allerlei Korrespondenz zu ordnen und so weiter. Die Schreibmaschine war fast heiß: Seit Sonntag habe ich eine neue Novelle angefangen, die mindestens wieder 80 Seiten haben wird. In zwei Tagen habe ich fünfzig davon hingewichst, und meine Frau findet, daß es das Beste und auch Interessanteste ist, was ich bisher geschrieben habe. Ich bin fast blind vom Tippen, aber gleichzeitig ist dieses Wühlen natürlich ein Genuß... Ich fürchte nur, daß durch plötzliche Unterbrechung der Faden zerreißt und wieder nur ein Fragment bleibt, wie so vieles in meiner Schublade. Hoffentlich kann ich morgen weitermachen ...

Diese Geschichte möchte ich Euch gerne vorlesen. Sie spielt in Frankreich, in einer Landschaft und einem Milieu, das ich vollkommen beherrsche. Ansonsten versuche ich zum ersten Male, richtig zu porträtieren, dadurch wird alles sehr lebendig: Erfunden ist nur die Fabel, ein gewisser symbolischer Kern, den ich Dir auseinandersetzen werde ...

Grund zu dieser wirklichen Schufterei ist unter anderem: Ich möchte aus meiner finanziellen Bedrängnis hinaus. Jetzt, wo kein Gold mehr zu verscheuern ist, muß ich versuchen, das Gold aus meinem Gehirn zu kratzen. Diese neue Arbeit will ich [in] spätestens 10 Tagen vollkommen druckfertig haben und hier einem Kölner Verleger gegen Vorschuß anbieten. Wenn der nicht anbeißt – ein völlig fremder Mann! – dann will ich es mit Dr. Schnell versuchen, zu dem ich gute Beziehung habe. Der einzige Grund, warum ich nicht gleich zu Schnell gehe: weil Warendorf zu weit ist. Das verzögert die Sache und ich möchte den Burschen die Pistole auf die Brust setzen. Allmählich komme ich zu der Einsicht, daß es ohne Pistole nämlich nicht geht. Also ran mit aller proletarischen Unbekümmertheit ...

Es war wie immer reizend bei Euch, Ada. Ich denke, daß ich doch im Juni noch einmal kommen kann, weil ja dann eine Tante hier meine Frau bewacht. Neulich Kontrolle des Zustandes meiner Frau: glänzendes Ergebnis. Alles vollkommen intakt. Nur wahrscheinlich Nervosität und Müdigkeit. Dem Burschen geht es ganz blendend. Er räumt schon schwere Besteckschubladen auf und richtet Unheil an, beraubt sämtliche anderen

Kinder ihrer Butterbrote und frißt sie kaltblütig auf. Du siehst:
Piratenmanieren.
Richte Deiner guten Mutter noch einmal mündlich meine
Glückwünsche zum Geburtstag aus. Ich habe ihr ein kleines
Buch geschickt und hoffe, daß es ankommt.
Im Kino war ich infolge meiner Müdigkeit und der Hitze nicht
imstande, recht zu folgen. Mein Gewissen sagt mir plötzlich,
daß ich zu Wera nicht gerade sehr zuvorkommend war. Auch
war ich nervös, weil der Zug so kurz darauf fuhr. Ich bitte sie al-
so, meine Bitte um Pardon zu gewähren. Ich versuche jetzt zu
pennen, Ada. Warum bist Du nicht gekommen?
Viele herzliche Grüße an Euch alle
von Deinem Hein
Das Stück verspreche ich spätestens zur nächsten Spielzeit!

BA4, 2S, eh

62   *Ernst-Adolf Kunz an Heinrich Böll*
Gelsenkirchen d. 27. Mai [1948]

Mein lieber Hein –
Ich habe mich so geärgert, als ich an dem Tag Deiner Abreise
hörte, dass der Montag doch besetzt war. Dazu kam, dass die
Vorstellung ausfiel und ich mir ausmalte, ich hätte bei Dir bleiben können. Schon ziemlich früh war ich wieder zu Hause. Nun,
ich hatte Zeit, Deine Arbeit zu lesen, die ich in einem Rutsch bis
2 Uhr nachts beendete. Ich muss Dir ganz ehrlich sagen Hein,
dass seit Jahren ein Stoff mich noch nie so gefesselt hat wie der
Deine. Du hast da wirklich etwas geschaffen, dass unvergleichlich aller von mir bisher gelesenen Kriegssachen ist. Um 4 Uhr
lag ich noch wach und meine Gedanken sprangen mit riesigen
Sätzen von Lemberg nach Frankreich, von Ungarn nach
Deutschland und dann immer wieder zu Dir. Deine Idee, den
ganzen, aber auch wirklich den ganzen Krieg auf einer Strecke
von Dortmund bis Lemberg zu zeigen, ist unwahrscheinlich gut.
Du hast wirklich nichts vergessen und wie sehr die Sache mich

gefesselt hat, zeigt, dass ich manchmal erschüttert unterbrechen musste. Ja, Hein, so war es: Der nagelneue Leutnant, der Unrasierte (ich kannte genau so einen), die Verblendeten, die den Krieg gewannen (zu einem früheren Zeitpunkt, so 43, habe ich sogar auf sie gehört!), die verdammte sonore Stimme (mir fiel sie ebenso auf die Nerven), der Blonde (wir hatten so einen in der Garnison), die »Opernsängerin« (in Ungarn kannte ich eine junge Schauspielerin in der gleichen Situation) und alles, alles ist richtig und echt und furchtbar. Obgleich mich Dein grosser Roman ebenso gefesselt hat, war er doch nicht von dieser Eindringlichkeit, dieser manchmal unglaublichen Bildhaftigkeit wie dieser. Ich bin davon überzeugt, dass Du einen grossen Satz gemacht hast – einen Sprung nach vorne. Wera sagte: »So etwas muss man mal Tante Grete geben!« Sie meinte Frau Küppersbusch von nebenan. Auch meine Schwestern sind sehr beeindruckt. Für sie ist das etwas; überhaupt für Schwestern von antimilitaristischen Brüdern, die als Soldat draussen waren. Welcher Soldat erzählt, oder besser kann diese Eindrücke erzählen?! Die Worte sind schwer zu finden für solche Schilderungen. Du hast das geschafft. Diese Nächte im Eisenbahnwaggon, die so deprimierend waren, so beklemmend und hoffnungslos lang, diese Nächte nochmals erleben in weissüberzogenem Bett und sauber und zu Hause, ist einfach toll. Ach, wenn dieses Drama doch bald gedruckt würde (gedruckt wird es bestimmt), aber bald muss es sein mit 6 Millionen Auflagen mindestens, so dass wenigstens jede Familie den schrecklichen Krieg nochmal lesen kann und klug wird. Trotzdem, Hein, welcher Flieger glaubt das?, welcher Leutnant?, überhaupt welcher Militarist? Vielleicht 3%. Aber vielleicht werden die Burschen nachdenklich – nachdenklich wenn sie nicht satt sind. Wir alle möchten Dir noch viel sagen, Hein, und deshalb freue ich mich, dass Du mir gestern Hoffnung auf Anfang Juni machtest. Morgen früh geht Dein Roman eingeschrieben an Dich ab. Hoffentlich früh genug – ich mache mir Sorgen, doch heute ist die Post zu. Anfang nächster Woche bekommst Du den Tabak, Hein. Ich habe gerade kein Geld und es ist mir unangenehm, dass Du warten musst, doch

weiss ich, dass Du nicht böse bist. Wir freuen uns auf Deine
neue Geschichte. Im Theater ist augenblicklich der Teufel los.
Stell Dir vor, die jungen Anfänger meutern offen gegen Erdmann und mich. Ich war erschüttert, was man über mich alles
äusserte nur weil ich ganz zu dem Unternehmen stehe. Ich erzähle Dir das alles mal. Erdmann und ich wollen jetzt ganz
rücksichtslos durchgreifen und in der neuen Spielzeit wird alles anders. Gern möchte ich mal das ganze Volk nicht mehr sehen und zu Euch kommen, doch ist das nicht möglich. So
freue ich mich doppelt auf die Ferien. – Dein Päckchen an meine Mutter ist schon da, doch Wera hat es bis morgen wegge-
legt. »Natterngezücht« habe ich gelesen und bin ganz begeistert. Unerhört dieser Mauriac! – Grüsse ganz herzlich Deine
liebe Frau und Dein gesundes Kind, auch Deine Brüder, Deine Schwester und Deinen vitalen Vater.
Ich hoffe auf einen Besuch von Dir so bald wie möglich.
Immer Dein Ada

BA5, 6S, eh

63   *Heinrich Böll an Ernst-Adolf Kunz*
30. Mai 48

Mein lieber Ada,
Dein Brief hat mir viel Freude gemacht und viel Kummer; Kummer über Deine Schwierigkeiten beim Theater, unnützen
Aerger zu allen Strapazen noch hinzu. Hoffentlich werdet Ihr
Herren der Lage. Vieles liegt auch sicher nur an der allgemeinen
Gereiztheit der Nerven und ist nicht so ernst gemeint wie es
scheint. Wenn du bedenkst, was man selbst manchmal alles
denkt und sagt von anderen!
Dein Urteil über meine Arbeit hat mir wieder Mut gemacht. Ich
hatte sehr gespannt darauf gewartet, weil ich ja weiss, dass Du
den Krieg kennst und weiss, dass Du ihn auf die gleiche Weise
wie ich »erlebt« hast. Ich bin sehr froh, dass du den Ablauf der
Geschehnisse nicht etwa konstruiert empfindest undsoweiter.

Wir werden darüber reden. Ich hoffe bald. Wenn die Tante zu
Besuch kommt, kann ich mich für 2-3 Tage frei machen. Ich
denke, so etwa am 10. Juni. Vorher möchte ich die neue Arbeit
noch fertigmachen. Sie wird wohl nicht gerade so lang, aber besser. Die Sprache ist fast »klassisch«, die Fabel ungefähr so: Ein
Mann steht mit Kartoffelrucksack auf dem Kreuz im vollgestopften Zuge und erkennt in der »Dame«, die hinter ihm steht,
die er nicht einmal sieht, die Mutter eines Offiziers, dessen Tod
er erlebt hat, während die Frau den Bescheid »vermisst« bekommen hat. Nun fährt er nach Hause, setzt sich hin und erzählt ihr,
was alles in dem letzten halben Jahr vor seinem Tode er mit ihrem Sohn erlebt hat, und zwar in Frankreich. Später »fällt« der
Sohn in Russland und zwar wird er im Suff von seinem Batail-
lonskommandeur erschossen (letzteres habe ich selbst erlebt).
Im ganzen soll die Arbeit ein Beitrag sein zu dem Thema »Militarismus und Soldatentum«. Und zwar positiv für das letztere, für
den sogenannten Landsknecht. Die Form ist sehr einfach, etwa
6-10 Briefe à je 10 Tippseiten. Du wirst sehen, und ich hoffe, dass
ich sie Euch werde vorlesen können –
Auch die Urteile von Anita und Wera über meine Arbeit haben
mir grossen Auftrieb gegeben. Ich war vollkommen von einem
Misserfolg überzeugt, infolge unsäglicher Müdigkeit wirklich
deprimiert. Die Aufmunterungen und positiven Urteile meiner
Frau sind auch sehr schön, aber das Echo ist zu nah, vielleicht
verstehst du das. Jedenfalls schicke ich heute die letzte Korrektur an den Verlag nach München und warte vier Wochen lang
gespannt auf den Briefträger. Vor der Geburt unseres Kindes
(Regina oder René) möchte ich gerne schon den Vorschuss in
der Tasche haben. Das wird nach Aussagen der Hebamme doch
noch sechs bis acht Wochen dauern, also würde das gerade
klappen.
Im uebrigen verzage ich keineswegs in materieller Hinsicht, nur
macht mir unsere gemeinsame Genussucht doch manchmal
Kopfzerbrechen. Mittwoch der vergangenen Woche hatte ich in
Bonn zu tun, und habe Ernst Fey besucht, er war reizend, wirklich ein prachtvoller Bursche. Wie wäre es, wenn wir vor August
noch eine gemeinsame Sauferei veranstalteten? Vielleicht könn-

ten wir uns beide, da wir ja relativ frei sind, nach Dir richten?
Was hältst du davon? Im August ist er nämlich in Ferien, sicher
wieder im besten Erholungsheim der Bizone. Ueberlege es Dir
Ada, und viele, viele
herzliche Grüsse an Euch alle
Dein Hein

BA5, pers K, 2S, m

64   Heinrich Böll an Ernst-Adolf Kunz
7. 6. 48

Lieber Ada, Tabak kam wie gerufen. Bin ziemlich erschossen:
Rheuma, entzündete Augen und Kopfschmerzen. Arbeit mußte
mitten im Fluß unterbrochen werden. Die Tante kommt erst am
10. 6., so werde ich wohl am 14. oder 15. erst kommen können.
Ich bringe auf jeden Fall dann zum Vorlesen das [unleserliches
Wort] mit, soweit es fertig ist. Sonst alles gesund und müde. Vie-
le herzliche Grüße, auch von Frau und Kind, an Euch alle
Hein

APK, eh

65   Ernst-Adolf Kunz an Heinrich Böll
Gels. d. 11. VI. 48

Lieber Hein – schade, dass Du nicht gestern kommen konntest.
Habe heute und morgen frei, d. h. ich muss lernen für neues
Stück. Bombenrolle! Première 30. Juni! Ab Montag Proben. Also
komm am besten Montag oder Dienstag. Mittwoch wenig Zeit,
da Vorstellung in Dinslaken. Donnerstag Probe, nur Freitag Vorstellung. Ab da wahrscheinlich nur Probe – also viel Zeit.
Komm! D. A.

APK, eh

66   *Heinrich Böll an Ernst-Adolf Kunz*
Köln-Bayenthal, Schillerstraße 99, den 16. 6. 48

Auch hier, lieber Ada, die Panik, die alle Schwachsinnigen befallen hat. Gleich bei meiner Ankunft am Hauptbahnhof: Amis 16 Mark. Ich verzichtete.
Morgen jedoch bekomme ich Tabak zum alten Preis (Tauschgeschäft: Pullover gegen Tabak!) und ich werde an Dich denken.
Etwas leichter ist es hier schon und ich denke mir, daß Du bei Euch nichts bekommen wirst. Ärmster!
Frau, Kind und Tante traf ich bei bester Gesundheit.
Bei Euch war's herrlich. Es ist immer wieder eine schöne Entspannung und ich hoffe, daß ich Euch im Laufe meines jetzt erst beginnenden Lebens noch viel werde vorlesen können.
 Grüße alle, von meiner Frau aufs herzlichste, ganz, ganz besonders Deine Mutter.
Morgen Tabak!
immer Dein Hein

BA5, pers K, 1 1/2S, eh

67   *Ernst-Adolf Kunz an Heinrich Böll*
Gels. d. 22. Juni 48

Mein lieber Hein – Heute kann ich noch unser letztes Porto verschreiben. Ich tue es gern. Du kannst Dir kaum die konfuse Stimmung hier in unserer kleinbürgerlichen Stadt vorstellen.
Wenn jemand dazu Grund hätte, wären es die Theater. In einer Betriebsversammlung wurde am Montag bei uns beschlossen, 4 Wochen auf Teilung zu spielen; d. h. Erdmann bekommt genausoviel wie das kleinste Ballettmädchen. Wir rechnen mit höchstens 30 M im Monat. Wie soll das werden.
Das Schauspiel soll nun doch gegeben werden. Viel Freude macht das Proben nicht mehr; da man nie weiss, ob es noch Sinn hat. Ferien? Man spricht nicht mehr davon. Hoffentlich geht es

Dir besser in Zukunft. Schreib mir darüber, bitte. Meinem Vater
übergeben wir morgen Dein Päckchen.
Noch eins. Wie ist bei Euch der Kurs für Tabak. Schreib ihn mir
und ich schicke Dir Geld. Ich würde Dich nicht damit belästi-
gen, doch gibt es hier nur den Pfälzer für 3 M 50 g. Unglaublich!
Ich kann mir daher nicht viel leisten.
Nun, es soll ja in Kürze besser werden. – Wann sehen wir uns
wieder?
Der Brief muss weg, Wera bringt ihn noch zur Post, da morgen
früh die Marken verfallen.
Ich grüsse Deine liebe Frau, Deinen filius
Immer Dein Ada

BA5, 3S, eh

68   *Heinrich Böll an Ernst-Adolf Kunz*
Köln, am dritten Tage der Währung 22. 6. 48

Mein lieber Ada, mit Bedauern las ich, dass Du vier Stunden an-
stehen musstest; hier ging alles so glatt und friedlich, ich brauchte nur wahre 10 Minuten zu warten und verliess mit stolzge-
schwellter Brust im Besitz von 120.– DM das Lokal. Um halb
zehn morgens waren die neuen Kurse schon bekannt (Amis
3 Stück 2 M, Butter 7, Kaffee 25). Inzwischen sind sie wieder
gestiegen, wenigstens der Kaffee (Kurse für jegliche Narkotika
interessieren uns natürlich sehr). Meine Frau ist von einem be-
wundernswerten Gleichmut und schlug mir gleich den Kauf
eines Paares Schuhe vor, doch waren die Preise noch nicht bekannt und ich entschliesse mich, bis zum 1. zu warten, wo es angeblich für jeden einen Bezugschein geben soll. Im allgemeinen
ist die Stimmung hier friedlich und brav, die Besucher des
Schwarzmarktes rekrutieren sich jetzt aus der entgegengesetz-
ten Schicht: Beamte und jeder Art »Gehaltsempfänger«. Die sogenannten freien Berufe zittern alle. Auch mir wurde ein wenig
schlecht, als ich bei meinem Buchhändler am Samstag vor dem
»Schnitt« einen Haufen Abbestellungen von Zeitschriften sah.

Doch rechne ich immer mit einer gewissen Schicht wirklich interessierter Leute. Freitag und Samstag war ich ein reicher Mann, 600 alte Mark brachte insgesamt der Briefträger, alle Verlage wollten ihre Schulden loswerden. Unfairerweise schickte man mir auch Honorare für Arbeiten, die noch nicht erschienen sind. Mich enttäuscht diese Haltung kaum, da ich die abgründige Verworfenheit der Literaturhändler zur Genüge kenne. Vielleicht bietet sich Gelegenheit, die Schäbigen einmal ihrerseits ein wenig zittern zu lassen. Ich konnte mit dem Geld immerhin noch einen Teil meiner Schulden bezahlen. Am Tage der Währung selbst bekam ich ein äusserst schmeichelhaftes Angebot vom Verlage des »Karussell«, der mir vorschlug – vorschlug!! – meine Erzählungen in einem Sammelband erscheinen zu lassen, die besten, die ich geschrieben hätte und in nächster Zukunft noch schreiben würde. Die Sache würde sich also in den nächsten Monaten machen. Ich schrieb direkt begeistert um Vorschuss. Gott gebe, dass zur Geburt Geld im Hause ist. Zum Glück wird das Gehalt meiner Frau noch einige Monate laufen, bis dahin muss ich irgendwo einen Coup gelandet haben ...

Ich bin sehr gespannt, wie es mit Euch wird. Denke daran, dass Euer Strohmann Dir nun 70% Deiner Gage für das letzte Drittel des Monats schuldet; und probt ruhig weiter, es ist doch viel schöner im kleinen Rahmen zu arbeiten: für Brot und Tabak wird es schon langen. Ich selbst fühle jetzt erst die vollen Lasten des sogenannten Familienvaters: ich verwalte die Deutschen Mark mit Klugheit. Meine Frau ist vollkommen unrechnerisch veranlagt. Bisher wurde kein Pfennig zum Schwarzmarkt gebracht (allerdings habe ich gestern auch Tabak geschenkt bekommen!).

Gestern vereinbarte ich für eine Privatstunde die ersten drei Mark, ein stolzes Gefühl, statt 1/2 nun 5 Cigaretten verdient zu haben! Im allgemeinen (an den Vorschuss glaube ich nicht) rechne ich für mich mit zwei oder drei Monaten ohne Einnahme, bis das Geld einmal rundgegangen ist. Die Honorare werden auf jeden Fall mindestens um die Hälfte gekürzt werden, im gleichen Verhältnis wahrscheinlich wie die Auflagen der Zeitschriften sinken. Einige Hoffnung setze ich auf »Lemberg« und

auf das »Vermächtnis«. Ende der Woche werde ich damit fertig
sein. Die englische Lyrik zu übersetzen hat mich viel Kopfschmerzen gekostet, seitdem ich von Euch weg bin, habe ich fast
nur daran gearbeitet und die Prosaübersetzungen meiner Frau
ein wenig ziseliert. Es wäre schön, wenn diese Arbeit auch ein-
schlüge, sie war sehr schwer ...
Nach der heutigen Untersuchung geht es mit meiner Frau normal, in etwa drei Wochen kann man mit der Niederkunft rechnen, also ab Mitte Juli. Wenn Du Ende des Monats ein oder zwei
Tage kommen willst, komme ohne weiteres. Wir werden uns
oben auf meiner Bude aufhalten, dort zusammen pennen und
die Frauen ausser den Mahlzeiten wenig belästigen. Falls Du
den genauen Termin ausmachen kannst, schreiben wir vorher
Ernst, der Alkohol besorgen muss, und fahren einen Tag zu ihm,
bevor er Ferien macht. Sei weiterhin sparsam, bürgerlich und
nüchtern. (Tabak hier 5.– DM, aber der sogenannte Originale,
der Pfälzer wird so etwa 2-3 kosten, ich rauche vorläufig einmal
alle meine Kippenreste in der Pfeife weg, ich strecke.) Es gilt
jetzt zu bedenken, dass ein Paket Tabak fast ein Pfund Butter für
Frau und Kind bedeutet. Ich bin dabei, Haushaltspläne aufzustellen.
Im grossen und ganzen bin ich sehr froh über den »Schnitt«. Jede Arbeit hat doch jetzt wieder Sinn, und wenn ich jetzt einmal
irgendwo 100.– Mk verdiene, kann ich mir fast ein Fahrrad kaufen und nicht nur ein Viertel Pfund Kaffee.
Also komm Ada, auf jeden Fall aber schreibe bald wieder und
gib mir eine Stimmungsschilderung.
Euch alle grüsse ich herzlichst (vielleicht komme ich noch einmal einen Tag), natürlich zunächst deine Mutter, ganz ganz besonders ...
Dein Hein

P. S. Seinerzeit hatte ich mit Wera darüber gesprochen, dass ich
möglicherweise für Deine Mutter im Briloner Gebiet einen Er-
holungsaufenthalt ausfindig machen könnte. Deine Mutter sollte nichts davon erfahren, damit sie vor einer Enttäuschung bewahrt bleibt. Inzwischen habe ich etwas erfahren, aber auch nur

eine Adresse. Legt Ihr noch Wert drauf? Ich hörte nämlich gestern, dass sich jetzt allenthalben die Hotels anbieten. Seht doch zu, dass Ihr für Eure Mutter etwas tut. Die Adresse, die ich erfuhr, ist ein Sanatorium zwischen Brilon und Brilon Wald mitten im herrlichsten Wald. Schreib mir darüber! Viele, viele Grüsse noch mal an Euch alle
Hein

[ehZ] Den alten Roman schicke ich in den nächsten Tagen!

BA4, 2S, m

69   *Ernst-Adolf Kunz an Heinrich Böll*
Gels. d. 24. Juni 48

Mein lieber, guter Hein –
Jetzt hast Du nach meinen Briefen sicher geglaubt, Dein wunderschönes Päckchen Tabak sei verlorengegangen. Dem ist nicht so. Als ich heute um 9 Uhr abends nach der Probe nach Hause kam, stand es auf dem Radio. Schon von der Tür aus sah ich es trotz meiner Kurzsichtigkeit. Ja, Hein, für solche Überraschungen ist mein Blick überraschend scharf. Hab Dank, Du Guter! Gestern kaufte ich mir ein Päckchen für 2,50 M, nachdem ich trotz Bemühungen seit Deiner Abwesenheit nichts bekommen hatte. Man betrog mich natürlich und so rauchte ich die vermeintlichen 50 g (es waren höchstens 40 g) bis heute weg. Allerdings hoffe ich auf eine neue Quelle morgen, doch war das unsicher. Du hast mich mal wieder gerettet. Ich schicke Dir zum Dank etwas Tee, von dem wir ja genug haben. Wenn man die verhältnismässig niedrigen Angebote hört, könnte man angesichts der augenblicklich verzweifelten Geldlage irrsinnig werden. »Henkell Trocken« 7,50 M, 5 deutsche 1 M, eben erzählte Nita, 20 Amis 4 M oder billiger wie im Handel. Schnaps bester Qualität 6 M etc. Na, Du wirst dieselben Empfindungen haben. Das alles würde mich nicht erschüttern, hätte ich die Garantie meiner Gage. Aber das wird noch lange dauern bis es so weit ist.

Wenn ich 50 DM im Monat bei unserem Teilungsplan bekomme, kann ich froh sein. – Am 3. Juli Première »Kinder – Kinder«.
Schade, dass Du nicht da sein kannst. Oder vielleicht doch? Wir
wollen trotz allem etwas feiern nachher mit Erdmann und Margot. Wie wär's. Ach, Du musst später mal mit Frau und Kindern
kommen. Vielleicht kann ich doch im August kommen.
Nächste Spielzeit will ich unbedingt zu Maisch. Es muss klappen.
Lieber Hein, nochmals, hab Dank. Ich bin stets Dein Ada.
Grüsse Frau!!

BA5, 2S, eh

70   *Heinrich Böll an Ernst-Adolf Kunz*
Köln, den 26. Juni 1948

Mein lieber Ada, schon hat das Wasser entsprechend lange ge-
brodelt und ich habe mir einen Becher von Deinem Tee aufge-
schüttet, nicht ganz reinen Gewissens, denn ich weiss doch, wie
sehr auch Ihr an diesem köstlichen Narkotikum hängt (wer
auch vermöchte es in dieser niederdrückenden Lasterhöhle, die
sich menschliche Gesellschaft nennt, so ganz ohne jegliches
Narkotikum aushalten). Hab also Dank! Zwar hatten wir noch
alten Währungstee, aber von minderer Qualität. Dank auch im
Namen meiner Frau, die sich durch die letzten aufreibenden
Wochen ihres Zustandes mit den normalen Beschwerden
durchschleppt. Der Tabak hat nicht einmal einen Pullover gekostet, sondern noch altes Geld, ich fand einen ehrlichen Menschen (meinen Bruder) der mir am Samstag noch zwei Päckchen
für fünfzig Mark altes Geld verkaufte, zu einem Zeitpunkt, wo
hier die »Rosco« mit 75.– Mk rasend gekauft wurde . . . also
nochmals Dank Euch allen . . .
Hier ist [es] so friedlich geworden, der Schwarzmarkt ist jetzt
nur noch ein sehr stilles Schmuggelgeschäft, fast alles ist dort
billiger als auf die sogenannten Marken. Allerdings ist das Geld
auch wahnsinnig knapp, vorläufig. Ich habe begonnen meiner

Frau Elementarunterricht in Buchführung zu geben, alles vergeblich, weil ich selbst die Haushaltspläne über Bord werfe.
Theoretisch sind wir beide recht sparsam, aber praktisch haben
wir die letzte Woche 80 DM für das »Notwendigste« ausgegeben. Allerdings liegt der verlockende sogenannte Erste ja auch
nahe. (Mein augenblicklicher Beruf, wenn ich die rein finanzielle Seite betrachte ist: Mann einer Beamtin. Das wäre etwas für
die Generation unserer Väter gewesen. Diese Beamtensicher-
heit ist mir zwar unbehaglich, aber nach dem Gesetz der uns in-
newohnenden Paradoxie auch wieder behaglich. Der Vergleich
mit der Drohne liegt geradezu wahnsinnig nahe. Aber sind wir
nicht allerlei gewöhnt . . .?)
Heute abend, wenn die Versprechung gilt, soll ich Tabak für 1.50
bekommen. Ich schicke Dir dann Montag etwas und bitte Dich
dabei zu bedenken, dass ich Dir noch ein volles Viertelpfund
schulde. Bitte, beraube nicht Deine Mutter und die ebenso be-
täubungsbedürftige Wera (die anderen trinken ja keinen Tee)
um weitere Mengen des kostbaren Mittels zur Erhöhung des
Wohlbefindens, vor allem sind uns angesichts der Geburt Regi-
nens oder Renés englische Sendungen avisiert, die gewiss wieder freundliche Ueberraschungen enthalten werden, vor allen
Dingen aber gedenken wir Anfang des Monats kleine Krösusse
zu sein. Schon planen wir den Ankauf eines Radioapparates auf
»Stottern« (260.– MK!!), schon habe ich in den feinsten Modege-
schäften die feinsten Anzüge ausgesucht, schon sind die Schuhe
bestimmt, schon das Service (denn am Vortage der Währung
fegte der Sturm, indem er sich des Fensterflügels als Gehilfen
bediente, die kümmerlichen Reste unseres Porzellans an den
Boden), schon fahnde ich nach einem Geschenk für meine Frau
anlässlich der Geburt des dritten Kindes und schon bin auf der
Suche nach jemand, der mir einen Kredit auf meine angebliche
Begabung und meinen offensichtlichen Fleiss gibt. Du siehst,
schon werden wir bald wieder ruiniert sein. Wenn meine ganz,
ganz leise Hoffnung sich erfüllt (dass nämlich einer der Verlage auf die glorreiche Idee eines Vorschusses kommt), komme
ich Anfang des Monates noch einmal schnell. Im negativen
Falle werde ich es kaum verantworten können, die geringen

Barmittel vor dem sehnlichst erwarteten Ereignis wesentlich in
ihrer Substanz zu schmälern. Nun, dann werden wir vielleicht
zu einem späteren Zeitpunkt möglicherweise zu »Henkel Trok-
ken« greifen, sitzend in Euren grossartigen Sesseln, um Regi-
nens oder Renés Ankunft auf dieser trotz allem schönen Erde
entsprechend zu feiern (zum allerwenigsten verspreche ich
Wein!).
Vor Ablauf der ersten vier Wochen rechne ich bei der mir eigenen Nüchternheit nicht mit literarischen Einnahmen. Es wird
doch lange dauern, ehe das neue Geld bei seinem Rundlauf die
Kontos ausgerechnet der Buch- und Zeitschriftenverlage erreicht hat. Vor den angekündigten Krediten scheut jeder Ge-
schäftsmann zurück (mein Bruder sagt mir, dass die Banken 8%
nehmen!!). Immerhin habe ich viele Eisen im Feuer (Die Anthologie, das Angebot vom Karussell bezgl. des Sammelbandes,
»Lemberg« und das »Vermächtnis«). Wenn eins davon vorläufig
heiss genug wird, um sich schmieden zu lassen, bin ich froh; im
uebrigen rechne ich dann für Weihnachten, wenn alles mal wieder
eifrig Bücher kaufen wird, doch mit gewissen Einnahmen. Jedenfalls macht es mir mehr Spass, wenn ich im Monat vorläufig vielleicht 100.– Dm einnehmen kann, als wie bisher 300-400 RM. Jede
Arbeit macht auf jeden Fall mehr Freude, da man nicht mehr diese
verdammte schwarze Umrechnerei im Kopf hat, nach der man
schliesslich sich für ein Pfund Butter im Monat die Augen ver-
darb, die Nerven verschliss, wenn man schon sich entschlossen
hatte seine Leidenschaft zu seinem Beruf zu machen . . .
Ich denke mir auch, dass Deine arg schwarzen Voraussagen mit
30.– DM im Monat nicht länger als zwei Monate gelten werden.
Alles wird wieder »fliessen« und zwar wird dieser Fluss bescheiden, aber von Substanz sein. Meine Frau ist von einem Optimismus, der mir müdem Europäer geradezu barbarisch erscheint.
Wir warten mit Spannung darauf, wie unsere erste literarische
Uebersetzung aufgenommen wird. Es war ein schweres Stück
Arbeit. Hypermoderne englische Lyrik, wo ich zum ersten Male
mich an Lyrik versuchte, und zudem selbst nur ein äusserst
schwacher »Gelegenheitslyriker« bin; die Sache ist dann auch
zum Schluss etwas »wurschtig« geworden, da es auch schnell

gehen musste. Die Prosateile von meiner Frau waren ausgezeichnet, und wir haben auf jeden Fall beide Geschmack an der
Sache gefunden. Es würde mich masslos reizen, einmal eine richtige, fabelhafte amerikanische oder englische Story zu übersetz-
zen, weisst Du von der Art, wie Du sie in der kleinen Zeitschrift
gelesen hast. Am herrlichsten wäre natürlich ein richtiger grosser Uebersetzungsauftrag eines amerikanischen oder englischen
Romans ...
Immerhin, lieber Ada, habe ich diese Woche auch schon 7.– DM
eingenommen, vom einzigen meiner mir treu gebliebenen Schüler. In zweiundeinhalb Stunden ein halbes Pfund Butter verdienen und drei Amis statt nach alter Rechnung eine einzige Zigarette, ich meine, das muss doch mehr Freude machen; stell Dir
vor, wenn ich nächstens für eine Arbeit wenn auch statt 500.–
vielleicht 150.– bekomme, welch eine paradiesische Fülle. Es
macht Spass, hier durch die Stadt zu bummeln: die Leute sind
wie verrückt: da werden riesige herrliche Puppen gekauft für
10.– Dm, da werden Massen von gutem Eis verschlungen und
manch einer hat sein Kopfgeld (dieser Ausdruck erinnert mich
furchtbar an Kopfjäger) auf der Stelle versoffen, und pumpt sich
bis zur nächsten Einnahme durch; die »anständigen« Leute
schütteln ihre braven Häupter so sehr, dass man fürchten muss,
sie fielen herunter. Ich selbst finde die Reaktion des Rausches
viel natürlicher und menschlicher als die Reaktion der Angst,
die Ernüchterung kommt sowieso, warum sie gleich in der
Angst vorwegnehmen und nicht einmal als Gegengewicht eine
kleine Freude kaufen?
Eben bekomme ich die Photos präsentiert, Rechnung: 20.– DM.
Gelinder Schrecken (wir kommen einfach nicht los von unserer
verdammten Angst), dann aber Freude über die reizenden Bilder, wenn auch unser gemeinsames Kopfgeld nun auf 20.– Mk
zusammengeschrumpft ist (der Tabak ist schon bezahlt und mit
20.– Dm kann man schon gut drei Tage auskommen). Jedenfalls,
lieber Ada, bin ich masslos gespannt, wie sich unserer beider
»künstlerische Existenz« nun anlassen wird; allerdings muss ich
mir beschämt gestehen, dass ich mir diese Spannung »leisten«
kann (Mann einer Beamtin, die zwar am Tage der Währungsre-

form gekündigt hat, aber noch drei Monate tariflich Anspruch auf ihr Gehalt hat). Nun, haben wir bisher von der Hand in den Mund gelebt, so muss eine Sicherheit von vorläufig drei Monaten doch wirklich paradiesisch erscheinen.

Ach, lieber Ada, ich würde gerne jetzt einmal bei Euch sitzen und hören und sehen, wie ihr den entscheidenden »Schnitt« passiert habt und wie Ihr Euch [durch] die gefahrvollen Klippen der »Sparsamkeit« hindurchlotst; jedenfalls schwimmen wir auf einem freundlicheren Gewässer, dessen Ufer, wenn auch vielleicht fern, so doch sichtbar und verheissungsvoll sind, ganz zu schweigen von gar manchem lieblichem, und gut erreichbarem Eiland …

Richte doch bitte Deinem Vater, lieber Ada, meinen herzlichen Dank für seinen Brief aus; die gute, wirklich hellhäutige Zigarre liegt schon da, aber wäre es nicht Frevel, sie einem Brief beizulegen und der Gefahr, von einem ordinären Poststempel zerquetscht zu werden, auszusetzen. Alles weitere also beim nächsten Besuch …

Uebrigens wimmeln die kosmetischen Läden von verführerischen Kleinigkeiten, ebensosehr die Schreibwarenläden, auch die Apotheken, alles Geschäfte, die von jeher (natürlich neben den Tabakläden) mir zur Verführung gereichten.

Euch allen, lieber Ada, in entsprechender Reihenfolge und mit der erstgemeinten Betonung meine herzlichsten Grüsse, freuen wir uns auf ein Wiedersehen (wahrscheinlich nach der Geburt, höchstens drei Wochen) bei möglichen alkoholischen Genüssen.

Immer Dein
Hein

Ich lege Euch von jedem der schönsten Bilder eins bei.
[ehZ] Sag bitte herzliche Grüße und Dank für den Tee Euch allen von meiner Frau.
Auf Wiedersehen!

BA4, 3 1/2S, m

71   Ernst-Adolf Kunz an Heinrich Böll
Gelsenk. 2. Juli 48

Mein lieber, guter Hein – was machst Du Dir für Sorgen! Nerven? Vielleicht kenne ich sogar die Motive. Nein, nein Hein, wir sind alle wohlauf und lavieren uns so durch dies kuriose Leben. Vorerst versuchen wir es mit Sparsamkeit, eine etwas bedrückende Angelegenheit. – Schon längst wollte ich Dir für Deinen langen Brief mit Fotos danken. Der ganzen Familie haben sie grosse Freude gemacht. Sie sind wirklich reizend. Deine Pläne haben uns sehr amüsiert, obgleich wir alle davon überzeugt waren, dass sie sich realisieren. Dann kam am Dienstag Deine Karte. Mach Dir keine Gedanken wegen Tabak. Ich rauche augenblicklich die besten Sorten auf Marken. Alle Geschäfte liegen voll mit den schönsten Zigarren, Zigaretten und Tabaken. Nur sehr teuer, 10 Zigaretten kann man hin und wieder ohne Marken kaufen. Gestern abend nach der Probe fand ich Deinen letzten Brief, Wera sitzt neben mir und raucht eine Zigarette. Sie lässt Dich grüssen. Wir alle hoffen, dass Du bald mal wieder eintrudelst. – Ich habe heute Hauptprobe, morgen Generalprobe und Première. Wir haben viel gearbeitet in den letzten Tagen. Schon liegt wieder eine Rolle vor mir – die des Conte Canero aus Zigeunerbaron. Wir haben von unserem lieblichen Direktor noch keinen Pfennig Geld bekommen. Augenblicklich scharfe Spannungen wegen Betriebsquote (60 DM), die er zurückhalten will obwohl an Gage nicht zu denken ist. Für mich ist die Lage nicht tragisch, da ich ja zu Hause lebe und mein Vater mich miternährt – auch Nita verdient 150 DM. Allerdings fürchte ich für meine Unabhängigkeit. Aber stell Dir vor, wie arm die Familienväter dran sind. Na, warten wir ab. Fest steht für mich, dass ich mich für die Spielzeit 49-50 bei Maisch bewerbe. Stell Dir vor Hein – wie schön das wäre. – Noch etwas – als ich vor 2 Tagen mit Margot durch die Stadt bummelte, treffe ich Willi Stratmann. Er war angetan mit elegantem Ulster, schwarzem Hut, schwarzer Krawatte und säuberlich gerolltem Regenschirm. Unverändert nobel. Er beschwor mich ein Treffen zu arrangieren. Ich konnte nichts versprechen. Es geht ihm gut. Ich freute mich wirklich, ihn zu sehen.

So Hein, jetzt muss ich zur Probe und bringe den Brief weg. Vielleicht komme ich schneller als ich jetzt weiss zu Dir. Allerdings ist es dann in Recklinghausen aus.
Ich grüsse Deine Frau und wünsche ihr alles Gute für die Zukunft.
Dir, mein lieber Hein, schreibe ich bald wieder. Sei ganz ruhig!
Immer Dein Ada

BA5, 4S, eh

72   *Heinrich Böll an Ernst-Adolf Kunz*
Köln, den 3. Juli 1948

Mein lieber Ada, vielen vielen Dank für Deinen Brief. Er ging so fabelhaft schnell. Vor Montag hatte ich nicht auf Antwort gehofft. Erst am Mittwoch war mein Brief geschrieben und heute schon Antwort! Ich bin sehr froh, dass alles gut ist. Hoffentlich bleibt es so. Es sind durchaus nicht die Nerven, viel wesentlichere und wichtigere Dinge. Habe Geduld mit mir und vor allen Dingen Vertrauen zu mir ...
Schreib mir öfter. Wenn Du Porto hast. Auch bei uns herrscht erzwungene Sparsamkeit, es ist sehr schwierig, aber wir werden uns daran gewöhnen müssen, arm zu sein. Gestern erhielt ich »Lemberg« zurück. Das Begleitschreiben sagte mir, dass der Lektor es gerne genommen hätte, der Verleger aber keinen Mut hatte. Trotzdem ich auf alles gefaßt war, eine arge Enttäuschung. Ich rechne auch mit weiteren Absagen; dann wird es ernst. Vier Köpfe zu ernähren wird nicht einfach sein. Positives habe ich seit der Reform noch nicht gehört – – Doch! Ich will nicht lügen! Eine süddeutsche Zeitung druckt eine Geschichte nach. Der Hauptanteil des Honorars geht dann ans »Karussell«; der Rest ist für mich. Ich bin sehr gespannt, in welchem Verhältnis die Honorare zu den früheren stehen. Ich schreib Dir alles sofort. Im allgemeinen scheint abwartende Tendenz zu herrschen. Meine Frau bestärkt mich in Optimismus. Sie versucht es wenigstens. Ich bin zu »existenzialistisch«. Ich lebe buchstäblich

immer auf des Messers Schneide. Daher auch mein Brief. Es
hängt alles bei mir buchstäblich an einem Fädchen . . .
Einen Teil des Kopfgeldes habe ich tatsächlich in Wein umgesetzt. (Flasche brauchbarer Qualität zwischen 3.20 und 7.50,
Moselwein.) Leider wurde ich nicht besoffen. Alle Sektsorten
liegen in den Fenstern, MM, Henkell, Deinhardt usw. Ich gehe
immer ohne einen Pfennig Geld aus. Jeden Tag lauere ich wie
ein Wahnsinniger auf den Briefträger. Ich bin verrückt . . .
Bei ruhiger Ueberlegung muss ich mir sagen, dass es einfach
noch zu früh ist. Aber überlege einmal ruhig! Da aus irgendwel-
chen technischen Störungen das Gehalt meiner Frau noch nicht
ausgezahlt worden ist, leben wir vorläufig auf Pump. Ich könnte
Geld genug geliehen haben, aber ich will endlich einmal unabhängig sein. Vollkommen unabhängig wenigstens in finanzieller
Hinsicht. Ich muss Geduld haben, vor allen Dingen dankbar
sein. Für drei Monate sind wir noch sicher, und wieviel Leute
gibt es heute schon, die nicht einmal mehr für die nächsten zwei
Tage sicher sind.
Ich erwarte immer den grossen »Schlag«. Wahrscheinlich
kommt er nie. Mit Mühe und Not habe ich das »Vermächtnis«
fertig bekommen. 88 Seiten. Es geht Montag auf die Reisen, zusammen mit »Lemberg« und dem alten Roman, der an Euch ab-
geht. Ich schenke Euch das Exemplar.
Erinnere Nita daran, dass sie automatisch eingeladen ist, wenn
das bewusste Telegramm kommt. Im anderen Falle (wenn Ihr
Fahrgeld habt) erwarte ich Dich oder Wera. Deine Mutter muss
einmal kommen, wenn alles ruhig ist. Wenn keiner kommen
kann, werde ich nicht gekränkt sondern traurig sein. Ihr kennt
mich ja. Hoffentlich geht alles gut . . .
Es regnet, fast seitdem ich bei Euch war. Heute Nachmittag eben
ein bisschen Sonne. Für meine Frau bin ich froh, dass es so
schön kühl ist. Hitze wäre Wahnsinn, obwohl auch wieder diese
stete Düsternis bedrückend ist. Ich freue mich sehr, wenn alles
gut verlaufen ist und ich kann wieder bei Euch sitzen. Dann trinken wir bestimmt eine Pulle (nicht nur eine!).
Wenn du kommen könntest, wäre herrlich. Ich habe nichts zu
tun, als alle zwei Tage eine Privatstunde. Zwischendurch renne

ich durch die Gegend und versuche zu schlafen (die beiden letzten grossen Arbeiten haben mich völlig ausgepumpt). Die Tante ist für ein paar Tage verreist in die Nachbarschaft und sucht alte Bekannte auf. Ich helfe meiner Frau, den dicken Bengel wälzen, der Durchfall hat und alle halbe Stunde ausgezogen, gewaschen und angezogen werden muss. Meine Frau kann es einfach nicht mehr (der Bursche wiegt über dreissig Pfund!). Wir erwarten beide voll Spannung und mit einer gewissen existentiellen Hysterie die Entbindung, sowie man nach langer Schwüle auf das Gewitter lauert ...

Aus England traf köstliche Säuglingswäsche ein, die Wochenbettpackung steht griffbereit auf dem Schrank, am Montag kommt die Tante wieder, alle vier Tage kommt die Hebamme fragen – also alles ist bereit. Es fehlt nur ein handfester Vorschuss, aber auch das wird kommen ...

Ich denke mir, dass Ihr ziemlich nahe am Ofen sitzt (wir auch übrigens, Anfang Juli!) und hin und her rechnet und nicht zu Rande kommt. Wenn man nur das »Notwendigste« anschafft! Es geht uns genauso, wir kommen nicht aus und werden nie auskommen und doch werden wir leben und leben lassen. Sei guten Mutes, Ada. Ich wäre froh, wenn es mit Maisch klappte. Hoffentlich bekommt Ihr von Eurem Direktor wenigstens etwas.

Ich grüsse Dich herzlich, lass bald wieder von Dir hören (Angst hab ich immer, es gibt keine Sicherheit) und grüsse alle anderen. Deine liebe Mutter, deren Sorgen nun nicht geringer geworden sind, deinen Vater, Nita ... und Wera. Schreib mir. Immer dein Hein – Frau – Kind

Wir haben uns seit dem Schnitt jedenfalls gründlich sattgegessen und sind »drüber« – es bleibt meistens sogar noch etwas übrig, auch von guten Dingen. Was sagst Du dazu?
H.
Schreib mir!

BA4, 2S, m

73　*Ernst-Adolf Kunz an Heinrich Böll*
Gelsenkirchen, d. 7. 7. 48

Hein, lieber Hein – Es geht uns allen gut. – Gestern kam Dein
Brief. Du musst ganz zuversichtlich sein, hörst Du! Dein »Lemberg« ist so gut, dass Du bestimmt Erfolg damit hast. Ich weiss
positiv, dass die besten Leistungen heute nicht angenommen werden: erstens aus dem Grund, den Du angibst, zweitens aus finanziellen Gründen. Du musst nur nicht verzweifelt sein. Was Du da
hast, ist Kapital, das sich eines Tages flüssig macht. »Das Vermächtnis« ist einfach so wunderbar, dass ich schon etlichen interessierten Menschen davon erzählte. (Hätte ich nur bald den
Schluss. Lies ihn uns vor!) Gestern sprach ich einen mir bekannten Buchhändler, der jetzt einen Verlag eröffnet. Leider braucht er
nur Kriminalromane und sonstige leichte Kost. – Also leider
nicht für Dich! Er sucht gute Sachen, hat viele Angebote und findet nichts. Trotzdem möchte ich ihm mal etwas von Dir geben,
wer weiss, wozu das gut ist. Er ist reizend, frei und menschlich. –
10 DM haben wir jeder bisher bekommen. In 20 Tagen etwas wenig, nicht? Ich habe sie schon ausgegeben, Tabak und Wein zu
zwein in einem netten Café. Morgen pumpe ich mir 5 M von
Mama. Nächste Woche hoffe ich auf mehr, da wir 10 Vorstellungen in Herne haben (Schwarzwaldmädel, Operette). – Optimi-
sten hoffen auf 10 DM pro Abend. Am Samstag war Première von
»Kinder, Kinder«. Es war herrlich! Leider war nur Mama da, da
Nita und Wera Turnier hatten. Voll war der Saal nicht, doch war
das Publikum reizend. Die Kritik lege ich bei. Bitte, schicke sie zurück, da ich nur die eine habe. An 3 Theatern haben wir das Stück
schon festgemacht. 1x hier in Gels. Rotthausen. Wann, weiss ich
nicht. Vielleicht kannst Du dann kommen. – Erdmann und ich haben Dich am Samstag sehr unter den Zuschauern vermisst. Er
und Margot kamen nachher noch zu uns und wir tranken 2 Pullen
Schnaps. Dann brachten wir gegen 5 Uhr Margot zusammen nach
Hause und um 6 1/2 lag ich im Bett. – Ja, Du fehltest.
Jetzt jeden Morgen bis nachmittags Zigeunerbaronproben. Die
musikalischen Einsätze sind schwer für mich, doch schaffe ich
es. Die Rolle reizend. Grotesker Komiker – mal was anderes. –

Wir denken alle an Deine Frau und Dich und drücken beide
Daumen (zusammen 20 Stück).
Grüsse alle, Hein, Du Guter.
Immer Dein Ada
Ich muss noch weg, daher die Eile. Bald mehr.

BA5, 4S, eh

74   *Heinrich Böll an Ernst-Adolf Kunz*
Köln, den 10. Juli 1948

Mein lieber Ada, vielen vielen Dank für Deinen langen Brief; ich
bin jetzt wirklich ruhig, aber freue mich doch immer wieder, von
Euch allen zu hören. Einige Tage – auch heute noch – war ich von
einer scheusslichen Generalerkältung geplagt; der ganze Kopf
zu, wahnsinnige Schmerzen, so dass ich Lust gehabt hätte, zu
Euch zu kommen und mir von Deinem Vater mit Kokain die
Wege wieder öffnen zu lassen. Nun ist es wieder besser – ich
schluckte massenhaft Tabletten, die das Stück soviel kosteten
wie eine amerikanische Zigarette.
Das einzige Ergebnis der letzten zehn nervenraubenden Tage
war eine sehr »existentialistische« Geschichte, die ich Euch demnächst vorlesen werde. Auch habe ich einige Seiten am »Stück«
angefangen, aber der Funke ist noch nicht übergesprungen. Deine Theaternovitäten sind doch sehr ermutigend; ich habe bisher
noch keinen Pfennig aus meiner eigentlichen Arbeit eingenommen, eine ziemlich aufreibende Warterei auf den Briefträger –
den Geldbriefträger, der meistens Nachnahmen bringt; die
ersten zehn Mark würde ich mit Freuden begrüssen. Sei also mutig, es kommt schon wieder. Mein Bruder nahm in den ersten
zehn Tagen buchstäblich 50 Pfennig ein und hat einen monatlichen Unkostenaufwand von 1000 Mark. Ich bin sehr nervös, um
so mehr ich sehe, dass wir sogar nicht einmal mit dem netten
Einkommen meiner Frau ganz rundkommen. Mit soviel werde
ich doch kaum rechnen können. Trotzdem bin ich mutig, zuversichtlich und freue mich auf die ersten Honorare wie ein König.

Sie kämen jetzt zur Geburt gerade richtig. Wir rechnen im Laufe der morgen beginnenden Woche mit dem Ereignis ziemlich sicher. Alle Anzeichen sprechen dafür, soweit man solchen Anzeichen trauen kann. Wahrscheinlich wird die nächste Nachricht, die Euch erreicht, das vielberühmte und vielberüchtigte Telegramm sein. Meiner Frau geht es wirklich blendend, wir machen fast täglich noch sehr weite Spaziergänge, wenn das Wetter es eben erlaubt. Hier regnet es buchstäblich seit drei Wochen ununterbrochen. Bei Euch auch? Du schreibst nichts davon. Es ist wahnsinnig bedrückend, oft zum Ueberschnappen und ich fürchte vor allen Dingen, dass es später den ganzen Sommer wieder nicht regnen wird. Ach, wie herrlich wäre es gewesen, wenn dieser Regen sich schon gleichmässig auf den Sommer verteilt hätte. Gestern bin ich trotz schwerer Kopfschmerzen, trotz schwerem Regen einfach ins Kino gegangen und habe mir die schönste Frau der Welt angesehen, zum Glück habe ich nagelneue herrliche Schuhe und kann also im Regen spazierengehen. Es ist auch sehr kühl, manchmal sitzen wir am Ofen und wärmen uns die Finger. Ich denke dabei an Euch verfrorene Sippe!

Von meiner ganzen literarischen Gesellschaft höre und sehe ich nichts. Ich habe eine nette Summe an Porto verjubelt und alles Verfügbare wieder einmal auf Tournee geschickt; einiges ist auch zurückgekommen; nun will ich das »Vermächtnis« einer Zeitung als Fortsetzungserzählung anbieten; aber die Brüder wollen nichts so scharf Antimilitaristisches. Ist das nicht toll? Drei Jahre nach dem Kriege muss man sich schon wieder vor dem Publikum fürchten. Einige neue Pläne schwirren mir im Kopf, aber ich bin einfach zu erschöpft, um sie auch nur zu skizzieren; vielleicht ist es gut, dass ich einfach nicht arbeiten kann. Meine Augen streiken glatt. Aber gerade jetzt so scheinbar sinnlos herumhocken und nicht einmal das Notwendigste lesen können, ist sehr aufreibend. Doch auch das muss ertragen werden. Vielleicht wird nach der Geburt eine grosse Entspannung kommen und ich kann wieder beginnen. Ich möchte einmal so gerne etwas wirklich Schönes schreiben, woran man sich auch freuen könnte. Es gelingt mir nicht.

Ausserdem habe ich mich entschlossen, einem Bund von Kriegsdienstverweigerern beizutreten. Eines Tages wird man uns bestimmt mit einem »Kreuzzug« gegen die Russen kommen oder ähnlichem Blödsinn; ich bemühe mich im Augenblick um die Adresse einer Bewegung, die in München von einem Dominikanermönch geführt wird. Ich denke mir, man muss auch etwas t u n, nicht nur reden und schreiben. Das ist ziemlich leicht. Auch bei uns, mein lieber Ada, werden Versuche zu grosser Sparsamkeit unternommen, es wird nur nichts daraus, aber wir denken, dass alles klappen wird. Im Notfall ziehen wir einen etwas umfangreicheren Unterrichtsbetrieb auf und stürzen uns auf Uebersetzungen; ich habe mich auch schon um Buchkritiken bemüht, aber es gibt so viele »gebildete« Menschen, dass ich – völlig ohne Titel – da wohl nicht in Frage komme.

Ich lege die Kritik wieder bei, lieber Ada. Sie ist doch herrlich, auch meine Frau war entzückt. Was wollt Ihr mehr? Nur Geduld, erst müssen die Leute mal wieder ihre blödsinnige Angst vor dem Geld überwunden haben. Ich bedauere es wirklich, dass ich nicht zur Premiere kommen konnte, aber unter diesen Umständen wäre es wirklich unverantwortlich gewesen, wenn ich die Frauen allein gelassen hätte. Ich rechne jetzt jede Nacht damit, geweckt zu werden und zur Hebamme zu rennen. Hoffentlich geht es so glatt wie beim letzten Mal. Ich sehe mich im Geiste schon am Postschalter stehen und das Telegramm aufgeben, stelle mir vor, wie es ankommt bei Euch undsoweiter. Mehl zum Kuchen habe ich gestern schon gekauft, insgesamt rechnen wir doch mit fast zwanzig Leuten, bei einer solch umfangreichen Sippe nicht einmal viel, dazu die nächsten Freunde (unter anderem von »Kunzens« einer!), das werden schnell zwanzig Personen. Es wird bestimmt nett, wenn man den allgemeinen demokratischen Geist der Familie in Rechnung zieht. Bei meiner Schwägerin tritt das Ereignis diesmal mehrere Monate später ein, so dass wenigstens ein gewisser Glanz gewahrt bleibt.

Unser Junge läuft übrigens! Das hätte ich wirklich bald vergessen, vorige Tage war er es plötzlich satt, erhob sich und segelte einfach los, es war reizend; er war sehr stolz und wiederholte das Manöver dann, nachdem er sich vergewissert hatte, dass auch alle richtig zusahen. Er zieht dabei den Kopf ein und hält sich an seinem eigenen Hemd oder seiner Hose fest! Ein geborener »Existentialist«, der auf Sicherheiten vertraut, die gar keine sind. Inzwischen ist er sehr tüchtig geworden, sehr unternehmungslustig, so dass wir die Tür jetzt immer behüten müssen, sonst geht er einfach die Treppe hinunter! und das wäre für den Anfang doch ein wenig zuviel verlangt. Auch er ist erlöst, das ewige Krabbeln machte ihn verrückt, er war wahnsinnig ungeduldig (das hat er von seinem Vater!) und wütend, dass er noch nicht laufen konnte; es war ihm so furchtbar lästig, immer nur zu krabbeln und andere Leute in Anspruch zu nehmen; er ist auch sehr unabhängigkeitsbedürftig; immerhin ein Fortschritt, dass er zur Geburt seines Geschwisters wenigstens auf »eigenen Füssen« steht. Ich denke mit Schrecken daran, dass der arme Kerl insgesamt achtzehn Jahre zur Schule muss. Vier Jahre Volksschule, neun Jahre Gymnasium und noch mal wahrscheinlich vier Jahre zur Universität, wenn er Lust hat. Ist das nicht schrecklich? Achtzehn Jahre! Achtzehn Jahre mehr oder weniger Angst.

Ich hoffe, dass mein »alter Roman« gut in Eure Hände gekommen ist. Ich denke nicht ohne Gewissensbisse an ihn, doch auch mit Freude. Ohne diese Plackerei wäre ich wahrscheinlich nie zur Arbeit gekommen, hätte nie den Mut gefunden und nie entdeckt, dass ich etwas auf die Beine bekommen könnte. Ich bin gespannt, wie er Deiner Mutter und Wera gefallen wird. Immerhin dürfte es für die beiden enttäuschender sein, ihn zu lesen, als für Euch, da sie inzwischen Besseres gesehen haben. Nun, ich werde mir hoffentlich mündlich Bescheid holen können. Anfang August spätestens hoffe ich das Reisegeld wieder einmal zusammen zu haben. Bis dahin aber sehe ich einen von Euch und lasse mir alles erzählen.

Viele, viele Grüsse, mein lieber Ada, an Euch alle in der entsprechenden Reihenfolge und mit dem entsprechenden Nachdruck.

Dein Hein

[ehZ] Auch meine Frau läßt Euch alle herzlich grüssen.

BA4, 3S, m

75   *Heinrich Böll an Ernst-Adolf Kunz*
Köln, den 17. Juli 1948

Mein lieber Ada, schnell noch einen Stimmungsbericht, da ja das Ereignis noch nicht eingetreten und noch kein Telegramm gerechtfertigt ist. Wir haben allmählich die finanzielle General-linie erkannt: Vorsicht, äusserste Vorsicht, starke Nerven beim Vorbeigehen an Geschäften und möglichst wenig Geld in der Tasche. Ich versuche mir lebhaft vorzustellen, wie Ihr fertig wer-det (verzeih diese Intimität!), aber wie ich auch rechne, es kann eigentlich kaum langen. Hoffentlich ist Eure Begabung zur Ba-lance gross genug, um bei diesem sehr reizvollen und aufreiben-den (aber welches Reizvolle wäre nicht aufreibend!) Seiltanz über die knappe Linie der Möglichkeiten Euch immer wieder den nächstrichtigen Schritt bestimmen zu lassen. Ich hoffe wirk-lich, mich bald von Eurem neuen Lebensstandard überzeugen zu können. Ich freue mich sehr. Hoffentlich ist auch bei Euch das deprimierende Wetter besserem gewichen, so dass der Gar-ten Deiner guten Mutter gedeiht, die Spaziergänge Deines Va-ters und das Tennisspiel der Schwestern gewährleistet ist. (Du schläfst gewiss nach aufreibenden Touren weiterhin bis in den Tag hinein. Ich auch.) (Ich schlafe bis der Briefträger kommt, der meist nichts Gutes bringt.)
Jeden Abend gehe ich alarmbereit ins Bett und stehe jeden Mor-gen auf, ohne alarmiert worden zu sein. Meine Frau sieht gerade-zu blendend aus (man würde »es« nicht von ihr denken), jede, selbst die vorsichtigste Frage nach ihrem Befinden nimmt sie sehr skeptisch auf (mit liebenswürdiger Skepsis natürlich), da sie die Ungeduld des Fragenden zu wittern glaubt. Immerhin, der Stichtag war erst gestern und es wird vielleicht ein Sonntags-kind. Alle Vorbereitungen sind inzwischen bis aufs I-Tüpfelchen erfüllt: Der Kinderwagen (den du ja auch schon geschoben hast) ist neu lackiert, das Zimmer aufs gründlichste geputzt wor-den, wochenlang hat die Nähmaschine undefinierbare Dinger zwischen ihren Zangen gehabt, der Wein ist schon zweimal wie-der ausgetrunken worden und nun wird als letztes der Taufan-zug des Vaters gebügelt (es ist immer noch dieselbe braune

Jacke). Vielleicht ist das Kind ein sehr korrektes Kind und will erst das sogenannnte Licht der Welt erblicken, wenn wirklich alles vollkommen perfekt ist. Finanziell befinden wir uns in einem ständigen Schiffschaukelzustand: man glaubt immer wieder oben »überzuschlagen«, aber immer wieder fallen wir in ein gleichmässiges Pendeln zurück. Wenigstens eine positive Nachricht traf heute ein: Unsere Uebersetzung ist angenommen und wurde gelobt, wobei das Generallob meine Frau traf für ihre Prosa, während meine Verse – wie ich ja vorhersah – einen leisen Stich bekamen. Ein wirklich grosser Erfolg insgesamt, sozusagen eine neue Existenz, die sich natürlich erst noch entwickeln muss.

Ich hatte heute auf einen Brief von Dir gehofft mit Neuigkeiten von Euch allen und Eurem Theater. Vielleicht kommt mit der Mittagpost noch etwas. Ich bin sehr gespannt auf die Entwicklung Eures Unternehmens. Hier sind die Theater auch weiterhin meist voll bei ungefähr auf die Hälfte gesenkten Preisen.

Ich freue mich sehr, wenn jemand von Euch kommt, um mir alles erzählen zu lassen, vielleicht ist der Tag günstig und wir können uns dann den »Teufels General« ansehen, der immer noch ausverkauft ist.

Alle meine Hoffnung liegt beim »Azoren-Hoch«, von dem ich höre – eingeweihte Leute erzählten es mir – dass es einige hundert Kilometer südlich gerutscht ist und dem »Island-Tief« hat weichen müssen. Daher dieser wochenlange Regen. Auch bei Euch möge die Sonne wieder scheinen zur Erheiterung der Gemüter, zur Wärmung der fröstelnden Corpora. Auf Wiedersehen und viele, viele herzliche Grüsse an Euch alle
Immer Dein Hein

BA4, 1 1/2S, m

76   Heinrich Böll an Ernst-Adolf Kunz
Köln, den 23. Juli 1948

Mein lieber Ada, Dein finsteres Schweigen macht mich sehr nervös; ich denke mir alle möglichen Gründe dafür aus, von Ueber-
lastung, Krach, Unlust bis zu Portoschwierigkeiten, aber keiner
dieser Gründe erscheint mir stichhaltig genug, mich auf eine so
schmerzliche Weise im ungewissen über Euer aller Wohlergehen zu lassen. Was macht Euer Theater?
Ich habe in den letzten Wochen etwas gelernt: Ich warte nicht
mehr mit dieser furchtbaren nervösen Hysterie auf den Briefträger (der doch nichts bringt, nicht einmal Briefe von Dir), sondern arbeite ruhig und friedlich ohne zunächst an Erfolg zu
denken; ich versuche zu skizzieren, mache regelrecht handwerkliche Studien oder versuche wirklich einmal nichts zu tun. Letzteres ist das Schwerste; ich bringe kaum fertig, nichts zu tun.
Mein letzter Schüler ist in Ferien gefahren, zu Beginn des neuen
Semesters erwarte ich einen Auftrieb in diesem meinem Neben-
gewerbe, welches wahrscheinlich zunächst meine Haupteinnahmequelle bleiben wird. Von den Verlagen höre ich nichts; nichts
Gutes, das »Vermächtnis« wurde abgelehnt, weil es zu »schwül-
stig« sei, zu sentimental usw. Hast Du das auch empfunden? Ich
überlege jetzt, wem ich es anbieten soll. Etwas Gutes hat diese
Warterei: ich werde mir über viele meiner Fehler klar: ich arbeite
zu schnell, zu ungeduldig, irgendwie verschwenderisch, ich nehme alles persönlich zu »ernst«, habe keinen Abstand, und das
verdirbt jene ruhige Gelassenheit, die man von einem Erzähler
erwartet. Letzten Endes werde ich es doch mit dem »Vermächtnis« wieder bei einem katholischen Verlag versuchen müssen.
Der christliche Inhalt war einer der offen zugegebenen Gründe
bei der Absage, vielleicht insgeheim der Hauptgrund.
»Lemberg« liegt bei den Karussellbrüdern, die jetzt schon (wahrscheinlich sehr neugierig) daran herumschnüffeln, drei Wochen
lang. Weitere drei Wochen werden sie brauchen, um eine einigermassen elegante Absage zu verfassen. Diese Burschen
verbinden (das habe ich allmählich heraus) mit mir bestimmte
literarische Pläne, eine bestimmte Form, in die sie mich einfach

hineinzwängen wollen (die nennen das »verhaltenen Realismus«), aber ich habe gar keine Lust, ewig »verhalten« zu bleiben; ich werde bald platzen, vielleicht bin ich schon geplatzt (daher »sentimental«). Nun, jedenfalls werden meine neuen Arbeiten anders sein, viel gründlicher, sauberer und mehr durchdacht. Verzeih, dass ich soviel von mir quatsche; aber wenn mich keiner besucht, mir auch keiner schreibt, muss ich ja schliesslich auf diese Weise plaudern. Meiner Frau mag ich nicht dauernd mit diesen literarischen Argumenten in den Ohren liegen, sie ist sehr betrübt, dass sie die Erwartungen vorläufig enttäuschen musste, andererseits froh, dass es nun auf jeden Fall ein »Löwe« wird. Die Hitze lähmt uns alle, im uebrigen ist meine Frau, was mich betrifft optimistisch und rät zum Ausharren. Ich wünschte, ich könnte ihr absolutes Vertrauen in meine sogenannte »Zukunft« teilen. Ich glaube, wenn es mir nicht gelingt, irgendwie an Zeitungen zu landen, wird es sehr flau. Keine Sau kauft Bücher oder Zeitschriften.

Ich fange jetzt an Mathematik zu wiederholen, Pensum von Untertertia bis Untersekunda, dann gebe ich Mathematikstunden, die sehr gesucht und gut bezahlt sind. Ausserdem macht es mir Spass (Mathematik war mein Lieblingsfach). Mein Bruder macht nach den Ferien seinen Assessor und wird dann als M-Lehrer hoffentlich hier an eine linksrheinische Schule kommen; er versprach mir für den Fall laufend Nachschub an gut zahlenden Schülern. Eine gewisse Sicherheit wenigstens bin ich meiner Frau und den Kindern ja schuldig. Ausserdem will meine Frau, wenn sie wieder aktionsfähig ist, Englisch geben, jeden Stoff aller Klassen. Irgendwie werden wir schon durchkommen, ich bin ganz ruhig. Vielleicht bringt die Literatur von Zeit zu Zeit auch etwas ein. Auf jeden Fall möchte ich nicht vom Erfolg meiner lit. Arbeit allein abhängig sein, das verdirbt den Stil und den Charakter. Ich will ganz friedlich und schön »nebenbei« arbeiten, an schönen Aufgaben, die ich dann auch ruhig durcharbeiten kann, so dass sie mir Freude machen, ohne dass ich von ihrem sofortigen Erfolg abhängig bin.

Aber nun habe ich wirklich genug von mir erzählt. Was macht Ihr alle? Wenigstens scheint ja jetzt die Sonne kräftig und schön,

aber (verzeih diese Intimität!) wie steht es mit der D-Mark? Ist
es nicht gemein, das sie uns die 20.– M abziehen wollen, ich
möchte wissen, was mich die »Wirtschaft« angeht! Diese »Wirtschaft«! Ich möchte in die Wirtschaft gehen, sonst nichts! Diese
grossen Worte sollen uns etwas vorspiegeln, was es gar nicht
gibt. Die »Wirtschaft«, was ist das anderes als der Geldsack dieser Brüder, von dem sie sehen, dass er nun verdammt schmal geworden ist und sich nicht mehr füllt, diesen leeren Geldsack
wollen sie mit unseren 20.– M füllen, sonst nichts! Verdammte
»Wirtschaft«! Ich werde mich mit einem juristischen Freund beraten, ob man nicht den Staat verklagen kann, wenn er mir die
20.– M verweigert. Schliesslich habe ich für meine 20.– Reichsmark genauso wüst schuften müssen, wie für 20 andere. Ein alter
Schwarzhändler, dem ich vorige Tage einige Amis abkaufte, sagte zu mir (er kennt mich gut) (und ausserdem war er vollkommen besoffen): »Es muss Blut fliessen.« Er pries mir den Rausch
der Revolution mit so verlockenden Worten, dass ich weitergehen musste, sonst wäre ich wahrscheinlich wenige Minuten
später begeistertes Mitglied der KPD gewesen. Aber ist nicht
Blut genug geflossen?
Nun schreibe mir bald, Du Schuft, schreibe, wie es jedem von
Euch geht, da ich mich ja nicht visuell und nicht mündlich von
Eurem Wohlergehen überzeugen kann. Du musst mir alles schildern, auch von Eurem Theater. Was hältst Du von einem Lustspieleinakter mit zwei Personen (Kunz mit Partnerin) mit leicht
kriminellem Einschlag (Künstlermilieu?). Ich versuche da eine
Sache zu fixieren, die vielleicht ganz nett werden kann, durchaus
nicht grossartig, aber möglicherweise reizvoll.
3 Tippseiten sind schon fertig. (Ich arbeite jetzt sehr vorsichtig,
nicht mehr so wild drauflos.) Ich denke mir, dass die Sache auf
30-40 Seiten gedeihen kann. Aber vielleicht ist ein Einakter
nichts für Euch?
Die richtige dramatische Linie habe ich jedenfalls noch nicht gefunden. Auch die Nachmittagspost ist inzwischen passiert ohne
etwas gebracht zu haben (immer noch nicht bin ich ganz sicher,
ob nicht eine Briefträgerverschwörung im Spiele ist). Ich habe
meinen Sohn hier oben, damit seine Mutter mal einige Stunden

richtig schlafen kann. Zuerst habe ich versucht ihn mit meinem
Stempelkissen und dem Stempel zu reizen und zu beschäftigen,
aber er missverstand mich vollkommen, schmierte sich das
Stempelkissen durchs Gesicht und liebkoste es mit seinen
feuchten Händen; er sieht recht heiter aus und ich kriege das
Zeug nicht mehr ab, nicht einmal mit guter Seife; im Gegenteil:
die Farbe wird immer leuchtender und deutlicher, immer kräftiger und schöner: die moderne Chemie ist ja auf der Höhe. Eine
halbe Flasche Spiritus habe ich auch schon verbrasselt, aber
auch das nimmt der Stempelfarbe nichts von ihrem kräftigen
Violett. So muss ich ihn also seiner Mutter übergeben und
muss nun scharf aufpassen, dass er die Finger nicht in den
Mund nimmt. Mein zweiter Beschäftigungsversuch schlug
auch fehl: ich gab ihm Büroklammern, aber er wusste nichts
Besseres als sie in den Mund zu stecken, wobei er selig grinste
und helle Rufe des Entzückens ausstiess. Aber auch das schien
mir nicht gerade nervenstärkend für ihn und mich. Ich versuchte ihn mit Literatur zu fesseln, gab ihm veraltete Entwürfe völlig missratener Novellen seines Vaters, dieses jedoch – ich habe
vollstes Verständnis dafür – langweilte ihn masslos, er schrie
und zupfte mich dauernd am Hosenbein, um mit mir spazierenzugehen, leider kann ich mir das nicht leisten, da ich einem sehr
saumseligen Freund schreiben muss (er heisst natürlich Kunz)
und ausserdem ein paar gut verkäufliche, raffinierte Stories zu
schreiben plane, die D-Mark einbringen müssen, damit die mi-
nimalste Sicherheit der Familie gewährleistet bleibt. Nun aber
habe ich ihn friedlich beschäftigt: meine Waschschüssel halb
voll Wasser und darin Steine (die ich immer auf meiner Fen-
sterbank liegen habe, um eine ewig herumstreunende dicke
schwarze Trümmerkatze zu verjagen). Nun ist er vorläufig beruhigt und glücklich, bis unten beim Grossvater das Wasser
durch die Decke zu tropfen beginnt, ein reizvoller Anlass, um
eine »Familiensense« steigen zu lassen, bei der die letzten Nerven draufgehen werden. Die Sense hinwiederum rechtfertigt
eine Flasche Wein zur Beruhigung und Erneuerung der Ner-
vensubstanz, der Wein kann natürlich nicht ohne Tabak genossen werden, der Tabak nicht ohne vorhergehende Stärkung des

Magens: Du siehst, wie teuer so ein Kind werden kann, ganz zu
schweigen von der zu erwartenden akademischen Ausbildung,
oder einer möglichen Ausstattung als Reserve-Offizier eines
feudalen Regiments, wenn die CDU weiter am Ruder bleibt.
Deshalb wird mir doch nichts anderes übrigbleiben als in die
KPD einzutreten, dann wäre ich auch alle beruflichen Sorgen
los, denn so ein Schriftsteller in der SU, der verdient ein nettes
Geld, hat ein Auto, ein Wochenendhaus und kann möglicherweise die grosse sommerliche Literatur-Flaute auf der Krim
vorbeigehen lassen . . .
Ach, Ada schreib mir, du Schurke, Du kannst Dir doch denken,
dass ich gerne von Euch höre, wo ich nicht in der Lage bin, meine Alarmbereitschaft zu verlassen und zu Euch zu kommen.
(Der Junge hat jetzt angefangen, mit den Steinen in den grossen
Kleiderschrankspiegel zu schmeissen, ich muss mich um ihn
kümmern, ihm eine neue Beschäftigung ersinnen und dann will
ich anfangen ernsthaft zu arbeiten.)
Grüsse alle von mir, herzlich, Mutter, Vater und die Mädchen
und vergiss nicht mir zu schreiben, oder muss ich jedesmal so
alarmieren wie damals? Ich hoffe, dass ich sagen kann: Auf Wiedersehen bald!
Immer Dein
Hein

BA4, 3 1/2S, m

77   *Ernst-Adolf Kunz an Heinrich Böll*
25. Juli 48

Mein lieber Hein!
Hab Dank für Brief und Karte. Du musst noch etwas Geduld
mit mir haben. Ich komme einfach nicht zu einem Brief. Die letzten 10 Tage waren angefüllt mit wahnsinniger Arbeit. Pro Tag
10 Stunden Probe. Ich fiel abends nur so ins Bett. Gestern nun
war die Première »Zigeunerbaron«. Ein Erfolg! Kommende
Woche habe ich nur Vorstellung, sonst Zeit. Komm doch mal.

In 3 Tagen mehr. Finanzielle Lage schlimm! Wir hoffen auf
Zukunft. Grüsse alle!
Immer dein Ada

APK, eh

78   *Ernst-Adolf Kunz an Heinrich Böll*
Gelsenk., d. 29. Juli 48

Mein lieber, guter Hein.
Vorgestern kam Dein Brief, in dem Du Dich mit Recht über
mein langes Schweigen aufregst. Es ist wirklich sträflich von mir,
Dich so lange warten zu lassen. Aber wie ich schon kurz schrieb,
hatte ich viel Arbeit, deren Nachwirkungen noch heute zu spüren sind. Ich bin restlos erschöpft (auch finanziell). In 1 1/2 Monaten haben wir ungefähr 35 DM verdient. Jeden Tag wachsen
meine Schulden, da ich nicht sparen kann und mich Zigaretten
und Wein zu sehr locken. Es ist schrecklich. Bei dem Wirt unseres Theaters habe ich Kredit und einmal angefangen mit
Schulden, bin ich unglaublich leichtsinnig in der allerdings auch
festen Zuversicht auf bessere Verdienste. Jeden Tag Zigeunerbaron. Kritik ist gut. Ich schicke sie Dir morgen. Das Wetter ist irrsinnig heiss. Gestern morgen bin ich um 5.00 aufgestanden und
bin mit Margot an den Halterner See gefahren. Eine prächtige
Entspannung. Wald, Sand, Wasser, Sonne und mal allein. Keine
Häuser, keine Menschen – wundervoll. Ein leichter Sonnen-
brand auf Rücken und Schultern ist die barmherzige Strafe. Am
1. Aug. nun soll die Teilung wieder abgeschafft werden und ich
rechne mit winziger Gage. Höchstens 200 DM! (Das ist Optimismus, Hein, nicht?).
Heute mein erster Abstecher nach Castrop Rauxel mit »Zigeu-
nerb.«. Stell Dir vor, dass ich mit grosser, weisser Lockenperücke
(1750) und dickem Sammetkostüm auftrete und Du kannst Dir
einen Begriff machen, welche Schweissmengen ich verliere. Das
Wasser tropft mir buchstäblich auf die Bühne.
Ach Hein, ich kann leider nicht kommen. Es geht einfach nicht,

jeden Tag Vorstellung und doch kein Geld. Gestern sah ich ganz einfache Menschen mit gleichgültigem Gesicht im D-Zug nach Köln sitzen, oh, ich habe sie wirklich beneidet, diese »Reichen«, die Zeit haben. – Deine neue Arbeitsmethode gefällt mir und sicher ist das der richtige Weg. Der andere Weg hätte Dich völlig heruntergebracht mit den Nerven. Ich wette mit Dir um 50 Amis, dass das Vermächtnis und Lemberg einst angenommen werden und Erfolg haben. Auch Du musst Geduld haben, Hein. Lass Dich nur nicht irritieren von den Verlagsbonzen. (Leicht gesagt ohne Geld.) Dein Stück interessiert mich wahnsinnig und ich freue mich auf Dein Kommen. Komm sobald es geht und bleibe 6 Tage. Wir machen es dann fertig. (Ich kann vor Hitze kaum noch schreiben.) Sehr oft denke ich an Deine liebe Frau. Wie schwer wird sie es jetzt haben. Grüss sie ganz herzlich von mir und ich wünsche ihr Nerven und Gesundheit. Wie glücklich werden wir sein, wenn wir mal wieder bei Euch alle zusammen sind um ein Wesen vermehrt, nicht? Ja, dann feiern wir, Hein. Sobald das Kind da ist, es Dir passt, und ich 3 Tage Zeit habe, komme ich und sollte ich verschuldet sein wie ein kaiserlicher »Soldatengott«.
Ich muss weg. Bestimmt bald mehr.
Immer Dein Ada
P. S. Heute Freude bei Mama, da Päckchen mit Kaffee von Dir! Sie schreibt noch. Du bist rührend! A.

BA5, 4S, eh]

79   *Heinrich Böll an Ernst-Adolf Kunz*
Köln, den 30. Juli 1948

Mein lieber Ada, mach Dich wieder auf einen langen Brief gefasst, diesmal ohne Vorwürfe; sei nicht böse, aber ich höre von niemand etwas, verstehe aber auch gut, dass Du abends vollkommen erschossen bist. Das Furchtbare ist, dass ich nicht viel zu tun habe, aber auch nicht wegfahren kann. Meine arme Frau ist bei dieser irrsinnigen Hitze schon mittags um elf Uhr halb ohnmächtig in ihrem Zustand, und das einzige, was ich für sie tun kann, ist, bei ihr ausharren und ihr alles, soweit ich das kann, erleichtern. Ich glaube es gibt kaum etwas Quälenderes für Frau und Mann als solche Fehlkalkulationen, die in diesem Fall noch durch alle beratenden Instanzen (Aerzte, Hebamme und erfahrene Gebärerinnen) unterstützt wurden, so dass wir innerlich ganz sicher auf den 15. Juli eingestellt waren.

Ich muss unbedingt etwas Näheres von Euch hören; unbedingt, verstehst Du? Die absolute literarische Windstille hält an; immerhin höre ich von meinen Buchhändlern, dass das Geschäft gut geht (ich selbst habe nicht widerstehen können und schon für 35.– DM Schulden dort gemacht). Aber ich höre nichts, das heisst: bisher nur Negatives. Leider auch vom Rundfunk, bei dem es doch wohl nicht an finanziellen Mitteln fehlt. Nun, allmählich stelle ich mich wirklich auf andere Einnahmequellen um. Ich mache für meinen Bruder den ganzen kaufmännischen Kram, kämpfe wie ein Löwe auf Finanzämtern, an Krankenkassen, bei sämtlichen Behörden usw., aber das nimmt mir nicht meine Zeit, die ich gerne ausgefüllt sähe; die Schüler sind in Ferien, ein einziges mathematisches Opfer hat sich bisher eingefunden: ein belgischer Junge (13 Jahre), reizender Bursche, der 4.– Dm die Stunde bezahlt, vier Stunden die Woche nimmt und zum Teil in Zigaretten und Kaffee bezahlen will. Nun, es wird schon laufen. Noch immer habe ich nicht ganz die Hoffnung aufgegeben, dass eine der grossen Arbeiten irgendwo einschlägt und wenigstens einen Vorschuss einbringt, der die ersten Monate langen könnte. Das Schlimme ist, dass ich nicht reisen kann, weder zur Zeit abkömmlich bin, nicht die Reise nach München, Hamburg, Kassel usw. finanzieren könnte, das wären hunderte Mark; von einer persönlichen Rücksprache verspräche ich mir fast einen glatten Erfolg. Anwesenheit ist fast alles. Aber sei mal anwesend. Ein Münchener Gönner schrieb mir, dass mancher Bankrott vor der Tür stünde und selbst ganz brauchbare Verlage Portoschwierigkeiten hätten, Verleger, die früher nur mit dem Flugzeug hin und her kutschierten! Was wird da für die schlechtbezahltesten Sklaven innerhalb der Literatur, nämlich die Autoren, übrigbleiben?

Aber nun genug von diesem Quatsch. Von Deinem Freund
Hammelrath las ich in den »Frankfurter Heften« (der meistge-
lesenen, und zweifellos besten deutschen Zeitschrift – leider
nicht für Literatur) einen schönen Beitrag. Soll ich ihn Dir schik-
ken? Hast du schon irgend etwas in der Sache Maisch unternommen? Hier hat das Theater wieder aufgeschlagen, weil die
Häuser trotz allem meistens ausverkauft waren. Ach, nimm die
ganze Quälerei mit Zigeunerbaronen und ähnlichen Brüdern
gelassen hin, ich glaube es ist wirklich gut, wenn man alles
kennt. Ich wünsche auch, ich hätte irgendwo als kleiner Reporter angefangen und nicht gleich so hoch gegriffen. Ich hätte
manches Handwerkliche lernen können, was ich nun vielleicht
nie wieder lernen kann. Hoffentlich geht es Eurem Theater finanziell bald etwas besser. Die kleineren schauspielerischen Un-
ternehmungen, Kabaretts usw. arbeiten auch meistens mit einigen Mark (oder gar einer!) Gage pro Mitglied und Abend.
Erzähl mir von Euch allen, wenn Du schreibst; es ist mir wirklich schmerzlich, dass ich nicht kommen kann und auch meine
Frau leidet nun darunter, dass sie sozusagen »schuld« ist, dass
mir die wirklich einzige grosse Freude, nämlich ab und zu bei
Euch zu sein, vorläufig versagt werden muss. Das ist natürlich alles Unsinn, sich da »schuldig« zu fühlen, sie leidet ohnehin genug, kann nachts kaum schlafen und schleppt sich durch den
Tag und arbeitet, weil Sitzen oder Liegen wohl noch aufreiben-
der ist. Nun, wir hoffen zuversichtlich, dass es nur noch Tage
dauert; ach, welche Freude und Erlösung wird das sein, wenn alles gut überstanden ist!! Unbeschreibliche Erlösung, es liegt wie
ein Bann über uns, der dann gebrochen sein wird. Ich werde mir
mindestens eine Pulle Sekt ganz allein hinter die Binde giessen.
Das Lokal habe ich mir schon ausgesucht. Gut.
Manchmal, wenn ich in der Stadt Besorgungen zu machen habe,
leiste ich mir eine gute Portion Eis und einen anständige[n] Kaffee,
irgendwo in einem netten Lokal auf dem Ring und sehe dem
prächtigen Treiben der Leute zu (allerdings verfolgt mich, wenn
ich etwas Schönes oder auch etwas Hässliches sehe, immer der stetige berufliche Schmerz, es nicht beschreiben zu können; in diesem Sinne habe ich nie und nimmer so etwas wie »Feierabend«!).

Es ist alles irgendwie so friedlich, obwohl anderseits die wüste
Existenz-Prügelei in vollem Gange ist (aber das sieht man nicht
so). Mensch, ich muss wissen wie es Euch geht, was ihr alle
macht, unbedingt, hörst Du? Allen meinen Berechnungen nach
müsst Ihr auch furchtbar sparen und das liegt Euch ebensowenig wie uns. Ich fürchte nur Reibereien »sensischer« Art, wie es
dem Temperament der meisten Eurer Familienmitglieder entsprechen würde. Ach, nehmt nicht alles so schwer und versucht
es in Liebe und Vertrauen, Vertrauen nicht nur aus menschlichen
Berechnungen, sondern auf Gott. Wirklich, versucht es mal, mit
Ruhe und Liebe und Vertrauen. Es kann uns doch nichts »passieren«. Können wir je schlimmer hungern oder je elender hausen
als wir gehungert und gehaust haben, oder können wir je ver-
zweifelter, niedergeschlagener und ärmer sein, als wir gewesen
sind?
Unser Sohn macht sich prächtig, ist allerdings auch jetzt durch
die Hitze ziemlich fassungslos, wir lassen ihn plantschen, soviel
er will, hier in der Küche oder draussen im Garten, und wenn
meine Frau wieder aktionsfähig ist, schleppen wir ihn an den
Rhein und stippen ihn in die kühle Flut. So verlassen wir abends
nur spät das Haus, wenn er längst unter der liebevollen Obhut
des Grossvaters schläft; dann setzen wir uns ganz unten auf die
Steine am Ufer, sehen den Schwimmern zu, hören das Mandoli-
nensummen und atmen etwas frische Luft nach der Backofen-
hitze des Tages.
Uebrigens wird hier jetzt auch »Lamberthier« gespielt von den-
selben Leuten wie bei Euch; ich werde hingehen (auch um
etwas für mein Zwei-Personen-Stück zu lernen). Im uebrigen
arbeite ich nur schleppend an guten Ideen, die aber keine Gestalt annehmen wollen, es läuft einfach nicht.
Eigentlich Grund zur ernsthaften Sorge haben wir fast gar nicht.
Meine Frau bekommt diesen Monat noch Geld (August 360.–
DM!) und dann ist noch die Abfindung zu erwarten. Aber es ist
[ein] ganz aussergewöhnlich scheussliches Gefühl, selbst gerade
den Tabak und die Miete zu verdienen! Wirklich ungewöhnlich
niederdrückend und ich glaube, dass ich deshalb auch nicht arbeiten kann. Ich brauche mir gewiss keine übermässige Faulheit

vorzuwerfen, aber das nützt ja alles nichts, da die Realität bleibt. Irgendwo habe ich ja auch noch tief unten eine versteckte Hoffnung, dass ich eines Tages vielleicht zu Geld komme. Die Hoffnung erfreut mich deshalb, weil ich so gern viel verschenken möchte. Aber das ist vielleicht ein besonders unverschämter Wunsch und ich werde deshalb wohl damit bestraft, mich beschenken lassen zu müssen.

Alles, was ich lese an Erzählungen und an Kritiken anderer Erzähler, bestärkt mich in der Gewissheit, dass ich den richtigen Weg wenigstens weiss, wenn ich ihn auch vielleicht noch nicht beschritten habe; auch darin, dass die Leute, viele Leute wenigstens, fast möchte ich sagen – auf mich warten! Um so quälender die Tatsache, dass der Kampf, irgendwo zu landen, so schwer ist. Ich bin wohl doch ein halbes Jahr zu spät mit meinen grösseren Arbeiten fertig geworden; ich hätte gerne auf den finanziellen Erfolg verzichtet, wenn es mir gelungen wäre, mich der Kritik einmal mit einer grösseren Arbeit zu stellen.

Nun quatsche ich schon wieder ausschliesslich von mir. Verzeih mir . . . Ach, mein lieber Ada, es ist so grausam heiss, dass ich wirklich mit Bedauern an Deine Arbeit denke, die ja immer noch auch mit Reisen verbunden ist. Du musst wirklich grausam erschöpft sein. Wüsste ich nur Genaues von Dir, ob Du wenigstens etwas auch materiellen Erfolg hast. Was machen die Mädchen? Und Deine Mutter. Grüsse sie ganz besonders von mir, wirklich, vergiss es nicht, manchmal, wenn ich so lange nichts höre, habe ich Angst, Ihr seid alle böse auf mich. Und für Deinen Vater ist ja auf jeden Fall jetzt ein erleichterndes Bewusstsein, dass seine Pension und der Ertrag seiner Arbeit wieder einen Wert haben, der der Leistung entspricht. Ach, könnte ich wissen, wie Ihr alle Schwierigkeiten meistert oder zu meistern versucht. Vielleicht geht es ganz gut. Schreib mir. Wenn ich wieder kommen kann, habe ich nichts vorzulesen als den Schluss des Vermächtnisses und eine einzige, ziemlich verworrene Geschichte in Art der »Brücke«; das ganze Ergebnis von sechs Wochen! Ich verspreche mir viel für meine Arbeit, wenn der Bann der erwarteten Geburt von uns allen genommen wird. Meine Brüder berichteten mir, dass sie in entsprechenden Situationen auch völlig fassungslos waren. Nur waren wir beide prompte, pünktliche und schnelle Geburten gewöhnt. Ach, meine Frau ist glücklich für jeden Tag, den sie hinter sich gebracht hat und auch wieder trostlos über jede Nacht, die das Ergebnis nicht gebracht hat. Inzwischen wird auch die Frage, Junge oder Mädchen natürlich immer spannender, blond oder braun, Böll oder Cech, frech oder lieb, dick oder dünn, alle diese Prognosen werden immer spannender, während es weiter heiss ist, heiss ist zum Verrücktwerden.

Der Verbrauch an Narkotika ist natürlich entsprechend der existentiellen Situation; an Deine gute Mutter habe ich zu spät gedacht, als der prächtige Schweizer Kaffee ankam; er wurde an den verschiedenen Juli-Namenstagen verbraucht und meine Frau dachte im letzten Moment noch daran, Deiner Mutter etwas zu schicken als Stärkung in ihren Sorgen, aber da war nur noch ein kleiner Rest, von dem ich fast fürchte, dass er kränkend gering war. Ich warf ihn mit schlechtem Gewissen in den Briefkasten und hatte Gelegenheit, dabei die Maxime zu bestätigen, von der Deine Mutter mir erzählte, dass Frauen wirklich mit dem Herzen denken.

Wir sind doch im allgemeinen ziemlich kalte Burschen, nicht wahr?

Von Ernst höre ich auch nichts. Ich schrieb ihm, er sollte mich doch mal besuchen und mir die Wartezeit verkürzen (auch meine Frau freut sich bestimmt, wenn sie mal eine andere Visage sieht als ewig meine, das ist doch klar); aber er reagierte nicht. Ich vermute feminine Reize halten ihn zurück, ich habe zwar vollstes Verständnis, bin aber doch enttäuscht, das er nicht wenigstens einen Nachmittag erübrigt, um mal eben rüber zu kommen. Für mich würde die Fahrt nach Bonn eine grausliche Hitzetortur und eine überflüssige finanzielle Belastung des Haushalts bedeuten, während der Bursche doch mit dem Wagen oder Krad hier vorbeifahren kann.

Ich frage mich, wann wir drei einmal wieder zusammenkommen, uns das nötige Geld gepumpt haben, um vernünftig zu saufen. Ob es mit Deinen Ferien etwas wird? Wenn ja, komm unbedingt, sobald der ganze erste Geburtsrummel vorüber ist.

Wir halten uns oben auf meiner Bude auf oder gehen an den Rhein oder in die Stadt, die Reise nach München wird sich wohl nicht finanzieren lassen. Vielleicht kommt bis dahin der grosse Coup und wir fahren doch. Auf jeden Fall musst Du ja einmal ausspannen ...

Ich wünsche nur, dass bis zum Dombaufest (15. August) unser Bann von uns genommen und der Anfangsbetrieb vergessen ist, damit ich Eure beiden Mädchen wirklich – wie versprochen – hier rundführen und des Festes teilhaftig werden lassen kann. Kein Mensch hatte ja mit dieser peinlichen Verzögerung gerechnet. Es wird allerlei Schönes an Theaterstücken aufgeführt, verschiedene grosse Umzüge mit hohen Klerikern, viele Kardinäle, und vielleicht auch würde ein grosses Pontifikalamt im Dom einmal (wenn es Euch nicht zu lang ist) sehens- und hörenswert sein. Auch Deine Mutter muss später einmal kommen, wenn alles friedlich ist.

Ich musste eben unterbrechen, um den Sohn im Garten zu »weiden«; er soll sich erstens in die menschliche Gesellschaft gewöhnen, und zum anderen natürlich etwas Luft schnappen; ich versuche dabei zu lesen, das gelingt meistens nicht, da ich dauernd Streitigkeiten zu schlichten, Sandspielgeräte neu und gerecht zu verteilen und Spielplätze einzuteilen habe. Zwischendurch habe ich aufzupassen, dass niemand von der jüngsten Generation (drei von 1-1 1/2 Jahr) die Treppen hinunterfällt oder Türen öffnet, bzw. den Hühnern zur unbeabsichtlichen Freiheit verhilft. Auch ein Beruf: Kindergärtner, nun ist mein Dienst zu Ende, da die Ärztin unten bei meinem Bruder Masern feststellt und Quarantäne verhängt; natürlich wieder ein beunruhigendes Gefühl, da eine möglicherweise schon erfolgte Ansteckung mancherlei Quälerei zur Folge hätte: vor allen Dingen eine furchtbare Belastung, da der Kleine nun auf der Etage gehalten werden muss und nicht mehr die Freiheiten des Gartens wird geniessen dürfen, bis alle Gefahr beseitigt ist. Ach, es kommt immer etwas Neues. Zum Glück haben wir noch etwas Geld, der wirklich schlimme und böse Pfennigkampf hat noch nicht begonnen, doch bin ich auch darauf gefasst.

Auch die Nachmittagspost brachte natürlich nichts Neues.

Morgen hoffe ich auf den versprochenen Brief von Dir; ach, schreib mir nur ausführlich. Vielleicht kannst Du doch noch ein paar Tage kommen. Wenn ich Geld bekomme, schicke ich Dir auf jeden Fall Fahrgeld; versauf es, wenn Du keine Lust hast zu einer Reise. Meine Schwester verreist morgen für mindestens 14 Tage, so dass wir das dritte schöne grosse Zimmer für diese Zeit zur Verfügung haben. Eine kolossale Erleichterung, ich brauch nicht mehr oben in dem Backöfchen zu arbeiten und zu schlafen und mache dann auch 14 Tage oder drei Wochen absolute Ferien. Ich versorge nur zwischendurch den jungen Belgier im Rechnen!

Sonst nichts Neues. Jetzt, so am späten Nachmittag sind wir vollkommen gelähmt von der Hitze, bald kommt die Stunde, wo wir an den Rhein gehen können, wenn der Dicke schläft.

Ada, also auf Wiedersehen und grüsse alle herzlichst von mir, wirklich, vergiss nicht mir manchmal zu schreiben, wenn Du eben Zeit hast, im uebrigen hoffe ich, dass ich bald wieder einmal kommen kann. Es wäre schön, am Geld wird es nicht scheitern, dann beanspruche ich einen der mir angebotenen Kredite innerhalb der Familie. Und wir trinken auch einige Pullen zusammen in Eurem kühlen Zimmer abends, nicht wahr? Ach, es wird schön, wenn es auch nicht zu einem literarischen Abend wird.

Auf Wiedersehen
Immer Dein
Hein

BA4, 3 1/2S, m

80   *Heinrich Böll an Familie Kunz*
Köln, den 1. 8. 48

Liebe Familie Kunz! Raimunds Geburt fand bei 19 Grad Minus statt, Renés Ankunft ereignete sich bei tropischer Hitze (schätzungsweise 40° im Schatten). Grosse Freude und Erleichterung herrschen in der gesamten Familie, zumal die Mutter gesund ist

und der kleine Bengel von kräftiger Natur, schwarzhaarig und
anscheinend voll Energie (er wird allgemein als »süss« bezeichnet, reizend ist er bestimmt). Die Taufe wird Mittwochnachmit-
tag (4. 8.!) gegen 3 Uhr sein und wir würden uns freuen, wenn
Nita käme; sie könnte auch ohne die geringsten Umstände zu
verursachen hier schlafen, da meine Schwester verreist und damit ein ganzes Zimmer frei ist. Mit den übrigen Mitgliedern der
Familie hoffe ich in nicht ferner Zeit das freudige Ereignis ge-
bührend feiern zu können.
Viele herzliche Grüsse an alle
Ihr und Dein Hein B.
[ehZ] Gewicht: 6 Pfund 200 Gr. Größe 49 cm

PK, m

81   *Ernst-Adolf Kunz an Heinrich Böll*
Gelsenkirchen, d. 2. Aug. 48

Mein lieber Hein – auch bei uns kommt die Post jetzt 2x und so
kam Dein langer Brief schon ziemlich früh in meine Hände. Gerade war ich aufgestanden (11 Uhr) und sass nur mit Turnhose
bekleidet beim Frühstück, als unser Mädchen die Klappe zur
Küche schamvoll nur einen Spalt öffnete und mit einem »Herr
Kunz – Post« den Brief hindurchschob. Ach Hein, wie soll ich
Dir Deine Sorgen um unser Wohlergehen vergelten. Ich kann
Dir nur sagen, dass wir alle ebenso an Euch denken und dass wir
alle so rasch wie möglich Deinen Besuch herbeisehnen. Vor allen Dingen hoffen wir auf Dein Telegramm. Ich kann mir genau
vorstellen, wie Ihr alle unter der Hitze leidet. Selbst ich bin
manchmal fassunglos. Neulich spielten wir in Dortmund (am
Samstag), 400 Zuschauer drängten sich schwitzend in den Saal
und dazu wir 20 Leute auf der Bühne – Hein, eine solche Hitze
kann man sich kaum vorstellen. Wir alle haben bestimmt 3-4
Pfund abgenommen. Trotzdem spielten wir glücklich, da es das
erste volle Haus war. Erfolg 8 DM. Immer wieder nehme ich
einen Anlauf und will meine Wirtsschulden zahlen, doch

locken mich dann andere tolle Dinge. Langsam aber sicher geht
es wieder bergauf. In dieser Woche soll uns eine Unterstützung
vom Wohlfahrtsamt gezahlt werden. Ich hoffe, dass die Summe
gross genug ist, meine Schulden zu tilgen. Ferien bekommen
wir dieses Jahr keine – das steht schon fest. Ich hoffe ja doch,
dass wir mal 2-3 Tage hintereinander frei haben, die ich dann bestimmt dazu verwende, Euch zu besuchen. Heute haben wir nur
den Montag frei, dann den kommenden Freitag. Schön wäre,
Du könntest nächste Woche mal kommen, da wir dann jeden
Tag nur eine Vorstellung in Herne haben, vom 8.-16. des Monats.
Wenn alles diese Woche mit Deiner Frau klappt, ist das doch sicher möglich, nicht? Übrigens wenn ich komme, brauche ich bestimmt kein Geld von Dir. Ja, auch hier zu Hause wird versucht
zu sparen. Nach dem Eintritt in den Mieterschutzverein steht
uns eine Mietermässigung mit Rückwirkung vom 1. Juli bevor.
Positives ist uns noch nicht bekannt, doch rechnen wir damit.
Jede Rechnung wird mit gelindem Schock entgegengenommen.
Ich hoffe nur in Kürze diese Schockwirkungen, die eigentlich
lächerlich sind, durch meine kommende Gage zu mildern. Mir
selbst bleibt immer noch genug für Tabak und Wein, wie ich hoffe. Wera hat mit ihrer Schule angefangen und verbringt die
Sonntage auf Turnieren und Tennisplätzen – Nita ebenso.
Manchmal sehe ich beide für Tage nicht, da ich erst sehr spät
nach Hause komme. Leider ist meine kleine Margot ab 1. August
nicht mehr bei uns, was für mich eine etwas schmerzliche Umstellung bedeutet. Genau 26 Monate waren wir zusammen fast
täglich. Ich laufe jetzt ziemlich verloren auf den Abstechern herum und weiss in den Spielpausen wenig mit mir anzufangen.
Margot geht wieder hier an das Gelsenk. Theater, da sie sich
mehr davon verspricht. Sie ist im Irrtum, doch das sehen nur
Erdmann und ich.
Nun, ich kann sie nicht zwingen und warte daher ab. Ich habe
vor, nach unseren ersten finanziellen Erfolgen hier bei uns ein
kleines Saufgelage abzuhalten. Erdmann, Rädel, Margot, Schäfer, die Sängerin Klatt etc., alle wollen 2-3 Pullen mitbringen. Du
sollst nach Übereinstimmung Ehrengast sein und wirst daher
von mir zur rechten Zeit benachrichtigt. Übrigens liest Schäfer

Deinen Roman. Sie ist ehrlich erstaunt über die Fülle von Gedanken. Nun, Du kannst sie ja sprechen. Überhaupt haben wir alle volles Vertrauen zu Deinen Arbeiten, die einst wirklich anerkannt werden müssen. Sei nur ganz ruhig, Hein, Du bist sicher reicher als Du glaubst. Vielleicht ist schon etwas für Dich unterwegs. – Gerade höre ich im Radio, dass die Hitze nachlassen wird. Wie schön! Ach, Hein, ich glaube, es wird alles noch ganz gut. Wenn wir nur näher zusammen wohnten. Die Sache mit Maisch ist natürlich erst im nächsten Jahr möglich. Bis dahin muss ich hier schon aushalten. Die Stadt hat übrigens nach neuesten Meldungen etwas für unser Theater über. Ideal wäre eine Vormiete, die uns auch zum Schauspiel verpflichtete. Ich lege Dir die Kritiken bei und bitte wieder um Rücksendung, Programme kannst Du behalten, so es Dich interessiert. (Hätte ich doch eine Schreibmaschine!) Also lieber Hein, ich hoffe, Dich etwas beruhigt zu haben über unseren Zustand. Bestimmt schreibe ich Dir jetzt wieder häufiger. Ich werde immer Papier und Umschläge einstecken auf Abstecher und die Wartezeiten mit Schreiben ausnutzen.

Grüsse alle von uns allen. Deiner Frau wünsche ich alles, alles Gute und denke immer an sie.

Immer Dein Ada

BA4, 3S, eh

82 *Heinrich Böll an Ernst-Adolf Kunz*
Köln, den 10. 8. 48

Mein lieber Ada, alles, was mit der Taufe, dem Kind und seiner Mutter zusammenhängt, wird Euch ja Nita erzählt haben. Ich erwarte die beiden Mädchen nun Samstag und hoffe, dass es uns gelingen wird, den grossen Umzug zu sehen.

Sonntagabend – ich kam eben von einer Flasche Wein zurück, zu der ich mir von meinem Bruder Geld gepumpt hatte – stand eben vor unserem Hause, als neben mir ein eleganter Wagen vorfuhr; ich sah mir flüchtig das Profil des Fahrenden an, sah noch einmal hin: Ernst Fey, hochelegant, hatte sich entschlossen mich einmal zu besuchen. Die Freude war gross, er bewunderte Frau und Kinder, erzählte uns allerlei (er kam vom Fussballspiel), anschliessend fuhr ich mit ihm zurück in die nette Weinstube, aus der ich eben gekommen war. Ergebnis: wieder Wein. Es war reizend, und ich empfand so recht, wie sehr ich doch vollkommen von der Aussenwelt abgeschlossen wochenlang oben brütend auf meiner Bude sitze, fast ohne die geringste Berührung mit dem Leben, wenn man von meiner sehr lebendigen Familie absehen will. Später wurde ich per Auto wieder nach Hause gefahren, Ernst fuhr in den Norden der Stadt, um dort an einer – wie ich vermute – Lebensmittelgrosshändlerorgie teilzunehmen, zu der er keine Lust hatte: Ich kam mir sehr verlassen vor, obwohl ich von Frau und Kindern umgeben schlief.

Jedenfalls komme ich nächsten Mittwoch bestimmt zu Euch, wenn nichts ganz Aussergewöhnliches passiert (Geld besorge ich mir auf jeden Fall). Ich muss unbedingt einmal wieder aus meiner versponnenen Atmosphäre heraus, und zusehen, wie man draussen lebt. Wie wäre es, wenn wir dann für Donnerstag eine Fete mit Ernst veranstalteten, er käme bestimmt, wenn wir früh genug schrieben. Was hältst Du davon? Schreib mir. Das wäre also Donnerstag der nächsten Woche.

Unser neuer Sohn ist reizend: schmal und dunkel, hat guten Appetit und schreitet gut voran. Morgen steht meine Frau wieder auf, sie hat schon mehrmals einige Stunden geübt, mit vollem Erfolg. Ich bin froh, wenn ich dann meinen Kindergärtnerposten wieder abtreten und ernsthaft an die Arbeit gehen kann. Meine sogenannten Ferien waren sehr strapazenreich, ich erwarte wirkliche Erholung erst wieder, wenn ich nach meinem Besuch bei Euch wieder wie ein Wilder arbeiten werde.

Also, schreib mir, ob Dir dieser Termin meines Kommens recht ist, und ob ich Ernst benachrichtigen soll, am Donnerstag auch dort zu erscheinen. Eben passierte wieder die Post ohne etwas Wesentliches gebracht [zu] haben, weder von Euch Neues noch von der Literatur. Nun, ich bin seit der Währungsreform wesentlich abgehärtet, wenn auch noch nicht vollkommen entwöhnt.

Die Hoffnung ist wie ein wildes Tier, das nicht so leicht totzukriegen ist.
Gruss an alle, lieber Ada, viel Erfolg bei Deiner Arbeit und Mut
Immer Dein
Hein

BA4, 1S, m

83   *Ernst-Adolf Kunz an Heinrich Böll*
Gelsenk. d. 12. Aug. 48

Mein lieber Hein –
wie sehr beneide ich meine beiden Schwestern, die Euch am Samstag schon aufsuchen. Ich komme einfach nicht los von diesem Theater. Jeden Tag Zigeunerbaron – mir hängt er kilometerweit zum Halse heraus. – Ja, Nita hat uns von der reizenden zwanglosen Taufe erzählt. Ich habe mir alles recht plastisch vorgestellt und dabei dankbar Deine Zigaretten geraucht. So wenig Geld wir bekommen, leiste ich mir den Luxus und kaufe mir den fabelhaften Oldenkott 3 Punkt. Kennst Du den Tabak? Er ist wundervoll und man raucht unbeherrscht wahnsinnige Mengen. Wie schnell lösen sich diese 5 DM in wohlriechenden Rauch auf! Aber ich bin den Pfälzer leid – endgültig. Meine neueste Errungenschaft ist ein Fahrrad, das ich durch Tausch mit Projektionsapparat bekam. Es ist in den Besitz der ganzen Familie übergegangen. – Wie freue ich mich, wenn Du in der nächsten Woche kommst! Leider habe ich Mittwoch wie Donnerstag Vorstellung, und ich halte es daher nicht für angebracht, Ernst hinzuzuziehen. Der Abend begänne dann sehr spät, da ich nie vor 11 Uhr zu Hause bin. Diese Woche hätte es besser geklappt. Unsere Dreierzusammenkunft besprechen wir dann, wenn Du hier bist. Vielleicht kann ich, so ich unsere Termine weiss, zu Dir kommen. – Ich bin jetzt sehr oft in fürchterlicher Stimmung. Nichts befriedigt mich und einen Ausweg sehe ich nicht. Es wird wirklich Zeit, dass ich Dich mal wieder sprechen kann. Am schlechtesten geht es Erdmann. Lange kann er diese

Teilungsgeschichte nicht mehr mitmachen. Eine Existenzmöglichkeit gäbe es nur, wenn das Personal auf die Hälfte verkleinert würde. Aber mach das mal, wo jeder jetzt festhält wie eine Klette an dem was er hat. Nun, ich erzähle Dir das alles. – Schön und erfreulich ist, dass Deine Frau alles so gut überstanden hat und dass Du nun mit Deiner neuen »Quittung« zufrieden bist. Nach Schilderungen von Nita muss er wirklich reizend sein. – So, jetzt fahre ich zur Post und bringe diesen Brief a tempo weg.
Ich grüsse alle. Bestelle ihnen, dass auch ich bald komme.
Dein Ada
P.S. Denkst Du daran und schickst mir die Kritiken wieder? Weisst Du, ich bekomme keine mehr.
A.

BA4, 2S, eh

84　Heinrich Böll an Ernst-Adolf Kunz
21. 8. 48

Mein lieber Ada, ich schicke Euch noch einmal etwas zu lesen, diesmal weniger spannend, aber aufschlußreich, am meisten empfehle ich den »Las Casas« und den Hello, aber gut sind sie alle.
Dein und Euer Hein

BA5, pers K, 1/2S, eh

85　Ernst-Adolf Kunz an Heinrich Böll
Gelsenk. d. 25. Aug. 48

Mein lieber Hein – viel Post ist von Dir seit 2 Tagen eingetroffen. Erst der Brief an mich, dann der an meine Mutter und gestern das Bücherpaket. Hab vielen Dank für Deine Sorgen und Aufmerksamkeiten. Den Brief wollte ich eigentlich sofort beantworten, doch fehlte es mir an Zeit und Konzentration. Heute

nun habe ich einen freien Tag, habe lange geschlafen, schreibe
Dir jetzt und gehe heute abend ins Kino. – Lieber Hein, ich ver-
traue Dir voll und ganz, doch kann mir dieses Vertrauen eine ge-
heime Angst nicht nehmen. Ich lebe ähnlich wie Du und empfinde auch so, nur ein Unterschied ist, wie ich glaube, zwischen
uns. Deine Handlungen, wie sie auch immer sein mögen, haben
mehr Kraft und Linie als die meinen. Sicher, Du balancierst auf
des Messers Schneide zwischen dem Himmel und einem Abgrund, aber Du hast wenigstens den Halt der Schneide. Ich dagegen habe das Gefühl, dass über mir weder ein Himmel noch unter mir ein Abgrund ist. Du hast recht: Du bist vom anderen
Stern – ich nicht. Du hast die Kräfte des Glaubens vom anderen
Stern mitgebracht. Ich habe die Kräfte der armen Erde. Trotzdem oder deshalb sind meine Schmerzen eher zu stillen und sie
sind auch nicht so stark, dass ich sie nicht überwinden könnte –
auf meine Art natürlich. Du brauchst also wirklich keine Sorgen
haben um mich – es verlohnt sich nicht. Was Du mir an jenem
Abend sagtest ist richtig und Du könntest so handeln, ich nicht.
Sieh Hein, im Grunde genommen sind meine Schmerzen doch
sehr weltlich und eitel. Ich weiss das und schäme mich selbst
deshalb. Ich verstehe Dich viel besser oder glaube es zu tun.
Und vielleicht kann auch ich Dir helfen vielleicht. – Aber was
soll da viel geschrieben werden! Ich freue mich wenn Du
kommst. Glaub mir, Hein, zusammen vermögen wir zwei allerhand. Komm nur bald. –
Anstrengende Arbeit liegt hinter mir. Bis auf 10 DM konnte ich
meine Schulden zahlen. Ab Sept. wieder Gage. Allerdings eine
Übergangsgage. 4 Staffelungen sind festgesetzt. Ich habe mit
den paar anderen Fachkräften vorerst sicher 140 DM. Ist das
gut? 70-80 kann ich Mama geben und bei gesenkter Tabaksteuer
bequem leben, ohne mich einzuschränken. Im Okt. 10% mehr
wahrscheinlich und je nach Geschäftsgang bald richtige Gage.
Wir hatten jetzt eine Woche ausverkaufte Häuser. Am Sonntag
vor 1200 Zuschauern in zwei Vorstellungen in Dortmund. Allerdings werden auch in Zukunft viele Termine sein, um den Etat
zu bestreiten. 3 Tage – nur 3 Tage brauchte ich, um Euch besuchen zu können!! Nun, an meinem Geburtstag sehen wir uns

bestimmt. Ich habe vor, ihn ziemlich üppig zu feiern – nicht weil ich es bin, hoffentlich gelingt es. Ich stelle gerade fest, dass er Sonntag ist. Da haben wir bestimmt Vorstellung. Verschieben wir ihn auf Montag. Na, noch ist es ja nicht soweit. – Lese wie besessen die Stories. Fabelhaft. – Gestern bekam ich das Sonderheft von Hemingway ins Haus gebracht. Ist »Mein Alter« nicht doll? Deine Bücher interessieren mich sehr. Ich möchte sie sofort alle anfangen, doch mir fehlt die Zeit. – Gerade Besuch gekommen. Nettes Mädchen, Freundin von Nita. Ich muss raus aus dem Zimmer (ich schreibe nicht in meinem). Bald mehr, Hein, es geht uns äusserlich jedenfalls bald besser!

Grüsse alle von
Deinem Ada

BA4, 3 1/2S, eh

86 *Heinrich Böll an Ernst-Adolf Kunz*
Köln, den 27. 8. 48

Mein lieber Ada, vielen Dank für Deinen Brief; er freute mich um so mehr, da ich zwei Tage ziemlich hilflos zu Bett lag, nichts tun konnte und nichts hörte: Herzneurose: ich muss – glaube ich – das Rauchen aufgeben. Furchtbarer Zustand, den ich noch nicht kannte: Fast etwas wie Lähmung, ich wagte kaum meinen Arm zu heben, Husten versetzte mich schon [in] Angst. Jetzt ist alles wieder gut, ich arbeite wieder und geniesse sehr skeptisch ab und zu eine schwache Zigarette. Wir lauern jeden Tag auf die Abfindung, damit wir endlich eine klare finanzielle Linie ergreifen können. Die ersten Schüler laufen jetzt ein, wir nehmen die Stunde 4-5 Mark, drunter geht nicht aus einer gewissen Kollegialität. Wenn man die Verdienstspanne von Metzgern, Bäckern und Lebensmittelfritzen bedenkt, ist das nicht zu viel. Wir werden schon durchkommen, ich will versuchen wirklich ruhig und schön zu arbeiten, damit ich beim Aufblühen des lit. Geschäfts dabeisein kann. Ich werde ganz nüchtern sein. Sonst geht es gut. Der Dicke – Du musst ihn Dir unbedingt ansehen! – macht jetzt in Trotz. Es ist schwer einem solchen Burschen zu widerstehen, der Charme und Wut aufs beste vereinen kann und ausserdem mehr Kraft besitzt als wir beide zusammen, meine Frau und ich. Wie man mir sagt, kommt er jetzt in das entscheidende Alter, wo der Trotz gebrochen werden muss. Ich überlasse das meiner Frau als alter Pädagogin, greife nur gelegentlich als Versohler ein. Der andere – René – ist reizend, er schreit jetzt nur noch von morgens 5 bis 6, nimmt zusehends zu an Alter, Körpergewicht und Weisheit und ist schon zum Lächeln zu bewegen. Eure Mama muss die beiden unbedingt sehen. Ich hätte folgenden Vorschlag zu machen: Deine Mutter kommt so am 10. oder 12. September und ich fahre dann zu Deinem Geburtstag mit ihr zurück? Wäre das nicht glänzend, sie kann sich hier oben einmal richtig ausschlafen, mit meiner Frau und den Kindern spazierengehen bei hoffentlich brauchbarem Wetter, usw. Es wird bestimmt schön. Bis dahin sind auch unsere finanziellen Verhältnisse klar, der vorhergehende Rummel der Geburt usw. nervenmässig überwunden und Deine Mutter kann sich des wieder eingekehrten Friedens erfreuen. Manchmal, mein lieber Ada, bin ich doch vollkommen deprimiert über meine augenblickliche Erfolglosigkeit. Ich beneide Dich aufrichtig um Deine Gage, wirklich. Ich bin ernsthaft beim Ueberlegen, ob ich nicht irgendwo eine »Stelle« annehme als Schreiber oder so. Meine Frau rät immer wieder ab, aber ich bin davon überzeugt, dass es eines Tages so kommen wird, auf keinen Fall möchte ich unter den üblichen akademischen Spielregeln noch einmal wieder studieren. Weisst Du, unsere Sparpläne spielen sich etwa so ab: wir ratschlagen aufs raffinierteste, wie wir unseren Haushalt einschränken können, wirklich genial – wie wir das tun und das tun und das nicht tun undsoweiter und wenn wir den ganzen Plan fertig haben, gehen wir, um uns zu erholen von der Strapaze in die Stadt, setzen uns ins Café und finden das Leben herrlich bei sanftem Geplauder und Beobachtung anderer Nichtstuer, von denen wir auch nicht wissen, woher sie Zeit und Geld nehmen, ins Café zu gehen. Ist es nicht wirklich erstaunlich, wieviel Leute morgens in den Cafés herumsitzen? Es können doch nicht alles arbeitslose Schriftsteller sein. Gut. Wenn wir dann nach Hause

fahren, zu den teilweise schreienden Kindern zurück, sind wir
doch ein bisschen deprimiert, aber bald ist wieder Hoffnung gefasst. Bisher sind wir ja immer noch haarscharf an allem vorbei-
gekommen ...
Mein lieber Ada, Du musst Mut fassen, Kraft sammeln und gegen Deinen Nihilismus angehen. (Ist es nicht ein solcher bei
Dir?) Ich müsste Dich Burschen näher hier haben, ich würde
Dich Hoffen lehren und vor allen Dingen Dir zu beweisen versuchen, dass noch lange nicht »alles« egal ist ... Uebrigens – die
Mädchen wissen ja von dem Plan – haben wir jetzt unser »Kin-
derzimmer«! Es ist nett geworden und war in zwei Tagen fix und
fertig, eine Abteilung der Küche mit eigenem Fenster, eigener
Tür und das alles mit ein paar Quadratmetern Sperrholz, einem
Balkengerüst und einer guten Idee. Jetzt können wir die beiden
Bengels isolieren, wenn sie frech werden und haben vor allem
abends die Küche zur Verfügung, das war ja bisher wirklich eine
Qual die Kocherei auf der Heizplatte im Wohnzimmer. Du
siehst, während wir sparen, erweitern wir uns! Ich weiss wirklich nicht wo das hinführen soll. Vielleicht bin ich wirklich am
1. Januar 1949 Angestellter einer Versicherung oder Sekretär
eines klerikalen Bekannten. Kannst Du Dir vorstellen, wie deprimierend das ist, keinen Pfennig aus der eigentlichen Arbeit
zu verdienen. Von überallher nur Hoffnungen und Versprechun-
gen. Eine nette Bekannte, die bei einer süddeutschen Zeitung
Feuilleton-Redakteurin war und mich allmonatlich unterbrach-
te, flog aus Ersparnisgründen raus, mein Freund vom Horizont
Verlag (der die Anthologie herausgeben wollte) fliegt am 1. Oktober, die Anthologie wird von dem Berliner Verleger trotzdem
gedruckt und irgendwo verscheuert. Ich muss mich unbedingt
bald der Kritik stellen, vor Weihnachten noch, sonst ist wieder
für ein Jahr alles aus und ein Jahr ist eine lange Zeit. Immerhin
sind uns von drei Schulen Schüler versprochen. Aber das ist
eine verdammt elende Plackerei. Sonst von überallher: abwarten. Aber ist Warten nicht eine furchtbare Beschäftigung, wenn
man zwei Kinder hat?
Ich freue mich, wenn Eure Mama kommt, freue mich auch auf
Deinen Geburtstag, es war nett das letzte Mal, nicht wahr, es ist

immer reizend bei Euch; vielleicht können wir zu Deinem Geburtstag Ernst dabeihaben, oder möchtest Du nicht? Schreib
mir bald wieder, hab Mut und Vertrauen, es wird alles gut werden, auch mit mir, ich werde schuften wie ein Wilder ... Euch allen herzliche Grüsse, besonders Deiner Mutter (sie mag sich
den Termin schon einmal überlegen, Genaues schreiben wir
noch).
Dein und Euer Hein
[ehZ] Ich denke mit Freuden an den Abend bei Euch, wo wir ein
[unleserlich]
H.

BA4, 2S, m

87   *Ernst-Adolf Kunz an Heinrich Böll*
Gelsenkirchen, d. 30. Aug. 48

Mein guter Hein –
Heute morgen kam Dein Brief, der, um mich mal militärisch aus-
zudrücken, mit einem schreckhaften »Abschuss« sofort begann
(Herzneurose) und dessen »Einschlag« erfreulich harmlos war
(Genesung). Ich vermute, wenn auch aus Entfernung, dass es
mehr eine rückwirkende Reaktion der bestandenen Nervenpro-
ben, Strapazen etc. war, als die Schädlichkeit des Nikotins. Erinnere Dich der Tabake, die wir einst rauchten und in welchen
Mengen. – Im letzten Brief vergass ich, Dir einen Vorschlag zu
machen, der mir ziemlich hoffnungsvoll und wichtig erscheint.
Wera schickte Dir doch die Bedingungen des Preisausschreibens aus Bethel, nicht? Du hast sicher vergessen, darauf zu reagieren oder ist der Brief verlorengegangen? (der von Wera)
800 DM erster Preis! für eine (wie man mir erzählte, ich habe die
Anzeige nicht gesehen) christliche Geschichte. Ich nehme an,
dass konfessionelle Bedenken für Dich kein Grund sind, es
nicht einmal zu versuchen. Um die Chance zu vergrössern, mache ich Dir den Vorschlag, mir eine solche Geschichte zu schik-
ken, die ich unter meinem Namen einsende. Du hättest dann

zwei Eisen im Feuer. Eventuell bekäme eine Sache den ersten Preis und die andere den zweiten. Ungeahnte Möglichkeiten! Versuch es doch mal! – Mama ist Deinem Vorschlag schon am 12. zu kommen, nicht abgeneigt. Vielleicht kommt sie. Wir raten ihr sehr zu, da wir Eure Gastfreundschaft schon alle kennen. Du müsstest dann auch länger (3 Tage! mindestens) hierbleiben. Nun, Mama wird noch schreiben. – Hein, mach nur keine Geschichten und begehe aus wenn auch zur Zeit berechtigten Versorgungszweifeln die Dummheit, in irgendeinen Beruf einzusteigen. Das ist doch Unsinn. Wo willst Du dann Deine Zeit hernehmen zu Deiner ursprünglichen und bestimmt einst erfolgreichen Arbeit? Nachhilfestunden, ja, die beeinträchtigen nicht Deine Freiheit. –

Die letzte Woche war für uns alle nicht sehr reichhaltig. Ich habe schon wieder Schulden, die mich allerdings nicht bedrücken, da ab Mittwoch d. 1. die Übergangsgagen in Kraft treten. Bis dahin pumpe ich mir das Geld für Tabak. Nach wie vor haben wir gutbesuchte Häuser. Heute ist mal wieder frei. Erdmann will durchsetzen, dass der Montag stets frei ist. Morgen Proben für »Dreimäderlhaus«, abends Vorstellung in Langendreer Bochum. Viel Arbeit werden die kommenden Tage bringen, da am 8. Sept. die Première sein soll. Wahnsinn! – Mein Vater bekam heute 462 DM für Monat Sept. überwiesen. Grosse Erleichterung für alle, da kein Pfennig mehr im Haus war. So langsam werden auch wir wieder normal leben. – Übrigens Hein, Nihilist bin ich gar nicht, oder doch? Ich weiss es selbst manchmal nicht. Manchmal etwas Fatalist, aber wer ist das heute nicht?

Lieber Hein, sei gegrüsst und bleib gesund.

Ach, könnte ich doch kommen und alle Deine Lieben mal sehen. Auch Deiner Frau empfehle mich! (schöner Ausdruck! nicht?)

Immer Dein Ada

P.S. Denk an Bethel!! Und schreib mir darüber.

BA4, 2S, eh

88   *Heinrich Böll an Ernst-Adolf Kunz*
Köln, den 31. 8. 48

Mein lieber Ada, jetzt herrscht im Augenblick Hochstimmung
bei uns, da die Abfindung angewiesen ist. Du kannst Dir vorstellen, dass der plötzliche Besitz von 2400 Dm einen ein wenig nervös machen kann. Wir wahren mit Mühe die Haltung, bezahlen
unsere verschiedenen Schulden und hoffen jetzt endlich die
sparsame Linie finden zu können. Das ist ja bekanntlich leichter,
wenn man Geld im Rücken hat. Morgen früh wird die Summe
feierlich abgehoben, anschliessend gehen wir in die Stadt einen
Anzug für [mich] kaufen (!!), den meine Frau für so dringend erforderlich hält, dass meine demokratischen Lumpenvorschläge
machtlos sind. Heute nachmittag wird (zum letzten Male auf
Pump!) ein toller intimer »Abfindungskaffee« getrunken und
dann fängt ein neues Leben der Sparsamkeit, Nüchternheit und
Arbeit an.
Die letzten Wochen ging es verflucht schmal bei uns zu, da wir
versuchten nur von unseren äusserst knappen Einkünften zu leben ohne neuen Pump, es ist so knapp gelungen, zwischendurch ging ich hin und klemmte ein paar Bücher unter den Arm
um sie zu verkloppen . . . Jetzt habe ich drei Schüler mit je drei
Stunden, die in der Woche immerhin 30 Mk einbringen, das
geht schon. Von der Literatur höre ich nichts Positives. Allerdings bekomme ich gute Feuilleton-Angebote, kann aber nichts
auf die Beine bringen, da ich mich auf 2-3 Schreibmaschinenseiten beschränken muss und ausserdem nur optimistischen Kram
»liefern« soll. Der wird gut bezahlt und »geht« ab wie frische
Brötchen. Aber ich kann einfach nicht. Ich kann auch in diesem
Punkt keine Konzessionen machen, selbst wenn ich technisch
dazu in der Lage wäre, das wirst du verstehen. Ich versaue mir
meine ganze Arbeit, meinen Stil und meine Linie und werde
schliesslich nur ein Flickschuster.
Das Preisausschreiben (ich hoffe, dass inzwischen mein Dank-
schreiben an Wera eingetroffen ist) reizt mich sehr, doch fällt
mir nichts Vernünftiges ein. Ich habe an die »neue Kirche« um
die Bedingungen, Termin usw. geschrieben (mit Rückporto

natürlich) und warte jetzt auf Bescheid. Doch sind die allgemeinen Bedingungen sehr schwer: volkstümlich, christlich und künstlerisch wertvoll; an dieser phantastischen Kombination sucht die abendländische christliche Literatur seit dem Mittelalter vergebens. Selbstverständlich werde ich auf jeden Fall etwas einschicken. Aber Dein Vorschlag erscheint mir doch etwas fragwürdig: Glaubst Du nicht, dass man am Stil, an der Tipperei schon die beiden Arbeiten erkennen wird und dass dann möglicherweise wegen Betruges beide Chancen hinfällig werden? Ich kann ja zwei Arbeiten einschicken, oder Du meinetwegen beide (mir liegt am Ruhm wenig), vielleicht ist es Bedingung, dass man evangelisch ist, und das bist Du doch? Nun, ich werde ja bald Näheres wissen ...

Meine einzige wirklich grosse Hoffnung ist der Rundfunk, ich habe noch keinen Bescheid, hoffe immer noch. Wenn ich da hereinkäme, wäre eine gewisse Sicherheit garantiert, da der Bedarf ja gross ist und die Nachfrage auch und anderseits das Angebot gering ...

Ich freue mich sehr auf Deinen Geburtstag, bis dahin hoffe [ich] endlich die fälligen Flaschen Wein zur Geburt Renés zusammen zu haben ...

Weisst Du übrigens schon, dass ein neuer kriegervereinsartiger Bund gegründet ist, der Tagungen abhält, wo ehemalige Obersten davon sprechen, wie »süss es sei, fürs Vaterland zu sterben«, wo man sich gegenseitig mit Leutnant usw. anredet ... usw. usw.? Für mich ein Grund mehr, die Auswanderungspläne möglichst zu realisieren, ich bin mir nur noch nicht klar, ob Südafrika oder Südamerika; meine Frau plädiert für Südamerika, wegen der spanischen Tradition, Buntheit und Leben, auch mir erscheint Afrika »wat trocken«. Aber erst müssen wir Geld haben, um dort ein Häuschen zu kaufen möglichst mit Viehzucht und Plantage, ich werde jedenfalls dem Dicken früh genug Reiten beibringen lassen, vorläufig noch sind die Beine sehr dazu geeignet. Der kleine René macht sich prächtig, nimmt gut zu und gleicht jetzt sehr seinem Bruder. Meiner Frau geht es wieder gut, nur kann sie nie so richtig schlafen, weil der Winzige immer noch nachts schreit (ich höre das schon nicht mehr). Von der

Abfindung wird aber auch mindestens ein halbes Pfund Kaffee angelegt zur Nervenstärkung, ausserdem ist ein Paket aus England angekündigt (mit Schuhen, die ich verkloppen werde), Lebensmitteln und Kleidern für meine Frau, Seife (von Narkotika ist nichts gesagt, doch hoffen wir darauf . . .).

Es ist schade, mein lieber Ada, dass heute nachmittag bei unserem Abfindungskaffee keiner von Euch dabei ist (wir feiern sozusagen Abschied von der heissgeliebten und melkenden Kuh, der Schule, meine Frau ist jetzt nicht mehr Lehrerin, sondern Hausfrau und Mutter, angewiesen auf das windige, aber möglicherweise sich steigernde Einkommen ihres Mannes). Doch bald muss Deine Mutter kommen, das Wetter ist jetzt herrlich und die beiden Frauen könnten jeden Nachmittag am Rhein sitzen, plaudern, stricken und den bunten Schiffen zusehen, während der Dicke dort spielt und der biedere Zeuger oben auf seiner Bude hockt, sich mit desperaten Sextanern abgibt oder an der Erneuerung der jungen deutschen Prosa arbeitet . . .

Ich hoffe, dass Ihr Euch der Besserung Eurer finanziellen Lage freut, überhaupt etwas weniger »existentialistisch« seid . . .

Was Du über meine »Stelle« sagst, trifft nicht ganz zu. Ich habe nie so viel und so gut [ge]arbeitet, als zu der Zeit, wo ich noch bei meinem Bruder war, also weniger frei, auch in der Kunst gilt das Wort: »Not lehrt beten« und im Grunde genommen ist doch jede Kunst irgendwie Gebet: Hilfeschrei, Lobgesang oder Danklied oder das wilde suchende Gestammel der verlorenen Kreatur, die einen Ausweg sucht (den sie immer findet, wenn sie will!).

Weisst du, ich muss geradezu irgendeine Beschäftigung haben, diese nackte literarische Existenz macht mich ganz krank, ich denke wirklich an einen Posten als Sekretär eines vielbeschäftigten Mannes oder irgendeine kleine Masche im Kultusministerium oder Rundfunk oder aehnliches, und ich möchte fast dafür garantieren, dass ich in wenigen Monaten das Richtige gefunden habe, das mich beschäftigt ohne mich zu binden, verstehst du? Nur Geduld und Mut und beides fehlt mir im Augenblick (das heisst jetzt geht es wieder, wo etwas Geld im Rücken ist).

Nun, mein lieber Ada, morgen fängt der September an und

dann ist es nicht mehr lange bis zu Deinem Geburtstag, ich muss nur früh genug wissen, ob Du Sonntag oder Montag feierst, aber bis dahin ist Deine Mutter hier und weiss Bescheid. Ob ich mir bei meinem Schülerbetrieb drei Tage Abwesenheit werde leisten können, ohne meine Schäfchen zu verlieren, kann ich noch nicht übersehen, doch wird sich das wahrscheinlich einrichten lassen. Was hieltest Du davon, wenn ich das »Vermächtnis« zu dem Preisausschreiben schicke, vielleicht ist das etwas zu scharf?

Ich grüsse Euch alle herzlich, lieber Ada, auch von meiner Frau und den Kindern viele Grüsse Deiner Mutter, den »lieben Kindern« und Deinem Vater, durch dessen Tagebücher ich bald durch bin ...

Immer Dein
Hein

BA4, 1 1/2S, m

89   *Heinrich Böll an Ernst-Adolf Kunz*
Köln, den 8. 9. 48

Mein lieber Ada, ich nehme Dein Schweigen als Zeichen dafür, dass es Dir gutgeht und versuche mir auszumalen, wie Du Deine mögliche Gage verjubelst. Jedenfalls sind bis zu Deinem Geburtstag nicht einmal mehr vierzehn Tage und ich hoffe, dass bis dahin noch allerlei zu erzählen sein wird. Wir erwarten jetzt täglich Nachricht, ob Eure Mama sich entschliessen kann, einige Tage bei uns zu verbringen. Das Wetter ist nach einigen Regentagen wieder schön, sogar ziemlich warm und es wäre bestimmt geeignet zum Spazierengehen.

Meine Stundengeberei läuft jetzt gut an, heute morgen habe ich schon zweiundeinhalb Stunden »absolviert«, es ist manchmal qualvoll, aber auch wieder nett, mit den Jungens umzugehen, und vor allem auch befriedigt das Bewußtsein, Geld zu verdienen. Zu allem übrigen hinzu unternehme ich doch eifrige Feuilletonversuche, aber nicht optimistischer Art, jedenfalls nicht gewollt oder bewusst optimistisch, und versuche, vielleicht Korrespondenzen zu bekommen, d. h. Kulturberichterstattung aus Köln für auswärtige Zeitungen oder aehnliches. An sich liegt mir der journalistische Kram nicht sehr, aber es ist doch dem eigentlichen Beruf näher verwandt als Steinekloppen ...

Frau und Kinder sind von ausgezeichneter Gesundheit, der »Dicke« wird geradezu gargantuanisch, sein Appetit ist unheimlich, seine Vitalität erschreckend für uns beide müden Europäer; sein Bruder scheint auch ein Dicker werden zu wollen, er nimmt gut zu, schläft viel und stört uns nachts kaum noch, nur noch zu einer Zeit, wo er dazu berechtigt ist seine Mahlzeit zu verlangen, morgens gegen halb sechs. Aber ich höre davon nichts mehr. Meine Frau empfindet das Dasein ohne Schule und schlechtes Gewissen doch bedeutend leichter und natürlicher und ich bin froh, dass unsere Familie jetzt in normalen Bahnen lebt, wenn auch auf dem Boden absoluter Unsicherheit. Sonst hat sich die lit. Situation noch nicht gebessert, die Buchhändler verkaufen zum grössten Teil gehortete Sachen und die meisten Verlage sind ohne Geld. Das einzige, was natürlich gekauft wird, sind »bekannte Autoren« ...

Ausserdem habe ich ein neues Stück angefangen, ernst, Thema: Krieg und Liebe. Es gefiel mir erst ganz gut, aber je länger ich es mir ansehe, verliere ich wieder die Lust. Das meiste ist doch recht krampfhaft und zu viel hoch erhobene Zeigefinger sind noch zu spüren. Ich bringe Dir die beiden ersten Akte einmal mit, du magst selbst sehen, wie es mit meinen dramatischen Fortschritten steht. Vielleicht mache ich es auch fertig, letzte Szene: zwei Posten, die sich unterhalten. Das wäre schön, wenn es gut würde, die beste Gelegenheit alles über den Krieg zu sagen, was zu sagen ist. Nun, du wirst sehen ...

Schreib mir wieder einmal, damit ich weiss, wie es Euch geht und auch wie es am Theater steht. Immerhin beweist Ihr doch bis jetzt eine tolle Lebensfähigkeit. Wie viel haben schon Bankerott gemacht! Und bedenke immer wieder, wenn die Gage noch so knapp sein wollte, dass ich buchstäblich aus meiner Arbeit noch keinen Pfennig eingenommen habe seit der sogenannten

Währungsreform, ein toller Beweis dafür, wie sehr die lit. Konjunktur gewesen ist ...

Meine nervliche Situation ist immer noch mässig. Ich fürchte eben allen Ernstes, dass ich meinen Beruf werde aufgeben müssen. Mit Stundengeben eine Familie ernähren ist kaum möglich bei dem heutigen Angebot. Studenten bieten sich schon für eine Mark die Stunde an und ausserdem gibt es wenige Eltern, die sich das heute noch leisten können (ich nehme mindestens 3 M!). Zu allem hinzu kommt, dass es eben sehr unsicher ist. In der nächsten Woche will ich einen sehr einflussreichen, sehr grosszügigen netten Bekannten aufsuchen, einen Domkapitular (Du wirst keine Ahnung haben, was das ist), dem ich schon seit Rückkehr aus der Gefangenschaft einen Besuch schuldig bin und werde ihn (wenn ich fertigbringe, das auszusprechen) bitten, mir irgendeine Beschäftigung zu vermitteln, die mich möglichst nicht an ein Büro und bestimmte Dienststunden bindet; ich denke an Uebersetzungen (der Betreffende kennt viele Verleger, ist ein persönlicher Freund von Paul Claudel usw.!) oder Berichterstattungen. Der Besuch ist für mich eine Pille, weil ich nicht gerne um etwas bitte (wie oft bin ich seinerzeit nach Bonn gefahren, um Ernst um Brot zu bitten und fuhr wieder weg, ohne ein Wort gesagt zu haben), aber in diesem Falle bin ich es wohl den Meinen schuldig, den Mund aufzutun ...

Ach, ich werde Dir das alles erzählen und hoffe, dass Du mir bald schreibst und mir von Deinem Leben erzählst. Ich freue mich auf Deinen Geburtstag, wenn ich wieder für zwei Tage dieser im Augenblick sehr deprimierenden Plackerei entrinnen kann. Aber auch die Plackerei ist gut, es muss sich ja auch für mich einmal zeigen, dass das Leben ernst ist. Bisher ist doch noch nie Ernst gewesen. Es war alles mehr oder weniger Spielerei und Traum ...

Mein lieber Ada, wir freuen uns riesig, wenn Deine Mutter kommt. Ich denke mir, dass meine Frau sich hauptsächlich darum freut, weil ihr meine Laune und mein stets etwas mieses Gesicht zum Halse heraus kommt und sie froh ist, einen anderen zu sehen. Ausserdem habe ich so viel von Eurer Mama erzählt, dass es wirklich Zeit wird, sie einmal leibhaftig zu sehen ...

Das Wetter ist herrlich heute. Morgen fahre ich mit meinem Vater nach Essen. Er möchte die Stätten seiner Kindheit wiedersehen. Es wird nur ein kurzer Besuch, der mir nicht einmal Zeit zu einem Abstecher nach Gelsenkirchen lassen wird. Morgens Abfahrt, mittags wieder zurück (mein Vater hat im ganzen Leben noch nie einen Verwandten besucht und will auch im Alter von diesem Grundsatz nicht abgehen, toll, nicht wahr?). Also auf Wiedersehen, schreib mir, grüsse alle, lade Deine Mutter noch einmal ein, in 14 Tagen hoffe ich reisen zu können ...
Immer Dein
Hein
Uebrigens muss ich Deiner Mutter mitteilen, dass auf die Anzeige, die am 24. 8. erschien, bisher kein Angebot eingetroffen ist. Ich spreche noch mit ihr darüber.
H.

BA4, 2S, m

90   *Ernst-Adolf Kunz an Heinrich Böll*
Gelsenk. d. 10. Sept. 48

Mein lieber Hein –
Gestern kam Dein Brief, in dem Du Dich mit Recht über mein langes Schweigen beklagst. Ich konnte aber wirklich nicht eher schreiben, da wir wahnsinnig geprobt haben. 2 Tage vor der Première hatte ich eine herrliche Erkältung weg, deren Haupterscheinung Fieber war. Am Mittwoch war nun Première. Es war fürchterlich für mich. Stirnhöhlenschmerzen und grosse Schwäche. Nur mit Wein und Tee gelang es mir über diese Zeit zu kommen. Auch heute fühle ich mich sehr elend. Am meisten schmerzen die Augen. Und dabei Vorstellung über Vorstellung. Zigeunerbaron nach wie vor ausverkauft. Franke macht in diesem Monat dolle Geschäfte. Stell Dir vor er hat einen neuen Anzug! Wo kommt das Geld her? Meinen Berechnungen nach könnten wir das Doppelte in diesem Monat haben. –
Also am Sonntag kommt Mama. Sie ist wirklich abgespannt und

hat Ruhe nötig. Ich schreibe noch, wie ich vor dem 19. frei habe.
Schön wäre, Du könntest schon Samstag mit ihr kommen.
Ernst will ich auch schreiben wenn ich die genauen Termine kenne. Hoffentlich kommt der Schurke. Wir machen eine tolle
Bowle. Ich hätte wirklich mal Ferien nötig. Scheinbar kann ich
doch nicht so viel vertragen wie ich bisher glaubte. –
Ich finde es so lieb von Euch, dass Ihr Mama so herzlich einladet.
Ihre Arbeiterei fällt mir oft auf die Nerven. Vor allen Dingen
brauchte sie gar nicht so viel zu tun.
Lieber Hein, ich kann nicht mehr schreiben. Ich möchte den
ganzen Tag schlafen.
Ich schreibe bald wieder. Grüsse Deine lb. Frau und filios.
Dein A.

BA5, 3S, eh

91   *Ernst-Adolf Kunz an Heinrich Böll*
Gelsenkirchen d. 26. Sept. 48

Mein lieber Hein – wir spielen heute in Rotthausen Dreimäderlhaus und da habe ich bis 7 Uhr abends Zeit und Ruhe, Dir
zu schreiben. Ich habe heute noch mal ganz ruhig und sachlich
Dein Stück gelesen. Es ist wirklich, ich würde sagen, »grossartig« wenn Du es nur glauben möchtest. Einige Szenen habe ich
laut gelesen, so wie ich sie mir denke und mein Eindruck war,
dass die Sprache auch dramatisch gut und brauchbar ist. Hein,
ich bin ganz glücklich darüber und könnte mir nichts Schöneres denken, als jetzt mit Dir die Sache fix und fertig zu machen.
Einige Kleinigkeiten scheinen mir nicht richtig in der Zeitrechnung, doch das sind 5 Min. Arbeit für Dich. Bei dem dritten Akt
sei vorsichtig und bring ausser dem Dialog am Bett auch Handlung hinein. Vielleicht von irgendeiner Seite einen Ausbruch.
Irgend etwas Handelndes, sonst haben wir zuviel Dialog. Du
schreibst, dass Du Anfang Okt. eventuell kommen kannst.
Schreib mir doch, ob Du bis dahin die beiden ersten Akte
brauchst. Ich schicke sie Dir dann sofort. Ich dachte mir, dass

wir das Stück gar nicht in Szenen einteilen – es ist nicht nötig
bis jetzt – es sei denn, Du brächtest hier und da noch Figuren
oder Auftritte hinein. Die Szene mit dem Leutnant könnte
noch etwas länger sein. Noch eins, vielleicht ist es verfrüht
schon jetzt daran zu denken, aber gib dem Stück einen guten
Titel. Ich dachte schon: »Deshalb fliesst das Meer nicht über«
oder so ähnlich. Du lässt das den Heini noch sagen. Aber das
hat ja Zeit.
Die Szene mit dem Mädchen in der Kneipe ist sehr gut. Bestimmt! Glänzend ist der Telefonanruf von Catherine und
dann der sofortige Aktschluss. Ich finde, dass nur 3 Akte möglich sind. Ein 4ter würde die dramatische Wirkung zu sehr deh-
nen. Aber der dritte muss toll werden. Na, Du machst das
schon. Solche Milieus liegen Dir ja. Komm nur bald. Als Hörspiel für Funk ist es fast noch besser. Allerdings geht viel flöten
durch die fehlende Geste etc., doch ist es auch dafür brauchbar.
Du schickst es nachher auch an den NWDR, nicht wahr? Übrigens hat Zuckmayer nie Szeneneinteilung. Das ist auch über-
flüssig. Also schreib nur so weiter, dann klappt es bestimmt. Ich
hoffe, dass Du wirklich bald Deine Erschöpfung überwunden
hast und Ruhe genug. – Für mich ist es augenblicklich nicht
mehr so anstrengend. Morgen den ganzen Tag frei. Ach ja, vor
einer Woche kamst Du um diese Zeit. Das war doch sehr
schön. –
Ach, Hein, hab Du nur Mut und Hoffnung. Du kannst so viel,
dass der Erfolg einmal kommen muss – Du wirst sehen.
Meine Mutter lässt Deine ganze Familie grüssen. Sie erzählt jeden Tag von Euch. Du musst nur bald wiederkommen. Es gibt
so viel, was ich auch nur mit Dir besprechen kann.
Ich muss weg. Hein, sei gegrüsst und sage auch Deiner Frau
Grüsse von mir und den Kindern.
Immer Dein Ada

BA4, 3S, eh

92   *Heinrich Böll an Ernst-Adolf Kunz*
Köln, den 28. 9. 48

Mein lieber Ada, gleichzeitig mit Deinem so sehr ermunternden
Brief (der mich wirklich sehr getröstet hat) kam mein erstes
D-Mark Honorar: 70.– Dm für ein sehr kleines und meiner Ansicht nach windiges Feuilleton (eine kleine Geschichte: So ein
Rummel!) die ich Euch bald zuschicke, wenn mein Exemplar
ankommt. Dieser kleine Erfolg hat mir einen tollen Auftrieb gegeben. Es ist doch herrlich, einmal eine brauchbare Summe auf
einen Schlag zu verdienen, das Stundengeld ist zu tröpfelig. Ich
werde jetzt weiter und viel in Feuilleton experimentieren, allerdings weiterhin mit Vorsicht, das ist das reinste literarische
Glatteis.
Ich bin gleich in die Stadt gefahren, habe meiner Frau einen Blumenstrauss und Kaffee gekauft, dem Dicken ein Auto und mir
ein paar anständige Zigarren. Das nächste Honorar wird dann
gespart.
Was Du über das Stück schreibst, macht mich sehr froh. Ich hatte auch das Gefühl, dass es wenigstens im Gefüge und groben
Entwurf brauchbar ist. Das weitere ist ja Handwerksarbeit, die
wir beide zusammen machen werden, allerdings erfordert sie
viel Geduld und Können und ich rechne da mit Deinen wirklich guten langen Erfahrungen. Es wird bestimmt werden, ich
hoffe viel darauf. Den dritten Akt (ich denke auch nur an drei)
werde ich mir gut überlegen. Es macht mir viel Freude, schon
nur daran zu denken. Deine Anregung ist gut, ich hätte bestimmt zuviel Dialog und Lyrik hineingebracht (ich neige neuerdings zu lyrischen Tendenzen, übrigens nicht von nebenher!).
Gut, Du kannst das Stück da behalten, bis ich wieder einmal
kommen kann oder einer von Euch (möglichst Du!) es mitbringen kann. Eine Abschrift besitze ich noch nicht. Ich denke mir es
wäre doch toll, wenn wir beide nicht ein Kriegsstück auf die Beine brächten, das sich sehen lassen kann. Nun genug davon ...
Ich freue mich schon sehr auf meinen nächsten Besuch bei Euch.
Hoffentlich steht er wieder unter dem Stern eines Honorars und
ich kann endlich meine Tauf-Wein-Versprechungen erfüllen.

Die sind noch fällig, unbedingt. Sonst geht es ganz gut. Wie schon gesagt, ich verdiene jetzt monatlich durchschnittlich 130.– bis 140.– Dm durch Stundengeben. Das langt fast um die Ernährung der Familie zu sichern. Alles weitere (Taube, Miete, Krankenkasse) muss vorläufig von unserer Reserve entnommen werden. So ein Schlag von 70.– Mark ändert natürlich den Etat enorm. Wir sind sehr glücklich. Ich habe gleich ein nettes, kleines Feuilleton entworfen, das ich nachher auf die Post gebe. Es hat seine Reize, so seine Geschichten wie Angelschnüre auszuwerfen und möglicherweise nachher Geldscheine hochzuziehen. Nun, ich will nicht gleich allzu optimistisch werden ...
Das Wetter ist herrlich, schade, dass Deine Mutter gerade eine miese Woche erwischen musste. Mir ist fast zu heiss, ich schwitze hier oben auf meiner Bude. Uebrigens kündigte Willi Stratmann für Samstagabend einen kurzen Besuch an. Ich freue mich wirklich, mit dem Burschen mal wieder zu sprechen. Mit grosser, grosser Spannung warte ich auf ein mögliches Echo meiner beiden grossen Arbeiten. Eine solche angenommen, bedeutete doch, wie ich hoffe, mindestens 1500.– Dm, also über ein halbes Jahr einigermassen Sicherheit. Es wäre herrlich ...
Du wirst bestimmt erstaunt sein, wie optimistisch ich jetzt schreibe, nachdem meine Briefe erst immer von Depression zitterten. Nun, es ist schändlich und erniedrigend, aber ich bin wirklich auf eine blöde Weise abhängig vom Erfolg meiner Arbeit. Vielleicht kommt jetzt lange nichts mehr, aber wer weiss! Meine Frau bestärkt mich weiter im Ausharren. Ich freue mich auf die Arbeit am dritten Akt des Stückes. Er muss wirklich toll werden. An Ausbrüchen wird es hoffentlich nicht fehlen, und ich will auch versuchen möglichst alles Peinliche zu vermeiden, aber was ist schließlich schon Peinliches dabei, wenn ein Landser bei seiner Frau schläft!
Ich lese die Kriegtagebücher Deines Vaters mit wirklicher Spannung. Es ist alles sehr plastisch und eindrucksvoll und ich bereue immer mehr, dass ich selbst das nicht getan habe, jedenfalls wenigstens bruchstückweise notiert.
Nun versuche ich noch, für das Preisausschreiben etwas Vernünftiges zu schreiben. Es sind noch vierzehn Tage Zeit und die

beiden Entwürfe, die ich Euch vorlas, gefallen mir nicht mehr recht. Nun, im Notfall muss ich es damit versuchen. Bei einem möglichen Gewinn sind Dein Vater und Wera natürlich prozentual beteiligt als Anreger. Ich hätte das sonst niemals erfahren, da ich ja keine Zeitung lese.

Vom Rundfunk habe ich bisher weder Positives noch Negatives erfahren. Ich schreibe Dir gleich, wenn etwas klappt.

So, nun zunächst viele, viele Grüsse von meiner Frau an Deine Mutter und alle anderen, dann von mir an Deine Mutter, von dem Dicken an alle, von mir auch an alle anderen usw. Natürlich auch an Dich.

Immer Dein

Hein

Hoffentlich kommst Du auch einmal aus Deiner Plackerei heraus. Ich stelle mir vor, dass wir nächstens hier oben in wohlgeheizter Bude sitzen und bei Nacht an meinem Stück arbeiten, mit Wein und Zigarren. Verzeih meinen Optimismus. Herzliche Grüsse an Euch alle. Ich komme, sobald ich Geld und Zeit habe, spätestens zum Geburtstag der Schwestern ...

Hein

BA4, 2S, m

93   *Ernst-Adolf Kunz an Heinrich Böll*
Gelsenk. d. 4. Okt. 48

Mein lieber Hein, seit einigen Tagen liegt nun schon wieder Dein Brief hier, ohne dass ich ihn beantwortet habe. Aber ich kam wirklich nicht dazu. Dabei habe ich mich über die Nachricht Deiner finanziellen Erfolge so gefreut. Ich kann mir denken wie hoffnungsvoll Dich die ersten literarisch verdienten DM machten. Ich hoffe auf baldige Zusendung der Zeitung. Hein, es wird – bestimmt. Ich rechnete in der kommenden Zeit mit einigen freien zusammenliegenden Tagen, doch ist dieser Monat bis zum 21. jeden Tag besetzt. Ich komme einfach nicht weg! Heute mal ein freier Tag. Ich versuche ihn auszufüllen durch Erledigung meiner Briefverpflichtungen. (Du gehörst nicht dazu!) Und Dein Stück liegt hier – will fertig werden – will gespielt werden! – Bei uns sind mal wieder einige Krisen überwunden. Der kommende Monat bringt mir 154 DM, eine 10%ige Aufbesserung. Wir hatten mit mehr gerechnet. Man vertröstet uns auf den nächsten Monat. Allerdings gehen von dieser Gage keine Steuern ab und keine Kasse. Umgerechnet bekäme ich also 180 DM. Die nächste Operette steht kurz vor den Proben. »Vogelhändler« von Zeller. Ich habe eine Rolle, die wieder ins Groteske fällt. Ich kann nichts dagegen machen. Aber sie ist sehr gut und nur im 2. Akt, also vorher Zeit und hinterher. Ein neuer Tenor macht das Arbeiten etwas angenehmer. Er ist hübsch, hat etwas Stimme und ist etwas begabt. Mehr kann man nicht verlangen.

Nur Erdmann hat er schamhaft erzählt, dass er Hauptmann war. Ich hatte beim ersten Blick auf Uffz. getippt und das dem engsten Kreis erzählt. Mein Riecher für Offiziere ist jetzt allgemein anerkannt. Mit grosser Einigkeit schimpften wir jetzt in seiner Gegenwart auf sämtliche militärischen Einrichtungen. Obgleich Tenor scheint er klug genug, sich nichts merken zu lassen. Na, ich warte ab. Vorerst stehen wir gut miteinander und er ist bescheiden und höflich. – Der Besuch der Operette ist gut und ich glaube, es könnte uns bessergehen wenn Erdmann Direktor wäre. Na, genug davon. –

Ja, Hein, Du fehlst mir manchmal sehr. Jedesmal wenn Du da warst, war ich für einige Tage gut gestimmt und sah die Welt etwas mehr mit Deinen Augen. Doch leider falle ich immer wieder in meinen alten Fehler zurück. Über einige Dinge mit einem Freund zu reden ist bestimmt wichtig für mich. Ich werde mit manchen Sachen nicht fertig und dieses Unvermögen macht mich launisch. Ich müsste hier weg, dann wäre es besser, glaube ich. – Also komm bald her. Ich kann 14 DM mehr ausgeben. Eine Flasche Schnaps habe ich schon bestellt. Wir saufen die dann ganz allein. – Ich empfehle Dir den Film »Finale« weniger wegen der etwas sentimentalen Handlung als wegen der Musik. Gute schauspielerische Leistungen. – Tabak bald 1,50! Was können wir dann sparen! –

Sollen wir ausmachen, dass Du bei nächster Geldsendung
10 DM für Reise opferst? Schreib bald! Ich grüsse Deine Frau
sehr herzlich, Deine Kinder, Deine Brüder und Vater. Dich natürlich auch! Immer Dein Ada

BA5, 4S, eh

94   *Heinrich Böll an Ernst-Adolf Kunz*
7. 10. 48

Mein lieber Ada, Dir und Nita vielen Dank für Eure Briefe. Ich
schreibe bald. Samstag oder Sonntag. Viel Arbeit läßt mir wenig
Zeit. Vor allem auch bin ich viel unterwegs, um »Beziehungen«
zu realisieren. Aber noch nichts hat angeschlagen. Ansonsten
drängt der Termin des Preisausschreibens! (15. 10.!!) Wenig
Schlaf läßt die ganze Familie nervös erscheinen. Die Kinder
sind gesund, der Dicke wird immer toller. Komm sobald Du
Zeit hast. Mit Wera war ich vorige Woche eine 1/2 Stunde im
Dom. Sie hatte wenig Zeit. Vom nächsten Honorar komme ich.
Spätestens denke ich so am 20. 10. Schüler sind jetzt bald genug,
aber es kommen noch mehr, da die »Saison« anfängt, aber Schuf-
ten macht mir Spaß.
Bald mehr. An alle viele herzliche Grüße
Dein Hein

PK, m

95   *Heinrich Böll an Ernst-Adolf Kunz*
Köln, den 11. 10. 48

Mein lieber Ada, nun bist Du wirklich an der Reihe. Sei nicht böse über die Verzögerung. Ich habe heute abend meine Frau ins
Kino geschickt (Der Herr vom anderen Stern), habe eben die
beiden Burschen versorgt, ins Bett gelegt, nachdem sie gefüttert
waren, und denke einige Zeit Ruhe zu haben. Nun, ich habe so

viel unternommen, so vielerlei Beziehungen angeknüpft, an so vielen Stellen Alarm geschlagen, dass ich, wenn auch nur ein Drittel anschlägt, in zwei Monaten vor Arbeit nicht mehr aus und ein wissen werde. So viele Leute wollen mir Schüler schicken, Uebersetzungen vermitteln und meine Geschichten unterzubringen versuchen, dass ich hoffe bald wirklich einmal Geld zu verdienen. Ich muss Dir mal alles erzählen. Vielleicht komme ich Sonntag spät und bleibe bis Montag abend. Einen Tag zwischendurch kann ich mich gut frei machen, ich muss dann eben am Dienstag doppelt soviel Stunden geben, das ist alles, oder am Mittwoch dreimal soviel wie am Montag. Ich will es versuchen, wenn ich Geld habe. Ich käme gern, Du weisst das ja und ich komme, sobald ich Zeit und Geld habe; und da ich annehme, dass Ihr montags noch frei habt, komme ich doch am besten Sonntagabend. Samstag war ich wirklich richtig von Schnaps betrunken, ein guter echter Korn, oben in meiner Bude in Ruhe genossen mit guten Zigarren, Anlass: Geburt des zwölften Böllerenkels, neunten Böllersohnes. Nun, wenn wir auch sonst zum Leben nicht sehr zu taugen scheinen: der Name des Geschlechts ist wenigstens für die nächste Generation gesichert. Du musst unbedingt einmal kommen und Dir die stetig wachsende Schar ansehen. Meiner Frau und den Kindern geht es gut, nur sind wir immer müde. Schlaf ist wirklich ebenso knapp wie Geld, letzteres schmilzt wie Butter an der Sonne, es ist verheerend.

Zum Preisausschreiben habe ich heute (Termin 15. 10.!) die beiden Arbeiten geschickt, die ich letzthin Euch vorlas. Es ist wirklich nicht viel, überhaupt kann ich schlecht nach Vorschrift und Plan schreiben. Ich setze nicht viel Hoffnung darauf, immerhin 80 Pfennig Porto muss man schon riskieren, ich fürchte, dass die Sachen an mangelnder Volkstümlichkeit scheitern, sie sind zu »literarisch«. Beim Rundfunk bin ich jetzt wenigstens an den einzig erreichbaren Mann an massgebender Stelle empfohlen, das heisst, ich »darf« ihm Sachen schicken und kann, falls etwas Gnade findet, weiterhin hoffen, dass sie mich vielleicht eines Tages als Lektor oder Kritiker gebrauchen können. Jedesmal, wenn ich an dem Neubau des Kölner Senders vorbeigehe (ehemaliges

Hotel Monopol am Dom), frage ich mich, ob ich eines Tages nicht da sitzen könnte. Das wäre herrlich, wenn man die elende Plackerei um das täglich Notwendige einmal loswürde. Nita hat Euch sicher von der neuen Anthologie-Aufforderung erzählt; hoffentlich habe ich mit dieser nicht soviel Pech wie mit der ersten. Die erste, die im August erscheinen sollte, liegt immer noch ungesetzt in Berlin, weil der Verleger offenbar Angst hat. Das hat den einen Vorteil, dass ich jetzt über die beiden Arbeiten wieder verfügen kann. Allmählich finde ich wenigstens einen gewissen Platz in der oberen Schicht der jungen Schriftstellergeneration, wenn auch finanziell alles weiterhin nach Pleite aussieht. Inzwischen ist noch ein Feuilleton erschienen, war aber leider schon vor dem »Schnitt« bezahlt. Ich hatte von beiden nur ein Exemplar und habe sie gleich dem Rundfunkburschen als Proben meines Könnens und meines Erfolges beigelegt (»man muss ja was tun«). Nun, ich denke, dass ich sie Dir eines Tages geben kann, ihr kennt sie beide noch nicht. Am »Stück« habe ich nichts mehr getan, aber das kommt wieder, wir wollen uns da Zeit lassen, wirklich etwas Sauberes und anständiges draus machen, wenn wir auch alles noch einmal von vorne anfangen, damit uns kein Schwein etwas nachsagen kann, nicht wahr?

Von Wera hörte ich ziemlich reale Dinge über die Baupläne Deiner – Gott sei Dank – einzig unermüdlichen Mutter. Schreib mir doch mal, ob es etwas wird oder geworden ist. Nur ran! Es muss klappen ...

(Ich musste unterbrechen, weil beide Bengels anfingen zu schreien. Ich beruhigte den einen durch ein ausgesprochenes Erwachsenenbutterbrot, den anderen durch den sehr verpönten, aber augenblicksweise fabelhaft wirksamen Schnuller, an dem er sich müde ziehen kann.)

Also schreib mir einmal darüber und auch, ob Ihr immer noch montags frei habt. Vielleicht komme ich wirklich am nächsten Sonntagabend. Es ist doch schon wieder ein Monat, dass ich bei Euch war. Ich habe nicht viel Vernünftiges gearbeitet in dieser Zeit. Die Stundengeberei ist doch ein sehr hartes Brot und manchmal muss ich doch vorbereiten, muss zu den Lehrern ge-

hen, mit den Eltern Beratungen abhalten usw. Und ausserdem
habe ich irgendwie einen toten Punkt erreicht, der gefährlich
werden kann, wenn ich ihn nicht durch intensive Arbeit über-
winde. Ich meine jetzt stilistisch und thematisch einen toten
Punkt erreicht, der unmöglich ein Höhepunkt sein kann, weil
ich ja erst zwei Jahre arbeite. Ich müsste jetzt weiter, das spüre
ich ganz genau, und ich komme nicht weiter, und nichts lässt
sich zwingen – das Furchtbare ist, dass ich immer mehr Dinge
entdecke, die ich einfach nicht beschreiben kann und es müsste
doch zum handwerklichen Rüstzeug eines Schriftstellers gehören, dass er das zunächst einmal kann: alles was ihn berührt und
anspricht, wenigstens beschreiben. Nun, ich werde versuchen
weiterzukommen. Ausserdem lese ich zu wenig, habe zu wenig
zum Lesen, müsste ganze Stösse von Büchern wirklich dringend
kaufen usw. Es ist manchmal schon zum Verzweifeln. Bis zu
einem gewissen Grade hast Du das, was man eine Lehre nennen
könnte oder ein »Studium« wirklich hinter Dir, und mir fehlt
noch viel, ich merke das jeden Tag. Mein eigentliches Gebiet ist
ja offenbar der Krieg mit allen Nebenerscheinungen und keine
Sau will etwas vom Krieg lesen oder hören und ohne jedes Echo
zu arbeiten, das macht dich verrückt. Ich bewundere wirklich
meine Frau, der ich täglich stundenlang diesen ganzen Fach-
kram vorkaue und vorjammere und die nie die Geduld verliert,
ich würde bestimmt laufen gehen. Nun, ich werde mit Dir einmal über alles Fachliche reden, vielleicht habe ich auch viel zu
viel gemacht.
Ach, verzeih das ganze Geschwätz, ich will arbeiten, arbeiten,
und es muss gelingen. Ich muss eben mehr »studieren«, das ist alles, und ich glaube, dazu bin ich zu faul.
Allerlei Feste haben wir hier gefeiert und zu feiern in wenigen
Tagen. Am Samstag die Geburt, gestern mit grossen Mengen
Kaffee, Kuchen und Zigarren den Namenstag des obersten Fa-
milienchefs Viktor, morgen schon wieder Taufe, dann bald der
bestandene Assessor meines Bruders, der hauptsächlich alkoholischen Charakter haben wird. Ich freue mich auf alles, man soll
wirklich die Feste feiern, wie sie fallen und wir Katholiken haben ja Feiertage genug, wenn wir nur vernünftig genug sind, sie

wahrzunehmen. Ach, ich hoffe, dass ich eines Tages auch das Fest meiner gegründeten Existenz feiern kann, wenn einmal ein rundes glattes, mindestens vierstelliges Honorar einläuft, Mensch, das wäre eine Masche. Nur Geduld, nur Geduld ...

Ada, schreib mir. Du weisst, ich zittere, wenn ich nichts von Euch höre, an allem nehme ich wirklich Anteil und schreib mir bitte, wie es Deinem Vater geht; grüsse vor allen Dingen Deine Mutter, immer wieder herzlichst besonders von meiner Frau, und allen bekannten Böllern. Der kleine René entwickelt sich anscheinend auch langsam zum Dicksack, während der bisherige Dicke schlanker und zarter wird, obwohl sein Appetit nicht nachlässt. Auch entdeckt meine Frau leichte Spuren von Braun in seinen bisher blauen Augen, sie ist betrübt, ich finde es reizend braunäugig und blond, nicht wahr? Der Bursche ist von einer wirklich aussergewöhnlichen Vitalität, er spielt jetzt viel im Garten und treibt mit einem Stock die ganze Parallel-Generation und die darüber liegende Generation der zwei- bis dreijährigen Böller vor sich her, die verzweifelt nach ihren Müttern schrein. Er selbst lacht triumphierend und befriedigt, ausserdem hat er einen bestimmten tödlich sicheren festen Griff an die Brustbekleidung des Gegners (und jeder ist sein Gegner), womit er diesen unweigerlich zu Boden zwingt. Ich bin einfach erschlagen über soviel Aggressivität bei meinem Pazifismus. Der Bengel wird sicher Stosstruppführer. Tilla ist begeistert von seiner Vitalität und wie sie sagt »strahlenden Sinnlichkeit«, die bacchantische Züge trägt. Gott weiss woher der Bursche solche vitalen Linien erwischt hat ...

Der kleine René ist äusserst »vif« und sieht sehr raffiniert aus, sehr gegenteilig seinem blonden Bruder, der mehr die naive Gleichung löst. René sieht viel »literarischer« aus, ein ausgesprochener West-Typ – dem Geschlecht meiner Mutter zuneigend. Ach, Du musst mal kommen, und jeder von Euch, der irgendwie Köln passiert, wird doch hoffentlich nun nicht mehr versäumen, mir eine Karte zu schreiben und möglichst zwei Stunden oder mehr zur Besichtigung und zum Besuch Station zu machen. Ausserdem sei jederzeit an die meist freistehende Bude oben erinnert ...

Ada, ich muss Schluss machen, ich habe noch viel zu tun (die
Burschen schreien nicht mehr, aber ich habe noch zu arbeiten
und möchte einmal versuchen, wenigstens um elf im Bett zu liegen).

Also grüsse grüsse grüsse Deine liebe Mutter, Deinen Vater, die
beiden Löwinnen Nita und Wera, denen ich Erfolg und Ausdau-
er in ihren Berufen wünsche . . .

Immer Dein Hein

[ehZ] Ich komme sobald ich irgendwie kann, schreibe euch
dann noch

H.

BA4, 3 1/2S, m

96   *Ernst-Adolf Kunz an Heinrich Böll*
Gelsenk. d. 13. X. 48

Mein lieber Hein – eben kam Dein langer Brief, der mir im ganzen ziemlich hoffnungsvoll erscheint. Zusammen mit Nita und
Weras Briefen hat man wirklich von allem was bei Dir vorgeht,
einen umfassenden Überblick. Heute hat Nita Deine Stories ab-
geschickt. Sie waren verpumpt an Hewel in Essen. Du siehst,
auch ohne gedruckt zu werden, werden Deine Sachen verlangt
und gelesen. Du musst nicht böse sein darüber, aber wir tun
nichts dazu. Auch bei uns ist grosses Interesse für alles von Dir.
Der Erfolg ist, dass ich ein Karussell einbüsste. »Jak der Schlepper« bat man mich (Schäfer und Klatt, die Sängerin) vorzulesen.
Ich tat es auch und der Eindruck war verblüffend. Klatt fragte
mich, ob es so an der Front gewesen sei. Ich bin davon überzeugt, dass dies überhaupt die meisten nicht wissen. Alles was
sie wissen, haben sie aus zackigen Soldatenliedern. Also sei ganz
ruhig Hein, schreib weiter wie es war, damit es nicht vergessen
wird. Ich gebe zu, dass Du darüber anderes nicht vernachlässi-
gen darfst, doch der Krieg ist wichtig, vielmehr die Erinnerung
daran. – Ich verstehe Deinen »toten Punkt« und wundere mich
daher nicht darüber. Ich habe das Gefühl, dass Du, je mehr Du

schreibst (ich meine in einer Tour), desto besser werden Deine Sachen. Ich glaube auch, dass Dich das über Deine Stilzweifel wegbringen würde. Übrigens merkst Du gar nicht wie sich Dein Stil ändert. Wenn man Dir jedoch so etwas sagt, behauptest Du, er sei nur raffinierter geworden. Wenn der Vergleich erlaubt ist, möchte ich sagen, dass es mir beim Rollenlernen ähnlich geht. Ist der tote Punkt erreicht, und das geht schnell bei mir, so weiss ich aber, dass ich das, was ich bis dahin gelernt habe, kann. Je häufiger ich lerne, desto später kommt der tote Punkt. Man muß eben Ruhe haben und die hast Du nicht. Es ist sehr schön, diese vielen Stunden, die Du jetzt gibst, doch wie Du ja schreibst, auch sehr aufreibend. Nun, auch das ist nur ein Übergang. Sobald Deine Sachen bei den Verlagen festsitzen, kannst Du die Burschen ja nach und nach abschieben und nur die meistbietenden behalten. – Ich habe mir heute von Borchert »Draussen vor der Tür« bestellt um an seinen dramatischen Fehlern zu lernen. Auch der Inhalt reizt mich. Was Du über das Stück schreibst, ist richtig. Nimm Dir Zeit. Ich weiss, dass Du jetzt über den Berg bist und das beruhigt mich sehr, Hein. Pass auf, das geht schneller als wir glauben. Kannst Du mir einen andern so jungen Schriftsteller nennen (ausser Bochert), der Dein Gebiet so absolut behandelt, so endgültig den Krieg ablehnt? Ich kenne keinen, trotzdem ich danach suche. Leider fehlt auch mir die Zeit und wie Dir die Bücher, um einmal wieder viel zu lesen. Es ist fabelhaft was angeboten wird. Für Papa holte ich heute Schachts »Abrechnung mit Hitler«. Ich habe es kurz überlesen und finde die Sache raffiniert, aber gut und bestimmt sehr interessant. 100 000 Auflage à 1 DM!! Was meinst Du, was Hjalmar verdient?

Er ist eben ein Finanzgenie. – Heute spielen wir in Wanne Eickel. Ein bequemer Abstecher. Die Proben zu Vogelhändler beginnen auch jetzt. – Es wäre wundervoll, könntest Du kommen am Sonntag. Ein Termin für Herne ist zwar für Montag angesetzt, doch ist es möglich, dass er ausfällt, da wir 3 Tage vorher schon dort spielen und der Besuch unrentabel ist. Also auch wenn wir spielen, brauche ich erst spät weg und kann früh wieder zurück sein. Wir hätten dann den Sonntag abend und den Montag bis 18 oder 19 Uhr für uns. Komm Hein! Du weisst, wie wir uns

freuen. – Die Charakterbeschreibungen Deiner Söhne lese ich
stets vor und man freut sich und lacht oft Tränen. Ich bin bald
verbittert, dass ich keine Zeit habe, mir die neueste Quittung an-
zusehen. Es ist aber auch nichts zu machen.
So, jetzt muss ich gehen. Grüsse wie immer alle Deine Lieben,
vor allem Deine Frau. – Ich stelle [es] mir schön vor, auf Deiner
Bude mal richtig zu saufen! – Uns geht es allen gut.
Immer Dein Ada

BA5, 4S, eh

97   Heinrich Böll an Ernst-Adolf Kunz
15. 10. 48

Mein lieber Ada, noch kann ich nicht sicher sagen, ob ich Sonn-
tag komme. Einige Imponderabilien scheinen noch unentschie-
den. Neigen sie sich günstig, fahren wir 16.44 Uhr hier ab. Wir
bleiben bis Montag abend. Dank für Deinen Brief. Hier regnet
es in Strömen nachdem für vier Wochen herrliches Wetter war.
Der Dicke hustet, René schreit, meine Frau ist müde und ich bin
einigermaßen ergeben und warte auf die Post.
Gruß an alle
Hein
Nitas Päckchen eben angekommen!
Immer Dein
Hein

PK, eh

98   Heinrich Böll an Ernst-Adolf Kunz
Köln, den 25. 10. 48

Mein lieber Ada, tagelang war das E meiner Schreibmaschine gelähmt, ein fürchterlicher Zustand, ich konnte nicht mehr arbeiten; inzwischen habe ich herausgefunden, dass es mit Lebertran

geschmiert werden und dauernd unter diesem Fett gehalten werden muss. Also: ich kann Dir nur diese kleine Geschichte beilegen, weil ich die anderen noch nicht habe. Vielleicht kannst Du versuchen, sie in G. zu bekommen. Es handelt sich um die »Literarische Revue« Heft 7 von September 1948 und den »Ruf« No 14 und 20 von 14. Juli und 15. Okt. 1948. Ich habe die Hefte hier bestellt, bekomme sie aber erst in 14 Tagen. Das Erscheinen der Arbeit in der »lit. Revue« hat mir viel Mut gemacht. Das ist so etwas wie eine bestandene Meisterprüfung. Geld bringt es leider nicht ein, da die Brüder wohlweislich 2 Tage vor der W-Reform 250.– Mk geschickt haben, die damals ungefähr den Wert einer einzigen Zigarrette hatten, aber das ist gleichgültig. Die Arbeit heisst »Wiedersehen in der Allee« vielleicht kennst Du sie noch. Es wäre schön, wenn ich Euch allen ein Exemplar besorgen könnte.

Es läuft doch jetzt manches ermutigende Schreiben ein, nur sind eben die finanziellen Erfolge vorläufig noch recht mässig. Ich setze alles daran um irgendwo als Lektor reinzukommen, habe auch dahin schon einiges unternommen. Burgmüller, der Herausgeber der »lit. Revue«, hat mich an viele Stellen empfohlen, u. a. an den BBC London, der ihn nach jungen deutschen Erzählern befragt hat. Natürlich ergab sich für uns gleich der Wunschtraum, das Schillinghonorar in London zu verjubeln: London im November! Stell Dir das vor, aber das sind alles Schäume, ich halte mich zunächst an meine realen, D-Mark einbringenden Sextaner, die mich manchen Aerger kosten.

Den Kindern geht es gut, der Dicke ist gar nicht mehr der Dicke, er wird schlanker und ranker, unwiderstehlich und frech: neueste Masche: alles zum Fenster hinausschmeissen in unbewachten Augenblicken.

Ich hoffe, dass Nita gut weggekommen und vor allem gut in Menden angekommen ist, ein nettes Zimmer hat und sich den ersten Freuden völliger Selbständigkeit hingibt; hoffe weiterhin, dass Du bald einmal kommen kannst (der Schnaps ist ab Samstag frei und billig!), dass Deine gute Mutter ihre Baupläne nicht nur realisieren kann, sondern von Euch tatkräftig bestärkt wird, vor allem in der Hoffnung; und dass Wera nicht den Mut

verliert bei den furchtbaren Lehrlingsproben während des Teig-
knetens. Nur Mut Euch allen!

Im November mache ich dann wieder meinen allmählich schon
regelmässig gewordenen Monatsbesuch zu Weras Geburtstag.
Ich komme dann wieder abends und fahre am anderen Abend
weg. Ich habe jetzt einige Schüler, die ich täglich überwachen
muss, und wenn ich die Schäfchen mehr als einen Tag aus dem
Auge lasse, machen sie mir zu tolle Seitensprünge. Ach, es wäre
natürlich schön, wenn ich es nicht nötig hätte, aber es macht
auch viel Freude und verleiht mir eine wenigstens minimale
finanzielle Sicherheit.

Ach, Ada ich schreibe Dir diesen Brief schnell zwischen zwei
Stunden, ich muss Schluss machen; ich möchte noch schnell
eine Tasse Kaffee trinken gehen und eine Pfeife rauchen.
Schreib mir nur immer wieder. Ich hoffe, dass ich bald wieder
Zeit habe, mehr zu schreiben. Es ist herrlich hier, wunderbarer
Herbst und richtiges Wetter, um die Schule zu schwänzen, aber
ich habe ernsthaft daran zu denken, dass ich eine kleine Familie
einigermassen ernähren muss.

Ich grüsse Euch alle herzlich

Immer Dein

Hein

[ehZ] Verwahre mir bitte den Zeitungsausschnitt. Das Geld lege
ich Dir in bar bei, weil ich keine Blättchen kriegen kann. Sie werden ja auch billiger.

Immer Dein

Hein

BA4, 1 1/2S, m

99   *Heinrich Böll an Ernst-Adolf Kunz*
Köln, den 30. 10. 48

Mein lieber Ada, ich nehme Dein Schweigen als Zeichen des
Wohlergehens, hoffe also, dass Du gesund bist und nicht allzusehr unter der Bürde der komödiantischen Verpflichtung zu lei-

den hast (wenigstens nicht mehr als bisher). Ich selbst habe nur
Gutes zu berichten: Zu der Anthologie, von der ich Euch erzählte, bin ich aufgenommen, zunächst mit einer grösseren Arbeit.
Ausserdem machte mir der Lektor des Verlages ein verstecktes
Angebot, ein Sammelbändchen herauszugeben. Dann könnte
sich Nita ihre mühselige Tipparbeit sparen. Vom BBC wurde
ich jetzt offiziell aufgefordert, einige Arbeiten einzusenden, die
in einer grösseren Sendereihe: »Die Kurzgeschichte im Europa
der Gegenwart« (Toller Titel nicht wahr?) verwandt werden sollen, bei Brauchbarkeit. Die Honorarfrage ist leider mies, es gibt
zwar ein Pfund für die Minute, aber das Geld wird auf ein Lon-
doner Sperrkonto für »feindliches Eigentum« eingezahlt. Ich
hatte schon mit einigen Zentnern schwarzen Tees gerechnet. Immerhin, wenn die Sache klappt, eine repräsentative Angelegenheit, die positiv zu buchen ist. Vom Verlag Kurt Desch bekam
ich das »Vermächtnis« mit einem so schmeichelhaften, so bedau-
ernden, so ausführlichen Brief des Lektors zurück, dass ich fast
ganz vergass, dass das Manuskript nicht in den Verlagsplan aufgenommen worden ist. Man begründete die Ablehnung (bei
einem solch guten Urteil) damit, dass man schon entsprechende
Kriegsromane und zwar von fünf jungen Autoren angenommen habe und sich nicht einseitig auf solcherlei Arbeiten festle-
gen könne usw. Es ist natürlich schwer, bei einem solchen Brief
festzustellen, wieviel davon Schmeichelei ist, um die Ablehnung
erträglich zu machen und wieviel wirklich als Urteil zu werten
ist. Gleichzeitig wurde ich aufgefordert für den Feuilleton-
Dienst des Desch-Verlages zu arbeiten, der viele Zeitungen und
Zeitschriften mit »Stoff« versorgt. Du siehst, es geht in der Literatur genau wie in einer Markthalle zu: man verscheuert eben
Manuskripte statt Aepfel und nimmt seine 33 1/3% Provision.
Das »Vermächtnis« habe ich gleich wieder auf die Reise geschickt. Meine Hoffnungen, dass eine der grösseren Arbeiten
doch noch vor Weihnachten herauskommen könnte, muss ich
wohl allmählich drangeben. Es scheint mir jetzt doch zu spät.
Immerhin kann ich mit dem Ergebnis dieser Woche zufrieden
sein; ich fange allmählich doch an, ein wenig Hoffnung wenigstens zu schöpfen. Mit dem »Ruf« soll ich fest zusammenarbei-

ten. Jeden Monat, wenn ich will und kann, eine Arbeit. Im Augenblick habe ich nichts, kann auch nichts schreiben. Ich bin zu erschöpft von der monatelangen Spannung. Hoffentlich geht es bald wieder los, ich bin sehr beunruhigt über meine augenblickliche Unproduktivität. Tolle Pläne, die zu Nichts zerfliessen, wenn ich sie nur anpacke. Geduld, Geduld, Geduld ...

Meine Schüler haben jetzt zum 1. hin alle bezahlt, die »Taube« konnte entlöhnt, der Haushalt für 8 Tage beruhigt, ein Blumenstrauss für meine Frau und Tabak für mich gekauft werden, ausserdem noch habe ich jeden Tag einige zig Mark Honorar zu erwarten. Zudem bin ich Besitzer einer Flasche deutschen Weinbrandes von guter Qualität (Preis 9.50!!) und habe jetzt angefangen, morgens nüchtern einen Schnaps zu trinken (wegen der Kälte!). Meine Frau ist leicht beunruhigt, aber nur leicht, sie empfindet mit Recht die Flasche als Eindringling, Eindringling in einem Masse wie es der Tabak nicht sein kann, ich verstehe, nehme mir aber vor, keinen Grund zu wirklicher Beunruhigung zu geben.

Im Hinblick auf die vielen abgeschickten blauen Briefe (kannst du dich dieser Mörder kindlicher Ruhe noch entsinnen?) erwartet unser Schulladen Verstärkung (es ist gemein, aber mir scheint oft, wir machen ein Geschäft aus der Angst!). Ich bin gewappnet. Latein bis Ende Quinta, Mathematik bis Untertertia (weiter bin ich noch nicht gediehen) und Deutsch bis Oberprima gebe ich jederzeit spielend. Allmählich werde ich ein richtig routinierter Pauker mit Zeigefinger und Wutausbrüchen; vielleicht ist es gut, auch diese Gefahren am eigenen Leibe zu erfahren.

Schreib mir bald wieder.

Den Kindern geht es gut. René wird prächtig, keineswegs dick, sondern schlank und kräftig; er lächelt viel und scheint sich wohl zu fühlen; nur abends schreit er seine 1-2 Stunden als Ersatz für – wie Deine Mutter so schön sagt – seinen Verdauungsspaziergang. Der Dicke nimmt zu, an Kühnheit, Schlankheit und Sinnlichkeit. Ein wilder Bengel, dem man leider nicht immer böse sein kann. Ich liess ihn am Schnaps probieren, um ihn frühzeitig diesem familienzerstörenden Laster zu entfremden, aber er scheute keineswegs zurück, sondern versuchte auch den letzten Tropfen aus dem Glase zu lecken; entweder ein Beweis für die Güte des Schnapses oder für die profunde Genussfähigkeit des Burschen.

Uns allen geht es wirklich gut. Auch meine Frau ist wesentlich erholt, schläft mehr und länger, da der Dicke von ihr drakonisch zu nächtlicher Schweigsamkeit erzogen wurde. René pennt bis sieben Uhr morgens, manchmal sogar länger und so kommen wir zu einer Nachtruhe wenigstens von 12 bis zur Zeit seines Erwachens …

Schreib mir bald, Ada, grüsse alle (Nita soll nicht vergessen, mir ihre Adresse zu schreiben; sonst tu Du es oder bitte Wera darum). Also grüsse, grüsse vor allem Deine Mutter von allen, allen Böllern, die sie herzlich grüssen lassen, im besonderen Masse von meiner Frau …

Immer Dein
Hein

P. S. Glaubst Du übrigens, dass Deine Mama noch interessiert ist, für Weihnachten Strickaufträge zu bekommen? Ich finde die Arbeit zwar wahnsinnig aufreibend und in jedem Falle unbezahlbar, möchte aber auch nicht, dass Deine Mutter böse ist, weil ich sie nicht gefragt habe. Ich hörte nämlich Bekannte danach suchen (zahlungsfähige Leute). Gruss, Gruss an alle …
Hein
Für Deine Mutter ein paar Marken!

BA4, 2S, m

100   Ernst-Adolf Kunz an Heinrich Böll
Gelsenkirchen d. 1. Nov. 48

Mein lieber Hein –
Deine Karte habe ich erhalten und den Brief mit 5 DM und Zeitungsausschnitt. Hab Dank, Du Guter! Ich war wirklich sehr beschäftigt, so dass mir keine Zeit oder vielmehr Ruhe blieb, Dir

zu schreiben. Wir sind alle sehr froh, dass Du einigen sichtbaren Erfolg hast. Vergebens habe ich nach der »Lit. Revue« und dem »Ruf« gesucht. Nun warte ich auf Deine Sendung oder besser auf Dein Herkommen. Morgen verlässt uns Nita. Hier die Adresse: Menden i/W; Galbreite 26; Hygienisches Institut. Gestern schon haben wir ihren Geburtstag vorgefeiert. Wera ist für 2 Tage nach Krefeld zu ihrer Freundin Hella. Sie kommt morgen wieder. Ich habe heute und morgen frei. D. h. morgen mittag Proben. Schade, sonst wäre ich zu Dir gekommen. Wir spielen jetzt, da der Vogelhändler noch nicht raus ist, in den entlegenen Dörfern Westfalens. Es ist manchmal schrecklich. Gestern 12 Stunden weg! Ich komme nicht mal zum Lesen. Leichtsinnige Schulden lassen mich finanziell nicht gesunden. Ich bin gespannt auf die erhöhte Gage in diesem Monat. Ich glaube mit 500 M käme ich nicht rum. Ach, es gibt jetzt auch so herrlichen Schnaps. Und widersteh da mal, wenn Du durchfroren irgendwo ankommst vielleicht mitten in der Nacht. Meine kleine »blonde Inge« kann ich bei nur 66 DM doch nicht zahlen lassen. Aber im ganzen ist das Leben doch schöner geworden, nicht wahr? Gerade habe ich das Radio geholt. Es spielt herrlich, wie neu! Nur 69 DM!! Ein leichter Schock, der aber schon nach genauer Überlegung der Vorteile überwunden wurde. –
Sonst ist für mich das Leben immer gleich. Kleine Sensationen am Theater, jeden Tag die gleichen Gesichter, lange kalte Fahrten auf nicht anspringenden LKWs, Witze aus Müdigkeit und Galgenhumor, hier und da Wechsel von Liebespärchen, die einander über sind. Sie haben es auch nicht leicht, wenn man bedenkt, dass sie sich tagtäglich sehen in fast jeder Situation. –
Franke spielt angeblich mit Erfolg sein buntes Kinoprogramm. Ich glaube nicht daran, da ich die Kräfte jetzt kenne. – Ach, Hein, ich beneide Dich manchmal um Deine Arbeit. Irgendwie bleibt doch das, was Du geschaffen hast. Bei uns nicht, wir müssen jeden Abend in etwa gut sein, jeden Abend neu in Stimmung kommen wenn nicht alles Technik und Routine wird. Und das finde ich schrecklich. – Na, egal –
Hein komm bald! Spätestens am 18ten. Bis dahin kostet die Zigarette 10 PF. Für uns beinah die Rettung, nicht? –

Grüsse alle, die Söhne, Deine Frau, Vater, Schwester und Brüder.
Ich hoffe, sie bald alle wiederzusehen.

Dein Ada

P. S. »Die kostbaren letzten Minuten« sind sehr gut und echt und
sehr traurig, nicht wahr?

BA5, 4S, eh

101   Ernst-Adolf Kunz an Heinrich Böll
2. Nov. 48

Der Brief war schon zu, und da kommt eben Dein Brief mit Marken und guten Nachrichten. Mama ist sehr froh über die Marken. Von Strickereien werde ich ihr abraten, doch gibt sie selber
noch Nachricht. Die Sache mit dem BBC verstehe ich nicht.
Warum kriegst Du kein Geld? – Gerade war die Frau von Willi
da. Er war gestern in Gelsenk. und liess mich grüssen. –
Ich muss weg.
Hein, bald mehr.
Dein Ada

BA5, 1S, eh

102   Ernst-Adolf Kunz an Heinrich Böll
Gelsenk., d. 15. Nov. 48

Mein lieber Hein – eben kam Deine Karte mit Deiner Ankündigung für den Geburtstag. Wera ist nun nicht da und ich weiss
nicht wie sie darauf reagiert. So viel ich weiss, hatte sie geschrieben, Du sollst Dienstag abend kommen und bis Donnerstag
bleiben. Für mich wäre das sehr günstig, da ich Mittwoch frei habe. Auch sollst Du, glaube ich, Hella, Weras Freundin kennenlernen, die am Dienstag kommt. Also versuche doch morgen
abend zu kommen. Ich will diese Karte in den D-Zug um 13 Uhr
nach Köln werfen, damit Du sie morgen früh bekommst. –

Entschuldige, dass ich so lange nicht schrieb, aber ich hatte sehr viel zu tun.

Immer Dein A

PK, eh

103 Heinrich Böll an Ernst-Adolf Kunz
19. 11. 48

Mein lieber Ada, ich habe mich mühsam erhoben und bin auf meine Bude gestiegen, um ein paar dringende Briefe zu erledigen; ich war wirklich scheusslich erledigt, ziemlich krank, bin noch immer recht erschöpft und müde, wahnsinnige Kopfschmerzen peinigen mich; ich glaube, das sehr seichte Wetter ist nicht gerade förderlich und befreiend. Ich hatte die Erkältung zu lange mit herumgeschleppt und hatte zu viel und ohne auszugehen hier oben [in] meiner Bude gehockt. Ich hoffe, dass ich spätestens Sonntag ohne leichtsinnig zu sein wieder ausgehen und mich gründlich lüften kann . . .

Gestern abend habe ich versucht, mich richtig bei Euch mit hinzusetzen und zu feiern. Dabei trank ich einige Gläser Genever, wasserklares scharfes Zeug, fabelhaft. Meine Frau lässt sich auch ab und zu verführen, einen zu nehmen. Und so pitschen wir manchmal abends einige Gläser, wenn der Dicke friedlich murmelt und René uns mit freundlichem sanften Geplauder untermalt. Die Kinder werden erschreckend gross: manchmal reibe ich mir wirklich die Augen, um festzustellen, ob es wahr ist: Hein Böll, verheiratet, Familienvater, windige Existenz, verantwortungsvolle Position . . . unlaublich. Es geht alles so wahnsinnig schnell. Der Dicke plaudert jetzt schon schön, macht schon die Tür zu (auf Gott sei Dank noch nicht), geht an den Ofen, schleudert unser ganzes Silberzeug, Pantoffeln und aehnliche Dinge zum Fenster hinaus. Manchmal gehen wir dann in den Garten und halten Razzia . . .

Sonst bin ich mal wieder sehr gespannt. In Innsbruck wird in diesen Tagen endgültig entschieden, ob mein Sammelbändchen

mit 20 Geschichten reif ist. Die Neigung des Verlagsleiters für
Deutschland (der Verlag selbst ist ein oesterr.-schweiz.-franz.-
Unternehmen) war 90prozentig. Derselbe Verlag will das »Vermächtnis« nehmen, wenn ich mich entschliessen kann, es gründlich zu »überarbeiten«. Ich komme noch nicht dazu; wenn ich
das Heft sehe, wird es mir schlecht, wie einem Jungen, der immer, immer wieder an seine liegengebliebenen Schularbeiten erinnert wird. Sobald meine Frau ihre Tippfähigkeiten etwas for-
ciert hat, geht es ran. Aber sie hat auch wenig Zeit. Neben dem
Haushalt jetzt auch Schülerinnen, gleich drei auf einmal. Die finanzielle Besserung macht sich schon deutlich spürbar. Ach, ich
hoffe auch auf einen ansehnlichen Vorschuss, wenn in Innsbruck (Abendland-Verlag) die Sache klappt. Wenn ... wenn ...
Du kannst Dir denken, wie gespannt ich bin. Endlich etwas Vernünftiges, wenn ...
Der Verlag veröffentlicht gleichzeitig in Oesterr., Deutschland,
der Schweiz und Frankreich. Brauchbare Dinge werden gleich
ins Französische übersetzt. Usw. usw ... Wenn ...
Mensch, Ada, ich komme wirklich nächste Woche, Donnerstag
oder Freitag, ich schreibe noch Genaues. Meiner Frau geht es
sonst gut, viel besser, wir schlafen nachts normal, die Kinder
sind mobil. Nur im Augenblick ein bisschen quengelig, ich vermute atmosphärische Störungen wie bei uns Erwachsenen. Wir
haben alle Kopfschmerzen zum Verrücktwerden, schwitzen,
sind müde und gereizt (natürlich beherrschen wir uns). Vielleicht wäre eine frische trockene Kälte besser ...
Ausserdem habe ich jetzt ganz ansehnliche Beziehungen bei
Desch. Ein früherer literarischer Bekannter ist jetzt massgebend
in der Redaktion einer neuen grösseren Zeitschrift, die ab Januar
anstelle des Prisma herausgegeben werden soll. Ausserdem arbeite ich für den Feuilleton-Dienst von Desch. Jedenfalls lie-
g[en] keine Arbeiten mehr herum. Lediglich »Der Aufenthalt in
X«, den will ich etwas reservieren. Wenn er aber in das Sammelbändchen kommt, wird er vorher noch verscheuert. Ach, ich
komme bald und sehe, wie es Euch geht. Schreib mir, ob man bei
Euch guten Schnaps kaufen kann. Dann schicke ich Dir Geld.
Hier ist seit einigen Tagen völlige Flaute. Schreib mir überhaupt.

Ich bringe Dir dann ein Heft der lit. Revue mit, die ich Wera zum
Geburtstag schickte. Ich bekomme Ende dieser Woche ein ver-
liehenes wieder ...
Grüss besonders Deine Mutter, ganz besonders. Ich freue mich,
bald wieder bei Euch zu sein. Grüss Wera, Deinen Vater, alle von
allen hier ...
Ich gehe wieder ins Bett. Mir ist ziemlich flau und dusselig. Ich
bin masslos »fertig«. Und werde jetzt bis Sonntag nur pennen;
ab Montag will ich versuchen, wieder »meine Kühe zu melken«
und Ende nächster Woche komme ich ...
Also, auf Wiedersehen und nur Mut und Geduld Euch allen,
und Ruhe, Ruhe ...
Immer Dein
Hein
[ehZ] Besondere Grüße von meiner Frau an Deine Mamma.
H.

BA4, 2S, m

104   *Heinrich Böll an Ernst-Adolf Kunz*
Köln-Bayenthal, Schillerstraße 99, den 28. 11. 48

Mein lieber Ada, wir hatten nicht viel Zeit miteinander zu reden,
es war wirklich ein sehr kurzer Besuch, aber es ging nicht anders.
Einmal hoffe ich doch, mehrere Tage mich frei machen zu können, um wieder einmal eine Premiere zu sehen. Ach, ich bin nun
glücklich, dass meine Schreibmaschine es wenigstens stunden-
weise wieder tut, in alter Schnelligkeit. Nun werde ich wieder arbeiten, oben auf meiner Bude pennen. Hoffentlich geht es. Die
nächsten Tage ist der Maler noch hier und muss oben schlafen.
Ich warte voll Ungeduld. Hier unten komme ich zu nichts, und
ich lasse mich leider so gerne ablenken. Die Filmgeschichte werde ich bestimmt machen. Zwei brauchbare Ideen habe ich
schon. Die eine stammt im Grunde genommen von Wera, eine
tolle Idee, aus der ich versuchen werde, etwas Handgreifliches
zu machen. Nun, zum Glück braucht die Sache nicht lang zu

sein. Zwar werden viele Tausende Ideen eingehen, und die Hoffnung etwas zu gewinnen, ist gering, aber der Einsatz ist ja auch
nicht hoch und die Arbeit nicht schwer. Ich schicke Euch, sobald
ich die Sachen skizziert habe, eine Abschrift zu. Vielleicht bald
schon, weisst du, bei diesen Dingen darf man nicht viel »feilen«
und grübeln, man muss der ursprünglichen Fabel Lauf lassen
und sie nur schliessen.

Noch etwas, ich vergass es bei meinem Besuch: Hast Du die Geschichte noch, weisst Du, die Landsergeschichte, die vorne im
Schützenloch spielt, etwa 2 Tippseiten lang, ohne Titel glaube
ich? Wenn ja, schicke sie mir doch bitte. Falls Du sie Nita damals
gegeben hast, ist es gut, ich schreibe ihr mit gleicher Post. Ich
brauche das Manuskript jetzt wieder.

Wenn Du kommen kannst, komm, Du störst auf keinen Fall,
auch meine Frau nicht: wir können uns im Notfall, sollte eins
der Kinder gerade krank sein oder aehnliches, vollkommen auf
meine Bude oben zurückziehen und eine Pulle Schnaps trinken.
Also komm.

Ach, jetzt suche ich dringend eine Schreibmaschine; wenn Du irgend etwas hörst, (sie muss einigermassen brauchbar sein) jemand, der eine verkaufen will, lass es mich wissen. Vielleicht
brauche ich bald zwei, wenn die Uebersetzerei losgeht, dann
muss meine Frau unabhängig von mir arbeiten können und umgekehrt.

Ach, Ada, ich hoffe, dass nach sechswöchentlicher vollkomme-
ner Flaute bald wieder frischer Wind in meine Segel kommt. Ich
möchte gerne einmal einen richtigen brauchbaren Roman
schreiben, so wirklich aus dem vollen. Nun, Mut, Mut, den ich
immer predige, müsste ich erst selbst haben. Bis Weihnachten
wird – glaube ich – für mich allerlei entschieden sein. Wenn es
geht, komme ich dann in der Woche zwischen Weihnachten
und Neujahr. Silvester wird wahrscheinlich hier grosse Familien-
fete sein. Schön wäre es, wenn wir an einem der Tage friedlich
bei Euch sitzen und uns ganz sanft und ruhig mit gutem Wein
besaufen könnten. Nun, wir werden sehen.

Schreib mir bald wieder, und denke ernsthaft daran, zur nächsten Spielzeit die Tapete zu wechseln, möglichst nach Köln. Ein

Zimmer würden wir schon irgendwie auftreiben, und ein Teller
Suppe stünde zumindestens immer bei uns für Dich bereit. Vielleicht bist Du dann längst mit unserer neuen Filmidee beschäftigt und holst mich ab und zu mit Deinem Wagen ab. Alles das
kann wirklich über Nacht kommen.
Gestern abend fuhr ich um 7 bei Euch weg und war schon um
viertel nach zehn im Hause. Frau und Kinder waren gesund (ich
habe immer, wenn ich weg bin, masslose Angst), nur der kleine
René laboriert noch mit seinem Durchfall herum, doch scheint
die Diät meiner Frau langsame Besserung zu bringen. Solche
Dinge sind bei diesen Kleinen wirklich aufreibend und erfordern viel Geduld.
Schreib mir, Ada, grüsse alle herzlich, ganz, ganz besonders Deine Mutter (und diese wiederum besonders von meiner Frau, die
sobald René etwas grösser ist, auch mal zu Euch kommen will).
Und hab weiterhin Vertrauen (zu mir) trotz allem ...
Immer Dein
[ehZ] Ich denke auch an den Samowar!

BA5, pers K, 2S, m

105   Heinrich Böll an Ernst-Adolf Kunz
Köln, den 16. 12. 48

Mein lieber Ada, gestern abend hatte ich meine dreistündige
Unterredung mit dem lange ersehnten Verlagsdirektor aus O. Es
war sehr nett: ein wirklich reizender Bursche, der übrigens in Attichy in Lager 4 gewesen war. Wir rauchten gegenseitig unseren
Tabak (meiner war besser als seiner, weil er in seinem kleinen
Ort keine Bez. zu den richtigen Schwarzhändlern hat). Dabei erzählten wir uns. Er hat seinerzeit Borchert »entdeckt«, hatte
schon mit Borchert alles fest, besass aber noch keine Lizenz und
B. hatte inzwischen von Rowohlt ein Angebot. Er war sehr
»scharf« auf mich, ich merkte das an allem, und ich übergab ihm
feierlich »Lemberg«, wobei ich bemerkte, dass ich es Rowohlt

hatte schicken wollen (was wirklich wahr war). Herr Z. klagte sehr über den völligen Mangel an jungen Autoren in Deutschland. Dann wurde mir das ganze Programm erläutert, was mir sehr gefiel: Keine Nachdrucke eingefahrener Leute, obwohl das immer ein gutes Geschäft ist, sondern wirklich nur Neues, Gutes. U. a. ist eine grössere Reihe amerikanischer Autoren unserer Generation geplant (tolle Uebersetzungsmöglichkeiten!) und vieles mehr. Ich erzähle Euch dann alles mündlich. Aber vor allen Dingen sucht Z. nach jungen Deutschen (bin ich einer?). Ich bin sehr gespannt, was er zu Lemberg sagen wird. Geld ist anscheinend genug flüssig. Der Verlag hat gleichzeitig eine grosse Druckerei, Zeitungsverlag und einen nominell getrennten, aber finanziell identischen Wirtschaftsverlag, der das nötige Geld einbringt, um auf literarischem Gebiet etwas zu experimentieren. Selbst wenn er L. nicht nähme, bin ich ziemlich sicher, dass er ein Sammelbändchen herausgeben würde, falls die Innsbrucker negativ reagieren. Ich denke bis Weihnachten etwas zu hören. Ausserdem bat ich ihn auch um Lektoratsarbeiten, die er zusagte. Die Konferenz fand in Tillas Zimmer statt. Die grosse Besuchswelle scheint nun abzuklingen. Wunsch reiste gestern mit einigen D-Mark beladen nach Hause und kommt nach Weihnachten wieder, andere Porträtaufträge in Köln erledigen.

Der »Dicke« hatte diese Nacht plötzlich hohes Fieber, ist aber geistig munter, hat auch keine Schmerzen, und wir warten nun auf die Kinderärztin. Wahrscheinlich Masern, irgend etwas Latentes. René wurde sofort scharf von ihm getrennt, wahrscheinlich zu spät. Wir rechnen mit Masern für beide. Wenn es gutginge, wäre schön, aber meine Frau ist gefasst.

Ich penne jetzt hier oben (falls die Kinder nicht wirklich krank werden, bleibt es dabei) und wurstele an dem Vermächtnis herum, welches ich bis Weihnachten abzuliefern versprach.

Ausserdem beeile ich mich jetzt mit den Filmentwürfen, damit auch das vor Weihnachten erledigt ist. Wenn ich zu Euch komme – das wäre also in allerspätestens 14 Tagen – haben wir hoffentlich dann Grund, etwas ebenso Wichtiges zu feiern wie Sylvester.

Inzwischen hat die Aerztin festgestellt, dass der Dicke eine Halsentzündung hat, sein Appetit ist zum ersten Male flau, er verlangt nur »Mella« und Bücher, liegt breit auf dem Rücken im Bett und scheint die Interessantheit der Situation durchaus zu begreifen. Wir sind erleichtert und hoffen in einigen Tagen drüber zu sein.

Das wäre das Neueste, Ada. Schreib Du mir bald, was bei Euch los ist, und wie Deine Sache sich entwickelt hat oder zu entwickeln scheint. Hat Wera, wenn ich komme, noch Ferien? Schreib mir bald, wie es Euch allen geht und welche tollen Weihnachtsvorbereitungen im Gange sind. Bei uns alles still, die Familienkasse wartet auf Schwellung, und ich habe meine Frau fast schon überredet, Weihnachten Bohnensuppe zu kochen, damit alles ruhig und schnell und friedlich verläuft. Ob ich ihr das Hauptvergnügen des Backens werde ausreden können, glaube ich nicht. Aber ich finde vor allen Dingen Ruhe ist wichtig, auch vorher. Nun, ich kann im schlimmsten Falle ja nach oben gehen und arbeiten, wenn unten gewurstelt wird vor den Tagen. Tabak hoffe ich morgen zu bekommen und eine Flasche Schnaps ist mir zugesagt.

Schreib mir bald, Ada, grüsse alle, auch von meiner Frau, die über Deinen Besuch sehr erfreut war. Du warst der einzige, der uns in keiner Weise »bedrückte« (so wie Wunsch). Ich selbst war sehr froh, über deinen Besuch, es war schön . . .

Auf Wiedersehen, viele Grüsse nochmals an Deine Mutter. Sollte sie einmal wieder völlig ohne Kaffee sein, alarmiere mich bitte sofort (oder Wera soll mir gleich schreiben, weil sie wohl mehr Einblick in die Büchsenpolitik hat).
Immer Dein und Euer
Hein
[ehZ] Viele Grüsse von meiner Frau!

BA4, 2S, m

106   Heinrich Böll an Ernst-Adolf Kunz
Köln-Bayenthal, Schillerstraße 99, den 30. 12. 48

Mein lieber Ada, Euch allen noch einmal meinen herzlichen
Dank für die beiden netten Tage. Ich komme bald wieder. Inzwischen hatte die Post nichts Neues gebracht, nur einen ziemlich
miesen Bericht des Kasseler Feuilleton-Verlages, der nun Feierabend macht. Vom Abdruck des A. in Eurer Zeitung stand
nichts da, und ergibt sich also die Folgerung, dass einer von beiden mich besch... hat, entweder Eure Zeitung oder die Kasseler.
Ich schrieb sofort, bitte Euch inzwischen das zweite Exemplar
so lange aufzubewahren, bis einer von den beiden möglichen
Sündern seine Schuld gestanden und geblecht hat. Ich denke, es
lohnt sich. Parole 15 muss unbedingt aufrechterhalten bleiben,
die Vorbereitungen wollen wir in aller Ruhe treffen und das Honorar für den A. wird vielleicht eine ausschlaggebende Rolle
spielen. Von Essen hatte ich gleich Anschluss, war um halb 5 in
Köln, um 5 im Hause, und traf alles gesund an. Der Dicke litt ein
wenig unter den Folgen seiner zweiten Keuchhustenvorbeu-
gungsspritze, er hinkte mit dem linken Bein wie ein alter Landser. Ich bin immer etwas erschreckt, wenn ich ihn so wiedersehe,
er wirkt wo erwachsen und vernünftig, und ich habe das Gefühl,
dass die Zeit wirklich sehr schnell vergeht.
Auch meine Frau war gesund, es geht ihr wirklich besser, sie
schläft jetzt mehr, seit René nicht mehr so ganz winzig ist und
seine Nahrung nicht mehr aus den direkten Quellen der Natur
saugt. Finanzielle Lage ausgesprochen finster, doch ist die ganze
Familie von rosigster Hoffnung erfüllt, sogar ich. Ich weiss nicht
worauf, aber immerhin. Hoffen wir. Es war so nett bei Euch. Hätte ich nur mehr Geld, öfter zu kommen oder länger. Jetzt werde
ich vierzehn Tage – höchstens drei Wochen – sehr schwer schuften, dann komme ich Parole 15 einzulösen und hoffe Euch mal
wieder etwas vorlesen zu können. Vielleicht den Anfang eines
neuen Romans. Auch muss ich viel lesen ... alles, was ich lesen
muss, habe ich auf einen grossen Haufen geworfen, es wächst
immer mehr. Wir haben ernsthaft vor, einen »Jour« einzuführen,
es geht nicht mehr anders, sonst besteht unser Leben nächstens

nur noch in charmantem Geplauder bei Eimern von Tee und
Kaffee, die Schreibmaschine verrostet und unsere Schulden er-
reichen vier oder fünfstellige Zahlen. Meine Posthoffnungen
muss ich wohl noch eine Woche hinhalten – die Literaturheng-
ste werden wohl Sylvester in ihren Schihütten verbringen ...
Ich grüsse Dich herzlich, Ada, Dich und Euch alle, besonders
Deine liebe Mutter. Wenn das neue Jahr so entscheidende und
positive Dinge beschert wie das vergangene, dürfen wir zufrie-
den sein. Ich wünsch Euch alles Gute.
Immer Dein Hein
Darf ich Euch überlassen, ob Ihr Euren Vater um ein Rezept für
P. bittet oder ob Weras Diplomatie es mir besorgen kann?
Hein

BA5, pers K, 2S, m

107   *Heinrich Böll an Ernst-Adolf Kunz*
Köln-Bayenthal, Schillerstraße 99, den 5. 1. 49

Mein lieber Ada, ich glaube ich habe es jetzt, das Stück, unser
Stück. Diese Nacht habe ich es geschrieben, in einem Zuge von
abends elf bis morgens um 5. Titel »Wie das Gesetz es befahl«.
Zwei Akte, nicht sehr lang und eine sehr kurze Schlussszene. Ich
freue mich darauf, wenn Du einiges draus vorlesen wirst. Ach,
das muss etwas werden und Du musst eine Rolle darin spielen.
Ich wäre wahnsinnig froh, wenn ich Dir auf diese Weise irgendwie helfen könnte und vor allem wäre ich froh, wenn Du meinen Landser spielen würdest. Ada, in spätestens acht Tagen hast
du die Reinschrift da, es wird nicht sehr lang, höchstens 1 1/2
Stunden Spielzeit. Aber das ist doch gleich, nicht wahr? Ich habe
nur noch Geringfügigkeiten zu ändern, einiges zu verschärfen,
das uebrige ist nur Tipperei. Vielleicht hast Du es früher. Es wird
wirklich ganz etwas anderes als alle meine bisherigen Versuche
in der Art. Ob Ihr Lust hättet es einzustudieren? Es wäre schön.
Wir reden darüber, vielleicht komme ich auch, sobald es fertig
ist und wir besprechen, was ich damit anfange, möglichst

schnell . . . auch wegen der belämmerten Finanzen. Das Neue
Jahr haben wir in »Nüchternheit«, Sparsamkeit und wie Du
siehst auch in Fleiss angefangen, nebenher arbeite ich am neuen
Roman weiter, auch an einer Lustspielidee, sogar eine neue
Kurzgeschichte. Ach, ich bin so froh und alle Geldknappheit ist
mir gleichgültig, wenn ich nur arbeiten kann. Tabak bekomme
ich vorläufig von meinem Bruder unbeschränkt auf Kredit, die
Miete ist bezahlt, Kohlen und Kartoffeln im Keller, Kaffee, Tee,
Kakao im Hause, wozu noch Geld? Vielleicht kommt auch das
bald. Der »Vermächtnis« -Mann schrieb mir heute, dass das Ma-
nuskript angenommen ist, dass er jetzt die Verlagsannahme be-
antragt und dass ich bis 1. 2. 49 endgültig über beides (auch das
Erzählungsbändchen) Bescheid habe. Die Anthologie (»An der
Angel«) ist klar, sie erscheint Ostern (Preis 14.50 DM !!! 400 Sei-
ten). Ich hoffe, für Euch ein Exemplar herauszuschlagen. Von
»Lemberg« noch nichts gehört, warte jeden Tag auf den Briefträger – mit fiebernder Spannung wie früher auf die Minuten des
Rendez-Vous . . .
Ada, unser Stück muss was werden, die letzten bühnenmässigen
Elemente muss ich mit Dir besprechen, dann wird das Ding so-
fort zum Verscheuern fertiggemacht. Schreib mir wieder, wie es
Euch geht. Mensch, ist das nicht wirklich ein Anlass, die 15 Pullen zu verpitschen, möglicherweise noch Sekt dazu? Aber ich
will nicht übermütig werden, hatten wir uns nicht Nüchternheit
vorgenommen? Ich arbeite weiter . . . auf Wiedersehen, grüss
herzlichst, von meiner Frau besonders, Deine liebe Mutter, Deinen Vater und Wera. Bis bald, lass von Dir hören und auf
Wiedersehen . . .
Immer Dein
Hein
[ehZ] Kinder sind gesund!

BA5, pers K, 2S, m

108   Ernst-Adolf Kunz an Heinrich Böll
Gelsenkirchen d. 5. 1. 49

Mein Lieber Hein – wir alle danken Dir für das Büchlein von Gogol. Es ist wirklich reizend. Papa erklärte sich sofort bereit, die Rezepte zu schreiben. (Nicht wegen Gogol!) Das Datum musst Du dann einsetzen. – Ja, es ist immer wunderbar wenn Du da bist. Die Parole vergessen wir nicht. – Ich habe Silvester bis 1/2 7 gefeiert, mehr oder weniger geschmackvoll. Der »bunte Abend« klappte auch einigermassen, so dass ich mir wenigstens in diesem Punkt keine Vorwürfe machen brauche. Sonst schon, vielleicht. – Mit Inge ist alles aus. Ich muss sagen, es macht mir mehr Spass, sie wie Luft zu behandeln, als stets ihr Gefallen zu tun. Eine sehr reizvolle Geschichte hat sich Silvester angebahnt. Ich erzähle Dir später davon. – Gestern und vorgestern hatten wir mal Ruhe. Ich habe richtig gebummelt. Gelesen, geraucht und guten Wein getrunken (nicht allein). Heute nun geht es wieder los. Ich muss sagen, dass ich die LKW-Fahrten richtig vermisse. Es ist unglaublich, wie man sich an solche Dinge gewöhnt. Richtige Nomaden! – Wera ist für ein paar Tage zu Hella. Die Ruhe hier ist zauberhaft. (Keine fremden, tieftraurig blickenden Männer!) – Hein, vielleicht kann ich bald mal wieder kommen. Das wäre herrlich! – Schreib mir immer wenn Du Erfolg hast. Wir alle freuen uns dann darüber. Auch wie es Deiner Familie geht interessiert uns immer. – Ich hörte neulich von Leuten, die Engagement suchen. Die Situation ist fürchterlich. Bei den Agenten sitzen die Kollegen bis auf die Strasse und warten auf Vakanz. Alle Theater entlassen! – Eben sagt mir Papa, er wolle die Daten in gewissen Abständen selbst eintragen, da manche Apotheker eingesetzten Daten misstrauen. Du sollst angeben, was Du für die Kinder brauchst, er will Dir laufend Rez. schreiben. – Grüsse alle Deine Lieben! Bald sehen wir uns wieder Hein!
Immer Dein Ada

BA4, 2S, eh

109   Heinrich Böll an Ernst-Adolf Kunz
Köln-Bayenthal, Schillerstr. 99, den 10. 1. 49

Mein lieber Ada, mit nicht ganz reinem Gewissen schicke ich
Dir das »Stück«. Es fehlt noch vieles, vor allem wohl gewisse
»Feinheiten«; ich weiss nicht. Lies es und sei ehrlich zu mir.
Schreib mir auch, ob du meinst, dass man es anbieten kann. Ich
werde inzwischen weiter daran arbeiten. Ich weiss zwar, dass das
Thema Krieg nicht gesucht und nicht beliebt ist, aber ich kann
nichts daran ändern, und leider bin ich wirklich nicht – so glaube
ich – dazu ausersehen, mich der allgemeinen Pralinenproduktion einzugliedern.
Sonst geht es wie immer. Finanziell kämpfen wir hartnäckig auf der
neuen und reizvollen Ebene wirklicher Sparsamkeit. Als Belohnung schwebt mir »Parole 15« vor, deren Einlösung unbedingt erfolgen muss. Schreib mir nur früh genug, wann es Euch passt. Ich
komme dann, wenn ich es wirklich verantworten und als Fest eines
Erfolges feiern kann. Bis zum 1. 2. 49 hat es sich bestimmt entschieden. Bis spätestens dahin muss auch die Parole eingelöst sein. Wir
wollen nur alles so vorbereiten, das wir alle Zeit haben. Schreib mir.
Inzwischen hoffe ich, das nach dem Schulbeginn die Schüler wieder »strömen« werden. Sollten alle meine Erwartungen bezgl. der
Literatur radikal schief gehen, dann feiern wir Parole 15 als Abschied von einem kurzen und schönen Zeitalter der Illusion.
In der »Constanze« las ich, dass 9000 (!!) Filmideen eingegangen sind. Prost.
Die Bedrängnis zwingt mich, die Rundfunkbeziehungsleute
hier (klerikale Bekannte) nun etwas schärfer zu bearbeiten. Es
ist wirklich schwer, da einzudringen. Man müsste die Eigenschaften eines Spaltpilzes haben und die Hartnäckigkeit eines
Mannes, der von seiner sogenannten Sendung bis zum Schwach-
sinn überzeugt ist. Beides fehlt mir, doch eine gewisse Zielstre-
bigkeit ist schon da; leider ist auch der ganze Funk in Händen
der SPD und jede Partei hat ihre relativen Beschränktheiten.
Von meinen beiden Verlagen habe ich nichts mehr gehört, lediglich von dem einen in Innsbruck, dass ich mich – sozusagen
Blanko – zu einem Optionsvertrag bereit erklären soll, d. h., dass

ich mich verpflichte, diesem Verlag jede neu entstehende Arbeit zuerst anzubieten. Dann wäre natürlich jede weitere Zusammenarbeit mit dem Opladener Verlag, der mir eigentlich sympathischer ist (weil näher), von vornherein ausgeschlossen. Wahrscheinlich fahre ich morgen nach Opladen und setze Herrn Z. die Pistole auf die Brust: Hat er wirklich Interesse an mir, dann müsste er eigentlich das Zustandekommen des anderen Vertrages verhindern. In solchen Fällen pflegt man Geld auf den Tisch zu legen. (Parole 15!!) Nun, ich schreibe Dir, ob ich fahre und über den Erfolg. Lies jetzt erst mal das Stück und grüsse alle von uns allen. Wenn ich Geld hätte, käme ich sofort und spräche mit Dir das Stück durch. Vielleicht komme ich, dann aber schreibe ich erst. Wera wünsche ich einen guten Start in die Werkstatt mit neuem Mut und neuem Vertrauen. Hoffentlich wird es nicht zu kalt. Also, Ada, von uns allen viele, viele herzliche Grüsse an Euch alle und Deinem Vater bitte meinen besonderen Dank für die Rezepte ... Dein und Euer
Hein.

BA5, pers K, 2S, m

110   *Ernst-Adolf Kunz an Heinrich Böll*
12. I. 49

Mein lieber Hein – entschuldige, dass ich auf Deinen erfreulichen Brief bisher noch nicht geantwortet habe; aber ich hatte wirklich keine Zeit. Du kannst Dir denken wie gespannt wir alle sind. Jeden Tag warte ich mit Spannung auf die Post. Ich freue mich sehr auf meine technische Arbeit. Kannst Du nicht sofort mitkommen. Schön wäre es, da ich Dir viel erzählen muss. Bin vom Erfolg überzeugt!
Parole 15 auf 20 erhöhen, ja? Wenn alles klappt.
Grüsse Weib und Kind.
Immer Dein Ada

PK, eh

111   Ernst-Adolf Kunz an Heinrich Böll
Gelsenk., d. 17. Jan. 49

Mein lieber Hein – nun habe ich das mit Spannung erwartete
Stück seit 3 Tagen und komme heute am Montag erst zum
Schreiben. Also es ist 15 Pullen wert! Aber das soll kein Urteil
sein. Hein, für die Bühne ist es nichts, ich meine rein vom dra-
maturgischen Gesichtspunkt aus. Es ist das ideale Hörspiel
für Semmelroth in Köln. Weisst Du, den Landser Hein würde ich sehr gern auf der Bühne darstellen, man hat da alle
Möglichkeiten zur Entfaltung, aber ich fürchte, dass die
Handlung zu sehr von den etwas zu langen Monologen für
die Bühne gehemmt wird. Wie gesagt, ein ausgesprochenes
Hörspiel, kein Schauspiel. Die Idee ist toll und der Aufbau
zum Höhepunkt am Schluss gut. Hein, darf ich es zum Hörspiel umarbeiten, wenigstens so gut ich kann? Nita würde es
dann ganz sauber tippen und ich schicke es Dir oder Du
nimmst es nach Deiner Billigung mit und gibst es Semmelroth, der es vielleicht am 8. April bringen kann. Natürlich lasse ich alles so wie Du es gemacht hast, nur technische Anmerkungen und einige Sätze, die die Handlung erklären wie:
»Stell das Radio an« etc. Noch schöner wäre ja, wir könnten es
zusammen machen, nicht? Aber die Zeit! Hein, sei nicht enttäuscht, dass es kein Schauspiel ist, es wäre auch zu kurz, um
den Abend zu füllen. Als Hörspiel verspreche ich mir viel davon. Ich möchte Dich bitten, das Stück in Frankreich nicht zu
vergessen. Da fehlte noch ein Akt, und es war gut fürs Theater. Ich hoffe, dass wir uns noch in diesem Monat sehen, Hein.
Nita kommt ja noch diese Woche, beneidet von der anderen
Familie. Sie wird Euch alles erzählen. Bei uns ist wieder eine
Krise, die uns die letzten Nerven raubt. Die Theatersituation
ist schrecklich. Engagement woanders ist kaum möglich.
Agenten sind überlaufen und viele bieten sich an, umsonst zu
spielen. Wir spielen Tag für Tag. Es hängt mir zum Halse heraus. Na, mal abwarten. Hein, schreib mir, was Du von meinem Plan hältst. Ich glaube, das ist so das Beste. – Grüsse alle
von mir.

Vielleicht kann ich auch bald mal kommen.
Nur Mut! Hein. Dein Ada.

Wir erwarten Anthologie zu Ostern mit Spannung.

BA4, 2S, eh

112   Heinrich Böll an Ernst-Adolf Kunz
Köln, den 19. 1. 49

Mein lieber Ada, Du hast sicher längst nach allen meinen An-
deutungen auf Nachricht gewartet. Sei nicht böse, ich schrieb
nicht, weil ich nichts Neues hätte mitteilen können. Ganz »fest«
ist immer noch nichts. Die diplomatischen Verhandlungen sind
– vorläufig schriftlich – in vollem Gange; dabei versuche ich den
einen gegen den anderen auszuspielen. Zum Unglück ist der
massgebende Herr Z. in Berlin, kommt aber in den nächsten Tagen wieder. Von einer mündlichen Unterredung verspreche ich
mir – vor allem unter der Einwirkung von Pervitin – viel; ich werde die Brüder schon faszinieren. Immerhin ist die Verlagannah-
me von »Lemberg« mindestens 90% sicher. Schade ist, dass ich
einfach aus finanziellen Gründen nicht nach München fahren
konnte, um den anderen Burschen zu sprechen.
Nun kommt der Cheflektor des Opladener Verlages, der in Baden unten wohnt, zwischen dem 21. und 1. nach hier, um mich
persönlich kennenzulernen und mit mir zu reden. Als Lockspei-
se werde ich ihm von dem »Stück« erzählen, das ausser einigen
Novellen das einzige wäre, was ich ihm im Augenblick anbieten
könnte. Mach es doch bitte in der Weise fertig, wie du gedacht
hast. Das ist gewiss das Beste. Vielleicht findet es über den Funk
in irgendeiner Bearbeitung den Weg zur Bühne. Ich glaube, dass
»Draussen vor der Tür« auch an sich nichts fürs Theater ist. Nun,
ich wäre dir dankbar, wenn Du Zeit hättest. Ich kann dann den
Brüdern sagen: »Ich arbeite an einem Stück, welches in etwa 3-4
Wochen fertig ist.« Sobald ich Geld habe, komme ich sowieso.
Ich werde Nita alles erzählen. Vorläufig bin ich glücklich, dass

ich überhaupt wieder arbeiten kann. Mit der Stundengeberei
halten wir uns ganz gut oben. Es langt zum Leben wirklich, natürlich können wir keinerlei Sprünge machen (Reisen, Anschaffungen oder aehnliches). Anderseits sage ich mir – aber sage ich
das nicht schon seit einem Jahr? –, dass die Entscheidung nun
wirklich kurz vor der Tür steht. Sobald Z. aus B. zurück ist, muss
doch allen menschlichen Erwägungen nach Geld kommen. Ich
gehe wirklich kaltblütig und mit berauschender Nüchternheit
ans Werk.

Meine Frau hat auch jetzt viel zu tun (im Augenblick mehr als ich,
da meine Schäfchen keine beunruhigenden Weihnachtszeugnis-
se hatten). Aber jetzt laufen allmählich andere ein. Gestern stellte ich zu meinem Erstaunen fest, dass der Innsbrucker Verlag
24 Geschichten von mir hat und dass immerhin noch 18 (druckbare) für den Opladener bleiben. Das tröstet mich etwas. Ausserdem habe ich neue in Arbeit. Ach, Ada, wenn es wirklich klappte,
würde ich – glaube ich – einmal ein paar Wochen nichts tun. Vor
allem habe ich seit Sylvester mich jeglichen Alkohols enthalten,
jede Pumpchance mir entgleiten lassen – nur einmal allerdings
habe ich zwei Glas Wein in der Weinstube getrunken, wo wir beide zusammen waren. Alles im Hinblick darauf, mir Parole 15 ehrlich zu »verdienen«. Selbstverständlich erhöhen wir auf 20, wenn
die Einlösung noch in Nitas Urlaub fällt.

Du kannst Dir denken, dass ich – aber wann wäre ich das nicht –
in einer dauernden Spannung bin. Ausserdem habe ich mir die
Augen verdorben, sie sind dick und rot, schmerzen und schwel-
len wegen allzu ausgiebigen nächtlichen Lesens und Arbeitens.
Ich laufe den ganzen Tag mit einer Sonnenbrille herum, weil mir
jeder Lichtstrahl Schmerzen verursacht. Ich trage mich mit dem
Gedanken eine dunkelblaue oder schwarze Brille anzuschaffen.
Dieser stetige dunkelgrüne Dämmer ist so wohltuend.

Der Dicke ist gesund und frech, René hat – wir stellten das zu
unserem Erstaunen fest – in aller Stille seinen ersten Zahn gekriegt; ein aussergewöhnlicher lieber, braver und hübscher Bursche. Meiner Frau geht es gut, sie schläft jetzt normal und fühlt
sich wirklich wohl. Tilla will unbedingt, das Eure beiden Mädchen zum Karneval kommen. Am schönsten wäre es, den rich-

tigen Kölner Karnevalstrassenrummel mitzumachen, vielleicht kommst Du mit, dann wäre ich nicht der einzige Beschützer so vieler Weiber, wie? Wenn wir jemand finden, der die Kinder beaufsichtigt, macht meine Frau mit, es wird bestimmt nett. Nita kann das alles mit Tilla besprechen. Der erste März ist schnell gekommen und gewisse Vorbereitungen müssen doch getroffen werden.

Nun, Ada, schreibe mir in welcher Zeit Du wohl das Stück fertig haben kannst. Ich möchte nicht, dass Nita es tippt, sie hat doch wirklich genug zu tun. Ich kann ja meiner Frau diktieren.

Nun Du weisst, jeder von Euch, der, Zeit, Geld und Lust hat, ist jederzeit herzlich von uns eingeladen; eine winzige Karte vorher genügt, denn oft sind wir auch unterwegs und manchmal sind die Tage voller »Stunden«, die umgelegt werden müssen. Grüsse alle, schreibe mir und sei guten Mutes. Sobald ich kann, komme ich (vielleicht bald), allerdings möchte ich nun nicht kommen ohne Parole 15 einzulösen, aber nächste Woche muss ich unbedingt nach Düsseldorf, vielleicht kann ich bis dahin alles miteinander verbinden.

Also Grüsse, Grüsse, Grüsse von allen an alle . . .

Immer Dein

Hein

Hier ist wunderbares Frühlingswetter, ich freue mich, dass Wera bei ihrer morgendlichen Fahrt und Du in der Nacht, ihr beide also nicht allzusehr der mörderischen Kälte ausgesetzt seid.

H.

BA4, 2S, m

113 Heinrich Böll an Ernst-Adolf Kunz
31. 1. 49

Mein lieber Ada, ich kann Dir nichts anderes schreiben, als dass ich immer noch warte; alles verzögert sich immer mehr, wenn ich auch anfangs glaubte, dass es bald klappen würde. Meine

Frau hat allerlei zu tun, mich täglich vor völliger Verzweifelung zu bewahren. Ich habe an nichts mehr Lust, die ganze Literatur hängt mir kilometerweit zum Halse heraus und was ich wirklich möchte ist: spazierengehen, in aller Ruhe irgendwo drei Wochen allein in einem Wald spazierengehen. Heute war ich trotz Krankheit schnell nach Düsseldorf zur Redaktion einer neuen Zeitschrift (»Taurus«, vielleicht hast Du sie schon gesehen), die mich bat, einmal vorbeizukommen. Nette Leute, nette Herausgeber, wahnsinnig nett, aber das alles nützt mir nichts. Sie sind scharf auf mich und so weiter (auch das hängt mir schon zum Hals heraus), aber natürlich liegt ihr Programm schon für mindestens zwei Monate fest; sie wollen erst mal »Publikum« gewinnen und dann mit »guten« Sachen kommen (die soll ich dann schreiben!). Da fahre ich extra nach Düsseldorf, suche mich zurecht, werde natürlich in die falsche Straßenbahn geschickt, muss dann nachher eine halbe Stunde quer durch eine fremde Vorstadt mit Gartenlauben, Trümmerhaufen und Dreck, Haufen von rostigen Eisenträgern, um in einer sehr warmen, sehr gemütlichen Stube mit zwei Amis traktiert zu werden und mir sagen zu lassen, dass ich ein reizender Kerl bin. Ich scheiss auf alles. Die Chose kostet mich nichts als 10 D-Mark Fahrgeld und Kosten, nur um eine Hoffnung mehr zu haben, die mir einmal Geld einbringen kann, nur nicht jetzt, wo ich es wirklich dringend brauchte, um wirklich noch mal eine Pulle zu trinken, ganz abgesehen von den 15 anderen!

Meine Frau ist wirklich rührend und bewundernswert, wie sie jeden, jeden Tag, oft jede Stunde jeden Tages sich bemüht, mich einigermassen vor der Verzweifelung [zu] bewahren. Meine nächste Reise geht aber totsicher nach Gelsenkirchen. Ausserdem quält mich die Zahngeschichte sehr, die Schmerzen sind durch Bestrahlung, Heizkissen und Medikamente weg, auch sind die beiden Abszesse fast verheilt (es blutet und eitert nur noch ein bisschen), aber die Grundursache, diese paradentosenartige Erscheinung wandert nun von Zahngruppe zu Zahngruppe und beunruhigt mich. Ich war bei drei Aerzten, die alle behaupten, es sei keine Paradentose, dabei weicht das Zahnfleisch an den betroffenen Stellen sehr weit zurück. Soll ich nun

noch zu einem vierten gehen? Das muss ich wirklich überlegen.
Ich tue, was ich kann: putze dreimal am Tage die Zähne, spüle,
gurgele, saufe, spüle, gurgele usw.

Inzwischen habe ich mich bei einem Rechtsanwalt nach verlag-
rechtlichen Dingen erkundigt und folgendes erfahren: wenn die
beiden Verlage nun endgültig anbeissen und Verträge mit mir
machen, spielt sich der finanzielle Teil ungefähr so ab: Ein Drittel des Honorars (von der ganzen Auflage) bei Ablieferung des
Manuskripts (ist schon geschehen), das zweite Drittel bei
Drucklegung, das dritte nach Verkauf. Letzteres kann mir dann
ja ziemlich egal sein. Ich finde diese Staffelung sehr günstig.
Wenn ich rechne, dass ich etwa 12-15 Prozent des Ladenpreises
als Honorar bekomme und die Auflage 3 000 ist, so bekäme ich
sofort etwa 700.– DM pro Buch. Das wäre herrlich. Ich hätte
zwei Monate Ruhe. Das wäre die Opladener Sache, die mir nach
den Briefen des Cheflektors, der leider unten bei Freiburg
wohnt und jetzt erkrankt ist, wirklich 90%ig zu sein scheint.
Ausserdem habe ich ja noch die beiden Innsbrucker Manuskripte laufen, das müsste dann ungefähr noch zweimal so viel ergeben. Zum Glück habe ich in diesem Monat wirklich Sparsamkeit
gelernt, ich hatte meistens keinen Pfennig in der Tasche. Meine
beiden Hauptschüler sind zu allem Unglück krank, so dass mir
wöchentlich 30 Mk verlorengehen, finstere Häufung von Unglück. Aber vielleicht ist das alles wirklich nötig, ich habe auch
viel gelernt, was ich eigentlich schon gelernt zu haben glaubte,
und ich versuche alles so zu nehmen, wie es wohl richtig ist: als
Uebung in einer Tugend die mir völlig fehlt: der Geduld.
Ach, ich hoffe so sehr, dass ich im Sommer jedem von Euch
einen Freifahrtschein schicken kann. Hättest du nicht Lust herzukommen, wenn meine Frau in England ist? Dann machen wir
zusammen richtig Ferien, faulenzen, rauchen, schlafen, gehen
schwimmen, wohlversorgt von unserer Taube, einzig und allein
damit beauftragt, René [zu] beaufsichtigen, der inzwischen sicher laufen lernt? Wir reden darüber. Bald muss ich unbedingt
zu Euch kommen. Meine Frau versucht verzweifelt mir für Karneval Tanzen beizubringen, aber es kommt nichts dabei heraus
als Gelächter, das uns immerhin guttut, ich bin doch zu steif und

ungelehrig in dieser Kunst, und ich werde mich darauf beschränken müssen zu saufen und auf meinen Harem aufzupassen. Wie
wäre es, wenn Du als weiterer Beschützer mitkämest?
Schreibe mir doch bitte gleich auf alle Fälle, welche Termine
Euch für Parole 15 (notfalls zehn oder sechs oder null) günstig
sind. Wenn ich komme, komme ich wahrscheinlich ziemlich
plötzlich und ich könnte mich dann mit meinen Schülerresten
und anderen Arbeiten drauf einrichten. Also schreib . . .
Euch allen viele, viele Grüsse und schreib mir bald; hoffentlich
kann ich bald zu Euch kommen. [ehZ] Viele Grüße auch von
meiner Frau an Euch alle, besonders Deiner Mutter
Hein

BA4, 2S, m

114   *Ernst-Adolf Kunz an Heinrich Böll*
Gelsenk. d. 4. Febr. 49

Mein lieber Hein –
es ist leider schon bald Tradition, dass ich Dich so lange auf
einen Brief von mir warten lasse. Hab Nachsicht, Du Guter und
entschuldige. Unser Theater ist durch die Dummheit Frankes in
eine ganz gefährliche Krise geraten, die uns jede Stimmung für
andere Dinge nimmt. Wie alles ausläuft, weiss keiner. Alles ist
nervös, erbittert und fürchtet um die so schon kümmerliche Existenz. Weisst Du, ich möchte manchmal einfach abhauen, zu Dir
fahren und mich sammeln. Irgend etwas würde sich schon finden. Dabei könnte alles prachtvoll sein – ausverkaufte Häuser
fast jeden Tag. Dazu kommt die beschissene Situation hier zu
Hause. Prozess verloren, kein Geld, Aufbauschwierigkeiten etc.
Primär ist, dass der Bau klappt. 30 000 DM und alles wäre gut.
Ich spare so weit ich kann und warte auf ein Wunder. Aber spar
mal bei 150 lumpige Mark. – Na, vielleicht löst sich alles schneller als wir denken. Auch Deine Situation ist kritisch, doch hat sie
meiner Ansicht nach mehr Aussichten. Was Du mir schreibst,
scheint mir günstig für die Zukunft. – Das Stück mache ich und

schicke es Dir baldmöglichst. Es ist wirklich interessant und brauchbar. Mach Dir darum keine Sorgen. Wie gern käme ich zu Karneval zu Euch, doch kann ich nichts Bestimmtes sagen. Vorerst ist jeder Tag besetzt. – Ich schreibe Dir sofort, wenn ich Zeit habe und hoffe dann sehr, dass Du kommst. Parole wird verschoben, sie ist unwichtig. Im Sommer, wenn Deine Frau in England ist, komme ich auf jeden Fall und wenn ich den Krempel hinwerfe.

Ich brauche nur 300 Mark zu verlangen, dann verzichtet man sofort auf mich. Gibt man mir sie, dann ist es noch besser und wir versaufen sie hier. – Du siehst, wir sind so ziemlich in der gleichen Stimmung. Geduld! (Auch mir fehlt sie!) – Also komm, sobald ich Dir schreibe. Du brauchst nur Herfahrt zahlen, Rückfahrt übernehme ich, hörst Du?

Grüsse alle Hein, vielleicht sehe ich sie Karneval vielleicht.

Immer Dein Ada

BA4, 2S, eh

115   *Heinrich Böll an Ernst-Adolf Kunz*
Köln-Bayenthal, Schillerstraße 99, den den 7. 2. 49

Mein lieber Ada, ich hoffe, dass Du mich über Eure Theaterkrise auf dem laufenden hältst, mich interessiert das alles sehr, und ich kann Dir zum Trost nur sagen, dass es überall so ist. Das weisst Du auch. Wenn Du Lust hast, komm nur und sieh Dich hier oder in der Nähe nach etwas um. Ueberhaupt freuen wir uns immer, wenn jemand von Euch kommt, das wisst Ihr ja. Ich selbst habe mich wieder etwas bekriegt, im grossen und ganzen bleiben die Chancen dieselben, der wirklich entscheidende Mann ist schwer an Grippe erkrankt (ich glaube es allmählich wirklich, bisher hielt ich es nur für einen Vorwand) und dadurch verzögert sich die Entscheidung um einen Monat, statt Anfang Februar wird es wohl Anfang März werden. Der Verlag schrieb mir heute noch, ich möchte mich doch bitte gedulden und nirgendwo anders mich binden. Gleichzeitig erwarte ich die

Entscheidung des Innsbruckers, die allerdings bis zum 1. 2. versprochen war. Sagt er zu, bevor die anderen zum Schuss gekommen sind, schliesse ich mit ihm ab, das ist klar. Ich kann wirklich
bei meiner Lage nicht noch länger warten. Ich habe entsetzliche
Flauten hinter mir (und möglicherweise noch vor mir). Plötzliche Erkrankung von Schülern setzt mich manchmal auf
6 (sechs!) D-Mark wöchentlich. Ich zittere, und spiele dabei den
»Ueberlaufenen«. Zum Glück kam heute ein Honorar von 60.-
Dm, gut und brauchbar, um die dringendsten Schulden zu bezahlen. Das Honorar von dem »Abschied«, der bei Euch erschienen war (am 16. 12.), habe ich immer noch nicht, doch läuft die
Sache. Du siehst, welch ein nervenaufreibendes Geschäft es ist,
mit diesen Brüdern zu arbeiten. Das Ergebnis des Januar: zwei
Geschichten, das Stück und zwei angefangene Romane, an denen ich laufend weiterarbeite, manchmal nichts, manchmal wenig, manchmal viel. Immerhin fühle ich mich etwas ruhiger
(wahrscheinlich, weil heute morgen Geld kam). Ausserdem
spüre ich Besserung meiner moralischen Situation, seitdem ich
(seit gestern!) früh aufstehe: spätestens 1/2 7, dann manchmal
Kirchgang, Frühstück und schonungslose Arbeit, zwischendurch Schüler. Mein nächstes Geld lege ich in einen Wecker an,
Rauchen sparsam, Saufen nie (das stimmt nicht, vorgestern habe ich mit meiner Frau eine Flasche Wein getrunken) und Geduld, Geduld, Geduld.
Ada, komm, wenn Du Lust, Zeit und Geld hast. Unsere Karnevals-
pläne bleiben, wir erwarten die Mädchen Sonntag, den 27. 2., also
in drei Wochen. Ich schreibe Nita und Wera noch, Tilla freut sich.
Wenn bei uns alles gesund ist und die Finanzen einigermassen heil,
gehen meine Frau und ich mit. Vorher komme ich aber noch einmal. Kaffee, Tee, Kakao, alles zu Ende. Statt dessen, dank der unbe-
zahlbaren Freundlichkeit Deines Vaters: Pervitin.
Ich grüsse Euch alle, lieber Ada, herzlichst, ganz, ganz besonders
Deine Mutter von uns allen
Immer Dein
Hein

BA5, pers K, 2S, m

*116	Ernst-Adolf Kunz an Heinrich Böll*
9. Febr. 49

Mein lieber Hein – diesmal lasse ich Dich auf die Antwort nicht so lange warten. Irgendwie drängt es auch mehr, da wir Dich am kommenden Montag erwarten. Passt es Dir? Ich weiss nicht, ob ich am Dienstag auch frei habe, aber wenn Du z. B. Sonntag abend schon kämst, wäre das schön. Solltest Du nicht können (am Sonntag), so komm Montag so früh wie möglich. Parole 15 wird später eingelöst. Likör wird da sein. Genug! Also schreib, was Du darüber denkst. – Dein letzter Brief schien mir etwas günstiger. Ja, Du musst wirklich Geduld haben, Hein. Wenigstens ist bei Dir doch kein Stillstand. Alle Verlage antworten und sind scharf auf Dich. Das muss Dich doch beruhigen. »An der Brücke« ist wirklich ausgezeichnet. Es klappt bestimmt bei Dir. –
Ich lebe ähnlich wie Du, nur stehe ich nicht so früh auf. Meist habe ich keinen Pfennig Geld in der Tasche. Dabei lebe ich wie ein Asket. Trinke nichts. Natürlich rauche ich so viel ich will, doch dies ist nicht sehr teuer. Vergeblich alle Rechnereien! – Die Theaterkrise hat sich beruhigt. Man spielt weiter und es geschieht nichts. Die Spannung hält natürlich an. Eine weitere Unverschämtheit von Franke und es gibt Bruch. Mir wäre es persönlich lieb, dieser Bruch käme so bald wie möglich, da in diesem Falle für mich noch eine Chance besteht, mich woanders zu bewerben oder aber mit Erdmann etwas anderes aufzumachen. Ich hätte dann Klarheit. Kommt der Krach 2 Monate später ist an keinem Theater mehr Vakanz für die kommende Spielzeit. Auch so wird kaum eine sein. – Hier am Theater des Westens in Gels. sind alle gekündigt und zittern. Auch Margot ist gezwungen sich woanders zu bewerben. Ich verspreche mir trotz ihrer Qualitäten keinen Erfolg. Für sie persönlich wäre es gut, sie käme einmal von zu Hause fort. Auch Adalbert zittert. – Die ganze Situation ist grässlich. Und ich kann keinem helfen, da es ja völlig unbestimmt ist, was in 6 Monaten ist. – Na, wir werden sehen.
Schreib mir sofort ob Du kommen kannst.
Grüsse besonders Deine Frau. Dein Ada

BA4, 1 1/2S, eh

117   Heinrich Böll an Ernst-Adolf Kunz
Köln-Bayenthal, Schillerstraße 99, den 20. 2. 49.

Mein lieber Ada, auch diese Woche verlief wieder – bis auf ein
kleines Honorar – völlig ergebnislos. Nächste Woche werde ich,
etwa am Mittwoch, wenn ich bis dahin nichts gehört habe, alarmieren. Aber wir sind gefasst, wirklich, diese letzten beiden Monate haben uns gelehrt, dass man auch ertragen kann und dass
es wirklich mit Glück, Freiheit und Freude nichts zu tun hat, viel
Geld zu haben, und ist diese Lehre nicht wirklich noch mehr
wert als wir dafür bezahlt haben: zwei Monate der Ungewiss-
heit. Auch haben wir jetzt erst wirklich Gelegenheit gehabt, uns
richtig in die finanziell stets ungewisse Lebensweise eines freien
»Künstlers« einzuspielen, und wir sind entschlossen, »durchzuhalten«. Trotz des Briefträgers völligem Versagen bin ich weitgehend optimistisch, toll, nicht wahr?
Gestern allerdings kam ein nettes kleines Paketchen von Annemaries Freundin mit einigen Leckereien, die uns sehr zustatten
kamen, da die Kasse völlig leer und nicht einmal auf die Marken
mehr zu kaufen möglich gewesen wäre. Es kommt immer alles,
wenn es nötig ist. Wir hatten buchstäblich unseren letzten
Eimer Briketts aus dem Keller geholt, als das Auto vorfuhr, das
neue brachte. Was wir gelernt haben, ist wirklich: Gelassenheit:
die Dinge nur auf sich zukommen lassen. Vielleicht hast Du den
Film »Das große Treiben« gesehen und entsinnst Dich der Szene, wo die Männer der heranrasenden Ochsenherde kühl und
gelassen ins Auge sehen und sie dadurch zwingen, umzukehren.
Alle Genussdinge sind doch im Grunde genommen wirklich relativ; wenn ich jetzt eine Tasse starken Kaffee trinke, habe ich
tausendmal mehr davon, als zu jener Zeit, da sie mir täglich gewiss war. Gestern kam auch wieder Tee und die Erfahrung hat
uns gelehrt, dass es richtig ist, alles zu »verjubeln«, wozu wir ja
auch gerne bereit sind. Nur nicht sparen.
Meine Frau macht mir reizende weisse Hemden, da wir nicht
mehr länger auf das Geld, sie zu kaufen, warten können. Ich
freue mich sehr. Sonst ist alles gesund, der Dicke und auch René,
der Erzengel der Familie, der stets lächelt und freundlich ist. Vo-

rige Woche war meine Frau weg und ich musste ihn sieben Stunden behüten. Er hat buchstäblich keine Minute geknatscht, ich konnte ruhig arbeiten und er war dankbar, wenn ich ihm ab und zu einmal zulächelte. Der Dicke im gleichen Alter hätte mich halb wahnsinnig gemacht.

In Düsseldorf war es sehr nett, und ich denke auch erfolgreich, doch wird sich dieser Erfolg erst in einigen Monaten zeigen, da das Programm immer für einige Monate festliegt. Nach Aschermittwoch soll ich wieder hin. Dann komme ich auch zu Euch. Das wäre in knapp vierzehn Tagen, aber vorher kommen ja die Mädchen zu Karneval. Wenn Du es eben kannst, komm mit. Es wird nett, besonders bei der Besichtigung des Rosenmontagszuges. Wenn wir auch kein Geld haben, dazu wird schon irgend etwas herhalten müssen, wahrscheinlich werden wir einen schönen Ring ins Pfandhaus tragen. Dann haben wir drei Monate Zeit, ihn einzulösen. Ausserdem braucht man nicht viel. Vielleicht geht es auch. Ich habe zum ersten etwa hundertundzwanzig Mark von meinen Schülern zu kriegen, davon wird nur die Taube bezahlt und einige kleine Schulden. Die »Brücke von Berkowo« habe ich auf die Reise geschickt, ebenso wie einige andere Sachen. Und obendrein müssen sich die Verlagsbrüder doch mal melden und blechen.

Literarisch habe ich ganz neue Pläne und Vorsätze und ich glaube, dass ich, wenn ich auch in anderen Punkten äusserst schwach bin, darin werde keine Konzessionen machen. Weisst Du, gewisse Parallel-Pläne. Einesteils die Weiterführung der satirischen Linie (mein teures Bein und ähnliches) und dann die klassische scharfe prägnante und gedrungene knappe Form. Das reizt mich sehr. Vor allem möchte ich dazu kommen, dass ich mit der Hand schreiben kann. Die Maschine versaut den Charakter. Bestimmt.

Ich war sehr froh bei Euch, mein lieber Ada. Immer wieder, wenn auch nur für Stunden, bedeutet es eine schöne und menschliche Entspannung und es liegt lediglich an den Moneten, dass ich nicht öfter und für länger auftauche. Aber nur Geduld. Du weisst, dass ich zäh bin, zielbewusst und auch nüchtern. Es wird gelingen. Auch mit meiner Nebenbeschäftigung,

die das Leben von Frau und Kindern sichern soll. Ich müsste
meiner Frau im Monat hundertfünfzig bis zweihundert Mark geben können, das langte dicke. Und ich könnte oben sitzen und
unbekümmert arbeiten. Ich lese viel und planmässig und bin gezwungen, noch einige lit. Zeitschriften zu halten, um mich auf
meine zukünftige Lektoratstätigkeit vorzubereiten, dazu gehört
allerlei Wissen, wie mir ein Kumpel erzählte: Bewegung auf
dem Büchermarkt, Leserpsychologie. Absatzmöglichkeiten,
Doppel- Erscheinungen vermeiden, allerlei Kram, den man einfach studieren muss. Der Kumpel riet mir auch, einmal bei der
Veröffentlichung einer Novelle, hinten bei der biographischen
Notiz eine Andeutung unterbringen zu lassen: »möchte sich als
Lektor oder Kritiker betätigen« oder aehnliches. Gute Idee, die
ich ausführen werde. Es wird irgendwie schon klappen. Zum
Funk habe ich keine Lust mehr. Die Atmosphäre ist mir zu ar-
rogant, zu modern, zu sehr auf Erfolg und vor allem auf Schnel-
ligkeit bestimmt und ich fürchte sehr für meine Freiheit, und
meine Freiheit ist mir wirklich mehr wert als tausend Mark im
Monat. Irgendeine freie Mitarbeiterschaft gern, aber ich würde
mich doch nie binden. Die Sachen, die ich da noch laufen habe,
werde ich zu lockern versuchen.
Und Du, junger Freund? Schreib mir alles, was los ist und was
Du unternimmst, ich bitte Dich. Jegliche Theaterneuheit, soweit sie Dich betrifft, interessiert mich. Hoffentlich ist meine
Karte mit dem Theaterplan früh genug für O. K. angekommen,
ich hatte es wirklich vergessen.
Sag Wera bitte, dass bezüglich Karneval alles bei den Abma-
chungen bleibt und sie sollen sehen, dass sie mittags hier sind.
Ich schreib es ihr noch einmal, das ist besser und lege den Brief
Dir bei. Tilla freut sich und wir werden zu mindestens [mit]
zehn Mann losziehen, auch meine Brüder wenigstens um den
Zug zu sehen.
So, ich muss Schluss machen, es ist Sonntag, ich habe gestern
lange gelesen, natürlich lange geschlafen und gehe jetzt immer
nachmittags in den Dom zur Kirche. Es ist wirklich wunderbar
und die Predigten sind ausgezeichnet. Ausserdem ist das Publikum dort reizvoll: viele Durchreisende, die »Gläubigen« in der

Mitte um den Altar herum – und aussen die Zuschauer, erstaunt, ehrfürchtig oder spöttisch, aber alle anständig, viele bedrückt. Es erinnert mich immer etwas an die Gefangenschaft, wo es aehnlich war, nicht? Von Fey habe ich nichts gehört, ich vermute, dass er von einem Ball in den anderen taumelt.

Schreib mir bald und gib Wera bitte den Brief mit den letzten Instruktionen.

Und grüsse Deine liebe Mutter, bitte herzlich, Deinen Vater und Nita. Das Pervitin ist wirklich herrlich, unglaublich und ich behalte mir vor, mich bei Gelegenheit für diese so grosszügige Freundlichkeit zu revanchieren ...

Dein Hein

BA5, pers K, 3S, m

118　Heinrich Böll an Ernst-Adolf Kunz
Köln-Bayenthal, Schillerstraße 99, Aschermittwoch 1949 [2. 3. 1949]

Mein lieber Ada, ich muss Dir doch schnell persönlich erzählen, was die Mädchen Dir wahrscheinlich nur andeutungsweise werden berichten können. Also vorigen Donnerstag war der Verleger selbst bei mir, sprach sich sehr begeistert über »Lemberg und Czernowitz« aus und will es sofort verlegen, es erscheint wahrscheinlich im Juli schon. Ich hoffe in 10 000 Exemplaren. Er hat es sonntags gelesen, mir montags geschrieben und war Donnerstag schon hier. Ich sprach zwei Stunden mit ihm, in Anwesenheit von Frau und Kindern, bei grossen Mengen Tee. Meine Frau verliess uns später und ging zum »Weiberkarneval«. Der Verleger ist ein sehr nüchterner, aber auch wieder sehr zuvorkommender Mann, eine Kombination, die mir sehr sympathisch ist, ich liebe sogenannte »Phantasten« nicht. Nun muss ich alle Einzelheiten mit dem Lektor besprechen, der immer noch nicht gesund ist. Nach Unterschrift des Vertrages bekomme ich den ersten Teil meines Honorars, gestern aber – weil die Genesung des Lektors mindestens noch 14 Tage dauert – wurde mir ein Vorschuss von 250,– DM überwiesen, damit ich mir zunächst helfen kann. Ohne jede Sicherheit, jede Bindung meinerseits – ich finde das vom rein geschäftlichen Standpunkt aus sehr nobel. Nun werde ich versuchen das »Vermächtnis« aus dem Innsbrucker Verlag zu lösen. Hoffentlich gelingt es mir. Ich soll nämlich im Herbst wieder ein Buch rausbringen, möglichst das »Vermächtnis« (gelesen haben diese es auch), aber ich werde dann eben einen Band kleinerer Erzählungen zusammenstellen. Und das Stück werde ich wesentlich erweitern und verbessern. Ich spüre allmählich, dass es wirklich zum Teil gut, aber etwas monoton ist und weiss auch, was fehlt. Zunächst müsste ich den Rest des Honorars haben, dann hätte ich Rückendeckung. Nach Ostern wird der Schülerbetrieb abflauen (zum Teil bin ich froh, es ist eine elende Quälerei), dann kann ich hoffentlich ruhig arbeiten.

Karneval hat mir viel Zeit genommen, war aber wirklich nett. Eine wunderbare Entspannung und – ich meine das ganz unliterarisch – Erweiterung der menschlichen Erfahrung, die in diesem Falle eine fast rein positive war. Wir hatten eine reizende Clique zusammen. In der ersten Nacht war meine Frau mit, die zweite hatte sie keine Ruhe, die Kinder allein zu lassen und war auch zu müde. Ach, ich wäre froh, wenn ich bald etwas mehr Geld bekäme, dass ich einmal etwas für meine Frau tun kann; dass sie nicht mehr so viel zu arbeiten braucht, nette Kleider, Schuhe und alles mögliche bekommt. Und vor allem möchte ich, dass sie die Reise nach England wirklich mit freiem und heiterem Herzen und mit dem Gefühl der Sicherheit antreten kann.

Ich erzähle Dir alles, was noch zu erzählen ist, mündlich, über meine Arbeit, Karneval usw. Ich habe jetzt fast jeden Tag drei Stunden zu geben, nächste Woche sogar vier am Tage, da bleibt für meine Arbeit nicht mehr viel Zeit, zumal ich natürlich von den beiden durchwachten Nächten erledigt bin. Harry und Hans-Jochen sind prachtvolle Burschen, wirklich nett und wir haben uns alle sehr, sehr gefreut sie kennengelernt zu haben. Ueberhaupt war es reizend, nur Du fehltest mir, denk Dir, wir hätten zwei Nächte ungehemmt und mitten in diesem herrlichen Treiben zusammen saufen und quatschen können. Ich

muss wirklich gestehen, dass ich noch [nie] von irgendeiner
grösseren und gröberen Vergnügung ein solches Gefühl wirklich reiner Freude mit nach Hause gebracht habe, wie von diesem Karneval. Wera hatte eine nette Clique, auch einen Bekannten von der Schule angeschleppt und ich habe mich prächtig
unterhalten und amüsiert.
Aber ich will Dir nicht zuviel davon erzählen. Du musstest arbeiten, hast überhaupt viel Aerger und Kummer, und auch von
Euch allen zu Hause hörte ich Trauriges. Ach, Ada, wenn ich nur
helfen könnte! Versuche doch alles zu fassen, geh, wenn es
wirklich soweit kommen sollte stempeln und unternimm doch
wirklich einmal etwas wegen einer Veränderung. Sei nicht allzu
pessimistisch. Solange Du nicht verheiratet bist, ist keinerlei finanzielle Not sehr bedrückend. Versuch doch das, was immer
noch bleibt, zunächst dankbar anzunehmen, untergehen werden wir so leicht nicht.
Nun das Wichtigste: Ich komme also Sonntag so früh ich kann,
weil ich Montag wieder wie damals weg muss. Wenn erst meine
Schüler alle abgebaut sind, habe ich etwas mehr Freiheit. Jetzt
kann ich es mir noch nicht leisten, der Vorschuss langt für die al-
lerdringendsten Schulden. Aber es kommt bald mehr und dann
saufen wir, saufen wir unbedingt. Grüsse alle, alle herzlich von
mir. Deiner lieben Mutter weiter Mut, Deinem Vater gute Besserung und die Mädchen sollen doch vernünftig sein und schlafen
schlafen schlafen
Immer Euer Hein

BA5, pers K, 2S, m

119   Heinrich Böll an Ernst-Adolf Kunz
Köln-Bayenthal, Schillerstraße 99, den 11. 3. 49.

Mein lieber Ada, zunächst das Positive: gestern kam ein »drin-
gendes Pressetelegramm« mit dem Inhalt: Manuskript Vermächtnis angenommen, Abendländische Verlagsanstalt. Ich
hatte bis gestern letzten Termin gesetzt und – Du siehst – pünkt-

lich kam die Zusage. Nun erwarte ich den Brief mit den näheren Bedingungen, vor allen Dingen interessiert mich der Vorschuss und der Erscheinungstermin. Ausserdem erscheint im April in der »Lit. Revue« wieder eine grössere Arbeit, und ich soll ausserdem für diese Nummer einen »Versuch« schreiben über die Situation der jungen deutschen Dichtung. Letzteres macht mir noch etwas Kopfschmerzen, aber ich habe auch dafür schon zugesagt. Ausserdem werde ich hoffentlich die Kritik über Greene unterbringen und habe Chance hier bei einer Kölner Zeitung am Feuilleton laufend mitzuarbeiten.

Aber alles das ist vorläufig noch platonisch, mein Portemonnaie bleibt leer und ich warte, mit zusammengebissenen Zähnen.

Das Negative: der Dicke hatte doch irgendwo eine Grippe geschnappt und war drei Tage schwer krank, heute geht es ihm wieder besser. Wir hatten nachts keine Ruhe und auch am Tage natürlich nicht. Zum Glück hat der Kleine nichts gefangen und der Schrecken scheint mal wieder vorübergegangen zu sein. Ausser allem anderen kostet das immer wieder Geld, und zu allem Uebel kommt hinzu, dass unsere Taube immer noch krank ist, nun schon seit Karneval. Meine Frau hält sich tapfer und ich versuche zu helfen. In Düsseldorf verbrachte ich zwar einen netten Nachmittag, aber die Zeitschrift wird wahrscheinlich auch Pleite machen. Jedenfalls versucht man jetzt sehr schnell auf populär umzuschalten, mit nackten Weibern, Farbfotos (à la Life) und »optimistischen« Kurzgeschichten und meine Mitarbeit ist für Monate unwahrscheinlich. Ich werde, sobald ich gesund bin (ich bin wahnsinnig erschöpft und meine Augen schmerzen immer) versuchen, einfach mal zu produzieren. Kriminalnovellen, Abenteuergeschichten, irgend etwas.

Es bleibt also dabei, dass ich nach Ostern länger komme. Ja? Schreib Du mir bitte laufend, was Euer Theater macht, ich muss wissen, was los ist. Vergiss es nicht. Ich bin – was meine Lage angeht – trotz aller Erfolge Pessimist. Es ist und bleibt Wahnsinn, einen Haushalt wie den meinen durch »Schreiben« aufrechtzuerhalten. Ich weiss wirklich oft nicht aus und ein. Und meine Frau geht auch kaputt dabei, wenn sie auch dauernd mich zum Ausharren zu überreden sucht. Ich muss irgend etwas tun. Ach, wäre

ich nicht so unendlich müde und könnte arbeiten! Aber meine
einzige Sehnsucht ist Pennen und manchmal lege ich mich mit-
tags hin, verdunkele meine Bude und penne bis abends, dann
stehe ich auf um zu essen und weiter zu pennen, aber mein
Schlafbedürfnis ist so unendlich, dass ich immer mehr müde
werde …
Schreib mir bald, bitte, grüsse alle, alle herzlich, ganz besonders
Deine liebe Mutter von meiner Frau.
Wie gefällt Dir das Bild? Mir gefällt es gut, aber meine Frau fin-
det mich doch ein bisschen »ungepflegt«.
Schreib mir, Ada und grüsse alle!
Immer Dein
Hein

BA5, pers K, 2S, m

120   *Ernst-Adolf Kunz an Heinrich Böll*
Gelsenk. d. 18. III. 49

Mein lieber Hein – jetzt liegt dieser durchaus positive Brief von
Dir schon ein paar Tage hier und ich hatte einfach keine Zeit
zum Antworten. Dein Foto ist sehr gut und die Familie ist sich
einig darin, dass es eingerahmt wird und aufgehängt. Ich sah selten eine so charakteristische Aufnahme. Wirklich gross war unsere Freude über die Annahme des Vermächtnis! 2 Bücher von
Dir werden nun in Jahresfrist meinen Bücherschrank zieren.
Lass Dir nur keine Bedingungen diktieren. Bitte schick uns die
Revue wenn Deine Sache erscheint. – Unser Theater steht kurz
vor dem Ruin. Am 20ten d. M. sind wir eine Gage im Rückstand.
Das bedeutet, dass ich mit 150 DM zwei Monate ausgekommen
bin. Schulden rund 40 DM. Das Leben ist ekelhaft geworden.
Nicht mal laufend Tabak kann ich mir kaufen. Die ganze Woche
hatten wir Proben für »Frauen haben das gern«, eine Operette,
die ich schon 40mal gespielt habe und die aus Mangel an einem
neuen Stück nochmals ausgekramt wurde. Ich spiele darin eine
andere Rolle als damals, muss irrsinnig tanzen und lispeln.

Die Première wurde nun schon zweimal verschoben, da keine
Leute kamen, die sich die Sache ansehen wollten. Das deprimiert kolossal. Heute nun, wenn genug Zuschauer kommen,
soll sie in Recklinghausen steigen. Ich glaube noch nicht daran.
Einige meutern natürlich schon und ein kleiner Teil, zu dem
auch ich gehöre, hofft weiter auf Besserung. Die tollsten Pläne
haben wir schon geschmiedet, doch verwirklichen lassen sie
sich schlecht. Künstler laufen herum wie Sand am Meer, alle haben tolle Pläne und keiner erreicht etwas. Es ist wirklich beinah
hoffnungslos. – Trotzdem, mach Du Dir um mich keine Sorgen.
Meist war es bei mir so, dass, wenn eine Sache zusammenbrach,
irgendwo etwas Neues an mich herankam. –
Schreib mir, wie es Euch geht. Ist der Dicke wieder gesund? Ich
hoffe es. Und komm bald wieder her. Spätestens nach Ostern
und dann mindestens eine Woche. Vielleicht habe ich dann
mehr Zeit als mir lieb ist. – Lese augenblicklich alle Stories, die
ich mir bestellt habe ab erster Nummer.
Alle waren nicht mehr da, doch so zwanzig Stück kamen vorige
Woche. Es sind wundervolle Sachen drin und sie lassen einen
für einige Zeit alle Sorgen vergessen. – Grüsse alle, besonders
Deine Frau von mir.
Immer Dein Ada

BA4, 2S, eh

121   Heinrich Böll an Ernst-Adolf Kunz
Köln-Bayenthal, Schillerstraße 99, den den 19. März 1949

Mein lieber Ada, dass Du nicht schreibst, beunruhigt mich wie immer. Tu es doch bald. Ich warte wirklich auf Nachricht von Euch.
Bei mir spitzt sich alles auf eine wirkliche Besserung zu. Bis Ostern
werden nun hoffentlich die Verträge unterschrieben, die Gelder
geflossen und die Schulden bezahlt sein. Außerdem winkt mir
eine (bezahlte) Reise nach München zur Abendländischen Ver-
lagsgesellschaft, kostenloser Aufenthalt. Alles zweiter Klasse. Hoffentlich klappt es. Mein Plan, dass wir beide zusammen einmal für

vierzehn Tage in eine ruhige ländliche Gegend fahren, bleibt bestehen (der Plan stammt eigentlich von meiner Frau). Vorläufig bin
ich derart mit Stundengeben belastet, dass ich kaum zum Atmen
komme, jeden, jeden Tag geht das von 8-13 oder von 14-19 Uhr ununterbrochen, es herrscht wirklich Hochkonjunktur und ich spüre
es an meinen Nerven und meinem Portemonnaie, der erste Monat,
in dem ich keine Schulden gemacht, sondern welche bezahlt habe.
Toll, nicht wahr? Trotz Karneval! Jetzt arbeite ich systematisch
meine Schulden ab, wie das Geld kommt, wird es weitergegeben,
nur habe ich für meine Frau einiges springen lassen, zu Erhöhung
des modischen Wohlbefindens. Tabak ist jetzt kein finanzielles
Problem mehr. Zwei Päckchen in der Woche und ich bin saniert.
Kaffee, Tee ist da, dazu brauchen wir also kein Geld. Aber wenn
Ostern vorbei ist und ich habe wirklich einmal Geld, dann ... nun,
ich will nichts mehr versprechen. Gar nichts mehr. Nur noch handeln ... Hoffentlich trifft Dich mein Optimismus nicht in eigener
schlechter Lage. Schreib mir doch bald von Euch allen.
Die Aussichten, dass ich irgendwie eine feste Stellung mit einem
Fixum kriege, sind auch gestiegen. Wäre nur dieser Cheflektor
endlich gesund! Der Bursche schreibt immer nur elegische Briefe
und wird jetzt aber bald kommen, hoffentlich! Zur Arbeit komme
ich nicht im Augenblick, leider, aber nach Ostern, nach Ostern
fliesst es wieder. Was hast Du Neues zu berichten? Heute hatte ich
aber bestimmt mit Post von Dir gerechnet. Hat Wera »mutig« ihre
Arbeit wieder aufgenommen? »Mutig« wie immer? Tilla interessiert sich laufend für das Schicksal der beiden jungen Damen.
Nach Ostern, wenn der Hauptrummel des »Scheiss«paukens hier
vorbei ist, muss auch Eure Mama noch einmal kommen: der Dicke
ist schlank und »rank« geworden, äußerst unternehmungslustig
und fidel. Gott sei Dank ist die dreimonatige Keuchhustensperre
wieder aufgehoben und er kann wieder mit den Kindern spielen:
eine unbeschreibliche Erleichterung für die ganze Familie. René
gedeiht prächtig weiter, ganz still und lieb, ohne viel Aufhebens zu
machen. Auch seine Zähne kriegt er in aller Stille.
Heute wollte mich eigentlich Ernst Fey auf dem Wege nach Godes-
berg besuchen, aber er scheint wieder zu passen. Es ist allerdings
noch nicht spät, erst vier, vielleicht kommt er noch. Meine Frau ist

seit langer Zeit einmal wieder spazieren, und ich erledige schon
seit zwei Stunden ununterbrochen Korrespondenz, zu der ich
im Laufe der Woche zu müde war. Den Samstag halte ich mir immer frei, doch werde ich die beiden nächsten Samstage bis zum
Beginn der Ferien noch dransetzen müssen, eben meldet sich
ein neues Opfer meiner Pädagogik: Sohn einer Cafébesitzerin,
Inhaberin des Cafés, wo wir Karneval letzte Station machten,
bevor wir nach Hause mussten: was meinst du, soll ich mein Verdienst dort in Sahnekuchen abessen oder in Aperitifs absaufen
gehen?
Mein lieber Ada, wäre das nicht herrlich: Frühling und Geld?
Unglaublich reizvolle Kombination, aber mein Optimismus ist
jetzt ebenso unberechtigt wie mein Pessimismus sonst: es bleibt
dabei, daß ich immer noch nicht die Miete von Februar bezahlt
habe, und wir haben bald April. Soweit ist es mit meinem Einkommen noch nicht gekommen. Aber Geduld, und – – ich verspreche nichts mehr, ich handele nur noch.
Schreibe mir bald und grüsse alle herzlich: Zuerst Deine Mutter,
Deinen Vater und Wera, alle von uns allen.
Glaubst Du, ich könnte noch einmal Pervitin haben? Wenn ja,
lege ich Geld bei, für zwei oder drei Packungen.
Ich grüsse Euch alle herzlich, auch meine Frau und Tilla lassen
grüssen . . .

Immer, immer
Dein
Hein

BA5, pers K, 2S, m

122 *Ernst-Adolf Kunz an Heinrich Böll*
Gels., d. 22. März 49

Mein lieber Hein – gestern kam Dein Brief, der sich wohl mit
meinem gekreuzt hat. Obwohl, wie ich schon schrieb, meine Lage bedenklich ist, hat mich Dein sicherer Fortschritt sehr, sehr

gefreut. Es ist wundervoll, dass Du langsam aber sicher aufatmen kannst. Gerne würde ich Dir auch optimistisch antworten, doch fehlen mir dazu zur Zeit wirklich die Möglichkeiten. In dieser Woche wird es sich wohl entscheiden ob wir weitermachen oder nicht. Der Geldmangel ist so ungeheuer, dass es keinen Ausweg gibt. Mit Erdmann werde ich dann stempeln gehen, bis sich etwas Neues tut. Letzten Sonntag bekam jeder 5 DM und das war das erste Geld wieder seit 8 Tagen. Wir sehen nicht ein, uns unter diesen Umständen noch länger abzuarbeiten nur damit Franke Direktor spielen kann.

Heute oder morgen unternehme ich Schritte auf dem Gewerbegericht und dann wird liquidiert. Du glaubst nicht wie anmassend und aufreizend sich dieser Kerl benimmt. Dabei ist er unser Schuldner von über einem Monat Gage. Bisher waren wir geduldig in der Hoffnung auf Besserung und eine neue Operette, doch beides blieb und wird noch lange ausbleiben. Franke meint wahrscheinlich, wir wären weiter so geduldig. Er irrt. – Na, ich werde Dir laufend berichten. Sollte alles zusammenbrechen, werde ich mich ganz intensiv um den Aufbau unseres Hauses bemühen und im Winter wird schon irgend etwas klappen. Auch Dich werde ich, so es Dir recht ist, ein paar Tage besuchen. Ich bin den Rummel restlos leid. Nur Ärger und Dummheit ringsherum! Pläne habe ich genug zu einem neuen Unternehmen: doch ob man sie jetzt verwirklichen kann? Aber erst müssen wir Klarheit haben und Franke das Handwerk oder besser das Mundwerk legen. –

Es ist schön, dass alles gesund bei Euch ist. Wera wollte auch schreiben und den Brief beilegen, doch ich warte nicht so lange. Sie ist »mutig« in der Werkstatt. Nita war am Samstag/Sonntag da. Ihr geht es noch am besten. Sie hat es auch verdient. – Gleich muss ich wieder nach Recklinghausen. Lust habe ich nicht. Das Wetter ist so herrlich und ich sehne mich nach einem Bummel mit Dir den Rhein entlang. Na vielleicht bald. Grüsse alle und lass Dich nicht durch diesen Brief bedrücken. Es ist alles nicht so wild.
Dein Ada

BA4, 2S, eh

123   Heinrich Böll an Ernst-Adolf Kunz
Köln-Bayenthal, Schillerstraße 99, den den 4. 4. 49

Mein lieber Ada, nun fahre ich morgen nach Opladen zu einer
Vorbesprechung, damit bei der Ankunft des langersehnten Lektors keine Zeit mehr mit Verhandlungen bezgl. des Vertrages
verloren zu werden braucht. Der Herr selbst kommt zwischen
dem 8. und 11. dieses Monats. Ausserdem rechne ich bald mit
Nachricht von den Innsbruckern, wahrscheinlich wird diese Sache in der nächsten Woche entschieden werden. Ich versuche,
mir finanziell keine Illusionen zu machen, kann aber nicht daran
vorbei, mir immer Pläne aufzustellen. Die Läden platzen bald,
die herrlichsten Dinge (vor allem interessieren mich jetzt Zigarren und Schuhe) liegen aus; ausserdem kann die Frühjahrsgarde-
robe meiner Frau bei der Schneiderin abgeholt werden, dann
noch eine sanftgrüne Baskenmütze für sie und ein paar grüne
Wildlederschuhe und sie ist vorläufig ausstaffiert (Kostüm:
lose braune Samtjacke, brauner Rock; ich bin gespannt). Die finanzielle Lage ist im Augenblick bedrohlich; meine Schüler zahlen nicht, kein Mensch im ganzen Hause hat einen Pfennig, eben
kratzte ich irgendwo noch eine alte Knispkarte heraus, um ein
Paket aus der Schweiz abzuholen: Kaffee, Tee, Kakao, Zucker.
Typisch für unsere paradoxe Lage: Genussmittel genug, und keinen Pfennig Geld. Ich werde morgen in Opladen einen Anlauf
nehmen und das Scheckbuch attackieren; was ich alles zu blechen habe, ist kaum aufzuzählen: die Zahlkarten liegen schon
seit Monaten ausgeschrieben. Ausserdem möchte ich so gern
einmal ins Kino gehen: ich kann es nicht. Auch ins Theater.
Hier wird die Medea von Anouilh im Studio gespielt, ich kann
nicht hingehen. Und erst im Café sitzen, Zigarren rauchen und
plaudern, plaudern! Ach, und saufen, keine Spur. Aber bald, bald
muss sich alles, alles wenden. Zwei oder drei Vorschüsse werden
doch – so hoffe ich – insgesamt – 1000 Mark ausmachen. Ausserdem habe ich Hoffnung, dass die Auflage bis Weihnachten verkauft ist. Die Besprechung im »Rhein. Merkur«, in den Frankfurter Heften und in der Lit. Revue ist mir sicher, das bedeutet eine
verkaufte Auflage, und das wären noch einmal 1000 Mark.

Neues habe ich nicht machen können, was ich dir damals vorlas,
ist das letzte. Und nun bin ich müde, müde und pennen, pennen
wie ein Murmeltier. Die Kinder sind inzwischen krank und wieder gesund, der Dicke ein zweites Mal durchgebrannt, mit we-
henden Fahnen, und wir trösten uns mit grossen Mengen narko-
tischer Getränke über unsere finanzielle Misere hinweg. Die
D-Mark ist aber auch noch nie so knapp gewesen. Weit und
breit keiner, den man anpumpen könnte. Sogar Tilla und mein
Bruder Alfred, die doch Gehaltsempfänger sind, brechen unter
der Last ihrer Verpflichtungen zusammen. Aber wir leben, wir leben und der Frühling ist herrlich. In spätestens vierzehn Tagen
bin ich bei Euch, vielleicht früher.
Noch weiss ich nicht, wer sitzengeblieben und wer durchge-
kommen ist von meinen Schülern. Ich zittere mit. Ada, schreib
mir und sei nicht böse und komm. Meine Bude ist frei, die Aussicht wieder schön, und zu rauchen kriegen wir auch schon irgendwoher. Grüsse alle, alle herzlich von uns beiden und lass
von Dir hören
Immer Dein
Hein

BA5, pers K, 2S, m

124   *Heinrich Böll an Ernst-Adolf Kunz*
16. 4. 49 [Stempel]

Lieber Ada, komm auf jeden Fall. Ich freue mich sehr, auch meine Frau. Ich höre mich wegen Weras S. um. Gestern Klappen
mit Scheckbuch gut. Nächste Woche mehr (vom Scheckbuch).
Ich komme dann nach Ostern. Heute gehe ich zum Augenarzt.
Es geht mir schon besser, seitdem ich Ferien habe. Euch allen allen Grüße
Dein Hein

APK, eh
Anm.: H. B. hat die Karte mit »6. 4. 48« datiert

125   Heinrich Böll an Ernst-Adolf Kunz
Köln, 21. 4. 1949 [Stempel]
Köln

= Kunz Zeppelinallee 60 Gelsenkirchen =
= Verhindert wegen München komm Dienstag Grüsse =
Hein + Frau

T

126   Heinrich Böll an Ernst-Adolf Kunz
Köln-Bayenthal, Schillerstraße 99, den 21. 4. 49

Mein lieber Ada, nun dürft Ihr mir nicht böse sein, dass ich wieder absagen musste, ich bin wirklich in einer argen Klemme, die
ich besser mündlich erklären werde – der Brief, den ich nach
München schickte – »Nervenzusammenbruchbrief« – kam zurück, weil unzustellbar. Der Mann an den ich ihn geschickt hatte,
hatte mir aber geschrieben und ich hatte geglaubt, sein Brief sei
in Kenntnis meines Briefes geschrieben – also heillose Verwirrung, da es sich um wichtige Punkte meines Vertrages handelte –
Telegrammwechsel. Dann musste ich nach Opladen, kam gestern abend zurück, muss morgen wieder hin, Münchener wollte auch kommen. Abgesagt. Grund: Nervenzusammenbruch
eingetreten.
In Wirklichkeit ist die Sache so, dass ich in Opladen morgen auf
ein sehr günstiges Angebot hin zwei Verträge unterschreiben
muss, mich also binde, um Geld zu bekommen. Ich kann dann
sämtliche Schulden bezahlen und habe noch etwas übrig. Ich bekomme – wahrscheinlich in Raten, aber das macht nichts – für
»Lemberg« und ein Erzählungsbändchen je 1500 Mark Vorschuss, muss mich aber feierlich verpflichten, dem Verlag alle
meine weiteren Arbeiten mit einer Auswahlfrist von 4 Wochen
als erstem zu überlassen. Damit wird wahrscheinlich die Münchner Geschichte hinfällig, deshalb will ich Zeit gewinnen und
schickte Telegramm, dass ich vor Ende nächster Woche nicht ak-

tionsfähig sei. Ich will dann Dienstag zu Euch kommen und bis
Samstag bleiben und hoffe, dass die erste Rate so hoch ist, dass
wir wenigstens etwas saufen können. Schreib mir doch, ob bei
Euch ein Pfandhaus ist. Dann können wir es auf jeden Fall.
Ich hätte also morgen kommen können, aber Samstag früh
schon wieder wegen der Kommunionfeier meines Patenkindes
zurück gemusst und ich möchte so gerne einmal ein paar Tage
bleiben. Am 1. Mai fängt ja auch meine Paukerei wieder an und
dann geht es wieder so schlecht. Sei also nicht böse, ich bitte
Euch alle um Verzeihung, es ist so schade, aber ich komme dann
länger. Ich freue mich sehr, und hoffe, dass ich aus meinen etwas
überraffinierten diplomatischen Verwicklungen gut herauskom-
me. Es wäre schade, wenn der Münchner Vorschuss nun flöten-
ginge.
Also verzeih mir, ich komme Dienstag mit dem Zug, den Du be-
nutztest. Ich freue mich sehr, hoffentlich ist das Wetter dann so
schön wie jetzt und wir können bummeln.
Ich bin sehr glücklich, da ich nun für den Rest [des] Jahres einigermassen Ruhe haben werde. Ausserdem hoffe ich bald wieder
arbeiten zu können. Also wenn Pfandhaus da, Sauferei. Sollte
Hella dasein, bitte entschuldige mich besonders bei ihr, dass ich
nicht gekommen [bin], es ist mir sehr peinlich, aber ich hoffe
mich rehabilitieren zu können ...
Viele, viele Grüsse an Euch alle von meiner Frau, ich schicke sie
bald mal zu Euch, Grüsse auch von mir besonders an Deine
Mutter ...
Dein Hein

BA5, pers K, 2S, m

127   *Ernst-Adolf Kunz an Heinrich Böll*
Samstag 4. 1949 [Stempel]

Lieber Hein – wir haben Telegramm und Brief erhalten. Deine
Gründe sind schwerwiegend und wir alle haben Verständnis.
Am Dienstag also erwarten wir Dich bestimmt. Hier ist toller

Film: »Die letzte Nacht«. 1944 in Frankreich. Wir gehen zusammen hin, nicht?

Grüsse alle, Dein Ada

PK, eh

128 Heinrich Böll an Ernst-Adolf Kunz
[April 1949]

Mein lieber Ada, unsere beiden Bengels liegen mit Fieber, beide Bronchitis, hart an der Grenze der Lungenentzündung. Das Wetter bringt uns wirklich zur Verzweiflung. Ich trage notgedrungen manchen Schein in die Apotheke und rauche selbst fast nur noch Aktive (auch aus Verzweiflung und zwar »Texas«). Meine Frau hat den endgültigen Passantrag immer noch nicht starten können, auch diese Sache verschleppt sich immer mehr, und die finanzielle Lage ist nicht sehr berauschend. Zwar habe ich mit M. jetzt auch den zweiten Band fest gemacht (25-45 Erzählungen), der dann im November herauskommen soll. Mit »Lemberg« bleibt es bei August – September. Vorschuss bekomme ich aber erst Mitte Juli. Das »Vermächtnis« liegt hier und harrt der gründlichen Ueberarbeitung, aber ich habe keine Lust mehr. Ich bin froh, dass ich meine Schüler habe und wenigstens laufend etwas Bargeld in die Hand bekomme, allenthalben werden Bekannte arbeitslos und haben gar keine Chance. Meine Zahngeschichte ist etwas besser geworden, aber ich glaube, soweit man da überhaupt wirkliche Besserung erwarten kann, geht sie sehr langsam vor sich. Die Geschichte ist auch sehr teuer, jede Injektion kostet mich 8 Mk und ich bekomme nur 3 ersetzt, aber der Arzt ist sehr anständig und ich werde wahrscheinlich mit den Kassensätzen davonkommen. Raimund macht uns wirklich viel Sorge, ich glaube es ist nicht mehr daran zu zweifeln, dass er Asthma hat. Die kleinste Erkältung verursacht einige Nächte ununterbrochenen Krampfhusten. Einzige Möglichkeit: Längere gründliche Luftveränderung oder Kur, aber wie sollen wir den zweijährigen Bengel so lange weggeben,

und wovon die Sache bezahlen? Immer wieder, wenn ich einmal
Geld kriege und meiner Frau endlich Schuhe kaufen will (sie
kann kaum noch laufen), kommt etwas dazwischen. Nun wird
Gas bei uns angelegt, drei Wände müssen durchbrochen, zahlreiche Rohre durchschnitten, entsetzlich viel Dreck veranstaltet
werden und ausserdem liegen die Kinder krank da, aber Gas bedeutet eine solche Erleichterung, dass wir uns doch dazu entschlossen haben, es machen zu lassen, obwohl wir alles selbst
bezahlen müssen. Vielleicht lasse ich auch den Badeofen reparie-
ren (es wäre herrlich), aber wenn ich an die Bezahlung denke,
wird es mir schlecht. Richtig schlecht. Zigaretten kriege ich zum
Glück auf Pump (eine gefährliche Sache!) und die Aktiven sind
so bequem . . .
Der gesamte Überblick über meine Arbeiten tröstet mich zwar
etwas, aber dass alles immer so langsam geht, ist deprimierend
. . . Und das Geld! Alles ist so teuer, und die Medikamentepreise
könnten mich fast veranlassen, Kommunist zu werden (vielleicht bin ich es schon, ohne es zu wissen). Ich habe einige schöne Bücher gekauft (Konto 250.– DM), die ich Dir gerne einmal
geben würde, vielleicht schicke ich sie Euch, wenn die literarische Tilla und die anderen sie durch haben . . .
Am Sonntag haben wir noch einmal einen gründlichen Pump
angelegt und sind mit den Kindern nach Rodenkirchen gefahren (weisst Du, auf die Terrasse, wo wir einmal so schön gesessen haben). Dort haben wir Sahnekuchen gegessen unter dem
Motto: Götz von Berlichingen. Es hat gut geschmeckt und war
herrlich: bedecktes Wetter, Segelboote auf dem grossen Rhein-
knie und einmal für zwei Stunden keine Sorgen. Ins Kino gehe
ich auch öfter, als mir guttut. Wir haben jetzt 33 (!) Kinos hier,
1945 keins!
Ich käme so gerne noch einmal, aber es wäre im Augenblick
wirklich Wahnsinn. Ich klammere mich an meine Schüler, gebe
mir viel Mühe, damit sie auch Erfolg haben, aber im Grunde genommen hasse ich die Schulmeisterei wie die Pest! Es ist wirklich zum Kotzen. Ewig den moralisch Ueberlegenen spielen
müssen, ewig den Zeigefinger laborieren lassen.
Schreib mir noch einmal; der Wein wird ja immer billiger, und

wir halten den Plan einer sommerlichen Sauferei also fest. In
Frankfurt kostete eine brauchbare Pulle wirklich 2.20. Die Zeitschrift »Ende und Anfang« hatte eine grössere Arbeit von mir angenommen, machte aber 14 Tage später Bankrott. Prachtvoller
Erfolg. Die Zeitungshonorare kommen nach zwei Monaten!
Diese Brüder sind irrsinnig. Sonst nichts Neues. Für dieses Jahr
wäre ich eigentlich mit meinem lit. Programm fertig, M. will nur
zwei herausbringen und das »Vermächtnis« dann im Frühjahr
1950. An einem neuen Roman habe ich drei brauchbare Kapitel
gearbeitet, aber was mir einzig und allein fehlt, ist Geld, Zeit,
Ruhe, wirklich! Einmal vier oder fünf Wochen keine Sorge und
ich garantiere dafür, dass die Arbeit fertig ist.
Ada schreib mir noch mal, auch von Carlheinz, ich möchte wissen, wie es ihm geht nach dem Tode seines Vaters. Grüsse alle, alle herzlich, von uns allen und Deinem Vater noch einmal Glück
zum Geburtstag . . .
Verlieren wir die Hoffnung nicht. Was macht Dein Theater?
Immer Dein . . .
Hein

BA5, 2S, m

129
Heinrich Böll an Ernst-Adolf Kunz
Köln-Bayenthal, Schillerstraße 99, den 2. Mai 49

Mein lieber Freund, ich muss Dir schnell schreiben, dass heute
morgen als schöne Montagsüberraschung der Vertrag über
»Lemberg« kam mit einem Scheck über 500.– Dm. Leider war es
zu spät, um noch zur Bank zu gehen und ich sitze nun mit dem
prachtvollen Papierfetzen und lauere auf morgen früh. Ausserdem hat meine Schule wieder angefangen und ich bin nun wieder gebunden, jeden Tag.
Ach, Ada, es war so schön bei Euch, dass ich am liebsten noch
vier Wochen dageblieben wäre. Wunderbar, und ich bin wirklich trotz langen Aufbleibens und Schnaps sehr, sehr erholt, und

arbeite wie ein Wilder. Gestern habe ich eine neue grössere Arbeit angefangen, die gleich mit einem Sprung ziemlich weit gediehen ist. Ich freue mich, wenn ich sie Euch werde vorlesen können. Ich denke mir so: ich komme einmal Samstagmittag und bleibe bis Sonntagabend oder Montag früh, und zwar, wenn der Münchener auch endgültig angebissen hat. Meine finanzielle Lage ist ganz bedeutend erholt: Schulden – und zwar keine drückenden – noch 250.– Dm (anstatt 900!) und ausserdem ein Bargeldplus von 200.–, zudem laufende Schülereinnahmen und in spätestens 2 Monaten wieder grossen Vorschuss auf das Bändchen »Aufenthalt in X«.

Ich bemühe mich jetzt ernsthaft, eine kleinere Arbeit für den »tagesausklang« hinzukriegen, damit ich bald zum Funkhaus gehen [kann]. Ich hoffe noch diese Woche. Spätestens Anfang der nächsten Woche, dann auch ohne Manuskript. Komm auf jeden Fall, wenn Du Lust hast und Zeit, für die nächsten Wochen habe ich immer etwas Geld hier. Bitte entschuldige mich bei Deinem Vater, dass ich mich [nicht] verabschiedet habe und grüsse Deine Mutter, wenn sie wiederkommt, herzlich von mir. Ich halte Euch dauernd auf dem laufenden über alles, was sich mit uns tut.

Meine Frau und die Kinder sind in prächtiger Verfassung, nur macht Raimund ernsthafte Widerstandsversuche. Ach, Ada, ich komm sobald ich kann wieder, lass mir dann auch einen Anzug anmessen und erfülle Parole 15.

Das Wetter ist herrlich hier, strahlend und doch ein bisschen kühl.

Die Paukerei hängt mir nach dem ersten Tage schon wieder zum Halse heraus, aber auf diese Weise habe ich ein monatliches Fixum von 150.– Dm.

Schreib mir bitte gleich, ob dieser Brief mit dem Geld angekommen ist, damit ich weiss, ob alles in Ordnung ist. Und versuche Vertrauen zu haben, dass Dir irgendwie geholfen wird. Zunächst würde ich wirklich an Deiner Stelle mich ruhigen Gewissens erholen. Du brauchst Dir doch wirklich nicht vorzuwerfen, dass Du gefaulenzt hast oder je faulenzen wolltest. Du kannst Dich jedenfalls darauf verlassen, dass ich, falls ich einmal wenig-

stens mit einem Zeh im Funk stehe, alles versuchen werde, um
Dir zu helfen.

Grüss bitte auch Erdmann von mir. Sollte Dir des schnöden
Mammons zuviel in diesem Brief zu liegen scheinen, so würde
ich mich freuen, wenn Du Deiner Mama ein paar hübsche Blumen, Dir Tabak und Wera eine Dose Nüsse kaufen würdest. Verzeih mir, wenn ich wirklich den Wunsch habe, Euch allen eine
kleine Freude zu machen. Es war so schön bei Euch.

Ich habe jetzt angefangen, meine Bücher aufzuräumen. Das
grosse Regal von unten kommt nach oben und der störende dik-
ke Schrank kommt weg. Ich werde Deinem Vater einen ganzen
Stoss Zeitschriften und kleinerer Bücher schicken.

Also, auf Wiedersehen Ada und sei guten Mutes. Ich grüsse
Euch alle herzlichst

Dein

Hein

[ehZ] P. S. Ich schicke das Geld lieber per Anweisung. Es ist mir
zu gefährlich

Gruß

Hein

BA5, pers K, 2S, m

130   *Ernst-Adolf Kunz an Heinrich Böll*
Gelsenk., d. 5. Mai 49

Mein lieber Hein – Beide Briefe und Geld sind angekommen.
Pünktlich wie versprochen. Hab vielen Dank. Du brauchtest
wirklich nicht so viel zu schicken, aber wenn es Dir solchen
Spass macht! Nun, für uns war der Spass auch gross und wir sind
für eine Woche mit Raucherei gerettet. Ich habe deshalb kein
schlechtes Gewissen, weil Dein letzter Scheck mir imponiert
hat und ich bin froh, dass die finanzielle Seite bei Dir so gut wie
klar ist. Ich kann mir denken, wie Ihr aufatmet. – Stell Dir vor,
am Samstag abend kam Hella und bedauerte sehr, dass Du morgens schon weg warst. Sie blieb bis Montag früh. Da sie in rei-

chen Kreisen verkehrt, haben wir sie scharf auf Deine Bücher gemacht. Sie will zu unserem »Sommerfest« kommen. –
Zwei Tage waren dann Wera und ich allein hier und gestern kam
nun Mama wieder ziemlich erholt, soweit das in der kurzen Zeit
möglich war. Ich brachte ihr heute ein paar Blumen mit in Deinem Namen und sie freute sich wie immer darüber, hält Dich jedoch für zu grosszügig. (Mein Fehler!) – Ich war gestern Abend
mit Adalbert Suntinger in der »Heiligen Johanna«. Es war wirklich gut bis auf einige Figuren. Nur hatte der Spielleiter offenbar
keine Ahnung von Shaw. Weisst Du, man brüllte zu viel. – Morgen habe ich mal wieder in Herten zwei Märchenvorstellungen.
Wie stets hoffe ich auf 10 Mark! – Ja es war wunderschön wie Du
hier warst, besonders für mich. – Mit dem Rundfunk mach Dir
nicht zu viel Mühe und nimm Dir Zeit. – Ich muss nur ungefähr
wissen, wann ich den Leiter der Reportagen (wahrscheinlich Dr.
Ernst) sprechen kann und ob überhaupt eine Möglichkeit besteht. Alles andere ist ja meine Sache. Eventuell würde ich so um
den 16ten-17ten d. M. kurz mal kommen. Erdmann hofft nach
wie vor mich hier unterzubringen. Er ist für mich unverständlich
zuversichtlich. Wer weiss, was für eine Masche der alte Fuchs
noch kennt. Na, abwarten. – Ich will gleich mal wieder zu Irene
fahren, die wahrscheinlich seit gestern wartet. Sie ist nett und
reizend wie immer und alle Dir bekannte Gefahr ist behoben
(auf natürlichem Weg!). – Aber Nerven kostet so etwas.
Wera wird Dir noch schreiben.
Sei gegrüsst Du Guter und hab nochmals Dank. Grüsse auch
Frau, Kinder und sonstige Familie, Opa, Tilla, Alois, Phips etc.
etc. Dein Ada

BA4, 2S, eh

131 *Heinrich Böll an Ernst-Adolf Kunz*
Köln-Bayenthal, Schillerstraße 99, den 7. Mai 49

Mein lieber Ada, einiges Allgemeine über den Rundfunk kann
ich Dir schon sagen. Anfang der Woche gehe ich dann hin und
schreibe Dir gleich Näheres. Solltest Du dann vor dem 16. oder

17. kommen müssen, schreib ich Dir gleich, sonst bleibt es also bei diesem Termin. Man wird da – wie ich hörte – einer ziemlich langen Prüfung unterzogen, von morgens 9 bis nachmittags 15 (Essen wird da gestellt) und bei Einigung ist Funk mit Engagement sehr grosszügig, dann gibt es auch gleich Zuzugsgenehmigung und alles andere. Wesentlich ist dabei wirklich gute Sprache, schnell und sicher, man verlangt 1 1/2 Tippseiten in 4-5 Minuten fehlerlos und aehnliches. Ich glaube auch, dass man sich schriftlich zu einer solchen Prüfung melden muss und dann Bescheid bekommt usw. Ich schreib Dir das alles, wenn ich es genau erfahren habe. Das hörte ich nur von einem Bekannten, der sich in der Abteilung »Politisches Wort« beworben hat.

Sonst geht es uns wirklich gut. Gestern kamen gleich zwei Pakete auf einmal, von der gleich vernünftigen Kombination wie das, was Wera bekam. Meine Frau beginnt langsam, sich auf England »vorzubereiten«, d. h. sich mit dem Gedanken vertraut zu machen, dass sie mit ihren beiden Söhnen auf Reisen geht. Ich will versuchen, sie wenigstens bis Ostende zu begleiten, und sie aufs Schiff zu verfrachten. Drüben sind ja dann die Engländer, es ist ja doch nicht so einfach mit zwei Kindern, von denen man keins allein lassen kann. Anderseits vertraut meine Frau fest auf die sichere Hilfe von Mitreisenden. Vorher wird es noch allerlei Laufereien geben, wegen Pass und Visum, Fahrkarten und anderen Dingen und am 20. Juni soll es dann losgehen. Ich bin nun leider durch meinen festen Schüler (100 Dm im Monat) ziemlich gebunden, denke aber doch, mich einmal eine Woche zwischendurch freimachen zu können und meinen Bruder um Vertretung zu bitten. Im uebrigen habe ich dann wieder die ganzen Herbstferien frei, und hoffentlich auch neues Geld. Meine Frau war sehr glücklich, dass ich ihr einmal wirklich eine brauchbare Summe überreichen konnte, die sie sich einteilen kann. Wir haben festgestellt, dass wir bedeutend weniger ausgeben, als früher, wo es immer so 5 und 10 Markweise ging.

12.5.49.

Mein lieber Ada, nun ist schon der 12. geworden und ich bin immer noch nicht beim Funk gewesen. Inzwischen habe ich aber

eine kleine Arbeit fertiggeschrieben, die möglicherweise den
Herren genehm sein wird, und so will ich morgen versuchen,
vorzustossen. Die ganze Woche über habe ich ununterbrochen
gelesen, gelesen, mich durch einen ganzen Berg von Büchern
und Zeitschriften durchgeackert – zum Teil aufreibend, zum Teil
schön, ich bekomme jetzt alle Neuerscheinungen wenigstens
»zur Ansicht«, kann sie dann zurückgeben, und brauche auf diese Weise kein Geld für Bücher.

Es bleibt also dabei, dass Du, wie Du schriebst, so gegen 16.-17.
kommst. Bis dahin weiss ich Näheres. Meine Bude ist jetzt ganz
verändert, der dicke Kleiderschrank ist raus, statt dessen habe
ich jetzt alle meine Bücher hier oben versammelt und das Ganze
nimmt den Charakter einer »Bibliothek« an. Auch viel mehr Be-
wegungsfreiheit, da das Bücherregal schmäler ist als der
Schrank. Durch den Erwerb eines Tauchsieders bin ich auch in
Puncto Tee und Rasierwasser unabhängig, und so habe ich acht
Tage bis spät in die Nacht gelesen und kam gegen Mittag wohl-
rasiert und munter hinunter, um mich gleich nach dem Essen
wieder der Lektüre zu widmen. Also komm, Ada.

Eure Tassen sind wirklich herrlich, sie tragen sehr dazu bei, das
Leben angenehmer zu machen, zumal der Dicke die alten dik-
ken Dinger bis auf zwei vernichtet hatte. Die Kinder sind wohl,
meine Frau auch, wir beginnen jetzt, die Pässe zu beantragen, damit in 4 Wochen die Reise wirklich losgehen kann.

Was macht Weras Keuchhusten? Bei Erwachsenen soll Keuchhusten doch sehr schwer und langwierig sein. Ich habe eigentlich keine literarische Neuigkeit mehr, es »läuft« jetzt, und ich
hoffe spätestens im Juni wieder auf einen namhaften Vorschuss
auf das Erzählungsbändchen, das den Titel »Aufenthalt in X« haben soll. Es wäre gewiss nett, wenn Du während der Abwesenheit meiner Frau längere Zeit bei mir sein könntest, wir würden
uns schon versorgen. Schreib mir, wann Du kommst. Meine
Frau lässt Euch alle herzlichst grüssen, ganz besonders Deine
Mutter, von mir auch an Euch alle viele Grüsse und wirklich gute Besserung für Wera

Dein Hein

BA5, pers K, 2S, m

132   Ernst-Adolf Kunz an Heinrich Böll
Gelsenk., d. 14. V. 49

Lieber Hein – heute kam Dein Brief mit den interessanten Hinweisen auf Funk. Du schreibst da auch von schriftlicher Anmeldung. Ist es nicht möglich, mündlich die Sache zu machen und wo? Wenn Du das ungefähr feststellen kannst, wäre ich Dir sehr dankbar. Kommende Woche ist es mir leider nicht möglich, zu kommen, da wir am Mittwoch wieder Vorstellung (Märchen) haben. Die letzten 4 Vorstellungen klappten ganz gut auch in finanzieller Hinsicht, 20 DM Reinverdienst. Der Durchchnitt ist pro Märchen 5 Mark. Natürlich ist das nicht viel, doch man hat wenigstens etwas zu tun. – Übernächste Woche aber am 23.-24. V. werde ich sicher zu Euch können. Ich käme dann so am Montag gegen Abend und fahre Donnerstag morgen oder wenn wir Mittwoch Vorstellung haben, Mittwoch ganz früh. Nun, ich schreibe Dir noch in dieser Woche Näheres. – Sonst gleicht meine Beschäftigung der Deinen auffallend. Ich lese fast stets. Nachdem ich in die Stadtbücherei eingetreten bin, erhalte ich auch viele Neuerscheinungen und lese bis spät in die Nacht. Kennst Du von Gusmann »Odysseus«, eine Heimkehrersache. Manchmal ganz gut, besonders der Krieg, aber dann wieder nichts. Im allgemeinen das Beste was es bis jetzt vielleicht gibt. Stilistisch oft verkrampft. Antimilitarist! Kleines Büchlein kostet 7,50 DM!! Augenblicklich lese ich Zolas Schnapsbude. Grossartig! – Wera ist heute weg zu Karl Heinz. Mama und ich trösten uns mit Kakao, da wieder ein Paket in Aussicht ist. Erdmann lässt Dir für Deine lieben Grüsse danken und erwidert sie. Er wird immer dick und dicker. Der bestgeeignetste Charakterkomiker. – Ich freue mich jetzt schon auf Köln. Auch wenn es mit dem Funk nicht sofort klappt, ist es egal. Ich habe dann Grund bald wiederzukommen.
Lieber Hein, Mama grüsst Dich und Deine Frau ganz besonders. Ich grüsse alle.
Dein Ada

P.S. Anbei eine Zigarrenpreisliste von unserer vorzüglichen Kaffeefirma. Karl Heinz behauptet, dass die guten Zigarren bis 20 Pf. billiger wären als dieselben hier im Geschäft. Vielleicht hast Du mal viel Geld über für Dich allein.

BA4, 2S, eh

133   *Heinrich Böll an Ernst-Adolf Kunz*
Köln-Bayenthal, Schillerstraße 99, den 17. Mai 49

Mein lieber Ada, ich muss Dir schnell schreiben, was beim Funk losgewesen ist. Nun, der Bonze war nicht da, so nützte mir die Empfehlung nichts und ich »darf« in drei Wochen wiederkommen. Ich bin so unglaublich glücklich, dass ich »darf«. Von Deiner Sache konnte ich nicht mehr erfahren, als ich Dir schon schrieb. Den einzigen, den ich wirklich sprechen »durfte«, war der Pförtner. Da ihm ein Arm fehlte, wollte ich nicht ironisch werden. Komm doch mal und wir gehen mal zusammen hin und sehen, was wir erfahren können. Ich bin krank, habe – es ist jetzt eindeutig festgestellt – eine ausgewachsene Paradentose – möglicherweise verliere ich alle, wahrscheinlich aber einige Zähne (vorne). Widerliche Schmerzen, beim Essen, Kauen, der Arzt tut, was er kann. Ich bekomme alle drei Tage Injektionen ins Zahnfleisch. Wunderbares Gefühl. Unsere Taube ist schwer krank, eitrige Mandelentzündung, zum Glück sind Frau und Kinder wenigstens gesund. Meine Zähne sehen bedenklich aus. Die Zähne selbst sind völlig gesund und auch kräftig, nur eben Paradentose. Ich bin physisch und psychisch ziemlich mitgenommen. Ausserdem so ein latentes, widerliches Wimmeln im Mund; nichts direktes Greifbares. Scheusslich. Wie geht es Euch? Schreib mir doch. Ist Wera wieder gesund? Sobald die Taube wieder hier ist, will ich mit meiner Frau die Ausstellung »Neues Wohnen« und »Malerei und Plastik der Gegenwart« besuchen. Habt Ihr keine Lust? Finanzielle Lage schwankend, aber noch keine neuen Schulden. Morgen kriege ich wieder etwas Geld. Soll auch in einer Kölner Zeitung etwas unterbringen. Sonst nichts Neues. Neuen Vorschuss erst nächsten Monat – so hoffe ich. Die Passgeschichte meiner Frau läuft, alles beantragt. Wir rechnen, dass sie spätestens Ende Juni – wahrscheinlich früher fahren kann. Ich freu mich wirklich, dass sie einmal etwas anderes sieht und nicht täglich Sorgen zu haben braucht, in einem grossen Haus bei Leuten, die Geld haben, als Gast sein, und ausserdem noch bei Leuten, die so nett und wirklich lieb sind, das wird ihr guttun. Ich freue mich wirklich und hoffe, dass es klappt. Nur die Ueberfahrt macht mir etwas Kummer, mit zwei so kleinen Burschen, von denen man keinen allein lassen kann.

Schreib mir wieder, wenn ich irgendwoher wieder mal eine grössere Summe bekomme, komme ich schnell mal samstags oder sonntags. Hier herrscht ein fürchterlicher atmosphärischer Druck. Ich glaube wirklich, dass ich auf die Dauer das Kölner Klima nicht vertragen kann. Immer Kopfschmerzen, Druck, Druck. Wirklich, ich plane langsam eine endgültige Luftveränderung . . .

Schreib mir Ada und komm, wenn Du Lust hast. Wir sehen uns dann die Ausstellung an. Diese Woche habe ich nachmittags, nächste Woche morgens Zeit.

Grüsse alle herzlich, besonders Deine Mutter, alle auch von meiner Frau. (Sie hat jetzt viel Brassel, wo die Taube mindestens eine Woche ausfällt.)

Schreib mir

Dein

Hein

BA5, pers K, 2S, m

134　*Ernst-Adolf Kunz an Heinrich Böll*
Gels., d. 11. Juni 49

Mein lieber Hein –
es wird wirklich höchste Zeit, dass ich Dir schreibe. Ich hatte es schon vor einer Woche vor, doch fuhr Wera dann nach Köln und sie hielt Euch ja auf dem laufenden. – Ich habe inzwischen

nicht viel getan, wenn man Lesen faulenzen nennen will. – Heute in einer Woche sollen nun Proben in Herten bei diesem Bühnenbildner beginnen für ein Stück, das er nur für die Kolpingfamilien im Umkreis spielen will. Er behauptet, von dieser Seite Unterstützung zu haben. Das Stück heisst »Die heilige Gräfin« (Genoveva) und ist von ihm selbst geschrieben. Am ersten Juli soll Première sein und ich habe eigentlich gar keine Lust. Weisst Du, es ist alles so aussichtslos in meinen Augen auf Erfolg. Bei diesem Stück wird sogar der künstlerische Erfolg wegfallen, wie ich vermute. Aber was soll ich tun? Erdmann will alles versuchen mich hier fest zu machen und Heuer will auch, doch ist der Etat erschöpft. Also auch ziemlich Essig. Papa hat nun an den Oberstadtdirektor geschrieben, der ein alter Bekannter von ihm ist und hat sehr geschickt um eine Vergrössung des Etats gebeten. Vielleicht, vielleicht klappt das. Ich hoffe es eben und kann auch nichts daran tun. – Wera erzählte viel von Euch allen und war entzückt über René. Dass Deine Frau solche Passlaufereien hat, ist ja schrecklich. Ich kann mir das gut vorstellen, wie das hier im blöden Deutschland geht. – Meinst Du nicht, dass Du noch mal kommen kannst, bevor sie fährt? Das wäre nett. Wenn für mich die Proben losgehen und dann die Vorstellungen im Juli, habe ich wieder weniger Zeit. Die Sache soll wieder als Kollektiv gehen und das heisst auf deutsch, dass ich erstens die ganzen Fahrten zur Probe selbst zahlen muss, ca. 12 Mark und dann muss noch jeder Geld für Plakate mitbringen, die vorher bezahlt werden (2,50 DM). Ja, und ob wir dann etwas verdienen, bleibt unsicher. Bei dem Märchenladen habe ich noch 10 DM zu kriegen also praktisch nur zugesetzt. Das sind alles keine grossen Summen, aber ich brauche das Geld dringend für Schuhe. Wir, die wir mitmachen, sind immer die Dummen. Und das Komische ist, wir lernen nie etwas in dieser Beziehung dazu. Immer wieder lassen wir uns einwickeln. Na, egal.
Lieber Hein, schreib mal wie es Dir geht (Zähne) und komm wenn es geht.
Grüsse alle von Deinem Ada

BA4, 2S, eh

135 Heinrich Böll an Ernst-Adolf Kunz
Köln-Bayenthal, Schillerstraße 99, den 13. Juni 1949

Mein lieber Ada, der einzige Grund, der mich wirklich hindert,
Euch noch einmal zu besuchen, ist das Geld. Es geht wieder
ziemlich knapp her. Leider kann ich wegen des Erzählungsbänd-
chens noch nichts machen, weil ich jetzt schon vierzehn Tage
täglich auf die Rücksendung meiner Manuskripte aus Innsbruck
warte. Wie Wera Euch sicher erzählt hat, war ich auf Kosten des
Innsbrucker Verlages zwei Tage in Frankfurt, verhandelte dort
mit dem Verleger, und kam mit ihm überein, dass wir keinen Vertrag miteinander machen. Es war zu ungünstig für mich (kleiner
Vorschuss, Erscheinen erst nächstes Jahr!). Er versprach mir,
dass ich meine Manuskripte, 25 an der Zahl, sofort zurückbekä-
me, aber bisher warte ich trotz einiger Mahnbriefe vergeblich.
Wenn ich diese Arbeiten zurückhabe, kann ich mit M. den Vertrag für das zweite Bändchen realisieren und bekomme Geld.
Nach München fahren, um mir die Sachen zu holen, kann ich natürlich nicht, das wäre das Einfachste. Diese Innsbrucker Brüder
haben mich wirklich nur viel Zeit gekostet (8 Monate) und ich
bin froh, dass ich wenigstens einmal kostenlos nach Frankfurt
gekommen bin. Da war es wirklich schön, frei, grosszügig und
flott, ich kannte Frankfurt noch nicht näher und bin wirklich begeistert, würde sofort dort hinziehen. Also: das Geld, Ada, sonst
nichts. Heute war ich wieder vergeblich beim Pfandhaus, in den
nächsten Wochen soll geöffnet werden. Immerhin wird der
Ring dann 3-400 Mark Pfand einbringen.
Ich bin froh, dass ich meine beiden Schüler habe, die mir bis Ende Juli doch ein Einkommen [von] 300 Mark (insgesamt!) garantieren. Ausserdem warte ich auf zwei Honorare für Feuilletons,
die unsren mageren Etat etwas aufbessern sollen. Meine Frau
braucht dringendst Schuhe, sie kann wirklich kaum noch laufen; auch der Dicke. Meine Frau wird wirklich durch den Büro-
kratismus arg gequält. Erst musste sie 4 Wochen auf ihr pol.
Zeugnis warten; als es dann da war, war am gleichen Tage die
Verfügung aufgehoben, sie brauchte es nicht mehr; an ihrer Stelle eine neue erschwerende Verfügung, dass die engl. Freunde

eine Bescheinigung der Bank von England beibringen müssen,
besagend, dass sie Reisegeld zur Verfügung stellt. Es ist wirklich
zum Kotzen. Selbst wenn diese Besch. käme, könnte meine Frau
in 8 Tagen den Antrag stellen und dann, wenn es gutgeht, in weiteren vier Wochen fahren. Es wird also mindestens Mitte Juli.
Wenn es überhaupt klappt. Einesteils gut, weil ihre Abwesenheit dann mit meiner schülerfreien Zeit zusammenfällt.
Deine Neuigkeiten sind auch nicht sehr ermutigend. Aber es ist
doch gut, dass es wenigstens etwas zu tun gibt. Lass Dich nur
nicht wieder besch . . . Vielleicht kann ich auch bald mal kommen und mit Dir reden. Solltest Du kommen können – Du
weisst ja, dass Du immer willkommen bist. Schreib mir doch
mal, ob es mit Weras Schmuck geklappt hat. Das wäre doch ein
Lichtblick.
Meine Schulden nehmen ganz langsam wieder zu, aber noch ist
es keinesfalls bedrohlich. Ich bin wirklich froh, dass ich eine –
wenn auch kleine – feste Einnahme habe, die für das Nötigste
reicht. Schade, dass man nie einmal ins Konzert oder Theater gehen kann. Gestern spielte Edwin Fischer, ich konnte nicht hingehen, konnte auch niemand auftreiben, den ich anpumpen
könnte. Meinem Bruder geht es auch nicht gut und Tilla hat
noch viel von mir zu kriegen; aber bald ist wieder Schülergeld
fällig, und ich freue mich, wenn ich zwei Pakete Tabak kaufen
kann (ich bin jetzt wieder leidenschaftlicher Dreher geworden).
Im uebrigen gehen wir viel spazieren, ich arbeite stockend an
einem neuen Roman, der kapitelweise wächst und etwa ein
Drittel seines geplanten Umfanges erreicht hat. Das »Vermächtnis« ist jetzt auch durch die »Frankfurter Verhandlungen« wieder
frei; vielleicht kann ich darauf auch Geld bekommen.
Schreib mir Ada, und grüsse ganz, ganz besonders Deine liebe
Mutter von uns allen. Die Kinder sind gesund, bis auf leichte
Hustenerscheinungen, René wird jetzt langsam frecher und an-
spruchsvoller und lässt die glorreichen Zeiten des »lieben Bruders« hinter sich, der Dicke redet wie ein Buch und will immer
Geschichten erzählt haben. Ich lese ihm Max und Moritz auf
latein vor und er nickt, als verstünde er etwas davon. Gott
sei Dank können die Kinder jetzt – wenn es nicht regnet, was

meistens der Fall ist – draussen sein, und der Dicke hängt meiner Frau nicht dauernd an der Schürze.

Grüsse alle herzlich, alle, Mutter, Vater und Schwestern . . .
Immer
Dein Hein

BA5, pers K, 2S, m

136   *Ernst-Adolf Kunz an Heinrich Böll*
Gelsenk. d. 29. Juni 49

Mein lieber Hein – bitte verzeih mir, dass ich Dir so lange nicht schrieb. Ich hatte wirklich so viel zu lernen, dass ich mir keine lange Zeit nehmen durfte. Nun aber habe ich die Rolle intus und bin heilfroh. Aber Du weisst ja noch gar nicht. Also: dieser Bühnenbildner Storm hat wieder eine neue Theatergemeinschaft ins Leben gerufen. Sein Ziel ist, sämtliche Kolpingfamilien, deren es hier viele gibt, für die »Union heimatvertriebener Künstler« zu interessieren. Das ist ihm z. T. gelungen und so haben wir ein Stück um die »Heilige Genoveva« einstudiert. Ich spiele eine sehr interessante Rolle, die des Golo, wenn Dir das etwas sagt. Ausser ihrem ekelhaften Charakter zeichnet sie sich durch ziemliche Länge aus, die zur Abwechslung mal aus Versen besteht. Also nie wieder möchte ich solche Sachen lernen! Ich habe wirklich meinen mir so kostbaren Schlaf opfern müssen. Nun ist übermorgen die Première und dann ist es überstanden. Wir alle hoffen ausser dem künstlerischen Erfolg auch einen finanziellen zu sehen. Die Leitung unseres Unternehmens ist sehr zuversichtlich – ich nicht. – Schade, dass Du nicht am Freitag da bist. Das Stück ist nicht schlecht, obgleich es für die Tränendrüsen und Hassgefühle (gegen mich, den Bösen) geschrieben wurde. Wie wäre es mit einem Stück um den heiligen Vincent von Dir? In Prosa natürlich. –
Dein letzter Brief hat mich bedrückt. Schreib mir über den Gesundheitszustand vom Dicken. Ich kann gut verstehen, wie wieder alles zusammenkommt: Krankheit, Gas legen, kein Geld

etc. Ich hoffe trotzdem zuversichtlich in Deinem nächsten Brief
von einem Termin Deiner Herfahrt zu hören. Ich habe im Juli
wieder Zeit und hoffentlich mehr Geld. – Hier ist eigentlich alles in Ordnung was Gesundheit anbelangt. Papa wurde ziemlich
gefeiert und war glänzend disponiert. Mama hat den Plan:
Grundstück verkaufen bis 12 000 DM (Aussichten!), von dem
Geld neues Grundstück mieten oder kaufen im schönen Buer,
dort kleines solides Einfamilienhaus bauen. Idee gut. Durchfüh-
rung möglich. Harry mit Schmuck scheinbar getürmt, war mit
Geld noch nicht da. (Finsterer Bursche) K.-Heinz war vorgestern noch über Nacht da. Hat tolle Pläne. Geht ihm gut.
Hein, komm bald. Du brauchst nur Fahrkarte. Grüsse Deine lb.
Frau. Hoffentlich klappt Englandtrip.
Auch alle anderen grüsse, Böll sen., Tilla, Alois, Alfred mit Fami-
lien.
Ich bin Dein Ada

BA4, 2S, eh

137 *Heinrich Böll an Ernst-Adolf Kunz*
Köln, den 1. Juli 1949

Mein lieber Ada, es freut mich sehr, endlich wieder von Euch zu
hören; ich war leicht bedrückt und beunruhigt; immerhin sind
es zwei Monate, dass ich nicht da war. Nun, ich bin beruhigt und
denke doch, dass Harry wieder auftaucht. Immerhin eine düste-
re Sache (vielleicht). Nun, den Kindern geht es wieder gut, sie
haben in drei Tagen ihre Geschichte überwunden gehabt mit
neuem Medikament: Supronalum (ich glaube Fabrikname De-
ma). Scheint wirklich gut zu sein, nur irrsinnig teuer. Ich trug insgesamt fast zwanzig Mark in die Apotheke. Doch habe ich jetzt
zum ersten wieder wenigstens etwas Geld bekommen, so dass
ich Taube, Milch und einige kleinere Lebensmittelpumpreste
bezahlen kann. Leistete mir ausnahmsweise drei anständige Zigarren, kaufte vier dicke Zeitungen und lag den ganzen Nachmittag hier oben und las. Meine Frau ist nach Düsseldorf zum

Visa-Offizier wegen der Passgeschichte, die Taube mit den Kindern spazieren und Schüler waren heute morgen von 8-12 da. Also: Ruhe. Ausserdem labte ich mich an unserem neuesten Trostgetränke Kauka. (Ein Löffel Kakaopulver in die Tasse, Zucker und Milch rein und den kochend heissen, möglichst starken Kaffee drauf.) Vermittelt tropische Genüsse, stillt den Hunger und regt an. Klima auch tropisch. Meine Frau kam eben wieder und berichtet, dass alles läuft. Nun noch drei Wochen. Durch eine saudumme, völlig missverstandene und missverständliche Auslegung eines Kölner Angestellten hier, haben wir sinnlos drei Wochen verloren. Bursche verlangte Papier, das gar nicht nötig. Idioten. Nun, es ist ja wegen des Wetters gut, dass sich die Sache verspätet. Im Regen wäre wohl sowieso nichts gewesen. Hast du gelesen, dass ein Kanaldampfer auf eine Mine gelaufen und vor Dünkirchen gesunken ist, 22 Mann tot? Dampfer verkehrte zwischen Ostende und Dover, genau da, wo meine Frau fahren will. Lache nur noch über meine Besorgnis! Ich bin entsetzt und ratlos. Meine Arbeit ruht fast vollkommen, die Schüler machen mich kaputt. Das Steigen ist ihnen so in den Kopf gestiegen, dass sie vor Faulheit, Stumpfsinn, Unverschämtheit strotzen; ausserdem scheinen sie zu spüren, dass ich gegen Unverschämtheit machtlos bin; furchtbare Situation, ich versuche krampfhaft zu retten, was zu retten ist. Spätestens zum Fünfzehnten erwarte ich neues Geld von M. Ich denke an mindestens 500, ausserdem sind noch ein paar Feuilletons fällig. Gestern schrieb ich (auf Aufforderung) einen Artikel für eine Tageszeitung über die »Volksschule seit 8. Mai 1945«, liess mir von Tilla einiges erzählen, besprach es mit ihr und sie schickt es unter ihrem Namen weg. Ich hoffe, dass 50 Dm fällig werden.
Ich plane eine Sache, die vielleicht zugkräftig werden kann: Geschichten aus der Kölner Vergangenheit. Ich will mir Zutritt zu den Archiven verschaffen, die alten Schmöker wälzen und geeignete Sachen auswählen und bearbeiten, und diese dann einer hiesigen Zeitung als laufende Fortsetzung für einige Zeit anbieten. Nächste Woche will ich einmal anfangen. Ich verspreche mir einiges davon. Das ist eine wirklich gute und saubere journalistische Arbeit, die mir auch Spass machen könnte. Vielleicht

jede Woche zwei bis drei Seiten, was denkst du? Ach, es wäre
schön über den hl. Vinzent ein Stück zu schreiben, aber Du
weisst, ich habe einen Schrecken vor Stücken, nachdem mir jetzt
alles misslungen ist. Ich sah hier vor ein paar Tagen »Was ihr
wollt« in wirklich ausgezeichneter Aufführung, anschliessend
kleine Session im Boulevardcafé in der Nacht. Die Schuldenska-
la nähert sich wieder einem Punkt der Unerträglichkeit ... aber
schweigen wir davon ...
Ich bin froh, dass Du wirklich etwas zu tun hast. Ich denke mir,
es ist doch besser als Nichtstun, und wenn auch der finanzielle
Erfolg nicht glänzend ist, so doch vielleicht auch kein Ausfall.
Was machen die jungen Damen? Die Pläne Deiner Mutter scheinen mir ganz vernünftig, hoffentlich sind sie zu verwirklichen.
Die allgemeine Geldknappheit ist ja grässlich. Man hört nichts
wie Stöhnen. Ich glaube, ich kann dicke zufrieden sein mit meiner Lage. Mein Schwager ist auch jetzt vor dem völligen Nichts
und hofft, hofft. Er hat auch angefangen zu schreiben, Leitartikel
und aehnliches. Ich bin gespannt ...
Ada, besteht keine Möglichkeit, dass Du noch einmal kommst?
Wenn ich Geld bekomme, komme ich noch einmal schnell.
Wahrscheinlich dann den kommenden Samstag oder denn in
vierzehn Tagen, spätestens dann Ende Juli, wenn die Ferien anfangen. Ach, ich freu mich, dass Du noch einmal geschrieben
hast. Erstaunlich, dass Euer Papa immer noch so wirklich mobil
und glänzend disponiert ist. Pass auf, er wird unseren Opa noch
erreichen.
Meiner Frau geht es auch gut, ich habe vorgeschlagen, dass die
Taube jetzt bis 6 Uhr bleibt, sie bekommt dann ein paar Mark
mehr, dann kann immer einer von beiden den ganzen Nachmittag mit den Kindern spazierengehen bzw. die Hausarbeit tun.
Auf diese Weise ist es ruhig und friedlich für alle Teile. Der Dik-
ke wird immer verrückter, ich muss ihm jetzt immer erzählen
oder vorsingen und er lacht sich kaputt. René ist auch ein Pracht-
bursche, freundlich, zart und gesund und quicklebendig wie ein
junges Tier. Wir haben uns mit der Unsicherheit unserer Lage
abgefunden und pumpen heiter drauf los. Eines Tages wird alles
anders. Die Gasgeschichte kostet mich insgesamt 100 (!!!!) Dm,

aber dafür haben wir in ein paar Tagen auch den Badeofen in
Takt. Tolle Aussichten.
Lieber Ada, ich muss Schluss machen. Grüsse alle, alle herzlich,
ganz besonders Deine Mutter und Deinem Vater zum goldenen
Doktor unsere herzlichsten Glückwünsche. Grüss auch die
Mädchen und Carl-Heinz ... komm
Immer Dein Hein

BA4, 2S, m

138   *Ernst-Adolf Kunz an Heinrich Böll*
Gels., d. 4. Juli 49

Mein lieber Hein – eben kam Dein Brief, der mich etwas hoff-
nungsvoller stimmt betreffs Deines Besuches. – Ich schreibe
Dienstag noch mehr. Première glückte gut. Kritiken schicke ich.
Publikum heulte und drohte mir. Es war prachtvoll so als Schurke zu gelten. Du müsstest das sehen. Freitag ist Wiederholung
in Herten. Wenn Du nicht kommen kannst, erwarten wir Dich
mit Freuden jeden anderen Tag. Deine journalistischen Ideen
sind sehr gut. – Nita kam Sonntag und fährt heute wieder. –
Also grüsse alle, besonders Frau.
Dein Ada

PK, eh

139   *Heinrich Böll an Ernst-Adolf Kunz*
Köln-Bayenthal, Schillerstraße 99, den 12. Juli 1949

Mein lieber Ada, ich schreibe Dir schnell die Dinge, die Du für
das französische Unternehmen wissen musst. Du bauchst also
1. einen Jugendherbergsausweis, zu bekommen bei Firma Duf-
ner Freiburg/Breisgau, Rathausgasse oder beim Jughbgs-Ver-
band Freiburg, Turnerstrasse. Kostenpunkt: 1.50 Dm
2. 2. – Dm für Pass und Visum (aber erst, wenn wir wirklich fahren)

3. 5.50 Dm pro Tag als Reisegeld, plus 150 Franken pro Tag Taschengeld, plus 40.– Dm, die wir so umgewechselt bekommen
4. polizeiliches Führungszeugnis
5. zwei Referenzen von Persönlichkeiten des öffentlichen Lebens (Pfarrer, Studienräte oder irgendwer)
6. kurzen Lebenslauf
7. geplantes Reiseziel und Dauer der Reise
8. Nachweis französischer Sprachkenntnisse
9. 8 Passbilder …

Nun pass auf: sobald Du den Jugendherbergsausweis hast und das polizeiliche Führungszeugnis sowie die beiden Referenzen und den kurzen Lebenslauf (Nachweis französischer Sprachkenntnisse dürfte nicht schwer sein), dann schickst Du einen Antrag mit Plan der Reise an das »Institut für internationale Begegnungen«, Freiburg, Werderstr. 8, Hotel Schotzky?, beantragst gleichzeitig zu Hause Deinen Pass und wartest. Sobald der Pass da ist und die Antwort des Instituts, werden wir benachrichtigt, was wir wegen des Visums zu tun haben. Dann käme die Geldfrage … ich habe vorläufig keinen Pfennig, beantrage aber jetzt schon alles und warte. Irgendwie werde ich das schon auftreiben. Heute nachmittag rede ich telefonisch mit M. und erkläre meine drängende Situation.
Sonst ist es sehr warm hier, ich freue mich auf die Ferien, die in 10 Tagen anfangen. Meine Frau wird auch spätestens in 3 Wochen abfahren können. Der Pass kommt nächste Woche, dann noch das Visum in Düsseldorf holen, Pass- und Visumnummer nach England schreiben und auf die Fahrkarten warten und einsteigen. Immerhin hat die englische Stelle in D-Dorf sich schon gemeldet und noch einige Angaben angefordert, also läuft es wirklich. Ich bin fest davon überzeugt, dass unser französisches Unternehmen klappen wird, denk Dir nur, in einem Boulevardcafé sitzen und die Luft atmen! Nur nicht zuviel »besichtigen« … na wir werden ja sehen. Ich komme dann zu Euch wenn ich alles geklärt habe hier, den Haushalt aufgelöst, alle Schulden bezahlt habe. Die Kinder sind gesund, bis auf René, der zwar nicht mehr akut krank, aber sehr entkräftet ist; er ist sehr schmal und zart

geworden und wird jetzt ordentlich aufgepäppelt, das geht ja schnell bei den Kleinen. Tilla will in den Herbstferien zu Hause bleiben, um für Paris zu sparen, wir können sie ja dann anpumpen, ausserdem muss sie um Vorschuss bitten. Ich beantrage meinen Pass jetzt sofort, weil ich mit dem Gedanken spiele, ein paar Tage vor der Rückreise meiner Frau nach London zu fahren und sie abzuholen. Ich werde meinen Verleger bitten, seine guten persönlichen Beziehungen zu General Bishop in diesem Falle »einzusetzen«. Es muss klappen, und ich freue mich auch auf das Wiedersehen mit dem Kanal, an dessen Wassern ich mich so lange und so oft gelangweilt habe, schwitzend im Sand. Ach, wenn alles klappte. Ich schreibe Dir wieder, sobald ich Geld bekommen habe, vielleicht kann ich Dir dann helfen, Pass und alles ans Laufen zu bekommen. Schreib mir bald wieder, ich bin müde, habe den ganzen Morgen gepaukt und will jetzt versuchen zu schlafen, bis es kühl genug wird, spazierenzugehen; heute abend wird gearbeitet. Ich glaube, wenn meine Frau weg ist, werde ich viel arbeiten, vielleicht mache ich nur vierzehn Tage wirklich Ferien ... vor allem auch, um Geld zu verdienen. Vielleicht kann man eine Zeitung für Reiseberichte aus Paris interessieren und so die Reise irgendwie herausschinden. Mal sehen. Schreib mir, Ada, ob Du nach wie vor Lust hast mitzufahren und denke vorläufig noch nicht an die finanzielle Seite.
Ich grüsse Euch alle herzlich, auch meine Frau lässt vielmals grüssen, ganz besonders Deine Mutter. Auf Wiedersehen
Dein Hein

BA4, *pers K, 1 1/2S, m*

140   *Ernst-Adolf Kunz an Heinrich Böll*
Gelsenk. Freitag [nach 12. 7. 1949 und vor 16. 7. 1949]

Mein lieber Hein – hab Dank für Brief mit Richtlinien für Frankreichreise. Ich will mal damit anfangen, obgleich ich kaum Zeit zu diesem reizvollen Trip haben werde und mir auch das Geld fehlen würde. Aber wer weiss, wozu der Pass schon mal gut ist! –

Das Unternehmen in Herten soll nun mehr und mehr ausgebaut werden. Vorerst ist es finanziell eine glatte Niete. Die Vorstellung vom vorigen Freitag, zu der fast 300 Besucher kamen, darunter Mama, Wera und Adalbert Suntinger, warf für jeden nur 4,10 DM ab. Am nächsten Tag Märchen und »Heilige Frau« im Ganzen 4,75 DM. Trotzdem hofft Storm bis zum Herbst feste Existenzen zu schaffen, da er auf dem Standpunkt steht, erst müsse das Publikum geworben werden. Ich hoffe, seine These geht in Erfüllung, allein mir fehlt der Glaube. Er will jetzt den Kriminalreisser »Geisterzug« von dem Ami Ridley geben, danach »Was ihr wollt« von Skakespeare. Letzteres reizt mich mehr, insbesondere, da ich den Malvolio spielen soll. Mittwoch spielen wir Freilicht für ein katholisches Krankenhaus in Herten. Storm will jetzt versuchen, pauschal diese Vorstellungen festzumachen. Für Mittwoch garantiert er uns 7 Mark. Das geht. –
Unsere primären Sorgen sind hier zu Hause der Hausbau. Allerdings scheint er jetzt zu klappen. Die Gutehoffnungshütte will uns wahrscheinlich 20 000 geben. Wäre das nicht herrlich? Ich war schon in Buer und habe ein Grundstück ausgesucht. 800 qm – 4000 Mark. Ein annehmbarer Preis. Allerdings liegt es etwas ausserhalb [von] Buer, doch 3 Min. von Strassenbahn nach Gelsenk. oder Buer. Anschliessend sofort der grosse Buersche Stadtpark. Wenn der Verkauf klappt, kaufen wir es sofort und fangen an. Eine irrsinnige Rennerei steht bevor nach Grundbuch, Rechtsanwalt, Baugenehmigung, Architekt, Firmen etc. In Buer sagte man mir, ich könne nicht bauen, was ich wolle, also kein Haus im Schnellverfahren, sondern müsse massiv 1 1/2 Stock bauen. Das ist mir schon recht, doch woher Geld? Natürlich können wir ohne grosse Belastung noch 10.000 aufnehmen und werden es wohl auch tun. Mama ist halb glücklich, halb zittert sie (ich auch!).
Sah heute schöne Schuhe für Deine Frau. Hoffentlich hat der Einkauf geklappt. Es war wie immer, trotz Nerven für Euch, schön in Köln. Wera fragt mich nach jedem Brief von Dir, ob Du zum Donnerwetter! nicht endlich kommst. Ich beruhige sie und stelle Dich für Anfang August in Aussicht. Eher wird es wohl nicht klappen wegen England. – Habe mich Dienstag mit

Adalbert Suntinger in aller Ruhe an einem Kräuterlikör, den er
mitbrachte, betrunken. Es war schön.

Lieber Hein, grüsse besonders Deine lb. Frau und dann alle anderen. Immer Dein Ada.

Anbei Kritiken. Schickst Du sie mir bald wieder. Ich habe nur
diese.

BA4, 2S, eh

141   Heinrich Böll an Ernst-Adolf Kunz
den 16. Juli 1949

Mein lieber Ada, Dein Brief enthält doch einiges sehr Positive:
die Kritiken und die Aussicht, nun wirklich bald zu bauen. Ich
bin sehr gespannt. Warte mal ab, vielleicht baut sich Euer Theater doch noch aus. Mir scheint doch die Sache jedenfalls Hand
und Fuss zu haben.

Ich ackere meine letzte Woche jetzt ab, am Samstag beginnen
meine Ferien, nächste Woche. Gleichzeitig fährt auch meine
Frau Anfang der übernächsten Woche, so am 25. herum. Es
trifft sich alles sehr gut, Mitte nächster Woche ist grosse Konferenz bei Middelhauve mit Zänker, Schaaf, Middelhauve; ich
habe das Angebot, den Erzählungsband endgültig mit allen
Rechten zu verkaufen. Wenn es klappte, wäre schön. Falls die
Firma Geld hat, klappt es vielleicht. Man tut das natürlich
nicht gern, weil man sich in den Ruf bringt, Notlage armer
Schriftsteller auszunutzen. Aber ich versuche, ihnen jede Sen-
timentalität auszureden. Dann hätte ich für 1 1/2 Jahre Ruhe
(6-10 000 Dm). Auf jeden Fall bekomme ich nächste Woche
wieder Vorschuss, der gerade langen wird die Schulden zu bezahlen, meine Frau endgültig zu starten und selbst etwas für
die Ferien zu behalten. Etwas Geld habe ich inzwischen
durch Schüler und Feuilleton eingenommen; meine Frau hat
sich reizende Schuhe gekauft, rehbraunes Wildleder, wirklich
schön. Ihren Pass hat sie gestern bekommen und kann nun
erst Montag nach Düsseldorf, das Visum holen, dann muss

beider Nummern nach England geschickt werden und die Fahrkarten kommen dann per Luftpost mit eingetragener Passnummer. Das wird alles zusammen eine Woche dauern. Die Taube bekommt dann Urlaub und muss für zwei Monate entlohnt werden!

Ich komme dann wahrscheinlich so Dienstag – Mittwoch der übernächsten Woche, sobald meine Frau abgefahren ist. Mensch, Ada, allein der Besitz eines Reisepasses erscheint mir schon paradiesisch, dieses Ding in den Fingern zu haben. Die beiden Bengels stehen auch drin, sie kommen eher nach England als ihr Vater! Wir hoffen nur, dass René bis dahin wieder etwas kräftiger wird. Er hat eine arge Magenverstimmung als Folge zu vieler Sulfonamid-Präparate; nun kann er nichts Kräftiges vertragen und wird erfolgreich [mit] einem Eiweisspräparat über Erbrechen und Durchfallgefahr hinweggedoktert.

Das Klima ist finster, tropisch, feucht und schwül und selbst nächtliche Gewitter bringen keine Kühlung. Alles in allem muss ich nächste Woche 500,– Dm haben, sprach schon telefonisch mit Z., hörte ihn grinsen, ich hoffe fast auf mehr. Mein Gott, ich habe den Brüdern doch meine Arbeit aus zwei schweren und sehr produktiven Jahren zu Füssen gelegt. Allerdings haben sie auch unter der allgemeinen Geldknappheit zu leiden. Paris muss klappen, Ada, ich denke mir, es kann nichts schaden, wenn wir Pass und andere Papiere schon mal haben. Dann geht es in jedem Falle schneller. Also, auf Wiedersehen, Grüsse an alle. Ich freue mich auf die Ferien, werde zuerst nichts tun und dann schwer arbeiten. Es wird mir sehr bitter werden, Frau und Kinder so völlig ausser meiner Reichweite zu haben.

Viele, viele herzliche Grüsse an Euch alle

Immer Dein

Hein

BA5, 2S, m

142   Ernst-Adolf Kunz an Heinrich Böll
Gelsenk. d. 24. Juli 49

Mein lieber Hein – ganz kurz will ich Dir heute schreiben, da ich
wieder eine mörderische Rolle lernen muss. Sie ist sehr stark
und gút aber lang zum Verzweifeln. Ich weiss wirklich nicht, ob
ich es in einer Woche schaffe, denn am 2. August soll die Première sein. Oft frage ich mich, warum ich das alles noch mitmache.
Man verlangt von uns Leistungen, wie sie kein richtiges Theater
verlangt und der Erfolg ist gleich Null. Es macht keinen Spass
mehr. Am 1. Okt. hört auch meine Unterstützung auf und dann
muss ich etwas anderes machen. Ich habe auch schon realisierbare Pläne, an deren Vorbereitung ich jetzt noch nebenher arbeite.
Ach, ich freue mich wenn Du kommst und ich mal mit Dir über
all den Kram sprechen kann. Vielleicht hast Du als Aussenste-
hender ein besseres Urteil. Vielleicht kannst Du schon in 10 Tagen hier sein? Es wäre wundervoll. Wir planen, obwohl fast alle
pleite zu Deinem Kommen das Sommerfest. Nun mach Dir keine Sorgen um die Parole! Wenn Du kein Geld hast, ist es nicht
schlimm. Wir schaffen es so. – Wera ist heute bei K. Heinz. Sonst
alle gesund.
Grüsse die ganze Familie von mir.
Immer Dein Ada

BA4, 1S, eh

143   Heinrich Böll an Ernst-Adolf Kunz
Köln-Bayenthal, Schillerstraße 99, den 26. Juli 1949

Mein lieber Ada, ich will Dir schnell schreiben, was hier Neues
zu melden ist. Meine Frau ist fix und fertig zur Abfahrt, aber: René hat die Masern gefangen und Raimund die Pocken in einer so
schweren Form, wie sie bisher nicht üblich waren: riesige eitrige
Flatschen, die ziemlich sicher Narben hinterlassen werden. Nun,
das ist nicht das Schlimmste; wir haben einige böse Tage gehabt,
fast eine Woche, zumal der Kleine wegen seiner Magengeschich-

te nur mit einem sehr kostspieligen Eiweisspräparat vor der Entkräftung bewahrt werden konnte. Trotz allem rechnet meine Frau spätestens am 1. August fahren zu können. Es ist vielleicht gut, diese Verzögerung, ich hätte doch kein Geld zu Euch zu kommen, bis dahin erwarte ich noch einiges. Nun heisst es die beiden gegenseitig vor Ansteckung zu schützen, damit der eine nicht die Masern und der andere nicht die Pocken fängt, was eine weitere Verzögerung von acht Tagen fordern würde. Deshalb strenge und aufreibende Trennung. Heute geht es beiden wieder besser, aber die Hitze ist gross, das Geld ist knapp und ich streiche mit Bitternis im Herzen an den schönen Caféhausterrassen vorbei. Meine Unterredung mit den Verlagsbrüdern vorige Woche verlief teils gut, teils schlecht; das unmittelbare finanzielle Ergebnis waren 200 Mark, – ein Tröpfchen – ich habe sieben, wirklich sieben Stunden mit den Brüdern gerungen, bzw. sie mit mir – lediglich unterbrochen durch Mittagessen – und bekam zum Ende, da ich ungebrochen und mobil – durch Verlagskaffee und Verlagszigaretten gestärkt aus diesen Runden hervorging – das Angebot eines Fixums vom 1. September ab. Höhe noch unbekannt, doch selbst eine geringe Höhe ist für die heutigen Verhältnisse erstaunlich. Mein Gott, das war eine Gelegenheit, meine Vitalität und mein Selbstbewußtsein zu erproben. Nun, der Verlag hat natürlich auch zu kämpfen – wer kauft Bücher, selbst gute, betrachte uns! – und man wollte mich mit Gewalt von den Vorschussforderungen auf das Erzählungsbändchen abbringen. Nun, ich bin hart, stur, frech, gemein, zynisch geworden; ich drohte damit, keine Zeile mehr in meinem Leben zu schreiben und mich sofort um eine Existenz als Zuhälter umzusehen und verliess – uns allen lief der Schweiss herunter – relativ siegreich das Podium meiner ersten grösseren Verhandlung. Nun fehlt mir nur noch eine kleine Ueberbrückung – meine Schulden sind wirklich nicht übermässig bedrückend mehr (ich glaube 3-400 Mark). Das Fixum bekomme ich dann, bis die beiden Bücher auf dem Markt sind. Lemberg ist schon im Satz, ich habe die ersten Bogen gesehen, raffiniertes kleines Format, Umfang etwa 150 Seiten, Titel immer noch unbekannt. Nun, ich freue mich sehr, endlich einmal wieder zu

Euch zu kommen und alles mit Dir zu besprechen; meiner Frau
geht es gut, Gott sei Dank hat sie die Schuhe nun schon, wahrscheinlich wäre es jetzt nicht mehr möglich gewesen, ich habe
buchstäblich in 10 Tagen fast 30 Mark in die Apotheke getragen,
ganz zu schweigen von der Nervenrechnung.

Nun murkse ich an einem Roman herum, mit dem ich die Brüder von meiner Leistungsfähigkeit überzeugen will. Aber es
wird nicht so richtig; es ist zu heiss, ich bin zu müde, und was es
nicht alles für Entschuldigungen gibt; im Grunde bin ich zu faul
und lese nachts zu lange, so dass ich den ganzen Tag marode bin.
Vorige Woche kaufte meine Frau mir (auf Pump) eine grosse Flasche Doppelkorn, die ich alleine verpitsche.

Sonst wirklich nichts Neues. Der Dicke sieht aus wie ein Aussät-
ziger und leidet sehr, ich muss immer singen, meine Frau auch;
wenn der eine heiser ist, fängt der andere an, auf diese Weise findet er manchmal etwas Schlaf; ganze lange Balladen von Hunden, Katzen, Blumen und Pferden presse ich aus meinem müden Hirn; Schlafmittel wirken nicht bei ihm, nicht einmal starke.

Also, Ada, soweit ich noch etwas vorhersagen kann, komme ich
im Laufe der nächsten Woche und auf irgendeine Weise werden
wir schon ein paar Flaschen Wein auf die Beine bringen. Anfang
August erscheint auch endlich die lit. Revue, die im April fällig
war, dann kriege ich auch wieder etwas Geld.

Was hältst Du von dem Titel: WOHIN DER WEG FUEHRT
für »Lemberg«? Ich schreibe, sobald ich Genaueres weiss. Grüsse alle herzlichst von uns allen: Deine Mutter, Vater, Wera und
Karl-Heinz − − ich kenne Euch glaube ich kaum noch wieder, so
lange war ich schon nicht mehr da, aber es ist ja eine finstere
D-Mark-Flaute und wer wird einem Schriftsteller Geld pumpen?

Also, auf Wiedersehen, viele, viele Grüsse auch von meiner Frau
an alle

Dein Hein

BA4, pers K, 1 1/2S, m

144   Heinrich Böll an Ernst-Adolf Kunz
Köln, den 4. 8. 49

Mein lieber Ada, meine Frau fährt wohl diese Nacht oder spätestens morgen, ich habe dann noch einiges Geschäftliche für meinen Bruder Alois zu erledigen, der 8 Tage in Urlaub ist, und käme dann wahrscheinlich Samstag oder Sonntag. Ich kann es deshalb nicht genau sagen, weil ich nicht weiss, wie sich einige geschäftliche Dinge (Wechseleinlösung!) regeln lassen. Die Kinder sind prächtig in Schuss, essen enorm und können alles wieder vertragen. Ich gedenke schwer, schwer zu arbeiten; in dieser Zeit, bis meine Frau wiederkommt, will ich einen neuen Roman fertig haben. Ich muss, muss, obwohl es mir zum Halse heraushängt. Aber die finanzielle Situation ist finster; wenn ich nicht dem Verlag meine Produktivität jetzt mit einem neuen Schlag beweise, sitze ich im Frühjahr schwer in der Tinte. Wenn ich richtig ans Arbeiten käme, wäre der Roman in drei Wochen fertig, aber die dauernden, dauernden schweren Sorgen machen mich wirklich kaputt. Die Kinder haben viel Geld gekostet, drückende Schulden habe ich nicht mehr sehr viel, aber auch nicht viel Geld zu erwarten. Ich habe drei Romane angefangen, aber wenn sie bis auf 30-40 Seiten gediehen waren, war wieder Feierabend, weil ich tage- oft wochenlang unterbrechen musste, um irgendwie Geld zu verdienen oder zu pumpen. Es ist eine elende Schinderei. Aber ich komme. Mein Gott, es sind mehr als drei Monate, dass ich bei Euch war, und ich habe in dieser Zeit nicht viel schreiben können. Alles daneben geraten. Gestern las ich die kurze Biographie von Jack London in Readers Digest. Es ist tröstlich zu erfahren, dass die anderen auch nicht alles gleich gekonnt haben, und auch manches ihnen misslungen ist.
Von Reisevorbereitungen und vielerlei Aufregungen (meist finanzieller Art) sind wir beide vollkommen erschossen. Ich hoffe, dass es meiner Frau guttun wird, wenn sie einmal einen Monat lang nicht den alltäglichen elenden Zauber der Haushaltssorgen mitzumachen braucht. Für mich bedeutet die Auflösung des Haushalts ja auch eine Entlastung, ich hoffe mich finanziell in dieser Zeit etwas zu erholen, und zu arbeiten, zu arbeiten ...

Nun ist alles, alles fertig zur Abreise, die Koffer gepackt, die vielen Kindersachen geflickt, gewaschen, gebügelt und was weiss ich alles und wir warten auf die Fahrkarten. Sie sollten Montag schon kommen, Dienstag sollte die Geschichte losgehen, aber sie sind noch nicht da. Düsterste Vermutungen (verlorengegangene Briefe, plattgeschlagene Karte – Wert 200 Dm!!), alles Mögliche. Nun, es heisst weiter hoffen und die Nerven auch diese letzten Schläge noch hinnehmen zu lehren ...
Ich wage kaum noch zu sagen, wann und ob ich komme, aber ich komme, und ich empfehle mich Eurer Barmherzigkeit. Schreib mir, was Ihr plant und ob ich als vielgeplagter Mensch, Familienvater (und nebenbei noch »freier Künstler«) mit Eurer Vergebung rechnen kann ...
Schreib mir bald, verzeih die ewigen Retardierungen, an denen ich schuldlos bin und grüsse, grüsse alle herzlich
Immer Dein
Hein

BA5, 1 1/2S, m

145   *Heinrich Böll an Ernst-Adolf Kunz*
Köln, den 17. 8. 49

Mein lieber Ada, ich habe deshalb nicht gleich geschrieben, weil ich Dir noch einiges Neue mitteilen wollte. Am Samstag hatte ich telephonisch Krach mit dem Verlag, heute daraufhin eine Unterredung, Ergebnis: beiderseitiges vollstes Einverständnis, monatliches Fixum für mich am 1. September 200 Dm. Ich bin restlos glücklich. Mehr kann man heute nicht erwarten. Das Fixum läuft zunächst bis Januar; bis dahin hat sich dann herausgestellt, ob mein Buch Erfolg hat. Der Titel wurde auch heute festgelegt unter eifrigem Rauchen von Verlagszigarren und zwar: »Der Zug war pünktlich«. Ich muss nur, weil der erste Satz des Manuskripts genauso heisst, den Text geringfügig umändern und es bleibt dabei, dass es September fertig wird. Ich bin sehr froh. Mit dem Fixum können wir wirklich das Notwendigste bestreiten, ausserdem habe ich ja noch Schüler und käme also auf 380.– Dm (für das Fixum brauche ich ja direkt nichts zu tun). Immerhin, ich arbeite weiter, tippe und überarbeite jetzt zunächst mal »Das Vermächtnis« ganz neu (bin schon bis Seite 51), und hoffe Ende dieser Woche damit fertig zu sein. Das Fixum gilt als Vorschuss auf den Erzählungsband; wenn das »Vermächtnis« gefällt, wird es daraufhin verlängert. Vor allen Dingen bin ich meiner Frau wegen sehr froh über diese Regelung. Es wird schon klappen.

Nachdem ich Samstag am Telephon schwer Krach gehabt hatte, haben wir uns heute hier oben auf meiner Bude auf die süsseste und verbindlichste Weise unterhalten. Ein kleiner Krach kann also Wunder wirken.

Gleichzeitig erschien heute die »Revue« mit meinem Beitrag, das gibt mir wieder Auftrieb und bringt auch Geld. Ich habe es dringend nötig. Ich war schon auf dem besten Wege, zur Wohlfahrt zu gehen . . .

Nun, es war schön bei Euch, ich danke Deiner Mutter wirklich sehr für diese ruhigen und angenehmen Tage. Ich habe hier wirklich gleich mit grossem Mute und neuen Nerven angefangen und bringe in einer Woche das »Vermächtnis« hin. Wenn eben möglich komme ich noch mal, ehe meine Schule wieder anfängt, aber dann spätestens zu Deinem Geburtstag.

Ich schicke Euch eine Revue, sobald ich welche zur Verfügung habe, ich habe beim Verlag ein paar billigere Ausgaben bestellt. Diese Nummer hier muss ich zur Reklame etwas rumreichen, aber ich denke ja an Euch.

Schreib mir bald, was Du machst, wie es geht und ob sich Dein Plan wird realisieren lassen. Es interessiert mich sehr, Du weisst ja.

Ich will jetzt mit neuem Mut an meine grössre Arbeit gehen, sobald ich das »Vermächtnis« nicht mehr zu bedenken brauche.

Hier ist alles wohl. Meine Frau ist wirklich sehr erleichtert über diese neue Regelung. Wir standen buchstäblich vor dem Nichts. Die Kinder sind gesund, frech und haben erstaunlichen Appetit, alle beide, René zahnt schwer (Backenzähne!) und ist manchmal etwas gereizt, es wird schon alles werden . . .

Sonst alles beim alten. Tilla, Opa und allen geht es gut, nur mein
Bruder Alois hat grosse Sorgen.

Mein Verleger Dr. Middelhauve ist übrigens auch in den Bundestag gewählt worden, vielleicht wird er Minister ...

Ada, arbeite und habe Mut, man spricht allgemein von gelinder
Besserung. Versuche doch irgendwie in die Zeitung reinzukommen; falls ihr die geringste Verbindung habt, nur ran; es ist ja
ganz gleich, wo du anfängst. Ich helfe Dir gerne. Nur Mut ...

Schreib mir, ob die Ostseekandidaten gut angekommen sind
und die erforderliche Bräune hatten. Nun, ich habe für dieses
Jahr meine Ferienpläne grösseren Umfanges noch mal beiseite
gestellt, dafür also nächstes Jahr. Ada, nur mal drei Wochen
schlafen und nichts von der Literatur hören ... und nicht dran
denken ...

Komm, wenn du Lust hast und schreibe auf jeden Fall ...

Grüsse alle, alle herzlich, ganz besonders Deine Mutter – – auch
von meiner Frau ...

Immer Dein und Euer

Hein

BA4, 1 1/2S, m

146   *Ernst-Adolf Kunz an Heinrich Böll*
Gelsenkirchen d. 20. Aug. 49

Mein lieber Hein – eitel Freude herrscht auch in unserer Familie
über Dein wohlverdientes Fixum. Du siehst, es ist nicht alles
hoffnungslos. Ich finde dieses Fixum ist für Dich ein ganz wesentlicher Schritt vorwärts. Nicht nur finanziell! Ich möchte behaupten, dass nicht 100 junge Schriftsteller so etwas haben. Es
ist offensichtlich ein Beweis dafür, dass die alten Literaturhasen
wissen, was sie mit Dir gefangen haben. Der Titel ist gut und ich
bin bestimmt sehr optimistisch in bezug auf den Absatz. Es
freut mich auch sehr, dass Dir die Tage hier gut bekommen sind
und Du wirklich wieder arbeiten kannst. Sei fleissig und komm
zur Belohnung wieder her. – Seit einer Woche probe ich mit Ire-

ne jeden Tag das neue Stück. Nita hat es mit rührender Mühe
ganz abgetippt. Der erste Akt sitzt beinahe. Wir haben natürlich
jeder einen Haufen Text und es ist nicht einfach ohne Souffleur.
Aber wir schaffen es. Erdmann ist auch sehr angetan von dem
Plan, was ich gar nicht erwartet hatte. Ich habe grade Willi Diehl
in Burbach geschrieben, er solle mir sofort 130 Dm schicken.
Hoffentlich reagiert er positiv. Davon hängt alles ab. Hat er sie
erst mal geschickt, kann er auch nicht mehr abspringen. So sicher er mir alles zusagte, zittere ich natürlich doch. Dabei ist es
für ihn kein Opfer und kein Risiko. – Habe gestern Dein Foto in
einen echt silbernen Rahmen getan, den ich unter Gerümpel
fand und der ganz schwarz war.
Geputzt und mit schneeweissem Hintergrund hängt Dein
Landserkopf über dem Radio (erhängt am Tage der Fixumnach-
richt!). – Wera ist bei Hella oder K. H., wir sind uns nicht klar
darüber. Sie kam mit K. H. vorigen Samstag braun zurück und
fuhr Dienstag wieder zu Hella und von dort weiter zur Mosel
mit Hellas Freund. Gestern schon wollte sie hier sein. Ich bin
froh über Ruhe und lerne.
Von Middelhauve habe ich gelesen. Grüsse alle von Mama und
mir. Du sei besonders herzl. gegrüsst von Deinem Ada

BA5, 2S, *eh*

147   Ernst-Adolf Kunz an Heinrich Böll
Gelsenkirchen d. 27. Aug. 49

Mein lieber Hein –
die Wochen fliegen nur so. Ich habe wieder viel geprobt und
hoffe, dass das Stück um den 19. Sept. steht. Wir wollen es dann
hier im grossen Zimmer aufführen als Première. Ich hoffe, dass
es klappt. Willi Diehl hat noch nicht geantwortet. Ich werde
langsam nervös. – Morgen werden Dich wahrscheinlich Wera
und K. H. besuchen. – Heute kam Nita. Es geht ihr gut. Du wirst
sie an meinem Geburtstag sehen. –
Am Mittwoch war ich in der »Verschwörung« – einem Stück um

den 20. Juli 44 von Schäfer, das in Essen gegeben wurde. Unheimlich und kolossal fesselnd. Eigentlich Reportage. Glänzend
gespielt.

Wenn Du mal Zeit hast in den nächsten Monaten, habe ich eine
Bitte an Dich, mir ein Einperson-Stück zu schreiben. Vielleicht
3-4 Tippseiten. Den Vorwurf habe ich. Er fiel mir ein bei einem
Vortrag von Reinhold von Walter, der an 3 Abenden hochinteressant im Nachtprogramm über Russland sprach. Ich war restlos begeistert. Sag ihm das. – Also meine Idee ist kurz die: Ein
Sträfling sitzt lange Monate (3-4 Jahre) schon im Zuchthaus.
Das Stück spielt 20 Stunden vor seiner Entlassung. Nachdem er
diese langen Jahre ganz gut ertragen hat, kann er es jetzt nicht erwarten herauszukommen. Natürlich spricht er all seine Gedanken, wie es auch natürlich ist bei solchen Menschen. Der Gedanke, was ihn alles erwartet und dass es noch 20 Stunden sind,
macht ihn nach einer halben Stunde verrückt. – Ich kann alles im
Zusammenhang schlecht schreiben. Ich erzähle Dir das wenn
Du hier bist. – Ich brauche dieses Stück zum Vorsprechen für die
nächste Spielzeit. Es ist bestimmt ein interessantes Experiment.
– Hoffentlich kommst Du bald. Wie klappt es mit der England-
reise? Schreibe mir. – Uns geht es sonst gut. Wera ist kaum hier.
Grüsse alle, besonders Deine Frau.
Immer Dein Ada

BA5, 4S, eh

148   Heinrich Böll an Ernst-Adolf Kunz
Köln, den 7-9-49

Mein lieber Ada, nun ist es mit dem Schreiben umgekehrt; dass
ich in Verzug geraten bin. Du musst verzeihen, ich bin wirklich
krank, habe wieder auf die gemeinste Weise mit meinen Zähnen
zu tun und lasse mich jetzt durch neue Spritzen wieder etwas
aufputschen. Ausserdem finstere finanzielle Sorgen, die sich nur
sehr langsam lichten. Meine Schüler sind alle abgehauen –
Herbst, gute Zeugnisse, nun lassen sie bis Weihnachten alles rut-

schen; es wäre schön, wenn ich dann sagen könnte: Tut mir leid. Immerhin ist das Fixum eine tolle Errungenschaft in der heutigen Krise und ich will wirklich dankbar sein. Dahinter steht natürlich die leise und stetige Forderung nach einem neuen Roman. Eben damit hapert es sehr. Ich bin zu müde, wirklich erschöpft und müsste wahrscheinlich einmal vier Wochen ganz ausspannen. Ideen habe ich genug.

Meine Frau fährt nun ziemlich sicher am 12. 9. – also in 5 Tagen, ich sehe der Trennung mit schwerem Herzen entgegen, wir glauben aber beide, dass es uns sehr heilsam sein wird. Meine Frau wird einmal sechs Wochen keine unmittelbaren, täglich sich erneuernden Haushaltssorgen haben, und ich werde für die gleiche Zeit mich nicht um »unten« zu kümmern brauchen. Es fällt mir schwer, aber ich glaube, dass es gut ist. Man kann nicht immer im gleichen Dreh bleiben und weiter arbeiten.

Ich käme dann zu Deinem Geburtstag, vielleicht Samstag, den 17. oder dann Sonntag. Das wäre in etwa 10 Tagen. Wie lange ich bleibe, kann ich noch nicht sagen, wahrscheinlich werde ich, sobald sich mein Haushalt aufgelöst hat, anfangen zu arbeiten und ich will die Zeit dann nützen, um meinen Roman wenigstens im Konzept fertigzuschreiben. Wenn es gelänge hätte ich wirklich ein Jahr »Ruhe«, da lohnt es sich schon, zu schuften.

Wera hat dir sicher erzählt, dass ich die Korrekturen zu Lemberg abgeschlossen habe, die Sache läuft also wirklich, das Buch wird 150 Seiten, kleines Format. Es ist jetzt nur noch eine Frage von Wochen; ich denke, dass ich Dir zum Geburtstag wenigstens ein Korrekturexemplar werde mitbringen können. Der Verlag ist jetzt sehr »lieb«. Das Geld kommt prompt, eine grosse Erleichterung. Jedenfalls sind Taube und tägliches Brot gesichert, alles andere lasse ich laufen. Ich bin allmählich gleichgültiger geworden meinen Schulden gegenüber, soweit es sich nicht um Leute handelt, die das Geld selbst brauchen. War gestern mit meiner Frau in »Egmont«, sehr gute Aufführung, schönes Bühnenbild, auch das Stück im ganzen brauchbar, nur war viel zu wenig gestrichen worden. Man riskiert das offenbar im Goethejahr nicht. Ich glaube, Goethe wäre es schlecht geworden, wenn er »Egmont« in der letzten Szene unter irrsinnig langen morali-

schen Ausführungen, mit ständig steil erhobenem Zeigefinger
hätte sich aufs Schaffot vorbereiten sehen. Dieser Schluss hat
viel von dem guten Eindruck verdorben. Ging anschliessend
mit meiner Frau einen trinken (vorher auch), wir kamen um 1
nach Hause und fanden René beim Opa schlafend, er hatte ge-
schrieen wie ein Irrer.
Nun, Ada, ich freue mich auf unser nächstes Zusammentreffen
und hoffe, dass bis dahin mein erstes Oeuvre unterwegs ist. Ich
zittere vor der Kritik, werde wahrscheinlich nur noch im Dun-
keln rausgehen. Wenn man etwas gedruckt sieht, findet man
erst die richtigen Schwächen – mein Gott, wieviel falsche Ro-
mantik ist da noch drin. Nun, es lässt sich nicht mehr aufhalten,
und ich muss die »Folgen« tragen . . .
Ich grüsse Euch alle herzlich, besonders Deine liebe Mutter und
meine Frau lässt kurz vor dem Start Euch alle noch einmal grüssen
Immer Dein
Hein

BA4, 2S, m

149   Ernst-Adolf Kunz an Heinrich Böll
d. 8. 9. 49

Mein lieber Hein –
eben kam Dein Brief und ich will Dir schnell antworten. – Wir
alle freuen uns auf Deinen Besuch. K. H. will auch am Samstag
kommen und Nita ist auch da. Sonntag nachmittag um 14 Uhr
oder 16 Uhr spielen wir in dem grossen Zimmer nur für Euch
das fertige Stück. Wir sind dann soweit. – Es war eine grosse Arbeit und ist es noch. Du wirst es bestimmt nett finden. W. Diehl
hat noch nichts von sich hören lassen. Ich habe ihm gerade wieder geschrieben. Es ist zum Kotzen. –
Deiner lb. Frau und den Kindern wünsche ich glückliche Reise.
Mit dem Wetter werden sie Glück haben.
Du wirst dann auch bestimmt zum Arbeiten kommen. –

Mach Dir keine Gedanken über Lemberg, es wird jedenfalls ein
literarischer Erfolg, bestimmt!
Hier gibt es die schönsten Bücher im Ausverkauf mit einer Preis-
senkung von 80-90%. Ich habe keinen Pfennig. Egal.
Mut, Hein und Gesundheit wünsche ich Dir
Dein Ada

BA5, 2S, eh

150   *Heinrich Böll an Ernst-Adolf Kunz*
13. 9. 49

Lieber Ada, brachte diese Nacht um 1 Frau und Kinder an den
Zug nach Brüssel, und kehrte schmerzerfüllt in meine leere Bude zurück. Heute wirkt noch die Taube, dann fängt meine Einsamkeit und Arbeit an. Ich komme wahrscheinlich Samstag-Mit-
tag (18. 9.), wenn eben möglich, 17. Muß aber dann am 19. wieder
weg. Die Arbeit ruft sehr dringend. Finanzen vollkommen erschüttert, Zusammenbruch unvermeidlich.
Meine Frau schwimmt jetzt schon bei herrlichem Wetter auf
dem Kanal.
Grüße an alle
Dein Hein

PK, pers St, eh

151   *Ernst-Adolf Kunz an Heinrich Böll*
d. 15. Sept. 49

Mein lieber Hein –
Karte erhalten. Wir freuen uns auf Dein Kommen. Solltest Du
erst Sonntag fahren, sei bitte schon gegen Mittag da, weil wir
um 16 Uhr die Première haben. Schön wäre es, Du kämst Samstag. Also bis dahin.
Dein Ada

PK, eh

152　Heinrich Böll an Ernst-Adolf Kunz
Köln-B'thal, Schillerstr. 99, 25. 9. 49 Montag

Mein lieber Ada, komm so früh Du kannst; ich erwarte Dich also und freue mich sehr. Wir werden es uns sehr gemütlich machen. Deltgen spielt erst Montagabend. Vielleicht kannst Du so
lange bleiben. Sonntag hätten wir zwei gute Möglichkeiten:
»Cosi van tute« oder »Boheme«. Wenn möglich, schreibe mir bitte, wofür ich Karten besorgen soll. Meiner Frau geht es blendend, auch den Kindern; ich bin sehr beruhigt und freue mich
nun schon auf aller Wiederkehr. Literatur schweigt. Habe die
vergangene Woche einiges tun können, im Augenblick mache
ich richtig Ferien, d. h., schlafe mich gründlich aus. Also komm,
Ada, und bleibe, solange Du kannst oder möchtest. Viele herzliche Grüße an alle, besonders Deine Eltern
Dein Hein

PK, eh

153　Ernst-Adolf Kunz an Heinrich Böll
Samstag [vor dem 28. 9. 1949]

Lieber Hein – wenn es Dir recht ist, komme ich nächsten Samstag d. 1. Okt. schon ziemlich früh. Zwischen 10 und 12 Uhr so
was. – Eben war C. H. O. hier und nahm Wera mit. Brachte Mengen Obst.
Willi Diehl noch nichts! Auch der Scheil scheint nicht anzubeis-
sen. Die können mich alle mal!! Also ich komme zu Dir: Bitte
schreib mir noch vorher. Schau auch nach ob Deltgen spielt. –
Habe »Der Zug war pünktlich« noch mal gelesen und finde alles
noch prächtig.
Also, Hein, ich grüsse alle sehr herzl.
Immer Dein Ada

PK, eh

154   Ernst-Adolf Kunz an Heinrich Böll
Mittwoch nachmittag 28. 9. 49 [Stempel]

Mein lieber Hein – ich schrieb heute morgen auf der Post; hatte
mir die Sache nicht genau überlegt. Also, ich nehme keine Sonntagskarte, da ich Hammelrath, von dem ich Dir schon erzählte
(Bücher) in Oberhausen für ein paar Stunden besuchen will. Er
ist dort seit kurzem Direktor einer Arbeiter-Hochschule!! Ich
fahre also Samstag d. 1. um 10 Uhr mit Karte nach Köln hier ab.
Unterbreche in Oberhausen und fahre am Spätnachmittag weiter nach Köln. Bin dann abends bei Dir. Bleibe bis Dienstag
oder Mittwoch, wie es Dir passt. Wir können, wenn es Dir möglich ist, dann am Montag ins Studio zu Deltgen. Ich glaube so ist
es am besten. Wäre ich nächste Woche nach Oberhausen, hätte
ich durch Sonntagskarte nichts gespart. Also Samstag abend
Wiedersehen in Köln.
A.

PK, eh

155   Ernst-Adolf Kunz an Heinrich Böll
Gelsenk. d. 6. Okt. 49

Mein lieber Hein – habe gerade an Freund geschrieben, dass ich
ihn bald mal besuche mit vorheriger Anmeldung. – Schade, dass
ich das Resultat Deiner Unterredung mit Schaaf nicht noch erfuhr. Er sieht aus, wie ein kleiner Hamster, finde ich. – Schreib
mir ob Deine charmante Familie gut angekommen ist. Hier bei
uns allgemeine Begeisterung über Fotos vom Dicken. Ich vergass, Dir ans Herz zu legen, dass Du nach Beendigung von
Roman sofort hierher kommst und Dich erholst. Allgemeine
Spannung auf neues Werk. Papa fragte gestern, wann »Der Zug
war . . .« herauskommt. Er will ihn sofort lesen. Den Korrekturabzug gebe ich ihm nicht, da er dann nur nach Fehlern sucht. Also Hein, schick uns bitte, wenn es soweit ist, ein Exemplar. – Die
Tage bei Dir waren sehr schön und erholend. Ich danke Dir

dafür. Auch Tilla lege ich meinen Dank zu Füssen, besonders für
Theaterkarten. Grüsse alle, besonders Deine Frau von
Deinem Ada

PK, eh

156   *Heinrich Böll an Ernst-Adolf Kunz*
Köln, den 8. 10. 49

Mein lieber Ada, wenn ich Dir bisher nicht schrieb, so hatte das
einen intimen Grund, den ich Dir ja ruhig verraten kann: ich hatte keine Briefmarke. Nun siehst Du, dass es wieder »aufwärts«
geht: ich kann wieder schreiben, ich habe die Dollars umgesetzt
und zwar auf die einfachste Weise, beim Kellner auf der Reichard-Terrasse. Der Pater muss noch ein paar Tage warten. Meine Frau kam Dienstag nacht mit einigen Minuten Verspätung
an: ich sah den Dicken schon im einfahrenden Zug im Flur stehen und lauern, lief neben dem Zug noch eine lange Strecke her
und unsre erste Begrüssung bestand im Anlächeln hinter Schei-
ben. Meine Frau war restlos groggy, sie war von morgens 9 bis
nachts gegen zwei ununterbrochen unterwegs, René die ganze
Zeit lebhaft wie ein windiger Levantiner, hatte keine Minute geschlafen, unentwegt gewibbelt, ausserdem war der Zug (alle Züge, auch das Schiff) überfüllt mit internationalen Magglern. Die
Kinder hatten sich etwas erkältet und meine Frau war schachmatt; inzwischen hat sie sich ausgeschlafen und glaubt, dass die
Erholung nun erst kommt. Sie erzählt viel Neues, Interessantes
und Wissenswertes, brachte ausserdem einen reizenden Woll-
stoff für sich noch mit, Kindersachen, ein Pfund Tee und etliche
charmante Kleinigkeiten; mein Stoff wird wegen der Kostbar-
keit per Einschreibepaket nachgeschickt. London muss ja wirklich eine wunderbare Stadt sein, ich werde wohl im Frühjahr
dorthin eingeladen …
Meine Besprechung mit Schaaf dauerte ungefähr vier Stunden,
es war bei Reichard draussen zu kühl geworden und wir setzten
sie im Wartesaal fort, Du störtest keineswegs, hättest ruhig da-

bleiben sollen; ich erfuhr manche wissenswerte Verlagsnovität, auch Intimitäten, die nicht unwesentlich sind; es ging hauptsächlich darum, dass ich die Werbetexte für »Der Zug war pünktlich« billigen musste; ich billigte alles; das Buch kommt endgültig fix und fertig Ende Oktober. Am Tage danach kam Schaaf mit Zänker hierher und ich musste ihnen zwei Kapitel meines neuen Romans vorlesen; sie waren – Gott sei Dank! – davon ehrlich begeistert und ich denke mir, dass diese Begeisterung eine Verlängerung des Fixums bedeutet; die Vorlesung selbst war qualvoll, ich hatte nachts kein Auge zugetan, schlief gerade, wurde geweckt, war völlig unvorbereitet und musste lesen; aber es klappte. Ich hatte nachher das Gefühl, eine nicht unwesentliche Prüfung bestanden zu haben. Nun will ich möglichst schnell noch ein paar Kapitel schreiben, die ich längst »fertig« habe, aber du weisst ja, wieviel Zeit ich verplempern muss, um mich irgendwie durchzupumpen; meine Frau hat eine Menge englischer Bücher mitgebracht, eins davon ein Kinderbuch, das wir gleich zu übersetzen beginnen wollen. Zänker hat möglicherweise Interesse daran, es ist ein älteres, tantiemefreies, nicht sehr langes Opus, vom Verfasser von »Alice im Wunderland«.

Die Tilla-Kredit-Masche, von der Du ja weisst, läuft jetzt und wir warten auf Bescheid; das ergibt allermindestens 500.– DM für mich. Ich habe alles gut vorbereitet. Also neuen Mut...

Ich fand meine Frau und die Kinder irgendwie sehr erfrischt von der Veränderung, wenn auch noch etwas müde von der wüsten Reise; das Schlimmste war für meine Frau das stundenlange Schlangestehen mit beiden Kindern vor den Zollschranken. Meine Frau hat eine Menge netter Leute dort kennengelernt; der Gastgeber selbst versicherte ihr noch zum Abschied, dass er alles, was in seinen Kräften steht, tun will, um mein Buch in Amerika und England an einen Interessenten zu bringen. Mir fehlte vielleicht nur ein halbes Jahr Atem, das heisst Geld, Geld, Du weisst ja, wie es geht.

Nun Ada, wünsche ich Dir viel Erfolg mit »Werbi«, lass die Sache wirklich mal starten; besser als die Drucksachen rundschicken, wäre noch eine direkte Chance, also jemand, für den [Du] sofort

– durch irgendeine Vermittlung oder Empfehlung etwas tun
könntest. Also für die Texte sehe ich mich aus.

Ich grüsse Euch alle, Ada, vielmals und herzlich und komm nur,
wenn Du kannst. Ich hoffe doch, dass ich vor Beendigung des
Romans noch einmal kommen kann, sonst würde ja ein halbes
Jahr verstreichen müssen. Ich will diese Sache wirklich sauber
aufbauen und ausarbeiten, und es fehlen mir doch immerhin
noch mindestens drei Viertel.

Also, auf Wiedersehen. Karl-Heinz und Wera sind immer gerne
hier als motorisierte Gäste gesehen.

Immer Dein
Hein

BA4, 1 1/2S, m

157　*Ernst-Adolf Kunz an Heinrich Böll*
Gels. d. 25. Okt. 49

Mein lb. Hein – nun habe ich vorige Woche ganz vergessen, das
Schauspiel mitzunehmen. So Du Porto hast, schick es mir bitte!
Fräulein aus Bücherei der Stadt war von Deinen zwei Revue-
Stories ehrlich begeistert. Mit literarischen Bekannten hat sie
darüber diskutiert und alle waren unwahrscheinlich fasziniert.
Alles gespannt auf Roman. Habe ihr heute den Korrekturabzug
gebracht. Sie war glücklich. – Las gerade »Die Welt von gestern«
von Stefan Zweig, Du musst das unbedingt besorgen und lesen.
Ich hielt Zweig immer etwas für dekadent (Novellen um Clau-
dia!), bin jetzt restlos von seiner Persönlichkeit begeistert. Ein
wirklicher Europäer und Antimilitarist. Letztes Buch von ihm
vor Selbstmord. Pest von Camus sehr gut. – Begann gestern meine Vertretertätigkeit ohne Erfolg mit grosser Nervenbelastung.
Heute wahrscheinlich an einem grossen Schild 9 DM verdient.
Erfahre es morgen. Versuche sonst noch einiges. Aber alles ist
widerlich. Lerne 4 Vorsprechrollen und will Anfang Dezember
zu Maisch. Das muss klappen. Hein, stell Dir vor, ich könnte in
Köln wohnen! – Wie geht es Deiner Familie? Denke an Mittel

und Rezepte, noch etwas Geduld. – Papa kann kaum noch laufen, doch ist er sonst wirklich nicht krank. Wera arbeitet seit heute wieder. Wann kommst Du. Spätestens zum 18. Nov. Weras Geburtstag!
Grüsse alle sehr herzl. Sag Alois, der Professor war über seine Bereitwilligkeit froh. K. H. sagte es mir. Immer Dein Ada

PK, eh

158   *Heinrich Böll an Ernst-Adolf Kunz*
Köln, 28. 10. 49

Lieber Ada, vorgestern hatte ich die letzte Besprechung mit Zänker, der hier war, wegen des Buches (Titelumschlag). Es erscheint also in den nächsten vierzehn Tagen und ist schon angezeigt, ausserdem ist irgendwo eine Leseprobe angenommen, ich weiss nicht genau, wo. Es kann also von denen, die sich dafür interessieren, bestellt werden: Böll, Der Zug war pünktlich, Vlg. Middelhauve, Opladen, Preis 6.30 DM. Ich habe die Anzeige im Börsenblatt des Deutschen Buchhandels gesehen; sie ist etwas aufschneiderisch (Vergleich mit Borchert u. ä.). Der Umschlag ist von Karl Staudinger gezeichnet, in ganz grauen Tönen, von dunkelgrau bis weiss, die Schrift dunkelgrün. St. hat für Rowohlt viel Buchumschläge entworfen. Nun kann es also losgehen.
Ich arbeite stetig weiter am neuen Roman und habe ausserdem eine neue Novelle zur Hälfte fertig, Umfang etwa wie »Der Zug war pünktlich«. Eine Jugend-Liebesgeschichte.
Richte Karl-Heinz bitte aus, dass die Kaffee-Geschichte nicht geklappt hat (Verhaftung). Mit solchen Sachen haben wir nun mal kein Glück. Aber wenn er seine Bekannten wegen »Zug war pünktlich« alarmieren könnte, wäre schön. Ich selbst kann keine verkaufen. Es ist auch besser, wenn alles durch den Buchhandel geht. Also, nun fängt es wirklich an . . .
Gleichzeitig kann ich melden, dass Tillas Masche – Du weisst wohl noch – jetzt gezündet hat. Wunderbar. Kann die dringend-

sten Schulden mal wieder bezahlen. Und mir ein Paar Schuhe kaufen. Zänker war von neuem Roman sehr begeistert, es gefiehl ihm am besten von allem, was er bisher gelesen hat. Nun, ich lasse nach Möglichkeit den Entwurf nicht mehr los. Was aus der anderen Geschichte wird, müssen wir mal sehen. Ob ich so bald (18. II.) kommen kann, weiss ich noch nicht. Ich muss sparen, sparen, sparen, und vor allem haben wir viel zu tun. Die Stundengeberei geht wieder los, Gott sei Dank, ausserdem tippt meine Frau und ähnliches, und wahrscheinlich müssen wir für M. ein ganzes Märchenbuch übersetzen, mit sehr vielen Gedichten, darauf freue ich mich am meisten. Sonst alles hier wohl, Kinder, Frau, angesichts neuer Hoffnungen, geht die Arbeit noch besser. Morgen fahren wir alle nach Ahrweiler zum Grab unserer Mutter.

Meine Frau entwickelt sich allmählich zu meiner Stenotypistin. Sie schreibt sehr sauber und macht in der Schnelligkeit Fortschritte. Leider sind wir in Rückstand gekommen, weil die Taube eine Woche krank war.

Alois dankt Carl-Heinz für manche seiner Mühen, er glaubt, bei einer ganz genauen Kalkulation noch billiger gehen zu können. Wir fanden es nett, dass er hierherkam, es war wirklich schön.

Nun wünsche ich Dir viele Schilderaufträge, Ada, und Mut. Das ist natürlich keine reine Freude, kann ich mir denken, aber vielleicht macht es erst etwas mehr Spass, wenn sich ein gewisser Erfolg zeigt. Ich denke auch an die Vorsprechrolle, Ada, bestimmt. Ich muss erst ein bisschen zur Ruhe kommen. Wenn Tillas Masche anläuft, etwa Montag oder Dienstag, dann habe ich wirklich einmal Zeit ... Zeit. Bisher bin ich nur immer herumgerannt. Es kommt. Ich lege Dir das Stück bei. Ihr könnt ja mal versuchen. Schluss soll im dunklen Schlafzimmer spielen worin es langsam heller wird. Draussen Postengespräche. Ende: Invasion.

Es wäre schön, wenn Du bald noch einmal kommen könntest. Ich bin zwar an der Reihe, aber mit dem Geld ist trotz Masche finster: ich habe die vierstellige Schuldenziffer lange schon überschritten; allerdings auch eine kleine Aussicht, vom Kultusministerium eine Existenzbeihilfe zu bekommen. Der Antrag wird vom Verlag befürwortet und geht direkt an die Frau Minister. Ausserdem wird vielleicht das Buch verkauft ...

Ada, ich grüsse Dich und alle Deinen, besonders herzlich Deine
Mutter, und wünsche Deinem Vater gute Besserung. Hier ist es
kalt, kalt geworden ... zum Glück haben wir, wenn auch noch
nicht bezahlt, Briketts im Keller ...
Immer Dein
Hein

[ehZ] Montag gehen ich zur Buchhandlung neue Bücher kaufen.
Grüsse an Wera
Hein

BA5, 2S, m

159   Ernst-Adolf Kunz an Heinrich Böll
1. Nov. 49

Mein lieber Hein – Dank für Deinen Brief und das Stück. Ich
glaube, es wird ein sehr brauchbares Höspiel. Da an diesen Spielen grosser Mangel ist, müsste man es bequem mit etwas Ge-
schick unterbringen können. An den ersten beiden Akten ist
kaum etwas zu ändern. Sie sind so gut und brauchbar. Der 3. Akt
macht mir noch einige Kopfschmerzen. Ich will ihn in Deinem
Stil weiterführen und ganz kurz halten, da sich das Paar eigentlich nichts Wesentliches mehr zu sagen hat. Es wird sowieso zur
Hälfte ein Dialogstück und deshalb für den Rundfunk besonders geeignet. Na, ich fange mal an und lese Dir alles vor. Allerdings werde ich in Zukunft wenig Zeit haben, da ich einen neu-
en Beruf gefunden habe, bei dem ich gut zu verdienen hoffe.
Durch den alten Suntinger geriet ich an einen Fabrikanten von
Kugelschreibern zum Preis von 2,50 DM. Ich muss diese selten
billigen und guten Dinger an von der Firma eingerichteten Stän-
den in grossen Warenhäusern verkaufen. Bestand gestern meine Eignungsprüfung bei Althoff in Essen. Die Schreiber gehen
wirklich gut ab und der Kollege in Essen verdient ca. 30 DM pro
Tag. Morgen nun muss ich um 1/2 6 Uhr aufstehen, nach Essen
fahren und von dort nach Duisburg-Hamborn, um in einem

dortigen Kaufhaus einen Stand für mich allein zu übernehmen.
Wenn ich 100 Stück verkaufe, bekomme ich davon 12%. Also
ganz nett. Natürlich ist diese Arbeit körperlich anstrengend.
Von morgens bis abends stehen und die Dinger erklären und an-
preisen. Aber ich muss das schon tun, um das verdammte Geld
zu verdienen. Die Arbeit soll vorerst bis Weihnachten gehen. Also die richtige Zeit! – Sollte ich wirklich verdienen, schicke ich
Dir das Fahrgeld, damit Du bald kommen kannst. – K. H. hatte
keine Aufträge für Kaffee bekommen und so ist wieder alles in
Ordnung. – Ich war mal bei der Schmuckmacherin Gustedt. Solltest Du Interesse an einem Ring haben (ich fragte unverbindlich) so kostet dieser 50-60 DM und ist in beliebigen Raten zu
zahlen. Sie muss nur den Auftrag bis Mitte Nov. haben. Allerdings würde sie es für mich auch schneller machen und später. –
Seit 2 Tagen besitzen wir eine kleine schwarze Katze, die uns zu-
lief und an der die Familie hängt. Sie ist sehr nett und stuben-
rein. – Papa geht es besser und auch sonst ist alles gesund. Geld
bisher knapp.
Verlagsadresse an K. H. abgegangen. Wir sind alle sehr gespannt.
Wenn Du kommst, bring uns alle Besprechungen mit, ja?
Ich grüsse alle von allen. Immer Dein Ada
Heute Hörspiel »Der seidene Schuh«

BA4, 2S, eh

160   Ernst-Adolf Kunz an Heinrich Böll
Hamborn, d. 8. Nov. 49

Mein lieber Hein –
Verkaufe nun seit einer Woche diese Kugelschreiber. Eine irrsinnige Arbeit: Nerven jetzt schon am Ende. Stehe morgens um
6 Uhr auf und komme erst um 22 Uhr nach Hause. Davon stehe
ich 8 Stunden in einem Warenhaus und rede in einer Std. so viel
wie sonst in einer Woche. Auf 10 Vorträge kommt vielleicht
1 Kugelschreiber, dessen Vorteile ich ohne Unterbrechung preise. Verdiene ca. 10 DM pro Tag. Arme Gegend und stures, blö-

des Volk. Kollege in Essen verdient 40 DM pro Tag. Soll eventuell neues Haus in Duisburg bekommen. Hoffentlich. Trotz aller Strapazen habe ich vor, weiterzumachen, denn erstens gewöhnt man sich wahrscheinlich daran und zweitens, wo verdiene ich sonst so viel? Ich hoffe vor Weihnachten täglich in Duisburg 30 DM zu verdienen. So habe ich keine Zeit mehr zum Lesen und sonstigen lieben Gewohnheiten. Wenn Du also mal kommst höchstens Sonntag, und auch da soll gearbeitet werden. – Zu Hause alles wohlauf. Mama ist jetzt immer allein und rackert sich ohne Grund ab. Haus (Grundstück) wird für 8000 verkauft. K. H., der nette Bursche will Reklamehaus (Inneneinrichtung als Zwischenwände aus Wandschränken) für minimalen Preis mitbauen. – Wenn Du Zeit hast, schreib mir wie weit Du mit Roman bist. Anfang Jan. 50 komme ich nach Köln.
Grüsse alle von mir
Dein Ada

Pk, eh

161 *Heinrich Böll an Ernst-Adolf Kunz*
9. II. 49

Lieber Ada, vielen Dank für Deinen Brief. Hoffe, es klappt alles in D.-H. Ich lag 10 Tage mit auf- und abschwellenden hohem Fieber, Kopf-, Brust- und Gliederschmerzen, nahe an der Grenze der Pneumonie und beginne heute gerade mit lahmen Flügeln, aufzustehen und zu arbeiten. Allgemeinlage etwas erleichtert, jedoch nicht rosig. Immerhin zufriedenstellend. Ich habe viel Zeit verloren. Bin noch sehr schlapp und müde. Warte mit starker Nervenbelastung auf endliches Erscheinen des Buches, da es sonst vor Weihnachten für die Kritiker zu spät wird. Die Dezembernummern der Zeitschriften werden jetzt vorbereitet.
Frau und Kinder auch leicht angeschlagen durch Erkältungen.
Herzliche Grüße Euch allen
Dein Hein

Pk, eh

162   Heinrich Böll an Ernst-Adolf Kunz
Köln-Bayenthal, Schillerstraße 99, den 15. ii. 49

Mein lieber Ada, es hätte fast geklappt und ich wäre Ende dieser
Woche gekommen, aber nun bin ich der Ehre teilhaftig geworden, Pate von Wunschens, des Malers, zweitem Kinde zu sein
und ich muß am Freitag oder spätestens Samstag morgen nach
Gummersbach fahren und meinen neuen geistigen Sohn begut-
achten gehen. Er heisst Raphael. Meine Erkrankung war doch
bösartiger als man geglaubt hatte, und ich bin etwas zu früh aufgestanden und schleppe eine böse Bronchitis mit herum, die
nicht mit Schnaps totzukriegen ist. Die aussergewöhnliche Bil-
ligkeit letzteren reizvollen Rauschmittels verführte mich in der
letzten [Zeit] häufig, besonders, da sie akute schmerzhafte Hu-
stenanfälle – jedenfalls für den Augenblick – durch ihr mildes
stetiges Feuer lindert. Mit meiner Arbeit bin ich natürlich auch
in Rückstand geraten und die Finanzen gerieten etwas in Durcheinander, da ich neu auftauchenden Schülern absagen musste.
Aber in den letzten Tagen habe ich schön aufgeholt und ich
kann jetzt sagen, daß ich den Roman zur Hälfte glatt fertig habe.
Am 1. September habe ich daran angefangen. Ich muss jetzt erst
abwarten, wie »Der Z. w. p.« einschlägt, davon wird meine weitere finanzielle Existenz abhängen. Die Schüler tragen viel dazu
bei, unsere finanzielle Situation etwas zu erleichtern, aber auch
die große finanzielle Linie zeigt Besserung; ich habe meine
Schulden konzentriert zu drei großen Summen in milden Händen, kann vor allen Dingen über meine Einnahmen wirklich verfügen und brauche keine neuen Schulden zu machen. Ausserdem bleibe ich weiter um eine (Halbtags-)Stelle bemüht. An
Zeitungen könnte ich gleich unterkommen und ganz nett verdienen, aber ich möchte lieber Schuhe putzen gehen und meine
schriftstellerische Freiheit behalten als letztere verkaufen und
mich damit endgültig auf die finanziell aufsteigende und stilistisch abschüssige Bahn begeben.
Du weisst ja, wie ich darüber denke. Die Beihilfe, die ich vom
Kultusministerium bekommen soll, ist gar nicht so übel und vor
allem besteht Aussicht auf ihre Realisierung. Ich will davon mei-

nen Anzug machen lassen. Als Besitzer kreppbesohlter neuer Schuhe wäre ich dann für die ersten drei Jahre mal wieder gekleidet, brauchte nur noch einen Hut.

Lieber Ada, es interessiert mich brennend, wie Dir Deine neue Tätigkeit bekommt und ob sie sich lohnt. Schreib mir näher und mehr. Ich kann mir natürlich manches denken. Willst Du [es] nicht doch gelegentlich einmal mit Maisch versuchen? Du hast doch gesehen, was hier für Leute engagiert sind. Du musst unbedingt den neuen Greene lesen (Das Herz aller Dinge, Ro-Ro-Ro). Meine Frau erzählte mir schon davon, als sie von England kam, sie hatte ihn da gelesen, aber ich bin nun doch überrascht. Lies ihn, wenn Du Geld dafür hast. Leider habe ich ihn nur gepumpt, sonst schickte ich ihn gleich mit.

Radio Frankfurt hat eine Geschichte von mir angenommen. Näheres weiss ich noch nicht, der Leiter des Nachtprogramm dort, den ich im Mai in Frankfurt kennenlernte, schrieb mir einen begeisterten Brief, und stellte weitere Mitarbeit in Aussicht. Immerhin ein Anfang. Ausserdem wird Radio Stuttgart vor Weihnachten eine Probelesung aus dem Buch bringen, vielleicht auch Köln. Die Brüder geben leider um Manuskripte nichts und sind so primitiv, daß das Gedruckte ihnen wirklich mehr imponiert. Nun, da muss man eben warten. Ausserdem bat mich die sowjetisch lizensierte Zeitschrift OST UND WEST um einen Beitrag. Ich bin sehr gespannt, was aus alledem wird. Die lit. Revue scheint auch schwer zu kämpfen, Honorar von August noch nicht bekommen. Allgemein aber scheint sich die finanzielle Situation etwas aufzulockern.

Ich hatte infolge der engen Wohnverhältnisse sämtliche Familienmitglieder angesteckt; inzwischen sind alle bis auf René wieder kuriert, der aber die grösste Zähigkeit zeigt; er macht uns wirklich viel Freude, zeigt grossartigen Appetit, Munterkeit und fängt langsam an zu laufen. Er ist Raimund völlig entgegengesetzt; letzterer ausgesprochener Lymphatiker (leicht zur Matschigkeit neigend), René zäh, dünn, gesund und lebhaft. Raimunds Größe und Erwachsenheit erschüttert mich immer wieder, zeigt die ersten gröberen Spuren von Frechheit, verbunden mit Originalität, spielt schon auf der Straße in der großen Schar, und ich habe das Gefühl, daß er bald in die Schule gehen wird. Manchmal unternehmen wir Fluchtversuche, indem wir die Kleinen dem unvergleichlichen Opa überlassen und uns abends für zwei Stunden irgendwo ins Café setzen; leider sehr selten wegen materieller Lage; im Kino war ich seit Monaten nicht.

Meine Bude hier oben ist jetzt auf winterliche Gemütlichkeit umgestellt, der Ofen brennt und ich glaube, es ist gut, daß ich kein Geld habe, sonst wäre immer eine Pulle Schnaps da. Mein Schwager ist immer noch arbeitslos und stempelt sich recht und schlecht durch; er wird überall abgewiesen, weil er völlig unbrutal, anständig und unverbrecherisch ist. Er sinkt unmerklich in wirkliche Verelendung, da er auf seine nackten 30 Mark Stempelgeld angewiesen ist. Wenn Du einmal irgendwo das Geringste hörst (Dr. jur. Verwaltungsjurist, seemännische Kenntnisse, auch kaufmännische) denke mal an ihn. Für seine Zuverlässigkeit, Ehrlichkeit und Tüchtigkeit verbürge ich mich weit über meine eigene (die gering ist) hinaus. Bei Alois geht es rapide aufwärts, ich glaube, daß ich ihn bald ausgiebig anpumpen kann, um Rückendeckung für meinen Roman zu finden.

Lieber Ada, ich komme, sobald ich kann, Du weisst ja. Es wird höchste Zeit, daß wir uns einmal wieder sehen und sprechen. Ich denke, daß wirkliche Erscheinen des Buches wäre dann ein Anlaß; ich bringe es Euch (nur dürft Ihr mich nicht zwingen daraus etwas vorzulesen), aber vielleicht kann ich Euch von dem Neuen etwas vorlesen und wir feiern die Geburtstage der holden Schwestern, die ich beide versäumen musste, nach. Ich hoffe, daß Deine Mutter nicht zu viel Last hat seit Eure Taube gegangen wurde; wir halten unsere wirklich mit allen Kräften, auf Kosten unseres sonstigen Lebensstandards; ich meine, es müsste sehr bitter sein, und wir sind entschlossen, sie unbedingt weiter zu halten. Ausserdem brauche ich wirklich für die weitere Arbeit am Roman unbedingt eine Tippkraft, ich kann es einfach nicht mehr, das Zeug drei- oder viermal tippen, und beim Diktieren spürt man viele Fehler heraus; zudem haben wir eine neue Übersetzungsaktion gestartet, an fünf Zeitschriften und Verlage ausgezeichnete Uebersetzungsproben geschickt, und ich denke, daß da einiges – vor allem von Middelhauve – zu er-

warten sein wird. So wird das Mädchen wirklich zur Lebensnotwendigkeit. Ich denke manchmal daran, bei der geringsten finanziellen Besserung, sie für den ganzen Tag zu engagieren, da
ich die Hilfe meiner Frau als Streicherin und Begutachterin sehr
vermisse.

Ada schreib bald; morgen ist ja Feiertag, ich freue mich für Dich;
ich weiss, wenn man wirklich im Joch hängt, daß solche aussergewöhnlichen Feiertage mitten in der Woche wunderbar sind.
Bald müssen wir wieder einen pitschen. Ich grüße alle bei Euch
herzlich, besonders Deine Mutter von meiner Frau
Immer Euer und Dein
Hein

BA4, pers K, 1 1/2S, m

163   Ernst-Adolf Kunz an Heinrich Böll
15. Nov. 49

Mein lieber Hein – ganz kurz will ich Dir schreiben, ehe ich wieder zur Arbeit muss. Deine Karte war ziemlich beunruhigend.
Schreib doch ob Du alles überstanden hast. – Dann noch etwas:
Sei so gut, und stell einmal fest, ob in Köln im Kaufhof Kugelschreiber durch einen Propagandisten verkauft werden und wie
teuer überhaupt dort die Kugelschreiber sind. Ich habe meinem
Chef den Vorschlag gemacht, mich bis Weihnachten nach Köln
zu versetzen. Ich könnte dort bestimmt bis 40 DM pro Tag verdienen. Für 10 pro Tag möchte ich dann bei Dir wohnen, wenn
das ginge. Du brauchtest dann keine Stunden zu geben und wir
hätten auch sonst noch genug zum Leben und Weintrinken. –
Also bitte schreib mal. Der Chef will auch nach Köln und dort
Schritte unternehmen. Ich wäre dann den ganzen Tag weg und
»fiele Euch nicht zur Last«. –
Habe den Vorschlag gemacht zu Karneval einen entsprechenden originellen Artikel zu verkaufen. Ich meine, da könnte man
viel dran verdienen. – Zur gleichen Zeit könnte ich auch Maisch
mal auflauern und ihn weich machen. Irgend etwas muss ja

klappen. Verdiene weiterhin »nur« 10 Mark pro Tag. Anstren-
gung entspricht 60. –
Also sieh mal zu! Werde schnell wieder ganz gesund und sei mit
Deiner Familie sehr gegrüsst von Deinem Ada

BA5, 2S, eh

164   Heinrich Böll an Ernst-Adolf Kunz
18. 11. 49

Lieber Ada, nahm gestern Besichtigung des K. vor; kein Tisch
da; also Versuch; billigster Schreiber in entsprechender Abteilung 2 DM; sehr viel Betrieb; der blöde Weihnachtsrummel hat
schon eingesetzt, die Hauptverkehrsstraßen sind kaum passier-
bar. Hier alles wieder gesund. Wenn Du nach Köln kommst,
Wohnung hier; Bezahlung lächerlich. Schreib, wie die Sache angeht, Karnevalsidee gut. Fahre heute nach Gummersbach, irrsinnige Kälte, dort wahrscheinlich noch stärker. Viele Grüße an alle
Hein

PK, eh

165   Ernst-Adolf Kunz an Heinrich Böll
Hamborn, Freitag morgen [26. 11. 1949]

L. H. – gestern kam Dein Brief – Meinen wirst Du inzwischen bekommen haben. Eben erfahre ich durch meinen Chef, dass ich
ab Montag in Köln arbeiten soll. Im Kaufhof. –
Hoffentlich passt es Euch. Ich werde wahrscheinlich Sonntag
abend kommen. Wie geschrieben, ich bin den ganzen Tag ausser
Haus. Also habt keine Sorge, dass Ihr Euch um mich kümmern
müsst. – Mein Chef vermutet, dass ich dort viel verdiene. Es
bleibt dann bei meinem vorigen Vorschlag. – Also bis Sonntag
abend. Montag früh fange ich an. –
Grüsse alle herzl.
Dein Ada

Oberhausen mittags

Sehe gerade, dass von hier Eilzug 19.25 fährt. Komme, wenn alles klappt damit. Bin gegen 1/2 10 abends bei Euch.

PK, eh

166   *Heinrich Böll an Ernst-Adolf Kunz*
Köln, 2. III. 50

Mein lieber Ada, wir vernahmen alle mit Bestürzung von Deinem Mißgeschick, hoffen, daß Du inzwischen wenigstens gut zu Hause angekommen bist und daß einer Deiner Pläne sich verwirklichen läßt. Wenn Du den Gasanzünder bekommen könntest, wäre das prima. Das Ding ist wirklich fabelhaft. Vor allem laut- und mühelos und bisher vollkommen zuverlässig.
Es wird bedrückend sein, nun zu Röselings zu gehen und Dich dort nicht mehr vorzufinden [unleserliches Wort]. Vielleicht wäre Köln doch eine bessere Basis für Dich geblieben. Jedenfalls laß von Dir hören ...
Hier auch einige Schreckschüsse: Rai hatte Lungenentzündung, Né stürzte vom Stuhl, fiel auf den Hinterkopf und erbrach kurz danach: die Nerven flatterten nur so; aber alles hat sich inzwischen als harmlos herausgestellt. Rai ist wieder besser, aber sehr schwach – blaß und zart ist er geworden. Trotz allem der Schrecken sitzt! Meine Frau ist vollkommen erschöpft vor Rummel und Arbeit und ich hoffe, daß ich bald irgendwo als Bürohengst hocken kann und wenigstens soviel verdiene, daß wir wieder ein Mädchen haben können. Du weißt ja Bescheid ...
Ich denke oft und innig an Möppens Gebaren ...
Hörte in einer Sendung über die Lage der deutschen Schriftsteller, daß Rowohlt von jungen Autoren 40 bis 60 (!!) Exemplare verkauft hat (!). Im gesamten Bundesgebiet innerhalb eines halben Jahres! Was willst Du mehr?
Schreib bald, bald Ada, was Du machst und sei herzlich gegrüßt von uns allen, besonders von meiner Frau, den Kindern und

Tilla. Auch Opa läßt grüßen. An alle dort viele, viele Grüße.
Freue mich auf Wiedersehen
Hein

BA5, 2S, eh

167   Ernst-Adolf Kunz an Heinrich Böll
Gelsenkirchen, d. 3. III. 50

Poem 1
Wie ward in Köln es doch vordem
Bei Kaspar Roes'lings so bequem –.
Ich hatte dort ein gutes Bett;
Und Jenny war so schrecklich nett!
Nein – nicht im Bett! – nur so im Ganzen.
Zwei Mäuse hatt ich, keine Wanzen –.
Wie schön der ausgedehnte Jour;
Tee trank man eimerweise nur.
»Sie« rauchte Pfeif – ich Zigaretten.
Nur mühsam konnt'
den Schlaf ich retten.
Doch stets die Rettung mir gelang,
Obgleich um 4 Uhr dann erklang
Ein tief liturgischer Akkord – – –
(man hört ihn auch auf dem Abort –)
Was dort entstand, wir ahnen's nur.
Ich schlief bei ein – bis halb 12 Uhr. – – –
Jedoch die Zeit, sie ist vorbei.
Aus grosser Ferne hallt mein Schrei: 2
Ich will per Bahn nach Kölle eilen!
Zu Fuss sind es mir zuviel Meilen.
Kunzoblomow

P. S. Sagt selbst, wer so schön dichten kann,
Der schweigt doch über Thomas Mann.

1) Vertonung nicht gestattet!
2) literarisch gemeint. Verfasser schrie vor 3 Jahren zum letztenmal.

BΛ4, 1S, eh

168 Ernst-Adolf Kunz an Heinrich Böll
Gelsenk. d. 5. III. 50

Mein lieber Hein – bitte schreibe mir doch, wann der Opa Geburtstag hat. Mir fiel das heute ein, und ich möchte doch nicht versäumen, ihm zu gratulieren. – Hab Dank für Deinen Brief. Auf uns alle wirkten die Schreckschüsse ebenso wie auf Euch, doch waren sie natürlich nicht so unmittelbar. Ausserdem scheint ja alles gutzugehen. Ich wünsche Rai gute Besserung und lasse ihn besonders grüssen. Sage ihm, ich hätte den Jäger gesprochen und dieser wolle nicht mehr zu Rai kommen. – Ich vermisse wirklich das Zusammensein mit Euch. Es war immer so nett, trotz der manchmal komplizierten Lage. Irgendwie klappte es dann ja doch. Lasst mich erst mal genug verdienen, damit ich nach Köln ziehen kann und mir würde es grosse Freude machen, Euch zu helfen, wo ich kann. Habe jetzt einige Sachen laufen, die allerhand werden können. Aber ich bin bewusst nicht optimistisch. Irgend etwas wird schon klappen. – Augenblicklich propagiere ich bei Althoff in Buer. In zwei Tagen 51 Kugelschreiber verkauft. Das geht noch, ist mir aber zu wenig. Mal sehen, wie die nächste Woche wird. – Mit unserem Haus scheint es langsam aber sicher zu werden. Manchmal wünschte ich, wir wären ein Jahr weiter. – Eben waren Carl-Heinz und Paul für 2 Stunden hier. Beide sind sehr unbeschwerte Menschen, denen alles nach Wunsch geht. Wenn dieser Zustand mein Ideal wäre, könnte ich sie beneiden. Aber was ist schon mein Ideal? – Ich möchte Dich noch bitten oder Tilde, bei Roeselings nach und nach meine Sachen zu Euch in den leeren Kleiderschrank zu schaffen. Ich habe dort gelassen: einen dunklen Rock mit Bügel, die Bettdecke mit 2 Laken und Kissenbezug, einen Karton mit

schmutziger Wäsche, das Buch von Euch »Schau heimwärts Engel« und Kaspar hat von mir »Der Zug war pünktlich«. Ich hole mir alles mal ab mit Koffer, mit dem ich dann alle Deine Bücher und »Monate« bringe. – Wir waren gestern mal wieder im Kino: Rita und Orson Welles. Orson ist gut, sonst war alles Unsinn. »Lady von Shanghai«. – Hein, grüsse mir sehr herzl. Deine Frau Annemarie! Hoffentlich arbeitet sie nicht zuviel. – Ob Du alle Köhlchen schaffen kannst? Tilde hört bald von mir – jetzt nur viele Grüsse!
Schreib mir nur kurz, wenn Du keine Zeit hast.
Dein Ada

BA4, 2S, eh

169   Heinrich Böll an Ernst-Adolf Kunz
Köln, den 16. III. 50

Mein lieber Ada, nicht nur Vincents Geburt und alles damit Zusammenhängende hinderten mich einige Tage, für Deinen Brief und das Geschenk zu danken. Die ganze Umstellung meines Haushaltes war sehr aufreibend; ich habe ein neues Mädchen engagiert, hatte diese anzuleiten, zu beaufsichtigen und zu beköstigen, Rai unter meinen Fittichen zu halten und täglich meine Frau zu besuchen; René war erst bei Alfred, aber dieser wurde plötzlich krank (Alfred), hohes Fieber: Grippe und René kehrte angesteckt in meine Obhut zurück, heftig fiebernd, dauernd brechend, von argen Halsschmerzen gequält – ich hatte schreckliche 1 1/2 Tage und hoffe, daß nun die eben beginnende Nacht etwas besser wird. Dank Gottes Hilfe ist das Fieber heute gesunken, wenn auch Schmerz und Brechreiz noch anhalten. Unter Anleitung einer guten Ärztin, mit Unterstützung meiner guten Schwägerin – nicht zu vergessen Tilla – geht er offenbar der Genesung entgegen. Jetzt schläft er und ich bereite Pfefferminztee und einen leichten Keksbrei vor. Ich hoffe, daß er am Sonntag, wenn Annemarie zurückkommt wieder völlig kuriert ist . . .
Heute haben wir den Prachtburschen Vincent getauft, etwas ge-

feiert und meine Frau hat nun keine Ruhe mehr im Krankenhaus. Es geht ihr blendend, das Haus ist wunderbar ruhig und
gepflegt, sie hat sich angeblich etwas erholen können. Vincent
ist ein kräftiger dunkler Bursche, der sich an den »Quellen der
Natur« seine Nahrung mit Energie sucht – und findet. Auch dieser Umstand hebt den Gemütszustand meiner Frau sehr.
Rai ist sehr munter, etwas verwildert und auch verwöhnt von
Tilla und Opa; trinkt Bier und isst saure Gurken . . . nächstens
raucht er . . .
Meine finanzielle Lage war bis zum heutigen Tage so furchtbar
wie nie. Mit knapper Not hatte ich das Geld für das Entbin-
dungsheim zusammengekratzt, sonst kein Pfennig . . . Heute erschien als Gratulant vom Verlag Zänker mit einem Scheck von
200.– (100.– Mark Geburtszulage!).
Ich bin erlöst . . . aber wie immer letzter Augenblick.
Außerdem gute Nachrichten: Köln sendet am 4. 4. 16.30 zwei
Geschichten von mir, und das Buch 2 ist im Druck, habe die ersten Korrekturfahnen heute bekommen.
Nun hoffen wir alle, lieber Ada, daß Euer guter Papa wieder gesund wird und in Eurer Mitte bald wieder die gute alte charakteristische Rolle spielen wird . . . ich bitte Dich, ihn von uns allen
herzlich zu grüßen und ihm alles Gute zu wünschen. Braucht er
Lesestoff?
Nun zu Dir: das Zimmer bei Roeselings hat – Walter. Zog vorgestern endgültig dort ein. Ob es bei uns möglich sein wird, so
kurz nach Vincents Einzug kann ich noch nicht sagen, also
komm auf jeden Fall, wir werden schon etwas improvisieren.
Tilla horcht die ganze Marienburg und die ganze Schule ab. Bis
zu Deiner Ankunft ist bestimmt etwas da. Ich bin gespannt auf
Deinen »Artikel«. Einige Propheten kündigen schon lange an,
daß Du wiederkommen würdest. Vielleicht erleben wir einen
schönen Frühling und Sommer hier zusammen. Das Wetter ist
herrlich . . . Dir, lieber Ada, allen deinen, Deiner lieben Mutter
und Wera von uns allen, alle herzliche Grüße
Hein, Annemarie, Rai, Né – Vincent (5!)
Ganz besonders noch einmal Gruß an Deinen Vater!
BA4, 2S, eh

170   Heinrich Böll an Ernst-Adolf Kunz
Köln, den 12. 4. 50

Mein lieber Ada, Dir schnell zu vermelden, daß die allgemeine
Lähmung anhält, bringe ich eben Initiative genug auf. Kein
Mensch bezahlt, so muß ich alle sitzenlassen und gerate in den
Ruf der Kredit-Unfähigkeit.
Wir verbrachten Ostern mit viel Schlaf und einigen kurzen Spa-
ziergängen. Zum Glück wenigstens Zigaretten und für die Kin-
der etwas Schokolade.
Das Roß verließ uns recht betrübt, und meine Frau quält sich
nun alleine mit Kindern, [unleserliches Wort) herum, ich aber
tue – nichts. Vielleicht bald wieder. Bekam von Radio Frankfurt
Bescheid, daß »Wanderer kommst du nach Spa . . .« ausgezeich-
net, prachtvoll usw., aber zu lang für den Funk. Das alte blöde
Lied.
Ich nehme an, daß Du dann Sonntag abend kommst, um Mon-
tag zum Vorsprechen pünktlich um 10 Uhr im Funkhaus zu sein.
Vielleicht klappt es.
Komm auf jeden Fall und wenn Du das Fahrgeld klauen mußt.
Ich habe das Gefühl als wenn es etwas würde. Hoffe, daß bei
Euch sonst alles in Ordnung und lasse alle herzlichst grüßen, be-
sonders Deine Mutter von meiner Frau und mir
Dein Hein

BA5, 2S, eh

171   Heinrich Böll an Ernst-Adolf Kunz
24. 4. 50

Lieber Ada, muß aus Dir bekannten Gründen Fahrt verschieben,
komm mit ziemlicher Sicherheit Donnerstag/Freitag. Leichte
Besserung durch geringen Schülerzulauf, deshalb auch zeitliche
Beschränkung. Viele herzliche Grüße an alle bei Euch
Dein Hein

APK, eh

172   Heinrich Böll an Ernst-Adolf Kunz
Köln, den 4. Mai 50

Mein lieber Ada, wir vernahmen mit Betrübnis von den verschiedenen Spannungen, die es Dir schwermachen; ich kann
mir das wohl denken und habe mir oft vorgestellt, wie es wohl
aussehen mag. Nun, ich habe gut sagen: Geduld und Vertrauen,
und doch: es wird sich schon etwas finden. Ich verstehe sehr
wohl, daß Du auswandern möchtest, würde es – wenn ich nicht
verheiratet wäre – sofort mit Dir zusammen auf gut Glück versuchen. Hast Du mal versucht, die Pressepläne, von denen wir zuletzt sprachen, zu realisieren? Ich komme, sobald ich wieder
ganz gesund bin und Geld habe. Mir geht es wirklich schlecht,
ich habe mich seit 5 Jahren nicht so elend gefühlt. Das Fieber
wollte 6 Tage nicht runtergehen trotz heftiger Sulfonamidstöße,
ich konnte nicht essen, rauchen, schlafen. Dann der Dicke und
René angeschlagen, meine Frau hielt sich tapfer, obwohl sie
auch krank war. Zuletzt engagierte Fräulein Schmitz für uns eine
Hilfe, bezahlte sie auch, so daß meine Frau etwas entlastet wurde. Wir sind jetzt alle wieder gesund, aber ich bin so matschig,
daß ich keine Stunde auf den Beinen sein kann. Opa geht es genauso, er sieht sehr schlecht aus und wankt durch die Gegend.
Geld habe ich noch keinen Pfennig bekommen, außer 50 Mark
Vorschuß von meinem Metzger; davon ging die Hälfte für Medikamente drauf. Ist das nicht eine Schweinerei! Middelhauve
schickte mir die restlichen Korrekturfahnen, aber nicht einmal
Geld für April!! Schrieb groben Brief hinterher, von den Frankfurtern ebenfalls noch nichts. Im ganzen fast 500 Dm, und ich
habe keinen Pfennig. Meine Frau hat irrsinnige Kopfschmerzen,
ich behandle sie mit Migräne-Pulver.
Bei Roeselings ist [es] sehr sehr trübe, die Jenny-Walter Affäre
nimmt trübe und deutliche Formen an, Kaspar ist der Kinder
wegen sehr traurig und ist machtlos. Er vermißt Dich sehr, wie
er uns allen sagte und wünscht, Du wärest wieder bei ihm – als
eine Art älterer Sohn und Freund. Er ist wirklich nett, und ich
muß gestehen, daß ich – obwohl keine allzu moralische Natur –
die Jenny-Walter-Geschichte für außerordentlich geschmacklos

halte. Es wäre wirklich prachtvoll, wenn Du auf irgendeine Weise wieder »Dein« Zimmer dort bekämest. Wahrscheinlich wird Kaspar Walter eine Alternative stellen.

Tilla und Opa beschweigen sich weiter, sonst ist wenig verändert. Die Kinder sind jeden Tag netter, Né zeigt weiterhin [unleserliches Wort] Neigungen, der kleine Vincent wird groß und dick, er blieb allein unbehelligt von der allgemeinen Welle.

Lieber Ada, ich hoffe doch, daß ich bald kommen kann; wenn es nicht klappt, sehen wir uns ja dann bei der Trauung hier am 19., in 14 Tagen. Immerhin wieder ein kleines Fest inmitten von Trübsal.

Lieber Ada, ich bitte Dich flehentlich, denk doch nicht, daß Du uns Geld schuldest und mach Dir keine Sorgen wegen Tilla und Schmitz. Denk lieber an Möpp! Ich bin vollkommen apathisch, gebe nur ein paar Stunden, um den Vorschuß abzuarbeiten. Es ist sehr, sehr trübe . . .

Ich schreibe gleich an die »Welt« wegen dem Preisausschreiben! Vielen Dank! Viele herzliche Grüße an Dich und alle, besonders Deine Mutter

Hein

BA4, 2S, eh

173   Heinrich Böll an Ernst-Adolf Kunz
Köln, den 11. Mai 50

Mein lieber Ada, Fräulein Schmitz – Tillas Freundin – hat vielleicht die Möglichkeit, Dir eine Stelle zu besorgen. Ich schreibe Dir schnell, um zu erfahren, ob Du prinzipiell Interesse hättest: es handelt sich um eine Kontrolltätigkeit leichter Art, zu der vertrauenswürdige Leute gesucht werden, bei den Engländern auf der »Wahner Heide«. 24 Stunden Dienst mit zweistündiger Ablösung, dann 24 Stunden frei – Verdienst monatlich 240 DM, dazu ein billiges gutes Mittagessen – es hat eine verfluchte Ähnlichkeit mit Postenstehen, nur sind die Begleiterscheinungen etwas menschlicher. Falls Du grundsätzlich Lust hast, schreib mir –

dann kann Fräulein Schmitz, falls die Sache akut wird, ja versuchen, was sie tun kann.

Wenn Du keine Lust hast, schreib mir auch. Wie geht es Euch? Ich bin für Montag zum Personal-Dezernenten bestellt ... Will mir wahrscheinlich eine Stelle besorgen, ich muß alles annehmen, sonst ist die Katastrophe unabwendbar. Ich zittere um meine Freiheit und habe im stillen schon Abschied von manchem genommen. Andererseits finde [?] ich nett, daß man mir helfen will.

Ich habe einfach kein Geld, um zu Euch zu kommen, sonst käme ich schnell auch von der Zeppelinallee Abschied nehmen – vielleicht klappt es doch noch. Bei Roeselings droht der Zusammenbruch. Walter wird wahrscheinlich ausziehen!!

Ich bin immer noch groggy von meiner scheußlichen Grippe, die sehr sehr hartnäckig war.

Grüße alle und schreib bald

Dein Hein

Schreib überhaupt mal, ob Dir mit irgendeiner Stelle gedient ist. Fräulein Schmitz hat Beziehungen ...

Meine Frau läßt besonders herzlich Dich und alle grüßen. Die Kinder sind gesund.

Kannst Du nicht noch mal kommen?

BA4, 2S, eh

174   *Heinrich Böll an Ernst-Adolf Kunz*
Köln, den 3. VI. 50

Mein lieber Ada, seit 1. 6. bin ich hier beim Statistischen Amt – ausgerechnet! – und zwar vollbeschäftigt. Ich habe natürlich wenig Zeit, aber die Arbeit ist nicht so schlimm: eine Grundstückszählung, und zwar muß ich immer innerhalb von 3 Tagen ein bestimmtes Pensum erledigen – natürlich im Außendienst. Bisher habe ich festgestellt, daß ich die Arbeit von 3 Tagen in 1 1/2 machen kann, auf diese Weise habe ich jetzt bis Dienstag frei. Bis Mittwoch mittag habe ich dann meine Arbeit bis Freitag erledigt und so weiter. Auf diese Weise brauche ich meine eigentliche Arbeit nicht aufzu-

geben und kann vielleicht doch bis August den Roman fertig haben. Schaaf will für mich nun doch beim Funk etwas tun; sonst
nichts Neues in der »Literatur«, nun fängt ja auch die [unleserliches
Wort] Zeit an. Ich verdiene im Monat 300 DM, muß aber Anfang
August wieder aufhören, bis dahin sicher etwas Neues.

Kinder sind alle gesund, lieber Ada – auch ich! Die Kinder sprechen von Dir und Né weinte bei Deiner Abfahrt, Vincent hat sein
Geburtsgewicht schon verdoppelt.

Aber was macht Ihr? Ich denke immer, ob Ihr schon in Eurer Baubude hockt! Bei dieser Hitze! Von Wera bekam ich einige Karten,
seit langem nun nichts mehr. Besteht irgendeine Aussicht, daß Du
noch einmal kommst? Komm doch – es ist herrlich hier – ich sitze
stundenlang im Garten.

Tilla ist schon über eine Woche in Paris und schreibt begeisterte
Karten. Unser Opa hat sich seit der schweren Grippe nicht mehr
erholt und kränkelt dauernd. Er ist sehr niedergeschlagen, hat
kaum Appetit mehr und raucht auch nicht mehr.

Ich habe vorläufig nur Schulden auf Schulden und habe immer
noch nicht an der »besten Kurzgeschichte der Welt« angefangen.
Es ist zu heiß und ich habe genug zu tun – ich werde nun in den
letzten acht Tagen etwas [?] einschicken.

Ich hätte gern noch einmal die Zeppelinallee besucht – die Stätte
großer Freude und Ereignisse – und ich werde, wenn ich nach Gelsenkirchen komme, kaum anders können als dorthin gehen und
mich kaum gewöhnen können, daß Ihr anderswo wohnt.

Lieber Ada, schreib mir bald, wo Ihr seid und wie es Euch geht.
Hoffentlich hast Du nun wenigstens ein übersichtliches Ziel vor
Augen – ich meine, daß die Sache angefangen hat.

Bald schicke ich Dir Bilder von Né und Rai, Alfred hat jetzt eine
Retina ...

Grüße Deine Mutter und Deinen Vater herzlich von uns allen, besonders von meiner Frau und den Kindern. Das Heft für Nita habe ich auch, ich schicke es morgen ab.

Dir besonderen Gruß von

Deinem Hein

BA4, 2S, eh

175   *Heinrich Böll an Ernst-Adolf Kunz*
Köln-Bayenthal, Schillerstraße 99, den 17. 6. 50

Mein lieber Ada, meine Antwort scheiterte bisher an Zeit- und
Portomangel, buchstäblich das letztere; ich bin von montags bis
freitags 11 Stunden täglich unterwegs – treppauf und -ab, durch
die entlegensten Vororte, Gartengelände und mache »Gebäude-
zählung«; durch diese Konzentrierung der Arbeit auf vier Tage
arbeite ich mir zwei freie Tage heraus: Freitag, Samstag und natürlich sonntags; davon penne ich einen ganzen Tag, denn ich
bin hundemüde, fühle mich aber sehr frei: meine Arbeit geht
glänzend voran: habe für die »neue deutsche Rundschau« eine
Geschichte geschrieben, die dir gefallen wird: Krieg; wurde mit
Begeisterung vom Redakteur angenommen, der ein Sonderheft
junger Schriftsteller herausgeben will. Hoffentlich wird es was.
Im uebrigen warte ich mit zehrender Spannung auf mein Gehalt
(!!!), habe es zur Hälfte schon im voraus ausgegeben und kann
immer noch mit den 500.– Dm von der Stadt rechnen, die sind
mir fast sicher, aber irgendein Ausschuss muss erst noch tagen;
ich vermute die Mitglieder dieses Ausschusses mit ihren Weibern in Oberammergau, verschiedenen Badeörtern, oder wo
sonst immer der vielbeschäftigte Pöbel sich um diese Zeit her-
umtreibt. Von Middelhauve höre ich gar nichts mehr, interessiert mich auch kaum noch; »Wanderer, kommst du nach Spa«
wird bestimmt erscheinen – was weiter dort wird, ich weiss es
nicht. Ich mache den Roman auf jeden Fall bis Ende August fertig. Vorher – es sind noch 14 Tage bis zum letzten Termin – will
ich noch versuchen »die beste Kurzgeschichte der Welt« zu
schreiben … Meine Frau schuftet sich ohne Hilfe halbtot und ich
kann nichts dagegen tun, hoffe nur, sie einmal wirklich entfüh-
ren zu können auf eine lange lange Reise, die – wenn Gott will –
endgültig in einem anderen Land als Deutschland dann endet.
War gestern mit Caspar und Tilla nach langer Zeit noch einmal
aus, liess mich einladen.
Meine neue Tätigkeit ist sehr anstrengend – ich renne, renne –
aber sehr gesund und in gewissen Graden interessant, ausserdem bringt sie Geld ein 250.– Dm + 60.– Dm Kinderzulage –

gar nicht übel. Nur schade, daß sie zunächst nur zwei Monate dauern soll, bis dahin wird irgend etwas anderes wohl auftauchen.
Lieber Ada, ich würde sehr gerne von Euch Neues hören – ihr scheint ja eine Art Pionierdasein zu führen. Schreib mir bald und sag Nita, wenn sie kommt, ich hätte das Heft schon lange hier liegen und könnte es Anfang der Woche abschicken.
Von uns allen, lieber Ada, viele herzliche Grüsse, ganz besonders an deine Mutter und schreib mir wieder, wenn du Zeit hast . . .
Die Karte für Dich kam heute an. Und von den beiden Kindern bald bessere Bilder . . .
Dein Hein

[ehZ] Meine Frau, Rai, Né und Vincent lassen Euch noch einmal besonders herzlich grüßen
Hein

BA4, pers K, 1 1/2S, m

176   Heinrich Böll an Ernst-Adolf Kunz
Köln-Bayenthal, Schillerstraße 99, 30. 6. 50

Mein lieber Ada, es freut uns, zu hören, daß es Euch gut geht. Es scheint ja erträglich zu sein – und eines Tages wird ja auch das letzte Dokument geliefert und der Bau fertig sein. Bis dahin hoffe ich doch spätestens einmal kommen zu können – es wird doch Zeit, fast ein halbes Jahr – seit Weras Verlobung. Wir hörten vom jungen Paare noch nichts, ich nehme an, es ist dort Erntestimmung und -arbeit, also wenig Zeit.
Hier grundlegende Aenderung vorübergehender Art durch Geld: bekam gestern 500.– Dm von der Stadt als Förderungsbeihilfe, heute Gehalt von 340,–, war also kurzfristig Besitzer von über 800.–, habe noch 50 und bin glücklich: alle dringenden Schulden bezahlt – einige grössere vierstellige Summen lasse ich ruhen. Kolossale Erleichterung der gesamten Situation – reserviere jetzt ständig eine Summe für eine Hilfe – kein Ross, keine Taube – aber ich hoffe, ein angenehmes Geschöpf.

Gestern – am letzten Tag – schickte ich meine Geschichte an die
Welt für das 5000.-Dollar-Preisausschreiben: tat es, um mich
nachher nicht zu ärgern und um des guten Tones willen, ich hatte leider meine gute Geschichte für das Sonderheft der Neuen
deutschen Rundschau abgegeben und musste eine neue schreiben: viele, viele Versuche missglückten, infolge übergroßer
Müdigkeit – unfehlbare Kritik meiner Frau lehnte alle ab: erst
vorgestern wurde ein Entwurf fertig, der das Gefallen meiner
Kritikerin fand – eilig getippt und weg – Gott sei Dank hatte ich
Porto. Der Funk wird wahrscheinlich in der Sendereihe leicht literarisch eine neue Arbeit von mir bringen »Die schwarzen Schafe« – satirisch – soll, wenn es gutgeht – 250 Dm dafür bekommen.
Ausserdem erwarte ich heute abend Zänker, der mir Vorschläge
wegen des »Vermächtnis« unterbreiten will – bin sehr gespannt,
ob es zum Bruch mit M. kommen wird – ich erwarte täglich Angebote von anderen Verlagen, bei denen man sich für mich verwenden will.
Gestern sehr angenehmer Jour auf Meergartenscher Terrasse bis
1 Uhr, Caspar spricht immer wieder mit schmerzlicher Freundlichkeit von Dir – Morgen Jour bei C. Jennys Vater starb vor zwei
Wochen – Walter ist zu seiner Frau zurückgekehrt – entsetzliche
Tragödie. Jenny ist wirklich ein armes Weib . . .
Lieber Ada, schreib uns bald wieder. Wie geht es Eurem Papa?
Wenn Du glaubst, daß es möglich ist, schicke mir noch ein Re-
zept für P. und Optalidon. Habe jetzt Geld, um mir einen Vorrat
anzulegen.
Viele, viele herzliche Grüsse ganz besonders an Deine Mutter,
Carl-Heinz, Wera, Deinen Papa, alle
von Deinem
Hein

BA4, *pers K, 1 1/2S, m*

177   Heinrich Böll an Ernst-Adolf Kunz
Köln-Bayenthal, Schillerstraße 99, 20. VII. 50

Mein lieber Ada, herzlichen Dank für die Karte. Ich hoffe Ihr
könnt bald einziehen – und gedenke dann zu kommen, voraus-
gesetzt daß ich Geld habe. Meine Beschäftigung hört leider am
1. 8. wahrscheinlich auf – geht dann im September weiter; es war
wunderbar, zuletzt schaffte ich mein Wochenpensum in zwei-
einhalb Tagen, hatte dann viereinhalb Tage für meine Arbeit
und verdiente dabei 340.-, das wäre das richtige.
Verzeih, daß ich kein Geld für P. beilegte, hatte nichts, schicke es
aber bald. Schick mir doch, wenn Du sie nicht mehr brauchst,
die Manuskripte zurück und auch die Fahnenbogen der beiden
Geschichten. Ich arbeite fleißig am Roman und hoffe, ihn am
5. 8. abliefern zu können – es muß viel getan werden.
Die drei Bilder meiner Söhne gefallen Euch hoffentlich ...
Viele, viele herzliche Grüße an Deine Mutter (ich habe ein sehr
schlechtes Gewissen) und an Deinen Vater
Dein Hein

BA4, *pers K, 1S, eh*

178   Heinrich Böll an Ernst-Adolf Kunz
Köln-Bayenthal, Schillerstraße 99, 5. 8. 50

Mein lieber Ada, vielen Dank für Brief und Pervitin. Hoffentlich
hat es Dir nicht zuviel Mühe gemacht. Grüss doch bitte Deinen
Vater recht herzlich von mir und schreibe mir, ob ich irgend etwas für ihn tun kann: Lesestoff oder aehnliches besorgen. Vielleicht geht es ihm wieder besser, wenn Ihr alle zusammen seid
und die vertraute Atmosphäre ihn umgibt. Unser Opa hat sich
wieder gut erholt und scheint der alte zu sein ...
Ich hatte vorgehabt, Wera und Karl-Heinz Anfang dieses Monats
einmal zu besuchen, komme nun aber nicht dazu: finanziell und
auch zeitlich nicht möglich: wider alles Erwarten habe ich den Roman doch fertig – wenigstens zu 3/4 und am Montag will ich den

Endspurt beginnen und ihn bis Ende nächster Woche fix und fertig
haben. Ich bin froh, wenn ich dieses Manuskript unterwegs habe –
dann ist meine monatliche Rente von 100 Dm bis Ende des Jahres
gesichert und vor allem drängen mich andere Pläne, während mir
der Roman nicht mehr allzu nahe liegt. Er gefällt mir nicht und ich
liefere ihn nur ab, weil meine Frau sagt, er wäre gut . . .
Uns geht es gut: Die Kinder sind gesund, wir sind nur müde:
das ist alles; Rai wird so frech, dass wir ernsthafte Massnahmen
ergriffen haben, Né ist nach wie vor sowohl liebenswürdig wie
originell und macht uns viel Freude; gestern waren wir mit den
beiden im Zoo. Ich habe vor, lieber Ada, in der Woche vom
20. bis 26. vielleicht kurz zu Euch zu kommen, es drängt mich
doch sehr, Euch wieder[zu]sehen: ich muss beruflich nach Kassel und könnte die beiden Reisen vielleicht verbinden . . .
Du kannst dir denken, dass ich von der elenden Tipperei am Roman sehr erschöpft bin, ausserdem will ich, wenn möglich noch
bis zum 1. 9. ein Hörspiel schreiben, auch für ein Preisausschreiben. Lieber Ada, ich denke, wir sehen uns bald wieder, im Laufe
dieses Monats jedenfalls. Grüsse bitte alle von uns, besonders
Deinen Vater – wir wünschen ihm das Beste
Dein Hein

BA4, pers K, 1S, m

179   *Heinrich Böll an Ernst-Adolf Kunz*
Köln-Bayenthal, Schillerstraße 99, den 22. 8. 50.

Mein lieber Ada, meine Pläne sind durch ein neues Faktum endgültig zerstört worden; entgegen allen Erwartungen fange ich
schon am 25. 8. wieder hier an der Stadt an, und zwar für einen
Monat im Rahmen der Volkszählung; ich bin natürlich froh, anderseits auch um alle Ausspannungspläne gekommen. Ende
letzter Woche ging das Romanmanuskript an M. ab, ich bin gespannt auf das Urteil über die Arbeit als Ganzes; es war eine
elende Schufterei, auch für meine Frau – wir haben ununterbrochen drei Wochen an der letzten Reinschrift gesessen – zum Ab-

schluss fuhren wir einen Tag mit dem Schiff los – es war wunderbar; nun muss ich Freitag wieder das Sklavenjoch auf mich nehmen – ein zwar erträgliches, aber immerhin – um des Geldes willen bin ich sehr froh, damit ich nicht noch tiefer sinke. Von Wera und C. H., die uns sonntags einmal besuchten hörten wir einiges Neue, und ich denke, daß Ihr bald einzieht und alles Nerventötende hinter Euch habt.

Hier sonst nichts Neues: Opa ist wieder vollkommen gesund und dirigiert morgens die grosse Kinderschar im Garten, sehr zur Entlastung seiner Schwiegertöchter; unsere Kinder sind gesund, bis auf ein paar Kleinigkeiten; Rai wird ein richtig freches Schwein, redet wie ein Buch und der Kleinste sieht prachtvoll aus und scheint sehr liebenswürdig zu sein wie Né, der langsam die ersten Worte stammelt …

Wir müssen uns unbedingt irgendwie noch einmal sehen, ich hoffe, daß es sich doch machen lässt. Caspar und Meergarten sind die Alten, und wenn ich Zeit habe, gehe ich zum Jour; stritt neulich stundenlang heftig mit Schuh wegen Militarismus – du siehst ja, was allgemein gespielt wird; jeder Nazi könnte sagen »Und Ihr habt doch gesiegt.« …

Zu der Tagung nach Kassel muss ich Samstag fahren – nehme mir zwei Tage frei; ich bin zu gespannt, was das für ein Klub ist und ausserdem schon »Ausschussmitglied« geworden – ich hoffe, daß dieser Titel mir die Spesen einbringt …

Ich sah übrigens hier in der Aula anlässlich einer Uraufführung von B. v. Heiseler die Feldhege in einer tragenden Rolle – war sehr erstaunt; das Ganze war nicht viel, aber sie spielte erträglich. Lieber Ada, hast du nicht Lust, Theater und Filmkritiken für Eure Gegend zu machen? »Wir« haben einen Pressedienst aufgezogen, der natürlich erst anläuft – ich habe die Kölner Theater und Kinos übernommen – und wenn vorläufig nur Freikarten dabei herauskommen – die Kritiken hat man ja schnell gemacht; der Pressedienst nimmt Feuilletons, Kritiken von Ur- und Erstaufführungen, erscheint monatlich als dickes Heft und wird dann »angeboten«; vorläufig – es ist erst eine Nummer erschienen – noch kein Erfolg, aber es kostet ja nur Porto und Arbeit und die Idee ist gut, vielleicht setzt es sich durch …

Mein 2. Buch sollte auch Ende August – zuerst Ende Juli – herauskommen, aber ich höre jetzt nichts mehr; vielleicht geht es plötzlich. Du hörst dann wieder; den »Zug« habe ich noch nicht zurück, auch noch kein neues; ich denke daran – du bekommst es sofort wieder, verzeih.
Wir grüssen alle Euch alle herzlich und hoffen, bald von Dir zu hören. Besondere Grüsse an Deine Mutter und Deinen Vater
Dein Hein

BA4, pers K, 1 1/2S, m

180   *Heinrich Böll an Ernst-Adolf Kunz*
Köln, den [28. VIII. 50]

Mein lieber Ada, ich sitze hier von morgens 8 bis abends 6 in meiner Amtsstube in Mehrheim draußen (3/4 Std Fahrt hin und zurück) und bin »Chef« eines Volkszählungsbüros mit sechs Untergebenen. Du kannst Dir denken, welch eine elende Hetzerei hier herrscht. Ich weiß noch nicht, ob ich am 1. wieder fliege; wenn ja, komme ich im Oktober mal. Oder kommst Du mal?
Bei uns ist das alte, unerbittliche Tempo. Né ist jetzt ein wilder Läufer, und der Kleine nun schon ein halbes Jahr; Rai ein richtig großer Junge.
Die Literatur geht gut weiter; M. bringt meinen Roman und das »Vermächtnis« im Frühjahr 51. In den nächsten Tagen kommt der »Wanderer« fix und fertig heraus.
Vom »Zug« wurden im 1/2 Jahr 145 (!!!) Exemplare verkauft, ganze 58 DM plus für mich bei 3500 minus. Radio Frankfurt will das Buch übrigens dramatisieren. Du hörst dann davon.
Schreib bald oder komm mal. Trotz aller Beamten-Schufterei hier komme ich finanziell nicht auf einen grünen Zweig. Der Winter ist ja eine teuere Jahreszeit.
Ich hoffe, Du schreibst wieder oder kommst mal. Grüße alle, alle herzlichst, besonders Deine Mutter und Deinen Vater . . .
Herzlichst. Dein Hein

BA4, 1 1/2S, eh

181   Heinrich Böll an Ernst-Adolf Kunz
30. 9. 50

Mein lieber Ada, wir freuen uns, wenn Du kommst. Söhne reden schon von Dir. Ich mache mich frei, so daß ich hier bin,
wenn du kommst. Viele herzliche Grüße an alle
Hein

PK, eh

182   Ernst-Adolf Kunz an Heinrich Böll
Gelsenk-Buer, Hausfeld 5, d. 24. X. 50

Mein lieber Hein!
Schreibe auf Propagandamaschine. Natürlich noch sehr langsam, aber es geht schon. Leider gehört sie mir nicht. – Vielen
Dank für Deinen Brief. Habe sofort nach Bochum geschrieben i.
A. von Schallück. (so heisst doch der nette Mensch? Du hattest
den Namen vertippt – Schalück –) Ich habe vor, ihm für beide
Stücke Kritiken zu schreiben. Er kann sie dann mit gutem Gewissen drucken lassen. Sollte man mich in Bochum nach ihm
fragen, sage ich, er wäre nicht abkömmlich und ich verträte ihn.
Ich freue mich sehr, mal wieder gutes Theater zu sehen. Bin für
jede Karte dankbar.– Meine jetzige Beschäftigung ist ein sinnlo-
ser Quatsch. Ich renne mir die Füsse wund und kein Mensch hat
Geld. Bis Ende des Monats wahrscheinlich mache ich das noch
mit, doch dann vertrete ich wahrscheinlich die Bausparkasse
Wüstenrot. Bauen möchte jeder! Nun vorläufig bekomme ich
von Pfannkuch pro Tag DM 5.– Spesen.
Schade, dass Du keine Zeit hast zu kommen! Vielleicht mal über
Sonntag? Hier ist alles gesund. Das Haus ist schön warm. Mein
Zimmer kann leider noch nicht geheizt werden. – Hein, grüsse
alle Bekannten & Verwandten von mir; besonders Deine lb.
Frau & die Kinder! Bleibt nur gesund!
Dein Ada

PK, m

183   Heinrich Böll an Ernst-Adolf Kunz
Köln, den 22. 11. 50

Mein lieber Ada, ich muss Dir schnell an diesem Feiertag schreiben, weil ich sonst nicht dazu komme. Ich bin ja von morgens 7 bis abends 6 unterwegs, gebe dann noch Stunden bis 8 und sinke erschöpft in irgendeine Ecke, wo ich vergebens zu lesen versuche. Rai war sehr schwer krank, Lungenentzündung – durch drei Penicillin-Injektionen wurde die Sache abgedreht, aber er liegt jetzt schon 14 Tage, ist sehr mager und schlapp und die praktische Seite ist die, daß unser Wohnzimmer als Aufenthaltsraum ausfällt, Vincent dauernd in seinem Bett hin- und hergeschleppt werden muss – in Tillas Zimmer, wenn es frei ist, weil die Küche zu eng wird. Heute morgen neueste Ueberraschungen: René Halsentzündung – erste Boten des Winters. So kommen wir seit Wochen nicht zur Ruhe, vor allem, weil die Wohnung allmählich unerträglich eng wird – die Kinder werden unmerklich gross und beanspruchen einfach mehr Raum . . .
Ich sitze jetzt in der Volkszählungsfabrik ziemlich fest, jedenfalls scheint es bis März zu klappen – 70 Mann auf einem grossen Saal – man gewöhnt sich an alles.
Das Buch ist raus, ein Exemplar kreist hier durch die Nachbarschaft; die Frankfurter Hefte brachten nun doch im November die Titelerzählung und ich schicke Dir als Vorboten zum Buch ein paar Prospekte – meine Exemplare habe ich noch nicht. Am 18. 12. abends halb elf bis elf bringt der Südwestfunk etwas von mir, Stuttgart hat auch zugesagt und ich erwarte morgen Bescheid von den Kölner Tränen – drei Funkveröffentlichungen wären natürlich ein finanzieller Schlag, der mich glatt über den Winter bringen würde. Wir brauchen dringend Wäsche, sind vollkommen zerlumpt und vor allem möchte ich gerne ein paar vernünftige Decken anschaffen – Briketts und Kartoffeln haben wir im Keller und ausserdem steht unser Kredit bombenfest – es kann also nichts Ernsthaftes passieren und ich hoffe, daß die Kinder nach diesen ersten Schlägen gesund bleiben.
Uebrigens habe ich eine Familie Dyckerhoff hier in der Marien-

burg, Marienburger Strasse 8 ausfindig gemacht. Sie wird sicher
Näheres sagen können.

Schick mir doch bitte Nitas Adresse, ich lege Dir ein Prospekt
für sie bei. Vielleicht komme ich sehr plötzlich einmal, Ada, ich
kann nichts Festes sagen – vorläufig bemühen wir uns um eine
neue Taube und wenn hier alles etwas eingespielt ist, kann ich
besser mal weg.

Ueber deine Geschichte später – ich habe sie gelesen, finde sie
zunächst brauchbar und werde sie vielleicht der »Gruppe junger
Autoren« einschicken – Näheres später, vielleicht mündlich …

Es ist jetzt fast ein Jahr, daß ich bei Euch war – sehr unwahrscheinlich – – – vielleicht komme ich bald …

Uebrigens: schreib doch mehr (ich meine Geschichten), wenn
du Zeit hast – allerdings besteht für antimilitaristische Literatur
wenig Aussicht jetzt, wo es wieder »aufwärts« geht.

Grüsse Deine Mutter herzlichst, lieber Ada, von uns allen, auch
Vater und Schwestern und vergiss nicht, mir Nitas neue Adresse
zu geben …

Von Ortmeyers höre ich nichts mehr
herzlichst Dein Hein

BA5, 2S, m

184   Heinrich Böll an Ernst-Adolf Kunz
3. 12. 50

Mein lieber Ada, nur schnell viele Grüße und das Neueste: Kinder sind wieder gesund, wenn auch schwach. Wir sind müde.
Freue mich auf heute – Sonntagabend einige Stunden im Café –
finanziell leichte Aufbesserung durch erhöhtes Stundengeben.
Auch meine Frau hat wieder Schüler. Wenn ich am 12. 12. arbeitslos werde, komme ich – mit Rai. Wenn nicht – weiß ich nicht, ob
ich vor Weihnachten noch Zeit habe … Viele, viele herzliche
Grüße an Euch alle
Hein

Z, eh

185   Heinrich Böll an Ernst-Adolf Kunz
Köln-Bayenthal, Schillerstraße 99, 12. 12. 50

Mein lieber Ada, der Mantel kam buchstäblich [wie] gerufen, bei
Einbruch der ersten Kälte, paßt wie angegossen. Man preist allgemein meine Eleganz, also meinen herzlichsten Dank Herrn
Dr. Leopold, Dir, danke für das schöne Geschenk.
Heute bin ich nun nicht arbeitslos geworden, sondern mein
Dienstvertrag mit der Stadt Köln wurde bis 30. 4. 51 verlängert!
Wir nahmen dies teils mit Schmerz, teils mit Freude hin. Finanziell bedeutet das einen sicheren Winter, aber für meine Arbeit
bittere 4 Monate Ruhe. Es ist schon bitter, aber ich sehe auch,
daß es uns allen zugute kommt. Für meine Frau eine große Erleichterung, den Kindern sehr zum Heile. Rai ist wieder ganz gesund, Né auch. Die beiden werden jetzt sehr wüst, besonders
Né, der sich zum irrsinnigen Schwätzer entwickelt. Vincent ist
schon 3/4 Jahr alt! Ich plane Besuch bei Euch Sylvester. Komme
dann samstags und kann bis Montag bleiben. Rai bringe ich
dann mit, wenn Ihr Platz habt. Schreib mir doch darüber. Am
30. bekomme ich Geld, kann also am 31. abfahren.
Also: Ada, wahrscheinlich bis Sylvester, ziemlich sicher.
Übrigens dankt meine Frau herzlich für alles, die Sachen werden
sofort zu Hosen umgearbeitet, von denen wir ja jede Menge gebrauchen. Auch Vincent ist bald hosenreif . . .
Viele, viele herzliche Grüße, besonders Deinen Eltern
Hein

BA4, pers K, 1 1/2S, eh

186
Heinrich Böll an Familie Kunz
Köln-Bayenthal, Schillerstraße 99, den 12. 1. 19[51]

Liebe Familie Kunz, die beiden schönen und friedlichen Tage
waren eine wunderbare Entspannung und ich hoffe nur, daß Rai
sich wenigstens einigermaßen anständig benommen hat. Die

Rückreise verlief reibungslos, wir waren um sechs hier. In den Tagen danach hockten wir auf einem Zimmer zusammen, weil die Maurer das zweite reparierten. Ich mußte sowohl am Drei-königentag wie am Sonntag von 8-6 arbeiten gehen, bin also seit dem ersten noch nicht zur Ruhe gekommen. Habe vor, gründ-lich krank zu feiern, wenn ich das Geld (am 15.) in der Tasche ha-be. Ich bin vollkommen mit Statistik bis zum Rande angefüllt. Wera schrieb ich noch einmal wegen des Stoffes und dem Sessel, weil ich jetzt Geld bekomme, von dem ich etwas »anlegen« könnte. Sonst nichts Neues. Rai will bald wieder mit mir nach Gelsenkirchen fahren und mit Jerry spielen. Ich denke, daß es nicht wieder ein Jahr werden wird.

Wir sind alle gesund und munter; ich freue mich auf Sonntag. Ada soll mir wegen Karneval schreiben und viele Grüße an Gu-ni, deren Hemd Rai's Stolz ist. (Der Pullover wurde Né übereig-net; steht ihm glänzend!) Ich denke, ich komme bald wieder! Viele herzliche Grüße
Hein Böll

[weiterer Text von Annemarie Böll:]

Liebe Frau Kunz,
wir sind in diesem Jahr so reich von Ihnen allen beschenkt wor-den, haben Sie herzlichen Dank! Die Kleidungsstücke für die Kinder sind eine große Hilfe, die abgelegten Sachen werde ich verarbeiten, sobald ich dazu komme, auch über die Kissenbezü-ge habe ich mich sehr gefreut. Rai hat es in Gelsenkirchen so gut gefallen; seit er dort war, geht es ihm gesundheitlich sehr gut. Wie lange ist es her, seit Sie hier waren! Hoffentlich sehen wir Sie doch bald noch einmal hier. Sie müssen doch auch die bei-den Kleinen kennenlernen. Ihnen allen herzliche Grüße
Ihre Annemarie Böll

BA4, pers K, 2S, eh

187   Heinrich Böll an Ernst-Adolf Kunz
Köln-Bayenthal, Schillerstraße 99, 15. 1. [51]

Lieber Ada, Schallück brachte mir gestern abend diese Karte. Er
hat Deine Adresse verloren. Hoffentlich kommt sie nun noch
früh genug. Vielleicht kannst Du telefonisch zusagen.
Hier nichts Neues; habe zwei Tage frei und freue mich meiner
eigenen Arbeit nach der statistischen Impotenz und Sterilität.
Sah gestern »Wem die Stunde schlägt« und bin kolossal enttäuscht – zu wenig kann doch der Film von einem guten Buch
wiedergeben, weil ihm die Sprache fehlt. Du wirst ihn ja nun
selbst sehen.
Viele herzliche Grüße an Deine Eltern und Guni
Dein Hein

BA4, pers K, 1S, eh

188   Heinrich Böll an Ernst-Adolf Kunz
Köln, 16. 2. 51

Lieber Ada, ich bin betrübt über Deine beruflichen Mißerfolge.
Wäre es nicht erwägenswert, etwas Neues und das von vorne anzufangen – oder die Schauspielerei zu intensivieren? Kann Erdmann nichts tun? Das wäre das Schönste. Lieber Ada, versuche
es doch noch mal. Du weißt, daß mir alle äußeren Dinge gleichgültig sind, aber um Deinetwegen betrübt es mich sehr, daß
nichts klappt. Ich glaube, es wäre wirklich zu erwägen, ob Du
nicht etwas Neues anfangen solltest, wenn nötig als Stift für
einige Zeit. Vielleicht kann ich Dich bald wieder einmal besuchen (Alois hat seit heute ein Auto!). Wenn Du Lust hast, Zeit,
Geld – komm doch. Ich würde mich sehr freuen. Sah gestern
hier einen neuen Anouilh und dachte an Dich!
Es wäre schön gewesen, wenn Du damals bei Kaspar hättest das
Zimmer halten können. Hier wäre doch manches zu machen. Ich
hoffe, daß ich bald mal wieder kommen kann und mit Dir über alles sprechen kann. [unleserlich] und sehnen uns nach Raum und Ruhe.

Grüße Deine Mutter, Deinen Vater und Guni von uns allen
herzlich und verzeih, daß ich so wenig schreibe. Ich bin vollkommen durchgedreht. Karneval verlebten wir sehr, sehr ruhig – wir
waren nur mal mit den Kindern auf dem Rummelplatz und sahen – so im Vorübergehen – den Zug: entsetzlicher Blödsinn
und besoffene Spießer. Du hast nichts versäumt …
Viele Grüße an Euch alle
herzlich
Hein

BA4, 1 1/2S, eh

189   *Heinrich Böll an Ernst-Adolf Kunz*
Köln-Bayenthal, Schillerstraße 99, den 12. 4. 51

Mein lieber Ada, verzeih mir, wenn ich so wenig schreibe. Bin
dauernd todmüde und der Stumpfsinn der Büroarbeit macht
mich richtig krank. Gott sei Dank ist ja am 30.4. Schluß. Dann
fahre ich vom 3.-8. Mai nach Bad Dürkheim zur Tagung der
Gruppe 47 – und dann fange ich – nebenbei stempelnd – an zu arbeiten. Ich freue mich sehr auf das Frühjahr und den Sommer
und hoffe doch, daß wir uns dann wieder öfter sehen und über
alles sprechen können.
Lieber Ada: Kusch sitzt in Recklinghausen als Redakteur bei
den »Kommunalpolitischen Blättern«, schreibe ihm sofort, lade
ihn ein und sprich mit ihm über Presse-Möglichkeiten. Seine
Adresse kenne ich nicht, aber unter der obigen Anschrift wird er
erreichbar sein. Gute Idee. Dein Vetter wird vielleicht doch etwas tun, laß ihm etwas Zeit. So schnell geht das nicht.
Bei uns hier sitzen auch einige Schauspieler, Sänger und Schrifsteller (außer mir). Es ist beschissen, daß einzige, was hilft, sind
die sogenannten Beziehungen oder außerdem Zähigkeit, verbunden mit Radfahrerei. Ich würde an Deiner Stelle doch immer wieder die Schauspielerei versuchen, vielleicht unter Betonung der Komik – die doch gewiß selten ist.
Grüße Guni herzlichst von uns und richte ihr zunächst wirklich

unseren Dank für das schöne Osterpäckchen aus. Wir kommen
zu nichts mehr – ich schreibe jetzt hier im »Dienst« – erledige
meine ganze Korrespondenz hier.

Meine Frau ist – vertretungsweise – für 3 Wochen wieder voll beschäftigt an der Schule – will sich überhaupt auf Vertretungen
spezialisieren.

Unsere neueste Erungenschaft ist eine Taube, die von 8-6 bei
uns ist. Ein junges Mädchen, das sehr willig und nett ist, wohl
noch einiges lernen muß.

Lieber Ada, grüße alle herzlich; herzlich – wenn ich arbeitslos
bin, komme ich mit Rai noch einmal
herzlich Dein Hein

BA4, pers K, 2S, eh

190   Heinrich Böll an Ernst-Adolf Kunz
10. 5. 51

Mein lieber Ada, vielleicht hast Du schon in der Zeitung erfahren, dass ich den Preis der »Gruppe 47« bekommen habe, nicht
nur die 1000.– Dm, die damit verbunden sind, sondern einen erfreulichen (teils unerfreulichen) Start, dessen Folgen sich schon
bemerkbar zu machen beginnen. Habe dort bei der Tagung in
Bad-Dürkheim gleich eine Menge Dinge abschliessen können,
weiteres wird folgen und man »bittet« mich um Beiträge. Ich
hoffe, dass sich meine Beziehungen so fortspinnen und festigen
werden, dass ich bestimmt etwas für Dich tun kann. Nur noch
etwas Geduld; ich hoffe wirklich, dass sich das auch darauf wird
beziehen können. Ich komme bald zu Euch, wahrscheinlich Ende der Woche, habe in Bochum zu tun (Fahrt frei), weil ich im
»Ring junger Autoren Westdeutschlands« Lesungen halten soll
(Dortmund, Duisburg usw.). Also, auf Wiedersehen, ich erzähle
dann ausführlich.

Herzlichste Grüsse an Euch alle. Bis nächste Woche.
Hein

BA5, 1S, m

191   Heinrich Böll an Ernst-Adolf Kunz
14. 5. 51

Mein Lieber Ada, ich komme Freitag, den 18. 5., nachmittags
oder abends von Bochum aus. Wir sprechen dann über alles. Bis
dahin herzliche Grüße an Euch alle. Hein

Z, *eh*

192   Heinrich Böll an Ernst-Adolf Kunz
Köln, den 30. 5. 51

Mein lieber Ada, Montag, den 4. 6. im Laufe des Nachmittags gedenke ich mit Rai bei Euch einzutreffen. Erzähle dann alles ausführlich. Die Lesung ist am 6. 6. in Dortmund. Am 7. morgens
fahre ich wieder ab, weil ich am 8. hier in Köln sein muß (auch
Lesung). Ich freue mich sehr, in aller Ruhe bei Euch zu sein und
mit Euch zu sprechen. Herzliche Grüße Hein

PK, *eh*

193   Heinrich Böll an Familie Kunz
Köln, den 9. VI. 51

Liebe Familie Kunz, wir hatten gute Fahrt und kamen gegen 12
hier an. Zum Mittag waren wir schon zu Hause. Die gestrige Lesung hier ist gut verlaufen; ich bin froh, daß ich es hinter mir habe.
Die Tage in Gelsenkirchen waren wunderbar, erholsam und ruhig
und ich werde bald meine Frau schicken. Ich danke Ihnen allen und
bitte um Verzeihung für mancherlei Untat und Frechheit Rais.
Am 14. 6. lese ich in Duisburg, vielleicht komme ich dann
abends. Das Kinderzeug kommt sofort nach Wäsche zurück.
Habe ich Rasierzeug + Puder liegenlassen?
Hein Böll

BA4, *1S, eh*

194   Heinrich Böll an Ernst-Adolf Kunz
Köln, den 9. 7. 51

Lieber Ada, ich kann Dir vermelden, dass ich mit meinem Roman gut vorangekommen bin und ihn termingemäss am 30. Juli werde abliefern können, wahrscheinlich früher. Inzwischen habe ich eingehend mit Middelhauve konferiert – ich traf ihn hier in Köln – und er strich mir mit einer souveränen Geste meinen gesamten Vorschuss in Höhe von fast 4000 Dm, so dass ich also jetzt alles, was durch den Buchverkauf anfällt, ausbezahlt bekomme. Inzwischen ist auch Schallück (der Theaterkartenmann) mit einem Roman bei M. untergekommen – also immerhin bin ich nicht mehr allein.

Uns geht es wirklich gut – Rais Krankheit, die einige Tage grosse Beunruhigung verursachte – weil er über heftige Bauchschmerzen klagte, nachts stundenlang schrie und Blinddarmentzündung vermutet wurde – Rais Krankheit ist völlig abgeklungen, alle Kinder sind wohl und Vinc entwickelt sich zu einem tollen Läufer, der den Garten unsicher macht – alle Kinder fürchten ihn, weil er ihnen alles abnimmt. Ein vitaler Bursche, der uns im Augenblick die meiste Arbeit macht.

Tilla übernimmt die Kinder Anfang August für 8-14 Tage und wir fahren nach Paris. Ich hoffe, aus Middelhauve noch soviel Vorschuss herauszubekommen, dass ich diese Reise finanzieren kann. Die Pässe haben wir schon. Ada, komm doch mal sonntags – du kannst gut hier oben pennen – ich bin ja mit meiner Arbeit zu 4/5 fertig – du würdest mich in keiner Weise stören.

Ich hoffe, Ihr seid nicht böse über die verspätete Rücksendung der Hose – in dieser Woche war hier toller Rummel – vielleicht komme ich noch einmal mit Rai so gegen Ende Juli, ja?

René mitzunehmen riskiere ich nicht, weil er sich seit einiger Zeit wieder angewöhnt hat, die Hosen voll zu machen. Und ausserdem hat er Angst vor Hunden, während Rai sich einen »Jerry« wünscht.

Ada, schreib bald, lass von Dir hören oder komme mal.
Viele herzliche Grüsse an Euch alle. Hein

BA5, 1 1/2S, m

195   *Heinrich Böll an Ernst-Adolf Kunz*
27. 7. 51

Mein lieber Ada, Roman fertig, vorgestern Manuskript abgegeben und heute jedes Kapitel einzeln an verschiedene Zeitungen
und Zeitschriften auf die Reise geschickt. Der Titel heisst: »Wo
warst du, Adam?«, er ist einer Eintragung in Theodor Haeckers
Tag- und Nachtbüchern entnommen, die ich dem Roman als
Motto voransetzte; ausserdem ein Zitat als Motto aus Exupérys
»Flug nach Arras«: »Der Krieg ist eine Krankheit. Wie der Ty-
phus.«
Morgen Kampf mit Middelhauve persönlich (auf der Reichard-
Terrasse) um Vorschuss, von dem unsere Reise nach Paris ab-
hängt. Morgen abend um 5 . . .
Ich komme bestimmt im Laufe des August einmal, wahrschein-
lich mit meiner Frau. Tilla passt dann auf die Kinder auf – sie
übernimmt sie auch, während wir in Paris sind.
Herzlichste Grüsse an Euch alle
Hein
[ehZ] Hörte von Wera Näheres über Dein »Beamtenleben«.
Gut.

BA5, 1S, m

196   *Heinrich Böll an Ernst-Adolf Kunz*
[Paris], 25. 8. 51

Lieber Ada, wir sind schon 5 Tage hier und sind schon [?] trun-
ken von soviel Eindrücken. Es ist herrlich, ziemlich teuer, aber
unvergleichlich. Ich erzähle Dir alles.
Viele Grüße an Deine Eltern
Hein + Annemarie

APK, eh

197 Heinrich Böll an Ernst-Adolf Kunz
3. 9. 51

Lieber Ada, der Roman erscheint schon im September, wenn alles stimmt: jedenfalls hatte ich vierzehn Tage nach Ablieferung des Romanmanuskripts schon die Druckfahnen hier und schickte heute die letzten Korrekturen weg. Ich habe alles mögliche in die Wege geleitet: alle Zeitschriften mit Kapiteln bombardiert, und die grossen Zeitungen und Funkhäuser mit kompletten Fahnenabzügen versehen. Schrieb ich dir schon, dass die Frankf. Hefte das 1. Kapitel im Augustheft brachten? Hoffe, dass auch andere Zeitschriften noch Vorabdrucke bringen, sicher ist ein solcher jedenfalls beim »Michael«. Du hörst von mir, wenn alles fertig ist. Möchte gerne zum 22. kommen, werde es auch irgendwie einrichten, obwohl um diese Zeit die Buchmesse ist und ich umsonst mit Zänker per Auto nach Frankfurt fahren kann, um Funk und Frankfurter Hefte zu besuchen. Aber ich glaube, die Buchmesse ist schon am 18. zu Ende – käme überhaupt gerne noch einmal ein paar Tage – mit Rai oder Né, der jetzt salonfähig ist.

Kam gestern nachmittag nach 12tägigem Aufenthalt in Paris mit meiner Frau zurück; es war herrlich dort, von allem abgesehen eine wunderbare Entspannung und Erholung für uns, da wir die Kinder bei Tilla in bester Hut wussten – wir fanden sie bestens vor: gesund und brav. In Paris war es wirklich schön: wir schliefen morgens bis 9-10, dann Frühstück, von 11 an langsames Vorgehen in die Stadt, »besichtigten« nur das, was uns gerade in den Weg kam, assen, gingen ins Hotel zurück und ruhten dort wieder bis gegen 5-6, dann Bummel bis 12-1. Hotel war sauber, schön und billig: fliessendes Wasser, heiss und kalt, zu jeder Zeit, Telephon, Aufzug (wohnten im 7. Stock in Nähe des Montparnasse-Bahnhofs), täglich mit Trinkgeld 450 Franken, etwa 6 Mark. Vor allem machten wir ausgiebige Bummel und Cafésitzungen im Existentialistenviertel und Quartier Latin: werde dir alles erzählen, rate dir, hinzufahren: das ganze Unternehmen kostete mich, Fahrt, Hotel, alles einbegriffen etwa 450 Mark – dafür kannst du in einer deutschen Großstadt als Hotelgast

keine 10 Tage leben. Und dann Paris. Trotzdem ist alles dort teuer, die Franzosen leben sehr einfach – aber nett da – erzähle,
wenn ich komme.

Herzliche Grüsse an alle
Hein

BA5, 2S, m

198   Ernst-Adolf Kunz an Heinrich Böll
[Gelsenkirchen-]Buer, d. 4. Sept. 51

Lieber Hein –
komme soeben aus Bochum und habe Deinen Brief gelesen.
Schön, dass Ihr Euch in Paris so vernünftig ausgeruht habt. Bin
sehr gespannt, was Du erzählen wirst. Dank auch für die Postkarte von Notre-Dame! – Durch Zufall bekam ich das Augustheft der Frankfurter in die Hände. Vor 3 Tagen. Ich hatte die Geschichte ja mal vor einem Jahr gelesen, fand sie schon immer
sehr gut. Bin gespannt, wie Dein Roman jetzt weitergeht. Das
Frkf. Heft war übrigens ausgezeichnet. Der Leitartikel von
Dirks! Endlich liest man mal was gegen den Militarismus. Deine
Geschichte konnte gar nicht in besserer Gesellschaft erscheinen.
Wenn Dein Roman so weitergeht und wirklich bald erscheint,
verspreche ich mir einen ziemlich grossen Erfolg; er käme jetzt
noch zur rechten Zeit. Hörte von einer links-katholischen antimilitaristischen Bewegung, die namhafte Wissenschaftler, Journalisten und Künstler ins Leben riefen. Darunter Dirks. Kennst
Du diese Strömung? Würde sofort mitmachen. Wenn Du mal
die »Schwarzen Schafe« übrig hast, denk an mich. – In den hiesigen Buchhandlungen (Gels. + Bochum) bist Du schon ein
fester Begriff. Eine Buchhändlerin in Bochum erzählte mir, sie
hätte 6 Exemplare von »Zug« auf Wunsch eines Kunden von Dir
signieren lassen. Ich hatte unverbindlich nach Deinen Büchern
gefragt. Sagte nicht, dass ich Dich kannte und liess mir das Buch
empfehlen. Sie hatte es richtig aufgefasst und war begeistert – Also man kann ruhig sagen: Du hast es geschafft – Wir alle wären

froh, wenn Du am 22. 9. kämst. Versuche es auf jeden Fall! Wenn
natürlich die Messe dann ist, ist das wichtiger für Dich. – Auch
vorher kannst Du zu jeder Zeit mit jedem kommen. – Ich habe
ziemlich zu tun jetzt in Bochum. Stehe um 6.00 auf und komme
um 19.00 nach Hause. Dazwischen renne ich von Haus zu Haus,
um unlustige Menschen von der Schönheit und Güte des Bochumer Theaters zu überzeugen. – Natürlich kann ich auch mal
zu Hause bleiben, ohne dass es so auffällt. Aber z. Zt. ist es wichtig, herumzusausen. – Das soll so bis Ende Okt. gehen. Vielleicht
kommt dann noch eine Theaterneubautombola, die ich aufziehen soll, da man viel von meinem Organisationstalent hält, das
ich im Grunde gar nicht habe, glaube ich. – Solltest Du mal irgendwo was hören, was in das Gebiet der Werbung fällt (für Firmen, noch schöner Verlage etc.), schlage mich ohne Anfrage vor.
Jedenfalls ist das etwas, was ich kann. – Habe vor, im Okt. in jeder grossen Zeitung zu annoncieren. Irgend etwas wird schon
kommen. Vorerst komm Du mal! Grüsse alle herzlich, auch von
Mama. Dein Ada

BA4, 2S, eh

199   *Ernst-Adolf Kunz an Heinrich Böll*
[9]. 11. 51

Lieber Hein –
Deinen Brief habe ich an Guni weitergeleitet. Hab Dank für
Deine Bemühungen!
Meine Tätigkeit ist hier praktisch beendet. Ich sitze hier herum,
nur damit es so aussieht als ob.
Am vorigen Samstag hatte ich eine Annonce in der »Welt«, die
bisher keinen Erfolg zeigt u. wahrscheinlich auch keinen haben
wird, obwohl sie ganz geschickt abgefasst war. Warte jetzt auf
Antwort von einigen Firmen, die ich angeschrieben habe. Bleibt
abzuwarten, was daraus wird. Solltest Du irgend etwas in Köln
hören, schreib mir bitte. Wäre gern wieder in Eurer Stadt. Mache
alles, ausser Vertretungen. Letzten Samstag/Sonntag war ich in

Rheydt. Wir müssen uns dort unbedingt mal treffen, schon um
die Ortmeyerschen Wochenschauen von 1933/35 zu sehen. C. H.
zeigte uns etliche mit Hindenburg, Hitler und den anderen Ver-
brechern. Es ist irgendwie grausig, das alles wieder zu sehen,
aber interessant.
Wir alle warten mit Spannung auf Dein neues Buch. Wird aber
Zeit, dass es zum Weihnachtsmarkt erscheint.
[ehZ] (Man vertreibt mich von der Maschine)
Mit Papa geht es immer weiter abwärts. Er liegt nur noch und
schlummert. Jetzt glaube ich auch, dass es nicht mehr lange dauert. Eigentlich unglaubliche Vorstellung, dass der Alte nicht
mehr dasein sollte.
Mama geht es ganz gut, doch ist sie ziemlich mit den Nerven fer-
tig.
Wie ist es, kommst Du vor Weihnachten noch mal? Mit Né od.
Rai? oder besser mal mit Frau!!!
Schreib mal!
Ich grüsse Euch alle herzlich –
Dein Ada

BA5, K (Die Bühne der Stadt Bochum), 2S, m

200   *Heinrich Böll an Ernst-Adolf Kunz*
10. 11. 51

Lieber Ada, wenn praktisch – bei Euch – möglich, komme ich in
der übernächstcn Woche. Aber ich fürchte wegen des Zustandes Deines Vaters wird es doch zuviel für Deine Mutter. Rai
fragt morgens beim Erwachen: wann fahren wir zum Ada?, aber
glücklicherweise hat er noch kein Zeitgefühl. Ich habe viel Rummel und bin froh, daß der Adam noch soeben richtig erschienen
ist.
Herzlich Hein

PK, eh

201 *Heinrich Böll an Frau Gertruda Kunz*
14. II. 51

Liebe Frau Kunz, gestern abend kam ich von einer kleinen Reise
zurück und fand die traurige Nachricht hier vor: traurig nicht für
Ihren Mann, sondern für Sie und Ihre Kinder, und ich hoffe nur,
Sie können glauben, daß die Toten nicht tot sind.
Mit herzlichen Grüßen von meiner Frau und mir
Ihr
Hein Böll

BA4, pers K, 1/2S, eh

202 *Ernst-Adolf Kunz an Heinrich Böll*
[Gelsenkirchen]-Buer, d. 26. XI. 51

Lieber Hein –
Deine dunkle Ahnung stimmt nicht! Wir danken Dir für Deinen Brief und wir glauben zu spüren, dass die Toten nicht tot
sind. Es war die letzten 14 Tage sehr viel los hier, wie Du Dir denken kannst. Es ist ja eine ziemliche Umstellung – nicht nur in
finanziellen Dingen. Die Beerdigung war sehr in Papas Sinn.
Grosse Beteiligung und ca. 200 Beileidsschreiben, für die noch
per Drucksache gedankt wird.
Auf Wunsch wurde Papa mit sämtlichen Orden begraben. Er
sah aus wie ein toter General. C. H. hat ihn fotografiert.
Merkwürdiges Gefühl, dass er nicht mehr nebenan liegt und
Uhu! ruft. Ich war bei ihm als er starb und möchte auch mal so
abdanken. Richtig »hinübergeschlafen«. (So musste ich zigmal
erzählen.) Wenn man so viel Menschen gewaltsam hat sterben
sehen, kann man nur hoffen, dass alle in Zukunft wie Papa aufhören zu leben.
Deine Schwarzen Schafe hat er nicht mehr lesen können. Mama
kommt jetzt langsam zur Ruhe. Sorgen braucht sie keine zu haben, da etliche Ärzteversicherungen zahlen (von denen ich
kaum was wusste) und sie ja die Witwenrente kriegt. Natürlich

ist viel Schreiberei nötig, bis diese Institute zahlen. Was die alle
wissen wollen!

Das Zimmer von Papa haben wir sehr gemütlich umgeräumt und
so haben wir ein erstklassiges Fremdenzimmer mit allem Kom-
fort. Wenn Wera und CH. kommen, kann ich jetzt in meiner Bude
bleiben. Wir hoffen fest, dass Du vor Weihnachten mal mit Annemarie kommst. Hörst Du!! Tilde verwahrt vielleicht noch mal für
2-3 Tage die Kinder. Schreib mal, ob das klappt. –
Dein »Adam« ist gut, spannend und furchtbar wahr. Besonders
begeisternd ist der Aufbau dieses Romans. Das Kapitel über
Oberst! So war's wirklich. – Mama hat den »Adam« auch gelesen.
Findet ihn gut, aber bedrückend. Träumte schon einige Male davon. – Wir sprechen noch drüber. Die »Schwarzen Schafe« habe
ich schon 2x vorgelesen. In etwa eine Legitimation für mein Leben. Am Abend vor Papas Tod (also am 8. XI.) las ich in der
Rundfunkzeitung, dass Du in Frankf. eine 1/2stündige Sendung
hattest aus »Zug«. Habe Frankf. leider nicht gekriegt.
Also komm mal, Hein. Ich grüsse alle Deine Lieben.
Stets Dein Ada

BA4, 2S, eh

203   *Ernst-Adolf Kunz an Heinrich Böll*
[Gelsenkirchen]-Buer, Hausfeld 5, d. 15. XII. 51

Lieber Hein – heute in unserer Zeitung: Westdeutsche Allgemeine Nr. 292. Auflage ca: 400 Mille, deine Geschichte »An der
Brücke«. Bringt bestimmt 80-100 DM. Wenn Du Exemplar
brauchst, schicke ich es. – Es war sehr schön bei Euch wie immer.
Wäre gern noch einen Tag geblieben, doch hier ist wirklich zu
viel los. Die Versicherungen sind totale Verbrecher. Immer wieder Anfragen und Bestimmungen. Lass Dich nie versichern! –
Sobald Notizbücher kommen, schicke ich sie Dir. –
Grüsse alle herzlich von mir und schreib mal, wie Alois durchkommt – hoffentlich. Dein Ada

PK, eh

204 *Ernst-Adolf Kunz an Heinrich Böll*
[Gelsenkirchen]-Buer, Hausfeld 5, d. 20. XII. 51

Mein lieber Hein –
weiterhin Erfolg und Glück fürs ncuc Lebensjahr!
Muss Dir leider mitteilen, dass unser Treffen hier in Buer zu Sylvester ins Wasser fallen muss, da Mama es gesundheitlich nicht
mehr schafft – sie putzt und schuftet, dass ich es kaum noch ansehen kann. Eine Hilfe will sie erst im Januar nehmen. Sie selbst
bedauert es am meisten, doch ist es nicht zu ändern. – Ich hoffe,
dass das Treffen nur aufgeschoben ist. – Ich miete den Bunker
nicht, da er zu feucht. Sehr schwer, ein anderes Lokal zu bekommen. Hein, grüsse alle herzlich von
D. Ada.

PK, eh

205 *Heinrich Böll an Ernst-Adolf Kunz*
21. 12. 51

Mein lieber Ada, vielen Dank für Brief und Karte. Wir können
uns wohl denken, dass Deine Mutter der Schonung bedarf. Hier
ist alles in Ordnung, nur warte ich noch auf Middelhauves Geld,
um einige Kleinigkeiten kaufen zu können. Reizend, mich ausgerechnet im Dezember so schön warten zu lassen, nicht wahr?
Morgen wäre der letzte Tag, um in Ruhe etwas Vernünftiges zu
kaufen. Blöde Schweine, meinen wahrscheinlich, weil ich von
der Stadt 500.– bekommen habe, ich hätte für ein halbes Jahr genug. Ich schicke Dir die Kritik aus der Nz, schick sie mir bitte gelegentlich zurück. Alle Kritiken bisher gut, aber kein Buchhändler hat Diskutables dafür getan. Mit Alois ist [es] im Augenblick
besser, ich hoffe immer noch auf einen entscheidenden Coup
für mich, damit wir seine Schwierigkeit en famille aus der Welt
schaffen könnten. Vorläufig sind die Wogen geglättet; nur zöge-
re ich immer noch in der Frage der Verlagswahl. Habe massenhaft zu tun: ein Nachtprogramm in Auftrag, ein Heiligen-Buch

für die FH, und Romane soviel ich mag. Könnte viel Geld verdienen, habe aber zu nichts Lust, und tue auch nichts. Eines Tages lege ich wieder los.
Grüss Wera und Carl-Heinz bitte von uns, wenn sie kommen.
Ich werde den O's noch schreiben, sobald ich mehr Lust habe.
Viele herzliche Grüsse ganz besonderer Art an Deine Mutter.
Und wenn Du Lust hast, komm. Es war schade, dass Du nur so
kurz bleiben konntest.
Alles Gute für die Festtage, wenig Sensen und Frieden – – von
uns allen. Hein
[ehZ] Wenn Nita kommt, viele Grüße. Ich schreibe auch ihr,
wenn ich wieder Lust habe

Z, m

206   *Ernst-Adolf Kunz an Heinrich Böll*
[Gelsenkirchen]-Buer d. 27. XII. 51

Lieber Hein –
Weihnachtstage ohne Sensen hinter uns gebracht. Waren alle
beisammen, Nita, Wera und CH. Alle lassen für Deine Grüsse
danken.
Von Wera bekam ich »Staub«. Wirklich ein zweiter Bosemüller.
Finde die Dialoge manchmal unerträglich. Alles Helden. War
'ne schöne Sache für Stalmann – der Krieg. Kritik in NZ. gut
und verdient. Hätte ich »Staub« nur vor der Diskussion gelesen!
Was Stalm. las, war ganz schön – aber was er schreibt ist nicht
so. – H. W. Richter schicke ich bald. Sehr fleissiger und geschickter Mann. »Adam« ist besser. Bitte, schreib, ob Dein Nachtprogramm klappt u. wann es ist. –
Meine Büchereigeschichte geht nicht voran. Alles rät mir ab und
man kriegt auch kein Lokal. Viele andere Ideen habe ich (siehe
»Schwarze Schafe«). Will evtl. was mit CH machen. Möchte auch
nicht gern was unternehmen, ohne Aussicht gut zu verdienen.
Grüsse alle von Mama und mir. Ich komme bald.
Dein Ada

d. 28. XII. [1951] [Fortführung des Briefs vom 27. 12. 1951]

Bitte schreib umgehend, welches Notizbuch Du brauchst. Nur
die Nummer. Ich schicke es Dir dann sofort. – Im FH. von Jan.
3seitige Geschichte von Dir. Las sie gestern. Im neuen Jahr glei-
chen Erfolg!
Ada.
I ziemlich dick mit med. Anhang Kunstleder rostrot
II mit med. Anhang mit Bleistift Kunstleder blau
III gross, flach, ohne med. Anhang Leinen rot
IV ohne med. Anh. flach, rot Kunstleder

BA4, 2S, eh

207   *Ernst-Adolf Kunz an Heinrich Böll*
1. Jan. 52

Lieber Hein –
Notizbuch (blau) finde ich gut, nachdem wir den med. Anhang
entfernt haben. Das zweite Halbjahr bekommst Du später, da
die Firma das so macht.
Notizbuch (rot) hat das ganze Jahr. Vielleicht kannst Du jedes
viertel Jahr einzeln benutzen. – Wir sind gut ins Neue Jahr gekommen. Wera kam gestern noch überraschend. – Ich komme
bald mal. – Gib Kusch auch ein Notizbuch. Versprach es ihm. –
Herzlichste Grüsse – Dein Ada

BK, eh

208   *Ernst-Adolf Kunz an Heinrich Böll*
[Gelsenkirchen-]Buer, Hausfeld 5, d. 12. Jan. 52

Lieber Hein – am vergangenen Dienstag wurdest Du im Nachtprogramm von W. Weyrauch genannt. Du wurdest unter die
22 bedeutendsten deutschen Schriftsteller gerechnet. Gruppe 47
wurde oft erwähnt als die Leute, die allein wüssten was los wäre

und die die Restauration nicht mitmachten wie so viele andere.
Walter Jens sprach auch sehr scharf und mutig. Trotzdem glaube
ich, dass Weyrauch Romantiker ist. –
Meine Zeitungsannonce (3000.– Beteiligung) fand ein unerwartet grosses Echo. Ich habe Angebote vom Betonwerk bis zur
Wäschefabrik. Makler, Metzger und Handwerker meldeten sich,
z. T. alles bankrotte Existenzen. Es ist sehr schwer hier die richtige Wahl zu treffen. 2 Verlage bieten sich an. Hoffe in Kürze etwas Gutes zu haben. Z. Zt. sehr beschäftigt. Hein, schreib doch
mal Nita, ob ihr Weihnachtspäckchen für die Kinder angekommen ist. Sie macht sich Sorgen und will nicht schreiben, da das
so dumm aussähe. – Also entweder bin ich bald ein reicher
Mann oder bankrott. Du hörst noch von mir. Gruss an alle!
Dein Ada

PK, eh

209   *Ernst-Adolf Kunz an Heinrich Böll*
[Gelsenkirchen-]Buer, Hausfeld 5, d. 16. 1. 52

Lieber Hein –
ich habe alles versucht, Euch zu helfen. Habe an CH. geschrieben, da ich ihn telefonisch nicht erreichen konnte und heute
früh war er da mit Wera. Das Pech will es, dass der Mann, bei
dem er das Geld angelegt hat für längere Zeit verreist ist und
CH. nicht dran kann. Ich glaube, dass er es getan hätte. Mama
hatte gerade vor einer Woche das Geld eisern angelegt bei der
Bank und ich gestern, da ich am 23. 1. das Textilgeschäft eröffnen
will. Wir sind sehr bedrückt, dass es keinen positiven Weg für A.
gibt. Schreib mir doch sofort, wie es geht. – Und komm mit Rai
her. Mein Hauptrummel ist dann vorbei. Grüsse Alois und alle.
Stets Dein Ada

PK, eh

210   *Heinrich Böll an Ernst-Adolf Kunz*
Köln, den 19. 1. 52

Lieber Ada, vielen Dank für Deine Mühe und die Nachricht. Mit
Alois – hoffe ich – wird sich schon machen. Richte bitte CH und
Wera unseren Dank aus. – Ich komme dann, wenn nichts dazwi-
schenkommt, am 27. – lese an drei Tagen hintereinander in Dortmund, Essen, Witten; schreib mir, ob es nicht zuviel wird für
Deine Mutter, wenn ich Rai mitbringe, der ja dann allein bei
Euch bleiben muss, während ich »lesen« gehe.
Schreib mir, wie es mit Deinem Geschäft geht. Interessiert uns
alle brennend. Und wenn Du 1.– Dm im Monat übrig hast, abbo-
niere unsere neue Lit-Zeitschrift »Die Literatur«, die von der
Gruppe 47 herausgegeben wird. Wirb auch Wera – die Zeitschrift erscheint 14 täglich, kostet 50 Pfg. Wir werden versuchen,
in diesem »Organ«, Krach zu schlagen.
Die Zeitschrift erscheint ab 1. 3. in der Deutschen Verlagsanstalt
Stuttgart, ich werde Dir ein Werbeexemplar schicken lassen.
Sonst weiterhin verlockende Angebote von Verlegern, die ich
jetzt sondiere. Alles Nähere mündlich. Nochmals vielen Dank
und herzliche Grüsse an alle
Dein Hein

BA5, 1 1/2S, m

211   *Ernst-Adolf Kunz an Heinrich Böll*
[Gelsenkirchen-]Buer, Hausfeld 5, d. 24. I. 52

Lieber Hein –
wir freuen uns, wenn Du kommst mit Rai. Auch Jerry freut sich
auf Rai.
Wann kommst Du Sonntag? Mit dem Zug, der so gegen 16.00
hier ist? Wenn das ginge, könntest Du noch Nita hier treffen.
Also Sonntag d. 27. erwarten wir Dich. – Habe gestern mein
Geschäft eröffnet. Scheint ganz gut zu werden. »Organ« der 47er
bestelle ich sofort, Wera und Nita bestimmt auch. Ist ja billig. –

Du wirst 2X positiv im »Spiegel« genannt. Eine glänzende Kritik und eine Leserzuschrift über Diskussion mit Major Stalmann. Also bis Sonntag!
Grüsse alle!
Dein A.

PK, eh

212   *Ernst-Adolf Kunz an Heinrich Böll*
Gelsenk., d. 7. II. 52

Lieber Hein –
sei so gut und bitte Frl. Nelsen, uns eine Liste ihrer Ware mit Preisen zu schicken. Wir brauchen hauptsächlich Herrenübergangsmäntel, Damenübergangsm., Herrenanzüge und Damenkostüme. – Das Geschäft geht ganz zufriedenstellend, nur sind die Unkosten irrsinnig hoch. Seit heute früh sind noch 2 Vertreter für uns unterwegs, die an die Zechen verkaufen. Mal sehen, was die bringen. –
Sobald ich mal ein paar Mark über habe, kann ich zu Euch. Reich werde ich auch hier bestimmt nicht. Vielleicht mal »wohlhabend«.
Hein, grüss Deine Frau und die Quittungen, Tilde und Opa.
Dein Ada

PK, St (Tomballe & Kunz, Damen- u. Herrenbekleidung,
Gelsenkirchen, Bochumer Strasse 136), eh

213   *Heinrich Böll an Ernst-Adolf Kunz*
8. 2. 52

Mein lieber Ada, gleich am Abend meiner Ankunft hier habe ich mit Frl. Nelsen gesprochen und ihr Deine Wünsche, sie geschäftlich zu sprechen, übermittelt. Sie sagte mir, dass sie keine neuen Kunden werben darf, auf Grund eines Abkommens mit

der Firma, die sie vertritt. Sie hat aber gleich Deine Adresse notiert (Firma), will Euch entweder selbst schreiben oder den Be-
zirksvertreter zu Euch schicken. Wenn bis Ende der nächsten
Woche nichts erfolgt ist, schreib mir noch mal, ich bohre dann
nach. Schreib mir überhaupt weiter, wie das Geschäft geht. Und
habe Geduld. Verzeih die Mahnungen – aber ich glaube, Geduld
muss man schon haben.

Bitte richte Deiner Mutter unsere innigsten Grüsse aus, Rai hat
sich prachtvoll bei Euch erholt, ist kernig und wohlauf und er
bittet, viele Grüsse an Euch alle und Jerry hinzunehmen. Es war
wunderbar, ich habe mich prächtig bei Euch ausgepennt und
ausgeruht trotz der abendlichen Knack-Geschichten. Verzeiht,
dass ich noch nicht schrieb: Ich bin krank, habe Ischias – muss
aber Montag früh nach Berlin fahren. Auch sonst Besserung der
Aussichten: habe mich von Middelhauve zunächst in völlig
freundschaftlicher Weise gelöst, und doch durchgedrückt, dass
ich noch 2 Monate 200 Dm kriege als Vorschuss auf Adam.
Dann gehe ich keine Bindung an einen Verlag ein, bis ich meinen neuen Roman fertig habe. Auch hier am Kölner Funk tut
sich was, so dass ich mich den Sommer über ohne Fixum werde
halten können.

Grüsse Deine Mutter herzlichst, von uns allen. Né und Vinz
sind krank, haben Erbrechen und Durchfall, doch schon auf
dem Wege der Besserung.

Herzlichste Grüsse und Dank für alles

Hein

BA5, 2S, m

214   *Heinrich Böll an Ernst-Adolf Kunz*
4. III. 52

Mein lieber Ada, verzeih mein Schweigen. Ich mußte für eine
Woche nach München – war kurz davor eine Woche in Berlin
und habe nun die Nase gründlich voll. In München gab es eine
»Ehrung« im Rahmen der Verleihung des René-Schickele-Prei-

ses, den Hans Werner Richter bekam. Brachte aus München einige neue Funk-Aufträge mit; jetzt bin ich für das nächste halbe Jahr mit soviel Arbeit versehen, daß ich es kaum werde schaffen können ganz zu schweigen von meinem Roman.

Von Berlin erzähle ich Dir, wenn Du kommst. War sehr, sehr sehenswert. Ich habe viele Russen gesehen – die ersten seit 44. Komm unbedingt. Wir fahren am 15. III. bis abends weg, sind also den 16. hier und freuen uns sehr wenn du kommst. Komm nun wirklich.

Wann ich noch einmal kommen kann – ist unbestimmt, aber im Frühling einige Tage auf jeden Fall.

Grüße Deine Mutter herzlich von uns allen, ganz besonders von Rai – an Jerry natürlich, Dir einen Extra-Gruß.

Herzlich Dein Hein

BA5, 2S, eh

215   *Heinrich Böll an Ernst-Adolf Kunz*
19. 3. 52

Lieber Ada,
warum kamst Du nicht? Erwarteten Dich wirklich sehnsuchtsvoll. Komm doch bald oder schreibe mal. Kinder haben alle Masern.

Herzliche Grüße Deiner Mutter und Dir
Hein

APK, eh

216   *Ernst-Adolf Kunz an Heinrich Böll*
Gels.-Buer, Hausfeld 5, d. 25. III. 52

Lieber Hein – ja, ich würde wirklich gern kommen, doch habe ich wenig Zeit. Wera wird Dir erzählt haben, dass wir Tomballe abgefunden haben und dass ich jetzt mit einem richtigen Kauf-

mann das Geschäft betreibe. Da dieser Herr Bernhard noch
einen Laden hat und wir die Sache zu gleichen Teilen machen
wollen, stehe ich mich in Zukunft wahrscheinlich günstiger. Mal
abwarten. Im Augenblick ist das Geschäft ruhig. Bei schönerem
Wetter wäre es sicher besser. – Bekam gestern die neue Literaturzeitung. Kann mal gut werden. Habe das Gefühl, als wenn wieder viel zu alte Knacker mitarbeiten. Richter ist gut. Werde Zeitung bestellen. Kannst Du nicht mal kommen? – Wie geht es
den Kindern. Wera schrieb kurz von ihrem Besuch bei Euch. –
Ich schreibe bald, wann ich Zeit zum Besuch habe. Güsse alle
herzlich
Dein Ada

PK, eh

217   *Ernst-Adolf Kunz an Heinrich Böll*
Gels., d. 26. 4. 52

Lieber Hein –
bei diesem Geschäft kommt man kaum zu Atem. Wie gut verstehe ich jetzt Alois' Sorgen und Rennereien um Geld. Wusste bisher noch nicht, wie gefährlich ein Wechsel werden kann und
wie blitzschnell manchmal Geld beschafft werden muss. Fabelhaft, wie schnell die restlichen Nerven dabei draufgehen. Trotzdem bin ich zuversichtlich, dass sich alles mal rentieren wird.
Wusstest Du schon, dass gerade jetzt eine Kaufkrise in Textilien
ist? Ausgerechnet. Ich lese neuerdings Börsenberichte und Kurse, Wirtschaftsmeldungen und Fachblätter.

Gels., d. 3. 5. 52

Jetzt liegt dieser Anfang schon seit Tagen hier und ich kam nicht
dazu, weiterzuschreiben. Du musst mir das verzeihen. Ich habe
sündhaft lange nicht an Dich geschrieben. Habe oft gedacht,
dass Du mal herkommen solltest. Ich möchte so viel mit Dir besprechen.

d. 6. 5. 52

Langsam aber sicher werde ich wohl auch mit diesem Brief fertig. Hein, bitte schreib mir sofort wie es Euch geht, was Du tust
und wann Du mal kommst. Möchte so gern mal wieder etliche
Pullen mit Dir trinken. Ausser den geschäftlichen Sorgen geht
es mir gut. Auch Mama ist ganz in Ordnung. Ich beabsichtige in
diesen Tagen den Führerschein zu machen. Komme dann evtl.
mal mit Auto. Jedenfalls komme ich an einem der nächsten zwei
Sonntage. Vielleicht schon an einem Samstag. Schreibe Dir aber
noch vorher. Ist es Dir recht?
Grüsse bitte alle, die ich kenne.
Bis bald! Dein A.

BA5, 2S, eh

218   Heinrich Böll an Ernst-Adolf Kunz
7. 5. 52

Mein lieber Ada, vielen Dank für Deinen Brief. Es war schön
noch einmal von Dir zu hören. Mir geht es gut, wirklich. Habe
mit Kiepenheuer einen Vertrag auf 400.- monatlich, ausserdem
Aufträge für den Funk, Zeitschriften usw. Meine Frau hat aufgehört, ich bilde sie zu meiner »Sekretärin« aus. Bis auf einige Kleinigkeiten bin ich schuldenfrei – ausserordentlich interessanter
Zustand. Komm unbedingt zu uns. Ich kann wohl kaum vor Juni – bis Ende Mai muss ich noch vieles erledigen, was unmittelbar Geld einbringt – im Sommer arbeite ich dann richtig. Wera
war mit CH einige Male hier, wir einmal dort – wurden auf Band
aufgenommen. Wenn's Dich interessiert: am 15. 5. habe ich im
RIAS 1/2 Stunde, am 5. 8. in Frankf. ein Abendstudio, Hörspieltermin noch nicht festgelegt.
Deine Sorgen verstehe ich gut, aber wenn es trotzdem klappt –
um so besser. Komm doch her und erzähle uns, wirst sehnlichst
erwartet – Rai meint, ob Du Jerry nicht mal schicken kannst. Wir
raten ab – – hier herrscht Unruhe genug. Der schlimmste ist
Vinz, so schlimm war noch keiner. Nicht klein zu kriegender

Gummiball. Im Sommer wollen wir aufs Land ziehen – haben in
der Eifel zwei Zimmer möbliert gemietet, zunächst für 6 Wochen. Dort besuchst Du uns dann mal. Ab 15. Juni brechen wir
hier unsere Zelte ab – ich bleibe wahrscheinlich dann noch hier,
um zu arbeiten. Habe etwas Angst, dass meine Chancen nicht so
bleiben – … berichte Du mir bitte laufend von Deinen. Wir hoffen, dass Du nun wirklich bald kommst. Habt Ihr Rachjacken?
Kragenlose Cordjacken – ich würde gerne eine kaufen.
Viele herzliche Grüße an Deine Mutter und Dich
Hein

Z, m

219   *Ernst-Adolf Kunz an Heinrich Böll*
Gels., d. 14. 5. 52

Lieber Hein – nun klappt es doch noch nicht mit meinem Be-
such bei Euch. Geht es am 25. 5.? – Hier ist eine solche Jagd nach
Geld, dass ich unbedingt mal raus muss. –
Tust Du mir einen Gefallen? Wir hatten einen Kunden aus
Köln, der 160.– nicht bezahlt hat. Den Zahlungsbefehl hat er be-
kommen. Bei der Pfändung war er nach Unbekannt verzogen.
Kannst Du od. Alois feststellen wohin? Vor 14 Tagen muss er
noch dagewesen sein.
Ingwer HARKSEN, Köln, von Werthstr. 38, Vertreter, 6. 3. 14
geb.
Die Sache der Polizei zu übergeben, ist erfahrungsgemäss erfolg-
los. Nur die neue Adresse kann man da erfahren. Kommst Du
da mal hin? Ich wäre Dir sehr dankbar. Der Schuft stammt aus
Norddeutschland.–
In unserer Rundfunkzeitung ist Deine 1/2-Stundensendung angekündigt. »Ein Beruf – ein richtiger Beruf« oder so.
Leider kriegen wir Rias nicht gut. Will es aber versuchen. – Mama wollen wir zum Geburtstag einen neuen Apparat schenken.
Dann wird es wohl gehen. – Ich freue mich, dass Du bald restlos
schuldenfrei bist. Jetzt habe ich diese Last. Hoffe, sie auch mal

loszuwerden. Die Geschäftslage ist schlecht. Sehr wenige Leute kaufen. Wir haben jetzt Vertreter laufen. – Hein grüsse alle herzlich von mir. Und denk an den Harksen.
Dein Ada

BA5, 2S, eh

220   *Heinrich Böll an Ernst-Adolf Kunz*
16. 5. 52

Lieber Ada, ich kann Dir leider nichts Gutes von Harksen berichten, suchte seine Wohnung auf – selten elende Behausung – und erfuhr, dass er – sitzt – im Bielefelder Gefängnis – seit einigen Tagen. Ihr könntet ja mal da nachforschen – wahrscheinlich nichts zu holen. Wäre schön, wenn Du kämest – ich komme möglicherweise bald nach Pfingsten – bekomme vielleicht Reportage-Auftrag für NWDR. Viele herzliche Grüße an Euch alle
Hein

PK, m

221   *Ernst-Adolf Kunz an Heinrich Böll*
[Gelsenkirchen-]Buer, Hausfeld 5, d. 21. 5. 52

Lieber Hein –
wenn es Euch passt, komme ich Samstag d. 24. Mai (21.40 Hbf Köln) zu Euch. Bin dann so um 22.00 bei Euch. Solltet Ihr nicht dasein, telegrafiere Geschäft. Bochumerstr. 136. Bleibe evtl. bis Montag früh. Weiss aber noch nicht genau. Freue mich sehr auf Wiedersehen.
Grüsse! Ada
[Zusatz von Guni Haack] Herzl. Gruss Guni

PK, eh

222 *Ernst-Adolf Kunz an Heinrich Böll*
Gels., d. 7. 6. 52

Lieber Hein – schade, dass Du vor 14 Tagen nicht zu Hause warst.
Hatte mir gerade für den Samstag alles abgewimmelt. Komme
jetzt wahrscheinlich am 14. od. 15. 6. Schreib mal ob Du dann da
bist. Schön wäre ja auch, wenn Du mal wieder hier auftauchtest.
Wir haben unser Haus noch wesentlich bequemer und schöner
machen lassen. – Pfingsten stand bei uns im Zeichen des Magne-
tonphonbandes. CH nahm nur auf. Eigentlich eine schreckliche
Erfindung.
Unwahrscheinlich war, als plötzlich Deine und Alois' Stimme er-
tönten. Zufällig war die Stelle noch erhalten. – Gestern Artikel
von dem guten Lenz in unserem Käseblatt. Lege ihn bei. – Geschäft macht viel Sorgen und wirft z. Zt. wenig ab. –
Grüsse alle herzl. von mir!
Dein Ada
Tilla ist in Paris?

Z, eh

223 *Heinrich Böll an Ernst-Adolf Kunz*
22. 7. 52

Mein lieber Ada,
mit meiner Reise Anfang Juli wurde es nichts, 1. wegen der über-
grossen Hitze, 2. weil mich hier in der Eifel eine langanhaltende
Faulheit überfiel. Wir sind jetzt fast sechs Wochen hier, gehen
am 1. 8. wieder nach Köln und freuen uns nun auf unser »Heim«.
Im ganzen war es herrlich, wenn auch einiges Einschränkende
zu sagen wäre.
Inzwischen bin ich mit meiner Arbeit derart in Verzug gekommen, dass es mir graust jeden Morgen, wenn ich aufstehe: ein
Schulschwänzer kann kein schlechteres Gewissen haben: ich
lasse mich mit Vorschüssen überhäufen für Arbeiten, an denen
ich noch keinen Strich getan habe – das ist bitter. An dem neuen

Roman habe ich auch nichts getan und beziehe jeden Monat meine Rente. Ich will mir nun zunächst meine Rundfunkpflichten vom Halse schaffen und würde gerne am 5. 8. zu Euch kommen, vielleicht für 5-6 Tage. Eines meiner Hörbilder heisst: »Das Wartezimmer im Ruhrgebiet«. Ich denke, Du kannst mir da manchen Tip geben – das andere heisst: Feierabend im Ruhrgebiet.

Kannst Du mir wohl schreiben, ob ich Euch zu diesem Zeitpunkt genehm bin und ob ich Rai mitbringen soll – wir könnten dann abends am 5. mein Abendstudio abhören. Ich lege Dir ein Programm bei. Ich würde es gerne hören, weil ich nicht weiss, wie sie es dort in F. inszeniert haben. Und darf ich auch die Schreibmaschine mitbringen und einige Kleinigkeiten bei Euch tippen?

Herzlichste Grüsse an Euch an alle von uns allen

Hein

BA5, 1 1/2S, m

224   *Ernst-Adolf Kunz an Heinrich Böll*
Gelsenkirchen d., 23. 7. 52

Lieber Hein – ich hätte längst schon schreiben sollen, doch haben sich hier wieder tolle Dinge ereignet. Geschäftlich. Ich glaube, wir werden nie das Glück haben, nicht enttäuscht zu werden. Alles Verbrecher! Na, ich erzähle Dir das wenn Du kommst. Wir freuen uns auf Deinen Besuch mit Schreibmaschine. Leider kannst Du den guten Rai nicht mitbringen, da Mama gesundheitlich nicht ganz in Schuss ist. Sie fühlt sich schlapp, obwohl sie kaum noch etwas tut. Irgendwas mit Blutsenkung stimmt nicht. Aber lass Du Dich nicht abhalten. Du bekommst Dein Zimmer und kannst dort tun und lassen was Du willst. Bleib auch so lange wie es geht. Auf Deine Sendung über Bloy bin ich gespannt. Wir hören sie dann zusammen. Z. Zt. ist Wera mit Mofa (Motorrad) da. Am 7. 8. fahren CH und sie für 4-5 Wochen an die Riviera. Mit Zelt und BMW. Möchte ich auch gerne mal.

Guni ist bis Sept. in Elkeringhausen im Sauerland. Küchenleite-
rin in einer kleinen Pension. Will mich im Herbst mit ihr verlo-
ben. Keinen Sinn, länger zu warten. Ganz netter Kuddelmuddel
durch Dr. Haack. Kannst Du Dir ja denken. Wird schon klappen. – Bring bitte das Oberhemd mit, das ich damals bei Euch
vergessen habe. – Solange ich lebe, war ich noch nie so weit mit
den Nerven herunter. Jetzt spüre ich erst richtig, dass ich sie habe. Es ist unglaublich, was einem alles passieren kann. Dabei
dachte ich sehr naiv, dass ich das Erregendste im Leben hinter
mir hätte. Hab ich gedacht!
Hein schreib noch kurz Karte wann Du genau ankommst.
Es wäre wirklich sehr schön, wenn das klappte.
Grüsse alle, alle herzlich von mir.
Dein Ada

BA4, 2S, eh

225   *Ernst-Adolf Kunz an Heinrich Böll*
Gels., d. 18. 8. 52

Lieber Hein – wir sind so froh, dass es Euch bei uns gefallen hat,
und wir hoffen sehr, dass Ihr bald wiederkommt. – Deine Besuche hier im Geschäft habe ich die erste Zeit sehr vermisst. Obwohl ich mich nie langweile, war es doch wesentlich anregender
als irgendeine meiner Beschäftigungen. Z. Zt. habe ich ziemli-
chen Ärger mit der alten tückischen Haack. Sie macht Guni dort
in Elkeringhausen das Leben systematisch schwerer als es ist.
Aber ich werde mich später dafür rächen. Ein sehr törichtes Frau-
enzimmer! – Ich schaue mir die Augen nach dem berühmten
schwarzen Kopftuch aus. Entdeckte bisher keins. Verstehe das
gar nicht, wo Du doch so viele sahst. – Der Trenkercord ist bestellt. Hoffentlich kommt er bald, damit Du die Jacke kriegst. –
Leider bin ich noch nicht dazu gekommen, Erkundigungen über
evtl. Lizenz einzuziehen. Glaube aber sicher, dass keine notwendig ist. Bitte überleg doch mal, wie wir das Unternehmen
nennen können. Vorschläge: Der Storywriter, Das Beste, Die

Quelle, Der Bestseller, Der Tiefschlag, Der Böller, Die Lunte,
Novum, Der Hochdruck (oder Tief-), Der Treffer – schön? Aber
alles Quatsch. Es gibt massig Möglichkeiten, aber wenig Gutes.
Las heute Geschichte in »Welt«, die ich vor ca. 1/2 Jahr in unserer
Zeitung gelesen habe. Alle machen es so. – Freue mich jedenfalls
auf diese Tätigkeit. In dieser Woche will ich noch ein paar Fach-
leute sprechen und dann geht es los. Vielleicht komme ich noch
mal zu Dir, damit wir alles genau besprechen können. Schreibe
aber vorher oder rufe bei Euch an. Wie war noch die Nr.?
Grüsse alle herzlichst.
Euer Ada
Frag mal Tilde, ob sie nicht mal über Samstag, Sonntag, Montag
kommen will. Soll sofort schreiben. Wir würden uns freuen. Sie
hat ja verlängerte Ferien. Sie braucht nur 12.– DM für Fahrt.

BA5, 2S, eh

226   *Heinrich Böll an Ernst-Adolf Kunz*
Köln, den 22. 8. 52

Lieber Ada, es wäre schön, wenn Du noch einmal herkommen
könntest, ganz abgesehen von Besprechungen bezgl. Korrespondenz-Büro. Ich sprach mit Schallück darüber, der mehr
Presseerfahrungen hat als ich; war nicht überzeugt, und glaubte,
man müsste »gross« starten. Glaube ich nicht, es kommt darauf
an, persönliche Note zu halten und durchzuhalten. Ein blenden-
des Geschäft wird es wohl nie, aber bestimmt eine ganz erträgli-
che Nebeneinnahme, wenn man es gut aufbaut. Ich erwarte täglich den Stevenson aus England – das wäre ein ausgezeichneter
»Start«.
Auf jeden Fall halte ich zunächst alle »gängigen« Geschichten
zurück. Vielleicht komme ich auch noch einmal schnell einen
Tag. Und lass Dich nicht bedrücken durch Familien-Getrat-
sche. Glaube mir, bester Ada, ich habe auch nur geheiratet
gegen meine Familie, unter teils fürchterlichen Krächen und
heute: alles bestens; niemand denkt mehr daran, und ich denke

auch nicht mehr daran. Ein Kohlenpott-Feature habe ich abgeliefert, nächste Woche erfahre ich, ob es was taugt. Wenn ja, komme ich bald und überlege mir in Deinem Laden das nächste –
Grüsse Deine gute Mutter, herzlichst von uns allen – auch Guni – bring sie mit, wenn Du herkommst ...
Herzlichst
Hein

Ich schicke Dir am 1. noch Geld für die Jacke.

BA5, 1 1/2S, m

227   *Ernst-Adolf Kunz an Heinrich Böll*
Gels., d. 29. 8. 52

Mein lieber Hein – eben kommt Dein Brief und da im Augenblick »unheimliche Ruhe« herrscht, kann ich sofort antworten. – Also ich habe 'ne Idee: Am 8. 9. fährt Mama nach Elkeringhausen für 8 Tage. Sie kommt am 15. 9. mit Guni zurück. So Du Zeit und Lust hast, kannst Du kommen und ungestört arbeiten, schlafen, spazierengehen etc. Bring ein Kind mit oder Deine Frau oder Tilla – wie es geht. Wir würden uns dann selbst verpflegen und Christel brauchte nur einmal die Woche kommen und putzen. – Wie wär das? Überleg mal, ob Du kannst. Bestimmt erwarten wir Dich am 20. 9. zu meiner traditionellen Geburtstagsfeier. War neulich bei dem alten Stockfisch Haack eingeladen. War liebenswürdig in einer etwas störenden Art. Er steht auf dem Standpunkt: Sie heiraten Guni und nicht die Familie, deshalb keine Feier. Bin sehr einverstanden damit, obwohl Guni so ihre Pläne hatte. Allen Konventionen enthoben, tue ich jetzt was ich will. Natürlich feiern wir – ohne Familie Haack – bei uns. Alles am 20. 9. Nita, Wera – CH kommen bestimmt. Und Du. – Bin über Agentur Deiner Ansicht. Was soll man da »gross« aufziehen? Habe auch mit Fachmann gesprochen, der Idee für gut hält. Hier ist einer, der Sportagentur hat, also Artikel über Sportver-

anstaltungen. Verdient massig Geld damit. – Wir besprechen das. Wenn Du nicht kommen kannst, komme ich. Habe an Pfannkuch um eine Schreibmaschine geschrieben. – Wera schrieb neulich aus Monte Carlo und Nizza. Sei alles teuer und sie kämen bald zurück, da kein Geld mehr. Nita schreibt auch sehr zufrieden. – Das Geld für Jacke schick nicht. Mache das schon so. Wir verrechnen später. –
Hier im Geschäft ist jetzt etwas mehr los. Tomballe ist raus und wir haben endlich Platz. Wird ganz nett jetzt. –
Also, Hein, kurz 'ne Karte, wie die Situation ist. Wenn Du nicht kommen kannst, soll doch Tilla für 2-3 Tage Besuch machen! Ich grüsse alle, alle bei Euch
Dein A.
Schick mal Hörspiel über Leon Bloy oder bring es mit!!

BA5, 3S, eh

228   *Heinrich Böll an Ernst-Adolf Kunz*
Köln-Bayenthal, Schillerstraße 99, den 4. 9. 52

Lieber Ada, meine Schwägerin Maria ist seit 14 Tagen im Krankenhaus und meine Frau hat ihren Haushalt um 4-5 Personen erweitern müssen. Sie ist unabkömmlich – leider – und auch die heimgekehrte Tilla ist jetzt eingespannt. Dein Angebot ist aber so verlockend, dass ich wahrscheinlich vom 10. bis 14. davon Gebrauch machen und mich mit Schreibmaschine – ohne Kind – bei Euch einnisten werde. Ich schreib dann aber vorher noch. Ich muss hier in Köln noch einiges erledigen. Der Stevenson ist angekommen und die Geschichten sind grossartig. Nur hat meine Frau jetzt leider keine Zeit, sich an die Übersetzung zu machen, und vor allem muss noch geklärt werden, ob sie schon mal übersetzt sind. Wir reden dann über alles.
Herzlichste Grüsse an Deine Mutter und Dich
Hein

PK, pers St, m

229   *Ernst-Adolf Kunz an Heinrich Böll*
[Gelsenkirchen-]Buer, Hausfeld 5, d. 5. 9. 52

Lieber Hein, eben kam Karte. Wäre grossartig, wenn Du am 10. 9.
kommen könntest. – Den Trenkerkord habe ich endlich. Jacke
kommt 80.–. Der Kord ist so teuer. Habe Probe zum 10. od. 11. 9.
heute angesetzt. Passt doch besser dann. Schon das ist Grund,
dass Du kommst. – Ist ja schrecklich der Rummel bei Euch. Annemarie soll sich nicht überanstrengen. Wahnsinn 9 Kinder!
Also schreib kurz, ob und wann Du kommst. Bring Stevenson
mit.
Herzliche Grüsse von Ada

PK, eh

230   *Heinrich Böll an Ernst-Adolf Kunz*
9. 9. 52

Mein lieber Ada, ob ich morgen kommen kann, hängt von einer
Unterredung ab, die ich morgen früh noch erledigen muß.
Wenn ja – komme ich ins Geschäft – mit Rai ohne Maschine – ich
versprach es ihm. Sonst wahrscheinlich Donnerstag.
Herzlich Hein

PK, eh

231   *Ernst-Adolf Kunz an Heinrich Böll*
Gels., d. 17. 9. 52

Lieber Hein – hier ist Deine Jacke. Mir gefällt sie sehr. Riedel bewies mir, dass sie DM 90.– kostet. Also noch 60.– für Dich. Wert
ist sie es. – Mama und Guni kommen pünktlich an. – Die Verlobung findet am 20. 9. also Samstag bei Haacks statt. Abends. Es
wäre sehr gut, wenn Du kämest. Besuch mich im Geschäft und
wir gehen gemeinsam hin. Wera, Nita, CH kommen auch. Da

der Alte weg, wird es vielleicht ganz passabel. Wir fahren dann
per Auto zurück und Du schläfst bei uns. Kannst also am Samstag ruhig später kommen. Bis 18.00 bin ich bestimmt im Laden.
Gruss an alle
Ada

BA5, 1S, eh

232   *Ernst-Adolf Kunz an Heinrich Böll*
Gels., d. 29. 9. 52

Lieber Hein, nun wird es nächsten Sonntag doch noch nichts
mit unserem Besuch bei Euch. Guni muss zu einer Geburtstagsfeier nach Dortmund. Ob es den Sonntag drauf geht, weiss ich
auch noch nicht, gebe aber rechtzeitig Bescheid. Es wäre ja
schon ziemlich wichtig allein wegen Vorbereitung für die Agentur, denn ehe wir das nicht probiert haben, möchte ich Guni
auch keine andere Stelle besorgen. Sie ist nun mal so, dass sie
was zu tun haben *muss*. Ausserdem macht man ihr zu Hause
recht törichte Vorschläge, was sie tun soll. Dass diese Leute
nicht mal Ruhe halten können! Dabei näht Guni fast täglich irgendein Kleid für die Familie. – [...] Nun, ich gehe nur noch in
dringendsten Fällen hin. –
Ich war so froh, dass Du kamst. Schade, dass Du nicht länger
bleiben konntest. – Von Wera habe ich die DM 80.– erhalten. Somit hast Du bei mir noch DM 20.– gut, wenn ich die 60.– auf die
Rauchjacke verrechne. Ich erwarte den Stoff täglich. Schicke sofort Auswahl zu Dir, wenn ich sie habe.
Hein, grüss alle herzlichst, besonders Annemarie
Dein A.

BA5, 2S, eh

233 *Heinrich Böll an Ernst-Adolf Kunz*
Köln, den 3. 10. 52

Lieber Ada, vielen Dank für Deinen Brief. Wenn Du die Stoffmuster bekommst, schicke sie bitte gleich. Ich will mir auch
Stoff aussuchen für einen Anzug. In den nächsten Tagen über-
weise ich dann Geld, damit ich nicht für zwei Stoffe auf einmal
zahlen muss. Hier ist alles ruhig, nur hat Rai einen wilden Furun-
kel hinterm Ohr, der aber gut austrägt. Der nahende Winter
macht uns angesichts der engen Wohnung Kummer. Wenn
Guni arbeiten will – lass sie es ruhig tun. Die Agentur wird nicht
soviel Zeit beanspruchen. Vielleicht kann sie eine Halbtagstelle
bekommen – – ich bin immer noch nicht weiter mit meinem Roman, aber das Hörspiel und die beiden Kohlenpottberichte habe ich abgeliefert. Ich würde voraussagen können, dass ich etwa
vom 1. 12. ab Manuskripte für die Agentur liefern könnte, bis dahin ist auch die Stevenson-Frage restlos geklärt. Die Übersetzung kann meine Frau mir direkt in die Maschine diktieren. Bitte, verzeih, wenn ich nicht früher anfangen kann – – wenn ich
erst den Roman fertig habe, werde ich wie ein Wilder an die
Kurzgeschichten gehen. Lasst Euch nur nicht von Familie nervös machen – – und komm bald. Ich habe schon mit Milo Dor
gesprochen, der gestern hier war: er würde wahrscheinlich kleine Erzählungen zusteuern, auch Schallück. Es wird schon wenigstens so werden, dass ihr Euch bestimmt etwas nebenher verdienen könnt. Kommt bald her – – schreib vorher kurz, auch, wenn
Deine Mutter kommt.
Deiner Mutter und Dir herzlichste Grüsse von uns allen
Hein, Annemarie + Kinder

BA5, 2S, m

234   *Ernst-Adolf Kunz an Heinrich Böll*
Gels., d. 7. 10. 52

Lieber Hein –
da hier wieder allerhand los, kam ich nicht eher zu einer Antwort
Deines Briefes. – Stell Dir vor: auf eine ganz billige Annonce hin,
die ich ohne viel Hoffnung in die Zeitung setzte, bekam ich ein
wirklich glänzendes Angebot einer Wohnung. Es handelt sich da
um eine riesige Mansarde in einem Neubau (1951), Zweifami-
lienhaus, 15 Min. von Hausfeld entfernt, 2 Min. vom Buerschen
Stadtwald. Wunderbar ruhige Gegend. Die Besitzer sind Beamte,
die unsere Familie aus Schalke kennen. Die Mansarde ist völlig abgeschlossen, muss jedoch noch ausgebaut werden. Bei niedrigster
Berechnung käme ich mit DM 500.– bis 600.– – hin. Das angelegte
Geld wird dann erst abgewohnt. Miete beträgt DM 35.– Ist doch 'ne
Sache, das? CH kommt morgen und gibt mir Tip. Na, da kann er
zeigen, ob er was davon versteht. Jedenfalls lasse ich mir diese Gelegenheit nicht durch die Lappen gehen; und wenn ich den Mam-
mon klauen sollte. Vielleicht brauche ich auch weniger. Mal sehen.
Wenn alles klappt, heirate ich Anfang Dez. und ziehe sofort ein.
Was hältst Du davon? Sogar Fremdenzimmer lässt sich einrichten. –
Dort ist dann auch Zeit zur Agentur und es trifft sich ganz gut, dass
es eher nicht klappt, schon wegen der dann ja wechselnden Adressen. Wäre grossartig, wenn wir dann mit Böll, Stevenson und Dor
anfangen könnten! – Mama beabsichtigt Sonntag in einer Woche
zu Euch zu kommen. Hauptgrund ist grosse Erbschleichung bei
Tante Berta in Bonn. Soll mal was rausrücken, die alte Schachtel
dort! Jedenfalls kaufe ich mir nicht einen Stuhl! Ich schreibe noch
Genaues über Mamas Ankunft. Ich komme jetzt noch nicht zu
einer Reise, a. kein Geld, b. keine Zeit. Vielleicht in 4 Wochen. –
Schicke Dir Stoffmuster sofort wenn sie kommen. Habe noch vorige Woche diesen Stofffritzen energisch gemahnt. Könnte hier so
viel verkaufen. – Den alten Haack habe ich einfach in seinem Büro
aufgesucht und ihn auf sein albernes Benehmen hin gestellt. Wurde etwas scharf die Unterredung, doch als er schwor, nichts gewusst zu haben, akzeptierte ich den Meineid, um Frieden zu halten.
Er war dann scheissfreundlich. Vielleicht rückt er noch mit 'nem

Tausender raus, und dazu will ich ihm den Weg nicht verbauen.
Wenn er's nicht tut, ist das vielleicht noch besser. Aber ich brauche
Geld ! –
Am vorigen Freitag las ich nach Wochen wieder mal die »Welt« und
stiess sofort auf den »Husten im Konzert«. Glänzend! Das sind
wirklich saubere Geschichten, wie man sie sehr selten liest. – Z. Zt.
lese ich chronologisch Papas Kriegstagebuch. Habe das noch nie
getan und ich muss sagen, dass die Geschichte interessant ist. Es ist
haarsträubend, was für ein Leben diese Herren führten. Man ver-
steht nach dieser Lektüre gut die Begeisterung der »Kavaliere«, wie
Papa stets von den Offizieren schreibt, für das Soldatsein. Hat nur
gesoffen die Bande! – –
Hoffentlich quält Dich die Fertigstellung des Romans nicht zu sehr.
Ist bestimmt eine Mordsarbeit –
Hein, grüss mir Deine Familie. Ich schreibe bald mehr!
Dein A.

BA5, 4S, eh

235   *Ernst-Adolf Kunz an Heinrich Böll*
Gelsenk., d. 14. 10. 52

Lieber Hein – am kommenden Samstag will nun Mama zu Euch
kommen, um am Sonntag Tante Bertha in Bonn zu besuchen.
Bitte schreibe umgehend kurz, ob es passt. Wir müssen auch
noch die Antwort aus Bonn abwarten. Sollte diese verneinend
sein, gebe ich Euch sofort Bescheid. – Schreib mir doch auch
mal, wann Du Sendungen im Funk hast. Wera brachte mir Deine Kritik über Rommelfilm. Vernichtend und gut. Wer schreibt
heute noch so tödlich wirkende Kritiken? Sie ist die erste, von
den vielen, die nicht glücklich über die amerikanische »Fairness«
jubelt. Wirklich ausgezeichnet. –
Hein, kriege z. Zt. keine Ruhe hier im Laden. Der Mann mit Stoffen soll pleite sein. – Herzl. Gruss an alle.
Dein A.

BA5, 1S, eh

236   Heinrich Böll an Ernst-Adolf Kunz
Köln, den 11. 11. 52

Mein lieber Ada, ich schicke Dir gern eine Abschrift des
Funkschmarrens, den ich für das Echo des Tages nun wahrscheinlich so alle vier Wochen – und immer innerhalb weniger
Stunden – abliefern muss. Mir fiel nichts ein und ich schrieb über
unseren Briefträger.
Ich höre mit Bedauern, dass Du viel Kummer und Ärger hast:
ich weiss wirklich keinen anderen Rat als: komm mal her – –
wenn ich eben Zeit hätte (vielleicht finde ich sie) käme ich mal
zum Wochenende. Aber ich kann Dir kaum beschreiben, wie
sehr ich mit Arbeit und Aufträgen überlastet bin, und ich habe
gar keine Lust, bin es so satt wie nie – – innerhalb einer einzigen
Woche musste ich vier Tagungen mitmachen zwischen – Düssel-
dorf-Heidelberg-Köln und Göttingen – – –, und zu alledem bin
ich mit Vorschüssen versehen für Arbeiten, die nur als Exposé
existieren – – die Kinder hängen bei diesem Regen immer in der
Bude, Annemarie hat endlich die erste schwere Erkältung des
Jahres weg, Tilla lag bis gestern (4 Wochen) mit Bronchitis –
und Alois befindet sich in permanenter finanzieller Misère, – du
kennst es. Ironischerweise bin ich der einzige, der »bares Geld«
in Umlauf bringt, unser Lebensstandard ist so enorm, dass meine Haare grau zu werden beginnen – – nichts wie abendliche
Empfänge, Gequatsche über Literatur. Trotz allen Brassels
(eines Tages erzähle ich Dir mal, was alles in den letzten vier Monaten ich geschrieben habe) bin ich mit dem Roman zu 2/3 fertig
und gedenke ihn am 1. 12. abzuliefern. Wenn ich diesen Klotz
vom Halse habe, fange ich erst richtig an in aller Ruhe zu arbeiten. Es ist jetzt ein wildes Gehetze – ich muss ausser dem Roman
bis Weihnachten noch drei Erzählungen schreiben für die Weih-
nachtsausgaben grösserer Zeitungen (auch für Eure), noch ein
Hörspiel, habe noch zehn Bücher liegen zur Besprechung, drei
Vorträge für den Funk. Immerhin ist die »Weihnachtszeit« fertig,
auch im Druck schon fertig, leider ging alles so schnell, dass ich
keine Korrekturen mehr machen durfte. Der NWDR sendet die
Geschichte – eine Stunde – wahrscheinlich am 30. 12. – – wenn al-

les klappt, feiern wir dann nach Abschluss all meiner Arbeiten ein fröhliches Sylvester.

Sei nicht böse, dass ich Dir von meinem Kummer schreibe – – lass Du Dich nicht von dem blöden Gerede der Vollidioten beunruhigen. Es ist wirklich verhängnisvoll, dass die arme Nita dazwischen hängt. Von Ortmeyers hören wir nichts. Mach Dir keine Sorgen wegen des Stoffes. Wenn ich eine grössere Summe kassiere, kaufe ich meiner Frau eine fertige Sache. Komm mal her, mit Guni, wir plaudern dann ruhig einmal in Tillas Zimmer. Ich habe noch ein kleines Geschenk für Euch hier.

Herzlichste Grüsse Euch allen von uns allen

Hein

BA5, 2S, m

237 *Ernst-Adolf Kunz an Heinrich Böll*
Gels., d. 13. 11. 52

Lieber Hein – das ist ja grässlich, was man von Dir verlangt. Ich kann mir denken wie zermürbend zeitweise das Gerede über Literatur sein kann. Und dann diese Tagungen! Wie wär es, wenn Du herkämst und ohne jede Störung für so lange Du willst in Papas Zimmer arbeitetest? Mir haben Kohlen in Mengen und Du kannst es Dir so warm machen wie Du es brauchst. Mama brasselt sowieso für sich und wird Dich nicht stören. Abends pausierst Du ab 19.30, da ich Dich dann für 2 Stunden in Beschlag nehme. Du kannst auch am Tage schlafen und nachts arbeiten. Wie Du willst. Überlege mal, ob das geht. Dort in dem Trubel kannst Du nie fertig werden mit so viel Aufträgen. Guni und ich, wir kommen jedenfalls noch vor Weihnachten. Vorerst geht es noch nicht, da noch allerlei gedreht werden muss. Bin gespannt auf die »Weihnachtszeit«, die jetzt rauskommen muss. Warum die Verlage wohl so bummeln? Immer auf die letzte Minute. [. . .]

Die Briefträgerfunkgeschichte haben viele Leute gehört. Ich habe sie Mama gestern noch mal vorgelesen. Wie die auf Verse

gekommen ist, weiss sie selbst nicht. Ist doch 'ne tolle Sache, der
Funk. Morgens geschrieben und abends hört es halb Deutschland. – Werde Du nicht noch krank. Tilla hat doch nur 'ne ruhige
Kugel geschoben. 4 Wochen dauert keine Bronchitis! Aber sie
hat recht. Unsere Tante Heti aus Unna hat sich so mit 45 Jahren
pensionieren lassen. War auch Lehrerin. Unverheiratet lebt sie
heute noch mit 67 Jahren vergnügt und völlig gesund. Tilla soll
es auch so machen. –
Grüsse alle von uns. Mama sagt, Ihr sollt bauen! –
Hein, wenn Du kommen kannst, schreib. Sonst komme ich
nach Kartenanmeldung.
Dein Ada

BA5, 4S, eh

238   *Ernst-Adolf Kunz an Heinrich Böll*
Gels., d. 21. 11. 52

Lieber Hein –
mein alter Freund Joachim Jung (Röhmputsch) schickte mir
einen Artikel der Süddeutschen Zeitung über Eure Tagung bei
Göttingen auf dieser Burg. Aichinger und Du sind abgebildet.
Lebenslauf von Dir, der sehr komisch ist. Dazu zwei Aussprüche von Dir in Anführungsstrichen. Tiefe Dinge sagst Du da!
Man sollte diese Journalisten verbrennen. Kuby war es. Bei uns
hier stehen immer so Aussprüche vom Fussballer Fritz Szepan
drin. Aichinger wird »tartarische Nonne« genannt! Du kennst
diesen Artikel sicher, wenn nicht, schreib und ich schicke ihn ab.
»Nur zur Winterszeit« wird – lobend erwähnt. »Hält jeder Kritik
stand« schreibt Kuby.
Dabei heisst es doch »Weihnachtszeit«, nicht? Bin überzeugt,
dass diese Geschichte Staub aufwirbelt. Ist sie schon ausgeliefert? Wird Zeit! Augenblicklich in vielen Zeitungen Wirbel
um Andersch' neuen Deserteurroman. Alle »Soldaten« sind empört. – Hörte im Funk »Der alte Mann und das Meer«. Ist sehr
gut, kann aber an »Fiesta« und »Stunde« nicht ran, finde ich. –

Habe gestern Stoffmuster bekommen. Herrlich! Rate Dir, diese
erst zu sehen. 100% Wollkammgarn so um 25.– DM pro metr. Sie
sind ca. 20.– DM billiger als üblich. – Wir, Guni und ich, haben
fest vor, Euch am Samstag d. 29. 11. zu besuchen. Wir würden so
gegen 22 Uhr bei Euch sein und am nächsten Tag abends wieder
fahren, da wir ja montag früh im Geschäft sein müssen. (Kotzt
einen langsam an, dies Geschäft.) Ich bringe dann Stoffe mit.
Vorher schreibe ich noch. – Hein, wenn Du viel geplagter
Mensch mal 10 Min. Zeit hast, schreib kurz, was Du machst und
wie es allen geht.
Grüsse sie, Deine Familie und auf bald
Ada

BA5, 2S, eh

239   Ernst-Adolf Kunz an Heinrich Böll
Gels., 25. 11. 52

L. Hein –
hier der Zeitungsausschnitt. – Wir kommen also am Samstag.
Sind so gegen 21.30 in Köln und 22.00 bei Euch. – Mansardenausbau klappt endlich! »Es macht viel aus, wenn man sieht, es
klappt!« Wird 'ne fabelhafte Wohnung mit Fremdenzimmer. Für
Dich, z. B. Wera erzählte von Euch. – Hier Schnee wie in Russland. – Bis Samstag
Ada

Z, eh

240   Heinrich Böll an Ernst-Adolf Kunz
6. 12. 52

Mein lieber Ada,
jetzt kann es wirklich losgehen: ich bin fertig mit Roman und
Lesungen. Ich habe mich hier nach Schreibmaschinen umgese-
hen, und als einzig Diskutables eine »Erika« gefunden, 90% neu

mit Koffer aber stabil. (Kostet 275.– DM) Soll ich sie für Euch beschlagnahmen? Ich kenne den Mann gut, könnte eine Anzahlung von 50-80 Dm vorstrecken und über das weitere mit ihm reden. Vielleicht aber finde ich eine billigere. Ich gehe am Montag noch einmal hin und schreibe, ob er eine billigere hätte. Sobald dann die Maschinenfrage geklärt ist, schicke ich Euch Manuskripte, die Ihr abtippen könnt – und dann komme ich einmal und rede mit Euch über alles.

Von den grösseren Zeitungen könntet Ihr die »Welt« für Erstveröffentlichungen übernehmen, die anderen, Neue Zeitung, Frankf. behalte ich dann. Ich habe mit der Feuilleton Redakteurin von der Welt gestern am Telefon gesprochen (will evtl. meinen neuen Roman bringen), lerne sie am Mittwoch hier kennen und rede dann mit ihr. Schreib mir doch, ob Ihr mich in der Maschinenfrage bevollmächtigt, ich kann auch Ratenzahlung ausmachen. Traf Wera und CH vorgestern in Krefeld, es war sehr nett. Sobald Ihr dann eine Maschine habt, geht es los.
Viele viele herzliche Grüsse Euch allen
Hein

BA5, 2S, m

241   Ernst-Adolf Kunz an Heinrich Böll
Gels., d. 10. 12. 52

Lieber Hein – Dank für Brief und Bemühungen. Eine Schreibmaschine fest zu kaufen, ist mir vorerst etwas riskant, da ich irrsinnige Ausgaben für unsere Wohnung haben werde. Nur das Nötigste kostet sehr viel. Trotzdem wird es gehen und zwar so: Hier ist ein Händler, der mir eine neue Maschine leiht und für die ich pro Monat ca. DM 20.– Leihgebühr zahle. Klappt unsere Agentur, mache ich Kaufantrag und die gezahlte Miete wird voll angerechnet. Geht es schief, gebe ich Maschine zurück. Mir scheint das die beste Lösung. Ab 1. Januar 53 fangen wir an, da, wie ich stark hoffe, bis dahin unser Ausbau etc. fertig sein wird. Die Wohnung wird grossartig.

Schicke die vorgesehenen Manuskripte so nach Weihnachten und wir legen mit Feuereifer los. Oder bring sie mit, wenn Du herkommst. Bist jederzeit willkommen. – Wera & CH erzählten von Krefeld. – Es war so schön bei Euch. Ich habe immer das Gefühl, dass Ihr im Grunde mehr Ruhe habt als wir hier. Wir machen uns hier mit Angst und Sorge selbst kaputt. Jeder für sich allein. Ein Bekannter hier, Sohn von Dr. Leopold, begründet das damit, dass wir Atheisten sind. Vielleicht hat er wirklich recht. – Bin in Eile, Hein, grüss alle und komm bald.
Dein Ada

BA5, 2S, eh

242   *Ernst-Adolf Kunz an Heinrich Böll*
Gels., d. 11. 12. 52

Lieber Hein – vor einer Stunde kam die »Weihnachtzeit« hier an. Wie froh war ich, dass keine Kunden kamen, so dass ich das Buch in einem Zug lesen konnte. Muss Dir sagen: ich bin restlos begeistert und glaube, dass auch Du Spass an dieser wirklich guten Aufmachung hast. Die Geschichte ist so glänzend geschrieben, wie es, meiner Ansicht nach, nur möglich ist. Bin immer wieder fassungslos, wie Du das machst. Wirklich, kein Wort zuviel oder zu wenig. Wenn man überhaupt Vergleiche anstellen kann (bei Dir ist das schwer, da Du ganz eigensinnig bist), so möchte ich sagen: Thurber plus Pentzold. Brockmanns Zeichnungen ausgezeichnet. Einband sehr gut, doch die Masse wird daraufhin nicht kaufen. Ist auch zu schade dazu. Was kostet es? Bin überzeugt, dass Dir diese Veröffentlichung viel Nutzen und noch mehr Arbeit bringt. Wenn nur der Verlag auf Draht ist. – Hörte gestern den Anfang von Schallücks Radiosendung: Nobel. Schien ganz gut zu sein, doch interessiert mich dieser Nobel nicht sehr. Nur der Preis für Literatur Mauriac! Hat er nett verdient, der Schallück. 1 Stunde. –
Hein, sei nicht böse, dass ich die günstigen Schreibmaschinenangebote nicht annehmen kann. Deine Karte kam auch. Ich

mache es so, wie ich Dir gestern schrieb, da ich wirklich jetzt keine grössere Summe lockermachen kann. Guni und ich freuen uns so auf diese Agentur, dass wir heute schon anfangen möchten. Aber es geht erst ab 1. Jan., leider.

Gels., d. 13. 12. 52

L. H. – heute erst kann ich weiterschreiben. Immer wieder kam etwas dazwischen. Ich schicke Dir die Stoffproben mit, die Du aber umgehend retour schicken musst. Sei so gut und schau, ob etwas für Euch dabei ist und was Du evtl. haben willst. – Lese gerade Milo Dor und bin sehr fasziniert von dem Inhalt. Passiert sehr viel in dem Buch. Muss wirklich ein netter Kerl sein. – »Der Wall« hat mich ganz fertig gemacht. Wahnsinnig, die Deutschen!

Vorgestern las ich ein Plakat an einem Textilgeschäft auf der Bahnhofstrasse: Aufgabe des Geschäftes wegen Rückgabe an den jüdischen Besitzer!

So weit ist es schon wieder! Ich war so empört, dass ich bei der SPDzeitung sofort den Redakteur informierte. Dieser alte Trottel war darüber gar nicht entsetzt; wollte aber die Sache bringen. Die Deutschen waren, sind und bleiben Idioten. Es ist schrecklich. Hier die Stoffpreise:

Art. 318	Kammgarn	70%	Wolle	pro	mtr.	DM	21,30
320	Gabardine	100%	”	”	”		24,00
321	Köper	100%	”	”	”		23,60
322	Vogelauge	100%	”	”	”		26,00
323	Pfeffer & Salz	100%	”	”	”		24,50

Die Nummern hinter dem Strich auf den Stoffen sind Dessinangaben, die Du mir nennen musst. Sehr zu empfehlen ist Art. 322. Haltbar und völlig knitterfrei. Für Kostüm braucht man 2,50 mtr. Vielleicht kommt 321 in Frage für Annemarie. Sieh mal zu! Überlegt mal, ob wir Sylvester feiern können. Nach Deiner Lektüre kann ich jetzt schon keinen Weihnachtsbaum mehr sehen. Lese die Geschichte heute abend Mama und Guni vor. – Bleibt gesund, Ihr Lieben, und Du schreib mal kurz, Hein. Herzlichst Ada

BA5, 3 1/2S, eh

243   *Ernst-Adolf Kunz an Heinrich Böll*
Gels., d. 20. 12. 52

Lieber Hein –
meine Wünsche für Dein neues Lebensjahr: weiterhin Erfolg,
nicht zuviel Arbeit, trotzdem ausreichend Geld, Gesundheit.
Denk nicht daran, wieviel Du noch in Deinem Leben verdienen
musst. Irgendwie wird alles klappen. – 35 ist 'ne runde Zahl und
wenn Du Glück hast, kannst Du 70 erreichen. Ich wünsch Dir
Glück!
Ich werde Herrn Kammerbeck in Rheydt sofort beauftragen,
Dir die bestellten Stoffe zu schicken. Allerdings braucht der
Mann erst das Geld. Ist aber zuverlässig. Wenn alles über Gelsenk. ginge, wäre das zu umständlich. So schickst Du ihm das
Geld, wenn Du es hast. Ich werde ihm schreiben, dass er Dir
schreiben soll, was auf Lager ist und wie seine genauen Preise
sind für die von Dir verlangte Menge. Solltest Du die Stoffe
noch an andere Leute verkaufen, schlag pro Meter 4 DM auf.
Das tue ich hier auch und habe dadurch evtl. mal kleine Neben-
verdienste. Die Stoffe sind auch dann noch 10 DM billiger als im
Einzelhandel. – Mamas wirtschaftliche Situation wird immer be-
denklicher. Die Gläubiger der Firma Bernhard a K. halten sich
jetzt an mich, da Bernhard nichts hat. Es ist ekelhaft. Dazu kommen die Sorgen um die Beschaffung zweier Betten, die notwen-
digerweise in unsere Wohnung müssen. Auch sonst fehlt mir
Geld an allen Ecken. Jeder will aber auch was von mir. Keiner
will warten. – All das kann ich hier nicht erzählen. Guni würde
sich noch mehr Sorgen machen und Mama ebenso. Na, irgend-
wann ist auch das überstanden. Du hast es ja auch geschafft. Hätte ich nur nie ein Geschäft angefangen! –
Unsere Mansarde wird fabelhaft. Wenn wir da erst wohnen, werden wenigstens die Nerven mehr geschont. Die alten Haacks habe ich seit einigen Monaten nicht mehr gesehen. Darüber bin
ich wenigstens froh. Nur Guni ist verzweifelt, dass diese Bande
so blöd ist. –
Z. Zt. ist Wera hier, heute kommt Nita, morgen CH, der evtl.

nach Karlsruhe geht. Jedenfalls hat er sich da beworben. Ich
wünsche ihm so, dass das klappt. Für ihn ist es grauenhaft in
einer Familie zu sitzen, die unerhört viel von ihm erwartet und
er kann nichts tun. Diese erwartungsvollen Familien haben sicher schon manchen irrsinnig gemacht. –
Kannst Du mit Annemarie Sylvester kommen? Versuch es doch
mal. Sonst komm im Januar, wenn die ganze Weihnachtsheuche-
lei vorbei ist. –
Hein, schreib bald mal und sei sehr herzlich gegrüsst von
Deinem Ada

BA5, 3 1/2S, eh

244   Heinrich Böll an Ernst-Adolf Kunz
23. 12. 52

Lieber Ada,
obwohl wir wenig Rummel machen, gibt es doch allerlei Ner-
ven-Gezerre, zumal ausgerechnet jetzt sämtliche Leute, von denen ich Geld zu erwarten habe, nichts von sich hören lassen.
Aber zum Glück haben wir ja Kredit. Unsere Baupläne werden
in Angriff genommen. Nach einer Auskunft hier im Liegen-
schaftsamt brauche ich etwa 6-8000 Mark und ein Grundstück,
um beginnen zu können: alles andere gibt es durch Landesdarle-
hen, Hypotheken usw. Grundstücke sind uns angeboten zwischen 5 und 10 Tausend. Ich lasse die Frauen eins aussuchen, ist
mir völlig gleichgültig, wo, wahrscheinlich am nördlichen Stadtrand. Das kaufen wir dann erst mal, und ich versuche, Geld an
Land zu ziehen. Bin wirklich müde, völlig erschossen. Jedenfalls
hat Witsch den Roman angenommen, nur der Titel muss noch
bebrütet werden. Es gehen gleich Abschriften nach Paris und
Amerika. Wenn es mit Amerika klappte, wäre das Grundstück
gesichert. Jetzt habe ich endlich den Vertrag mit Paris selbst gesehen, unterschrieben usw. (Adam) – das Buch wird dort im
Herbst erscheinen: ich plane ein Kurzgeschichten Bombarde-
ment auf Frankreich.

Wegen der Agentur müssen wir noch miteinander sprechen, aber ich kann nicht Weihnachten oder Neujahr. Ich muss doch noch viel tun. Wenn wir eine Wohnung hätten, nicht bauen wollten, hätte ich wirklich Ruhe und könnte nur das machen, was mir wirklich Spass macht. Aber diese bürgerlichen Ambitionen werden mich völlig auspumpen. Scheisse. Ich komme Anfang Januar kurz, ja? Bringe dann »gängige« Geschichten mit, und wir besprechen das Technische. Scheiss doch auf die Gläubiger. Wenn ich zu Geld komme, kannst Du mit mir rechnen. Innigste Grüsse Euch allen: Deiner Mutter, Nita, Wera, Guni, CH und Dir – – hoffentlich habt Ihr über Weihnachten Ruhe. Sag den beiden Mädchen, sie bekämen die Weihnachtszeit noch (Rühmann liest sie wirklich am 30. 12.).

Herzlichst

Hein

[ehZ] Also: Mit den Einnahmen könnt Ihr rechnen.

BA5, 2S, m

245   *Ernst-Adolf Kunz an Heinrich Böll*
Gels.-Buer, Hausfeld 5, d. 24. 12. 52

»Schöne Weihnachten!« für Annemarie, Tilla, Opa, Rai, Né, Vinz, Alois und Familie und für Dich, Hein. Habe heute früh »Spiegel« gekauft. Bild und Artikel über Dich. Du siehst auf dem Foto aus wie ein armenischer Ami-Dichter. Wie kommen diese Leute dazu, Dir Schnurrbart anzudrehen? Trotzdem: gute Reklame. Am 30. 12. 20 Uhr Hauptsendung: Weihnachtszeit. Wird jeder hören. Grüsse!

Dein Ada

Man schickte mir gestern: Zug war pünktlich; hatte es bestellt. Finde es nach wie vor sehr gut. Schreib mal.

PK, eh

246   *Heinrich Böll an Ernst-Adolf Kunz*
Köln-Bayenthal, Schillerstr. 99, den 28. 12. 52

Lieber Ada,
ich schicke Dir eine Abschrift der Geschichte »Aschermittwoch« – sie geht von der zweiten Spalte unten (senkte) oben bei
– lagen die Wimpern – weiter. Nun pass auf – ihr besorgt Euch
»Dünnpost« das ist ein sehr dünnes, pergamentartiges Schreib-
maschinenpapier, mit dem man gut 6 Durchschläge machen
kann, macht 6 Abschriften von dieser Geschichte (Dünnpost
hat den grossen Vorteil, dass man Porto spart) und schickt je
eine, unter Berufung auf mich an 1. Hessische Nachrichten, Kassel, Wilhelmshöherplatz (Herrn Pöschl)
2. Süddeutsche Zeitung, München, Sendlingerstr. 30 (Dr. Sperr)
3. Rheinische Post, Düsseldorf, Schadowstr. (Dr. Frisé)
4. Tagesspiegel Berlin (Adresse kenn ich nicht, aber kommt so
an)
[ehZ] (hier nicht auf mich berufen!)

Behaltet eine Abschrift für Euch und schickt mir bitte eine, legt
Rückporto bei und formuliert die Briefe ungefähr so:
Ich habe eine Kurzgeschichtenagentur mit Geschichten einiger
jüngerer deutscher Autoren eröffnet und biete Ihnen zunächst
die beiliegende Geschichte von H. Böll an. Wir wären Ihnen
dankbar, wenn Sie uns mitteilen könnten, ob wir Ihnen gelegentlich weitere Arbeiten vorlegen dürfen. Usw.
Dann wartet erst mal ab.
Ich lege Euch noch bei den Konzerthuster, aber schickt ihn
noch nirgendwo hin, weil ich ihn noch an verschiedenen Stellen
laufen habe. Ich schreibe dann darüber. Weiteres folgt, wenn ich
– kurz nach Neujahr – zur Ruhe gekommen bin. Ich komme
dann Anfang Januar. Hier toller Rummel wegen Grundstücksu-
che, verzeih die Kürze und herzliche Wünsche Euch allen zum
neuen Jahr.
Hein

BA5, 2S, *m*

247 *Ernst-Adolf Kunz an Heinrich Böll*
[Gelsenkirchen-]Buer, Hausfeld 5, d. 31. 12. 52

Lieber Hein – haben gestern mit grossem Vergnügen Deine Sendung gehört. Die Einführung war doch gut, nicht? Rühmann hat prächtig gelesen, besser, rein technisch gesehen, als danach Wiemann den Hemingway. Einiges war ja gestrichen und aus Franz wurde Paul, aber das war nicht wesentlich. Bin gespannt, ob CH alles aufgenommen hat. Nita, die für eine Woche hier ist und das Buch mit Absicht noch nicht gelesen hatte, lachte oftmals laut auf. Jedenfalls kann eine Reklame für die »Weihnachtszeit« nicht besser aufgezogen sein. – Für Deine beiden Briefe Dank! Schade, dass Du heute abend nicht hier sein kannst. Wir sind allein, d. h. Nita, Guni und ich. Mama ist eingeladen. Mit Deinen Geschichten fangen wir baldmöglichst an. – Unsere Wohnung ist fast fertig. Wird auch Zeit, dass wir uns von den Sippen trennen. – Könnt Ihr Grundstück nicht in Erbpacht kriegen? Hein, wir erwarten Dich im Januar 53. Viel Glück für das kommende Jahr: an alle!
Dein Ada

PK, eh

248 *Ernst-Adolf Kunz an Heinrich Böll*
Gels., d. 5. 1. 1953

Lieber Hein – gestern 18.15 Uhr UKW-West »Freuden und Tükken des Sonntags« von Dir. Sehr gute und richtige Geschichte, d. h. »Vortrag« nannte man es. Aber diese Sendung wirst Du sicher gehört haben. Interessant wird Dir die Ankündigung Deiner Geschichte sein, die Mama am Samstag in der Programmvorschau hörte. Man erwähnte Dich als Dichter der vor kurzem gesendeten Weihnachtsgeschichte und behauptete, Du seist trotzdem ein »frommer Mensch«. Das Wort »fromm« wurde wirklich gebraucht, alles andere wurde nicht genau von Mama erzählt. Sie vergisst immer den genauen Wortlaut. Die alte Frau

Dr. Haack hatte die Weihnachtszeit per Zufall gehört, da Guni
es nicht für nötig hielt, sie darauf aufmerksam zu machen. Damit hatte sie recht, denn die Alte hatte die ganze Sache nicht ka-
piert und fand alles schlecht. Wir haben sehr über dieses Huhn
gelacht, die einen Angriff auf ihre geheiligte, verlogene Weihnachtszeit darin sah. – Ernst Fey hat mir geschrieben. Er ist seit
Nov. Dr. rer. pol. und jetzt in Duisburg. Habe ihn dringend eingeladen. Vielleicht kannst Du dann auch kommen? Wäre ganz
reizvoll mit guten Weinen. Ist ja ein netter Kerl, der Fey. – War
heute beim Gewerbeamt und erfuhr da, dass ich keine Erlaubnis brauche und einfach mit der Agentur anfangen kann.
Weisst Du 'nen zugkräftigen Namen? Wenn Du Zeit hast, denk
Dir mal 'nen Briefkopf aus. Habe selbst etliche Ideen, doch erscheint mir keine glücklich. Am besten wäre, Du kämst mal
eben her. – Die Wohnung wird viel teurer als ich kalkuliert habe. Schrecklich! Anfang Februar wollen wir heiraten.
Grüsse alle herzlichst.
Dein Ada

BA5, 2S, eh

249   *Heinrich Böll an Ernst-Adolf Kunz*
9. 1. 53

Lieber Ada, ich schicke Dir noch ein paar Geschichten, zu denen
im einzelnen folgendes zu sagen ist:
Onkel Fred – – kannst Du der »Westdeutschen Allgemeinen« an-
bieten, schreibe an einen gewissen Herrn Dr. Karl Eiland, berufe
Dich dabei auf mich: E. kennt mich, ist Chef – Kulturredakteur.
Wenn es bei der WAZ nicht klappt, biete sie der Rheinischen
Post an oder irgendeiner Kohlenpottzeitung. Versucht doch,
Euch eine Liste sämtlicher Kohlenpottzeitungen aufzustellen,
und die »Verteilung« nehmt Ihr nach dem beiliegenden Muster
vor, das natürlich gross ausgeführt werden muss.
Die Decke keinesfalls der WAZ oder der Rheinischen Post an-
bieten, sonst jeder Ruhr-Zeitung.

Die Besichtigung allen ausser der Rheinischen Post, die sie gebracht hat.

Aus dem Wanderer könnt ihr den »Abschied« abtippen und zunächst der Rheinischen Post anbieten, aber nicht die Leute »überfüttern«, wartet bei denen, die den Aschermittwoch bekommen erst einmal ab. Auch mit dem Konzerthuster noch warten.

Ich würde zunächst einmal ohne Briefkopf arbeiten: schickt einfache Briefe mit den Geschichten. Ich habe noch einigen Leuten geschrieben wegen Geschichten, aber bisher noch nichts gehört. Es tut mir leid, dass ich nicht kommen kann, aber hier herrscht grosses Baufieber: wir haben – fast fest – ein Grundstück in Köln-Müngersdorf im Auge, das – – – 12000 Mark kostet: davon muss ich wahrscheinlich die Hälfte anzahlen. Ich komme, sobald ich es irgendwie schaffen kann. Macht Euch nicht zu viel Unkosten mit der Agentur und mit dem »Aschermittwoch« müsst Ihr gleich loslegen, weil die Redaktionen auch ziemlich lange im voraus disponieren: solche speziellen Geschichten sind sehr beliebt. Lieber Ada, innigste Grüsse von uns allen hier aus tiefster Arbeitsnot: Ich habe noch zwei ganz neue, bestimmt gängige Geschichten beim RIAS festliegen, der sie am 30. 1. bringen will; sobald sie gesendet sind, bekommt Ihr sie als Erstdrukke. RIAS bringt 4. 2. Hörspiel von mir.

Herzliche Grüsse an Dich, Deine Mutter, Guni

Hein

[ehZ] Bitte schickt mir die Belege zurück, wenn Ihr die Abschriften gemacht habt. Verzeih meine Verwirrung, wir haben seit 30. 12. fast jeden Tag Besuch bis 1-2 Uhr nachts.

Herzlich Hein

Habe 2-3 neue Hörspiele in Arbeit um Bau zu finanzieren!

Hein

BA5, 2S, m

250   *Ernst-Adolf Kunz an Heinrich Böll*
Gels., d. 10. 1. 53

Lieber Hein – schicke Dir mal 2 Entwürfe für Briefkopf der
Agentur. So ähnlich müsste es sein. Bitte, schreib mir kurz, ob
Du bessere Idee hast. Ich will dann sofort drucken lassen. Wäre
schöner, wenn Du noch mal kurz kommen könntest. Gibt doch
noch allerlei zu besprechen. Wenn alles klappt, heirate ich Anfang Februar. Die Unterlagen von Guni müssen erst aus Ostzone heraus. Wohnung wird in einer Woche fertig. – Hatte Fey für
dieses Wochenende eingeladen, doch schreibt er heute ab, da
völlig besetzt. Schade. – Wie entwickeln sich Deine Bauaussich-
ten? In Bayern gibt es einen Fluch, über den wir oft gelacht haben: »I wünsch' Di a Baulust!« –
Hein, schreib kurz und sag möglichst Besuch an. An alle herzliche Grüsse!
Dein Ada

BA5, 1S, eh

251   *Ernst-Adolf Kunz an Heinrich Böll*
Gels. d. 15. 1. 53

Lieber Hein – hatte Dir gerade geschrieben als Dein Brief in meine Hände kam. Wir wollen am Montag anfangen, die Geschichten abzutippen und am Dienstag gehen sie an die Zeitungen.
Dank für Deine Anregungen. Da ich noch bedeutende Schul-
denlasten habe und die berechtigte Gefahr einer evtl. Zwangs-
vollstreckung besteht, habe ich vor, die Agentur auf Gunis Namen laufen zu lassen, um so wenigstens diese evtl. Einnahmen
behalten zu können. Was meinst Du dazu? Das Problem besteht darin, dass wir erst im Febr. heiraten können und Guni daher noch nicht mit Kunz zeichnen kann. Jetzt Haack und dann
Kunz halte ich für ungünstig. Da wir aber wahrscheinlich am
13. 2. getraut werden (kannst Du da kommen?) wäre zu überlegen, ob man die Sache nicht doch schon unter Fr. G. Kunz lau-

fen lassen soll. Das alles wollte ich am Sonntag mit Dir besprechen, hatte vor, Samstag abend zu Euch zu kommen, doch geht
es doch nicht, da die neue Wohnung meine Anwesenheit verlangt. Es sind geradezu beängstigende Aufgaben, die von mir
verlangt werden. Jetzt muss ich auch noch einen Rechtsanwalt
nehmen, um endlich klarzustellen, dass Teilhaber Bernhard die
Geschäftsschulden zu tragen hat. An sich ist das sehr eindeutig,
doch nur für mich leider, nicht für die Gläubiger, die sich an
mich halten, da B. nichts verdient. Es handelt sich nicht um kleine Summen und es wäre mein völliger Ruin, wenn ich auch diese Schuld zu denen von Mama (3000.-) und Dr. Haack (1000.-)
tragen müsste. Mach das mal mit netto 320.- DM pro Monat.
Hinzu kommt, dass uns ja doch fast alles fehlt an Einrichtungs-
sachen. Wie ich an Betten kommen soll, weiss ich heute noch
nicht. Auch wenn ich sie selbst mache, kosten Federrahmen und
billigste Matratzen doch noch DM 160.- Auf Raten kaufe ich
nichts, um mir die Zahlungen nicht noch mehr zu vergrössern.
Auch der Ausbau wird ca. 400.- teurer wie veranschlagt. Eine
verdammte Situation! Trotzdem glaube ich, dass alles einmal
klappen wird, und ich schreibe Dir das auch nicht, um zu klagen.
Das sind alles nur Tatsachen, die ich genau übersehe und die Mama und Guni nicht wissen sollen, da sie nicht solche Nerven haben, wie ich sie mir zwangsweise zulegen musste.
Wenn ich wenigstens noch das Gefühl hätte, die Forderungen
an mich sind berechtigt, würde mir die Rückzahlung leichtfal-
len; aber alles nur, weil der Teilhaber das Geld versoffen hat! Am
liebsten würde ich oft den ganzen Textilkrempel an den Nagel
hängen und mir was Neues suchen. Auf die Dauer wird es doch
nicht gutgehen. Na, mal abwarten! Wenn ich mit CH darüber
sprechen will, habe ich stets das Gefühl, er fürchtet, ich will ihn
anpumpen. Will ich gar nicht. Er hat übrigens endlich Stelle bei
Architekten in Rheydt. Verdient 280.- und muss dafür 11 Stunden pro Tag arbeiten. Wie Wera schreibt, freut ihn das. Wohnung kriegen die beiden auch. –
Hein, hätte ich mal vor einem Jahr mit Agentur angefangen! Wäre dann frei und ohne Schulden. – Wenn Du Dein Haus baust,
denk an ein Fremdenzimmer. Wir werden dann öfter kommen

und Euch wird es nicht zu viel. – Schreib bitte ganz kurz, ob wir
die Agentur auf G. Kunz laufen lassen können. Grüsse alle und
arbeite Dich nicht kaputt.
Dein A.

BA5, 4S, eh

252   *Heinrich Böll an Ernst-Adolf Kunz*
Köln, den 16. 1. 53
z. Zt. Westerburg/Westerwald

Lieber Ada,
hierhin – nach Westerburg habe ich mich 14 Tage mit meinem
Bruder Alfred geflüchtet. Hier will ich einige Arbeiten in Ruhe beenden, wozu ich in Köln nicht mehr kam, dann tauche
ich wieder aus der Versenkung auf. Ich hatte vor, Ende Januar
kurz zu Euch zu kommen. Ich habe als einzigen Vorschlag für
den Namen der Agentur »Ruhr story« zu machen. Oder »Mo-
dernes Feuilleton«. Versucht nur, den Unkostenapparat klein
zu halten. Ich schlage vor, dass wir mit den Geschichten, die
ich Euch schickte, auf 50:50 arbeiten, und denkt daran, dass
Ihr die Aschermittwoch-Geschichte in den nächsten Tagen
losschickt, weil ja schon in einem Monat – kaum noch –
Aschermittwoch ist. Es könnte als Beziehungsanknüpfung
gut sein. Ich werde auch laufend »liefern«, muss nur jetzt – wegen der »Baulust« – mich zunächst noch grösseren Objekten
widmen. Die beiden »heiteren« Geschichten, die ich noch
beim RIAS festliegen habe, könnt Ihr dann auch grösseren
Zeitungen, die ich Euch noch nennen werde, anbieten. Bei
solchen – Unveröffentlichten arbeiten wir dann auf 35:65, ab
dritter Veröffentlichung 50:50, ja? Ich hoffe sehr, dass es mir
gelingen wird, euch noch ein paar Autoren zu besorgen, denn
für Böll allein wird sich Eure Mühe kaum lohnen. Aber darüber reden wir dann, wenn ich komme. Ich fahre Montag in
8 Tagen (am 26.) hier wieder ab und denke, dass ich dann Ende der letzten Januarwoche zu Euch komme, um alles noch

einmal zu besprechen und – – – Euch zu besuchen. Vielleicht
kommt Fey dann auch.
Ich arbeite jetzt an einer Bühnenfassung meines ersten Hörspiels, bin gespannt, was daraus wird. Für Studio oder Zimmertheater könnte es eigentlich passen. Es ist nur ein wenig
kurz. Hör es Dir doch einmal an: RIAS bringt es mit ziemlicher Sicherheit am 4. 2.
Lieber Ada, falls Ihr eine Schreibmaschine habt – hättet Ihr
Lust, hin und wieder für mich Tipparbeiten zu machen?
Wenn ja, schreib es mir.
Grüsse Guni herzlich von mir, Deine Mutter, alle – – Wera
und Ch falls sie auftauchen. Die »Weihnachtszeit« hat übrigens einigen Staub aufgewirbelt. Der evangel. Pressedienst,
der in Bethel herausgegeben wird, hat einen langen, zwar
freundlichen aber auch sehr kritischen »offenen Brief« an
mich veröffentlicht. Man ist doch sehr gekränkt.
Herzlichst euch alle grüssend
Hein
Von den beiden Entwürfen gefällt mir der, wo NOVUM gerade über dem Kopf steht, am besten.

BA4, 1 1/2S, m

253 *Heinrich Böll an Ernst-Adolf Kunz*
z. Zt. Westerburg/Westerwald/b. Limburg 20. 1. 53

Lieber Ada, natürlich könnt Ihr gleich unter G. K. anfangen.
Das klärt sich ja von selbst und scheint mir überhaupt vernünftig. Unsere Baupläne gehen ernsthaft voran, wie mir Annemarie
aus Köln schreibt. Nun muß ich die Finanzierung beginnen. Ich
komme Ende Januar.
Herzliche Grüße an Euch alle
Hein

PK, eh

254   *Ernst-Adolf Kunz an Heinrich Böll*
Gels., d. 8. II. 53

Lieber Hein –
ich habe mich schrecklich über die blödsinnige Schreibmaschine geärgert. Nun ist aber Schluss damit. Ca. 11 Stunden hat Guni
getippt und das alles mit so schlechtem Ergebnis. Hole mir
sofort andere Maschine. Hoffentlich kannst Du mit den Abschriften wenigstens etwas anfangen. – Gestern war der Konzerthuster in unserer Zeitung mit guter Zeichnung. WAZ. »Nervensache« heisst sie da. –
Habe gerade meinen schriftlichen Krempel zusammengeräumt,
da wir am Mittwoch umziehen. Fand noch Briefe von Dir aus
1947. Was war das ein Unterschied zu heute für Dich. Dieser
Geldmangel!! –
Am Freitag d. 13. um 10.30 ist Trauung. Hier Dein Zug, wenn Du
kommen kannst: Aus dem Hause: 7.30 Köln Hbf. ab: 8.15 Städte-
schnellzug
Gels. an: 9.54 durchgehend
Weg: Bahnhofstrasse bis Hans-Sachs-Haus. 10 Min. Nach Stan-
desamt fragen in H.-S.-Haus. Haupteingang. Wir wollen gleich
den Fussboden unserer Wohnung anstreichen. Sonst alles fertig.
Nach neusten Meldungen kommt der alte Haack wahrscheinlich doch zur Trauung. Entsetzlich! Nita und Wera kommen
auch. Wenn ich daran denke, an den Quatsch, kriege ich Gänse-
haut. Bin deshalb sehr froh, wenn Du kommst und dadurch alles etwas neutralisiert wird.
Wir stellen uns vor, dass Du heute in Baden-Baden bist.
Bleibt gesund und seid gegrüsst
von Eurem Ada

BA4, 1 1/2S, eh

[Anlage zum Brief vom 8. 2. 1953, Hochzeitsanzeige Ernst-Adolf
Kunz – Gunhild Haack 13. Februar 1953]
Ab Freitag, den 13. Februar,
da sind wir zwei ein Ehepaar.

Wir haben 'ne Wohnung, wir haben Humor,
und zu zweit stell'n wir's Leben uns schöner vor.
Wir sind überzeugt: man gönnt es uns.
Es grüssen Ernst-Adolf und Gunhild Kunz

BPK, eh

255   *Ernst-Adolf Kunz an Heinrich Böll*
Gels. d., 20. II. 53

Lieber Hein – wir sind schon am Sonntag abend wieder zurückgekommen, da die uns empfohlene Pension nicht angenehm
war, und wir auch noch massig zu tun hatten. Nach 3 intensiven
Arbeitstagen ist unsere Wohnung heute sehr schön und bequem geworden. Tue jetzt aber auch nicht mehr viel dran. Der
Anfang hier im Geschäft wurde mir sehr schwer und mir scheint
diese ganze Existenz verfehlt und sinnlos. Die Spannung, die
nach dieser dummen Affäre besteht, wird erhöht durch die Unfähigkeit der Fa. mir mein Gehalt zu zahlen. Das wäre früher
nicht so schlimm gewesen, doch heute beunruhigt mich diese
Tatsache masslos. Schliesslich muss ich nach 30 Jahren erstmalig
für »Verpflegung« sorgen und schon nach dieser kurzen Zeit habe ich ein Bild gekriegt, wie unheimlich teuer das Essen kommt.
Aber auch das würde zu überbrücken sein, wenn mich nicht laufend die Gläubiger der alten Fa. attackierten. Wie ich aus diesem
Zustand herauskommen soll, ist mir völlig schleierhaft. Es ist
jetzt wirklich gut, dass Guni bei mir ist. Ihre Zuversicht, dass alles einmal klarkommt, ist viel grösser als meine. Du glaubst
nicht, wieviel Spass ihr die Agentur macht. Heute besorgt sie die
neue Schreibmaschine, um sofort mit »Onkel Fred« loszulegen.
Die Rheinische Post schrieb am Rosenmontag, wir sollten
»Aschermittwoch« für ihr Verbreitungsgebiet sperren. Etwas
spät verlangt. Aachen hat die Geschichte gebracht. Ob die nun
bei der Rheinischen das gemerkt haben, wird sich zeigen. Warum schreiben sie nicht eher! Also 3x wird »Aschermittwoch« gebracht worden sein. Jetzt, da Guni wirklich Zeit und Ruhe hat,

kann sie sich ganz intensiv mit der Verteilung Deiner Sachen beschäftigen. Wir haben vor, täglich 2-3 Briefe loszuschicken.
Denk an die Geschichten vom Rias!! Meinst Du, dass wir Dor
und Badoni schon avisieren können? Wäre schön! Anfang Febr.
kommen wir evtl. für 1 Tag um die Schreibmaschine. Bin überzeugt, dass wir sie von den Story-Einnahmen gut zahlen können. – Hein, wollte Dir noch sagen, wie froh wir waren, dass Du
am 13. gekommen bist. Dieses Frühstück bei Haacks war doch
grässlich, nicht? Bin froh, dass dieser Zauber vorbei ist. – Noch
eins: kannst Du mir die Adresse von dem Mann aus Essen schik-
ken, der dort ein Theater eröffnen will? Vielleicht wär das doch
mal wieder ein Sprungbrett für mich. Habe nichts lieber getan
als Theater gespielt. Oder schreib Du ihm bitte, er soll mich, so
er mich braucht, benachrichtigen. Es ist wirklich das einzige was
ich verstehe und kann. Wir hoffen, dass Du uns bald in neuer
Wohnung besuchst. – Schreib mal, wie es Annemarie geht. Sie
soll mitkommen.
Grüsse alle herzlichst.
Dein Ada.

3Z, eh

256   *Heinrich Böll an Ernst-Adolf Kunz*
den 22. 2. 53

Lieber Ada,
ich kam eben von einer viertägigen Tagung in Hamburg, als
Dein Brief hier vorlag. Allgemein teile ich Gunis Optimismus,
dass Ihr »klarkommen« werdet. Ich kann mir denken, dass es Dir
ein wenig schlecht wird, wenn Du siehst, was so ein Haushalt
kostet, es ging mir genauso, als ich nach dem Krieg anfing: mir
wurde dauernd schlechter. Aber das ist ebenso nützlich wie gut.
Nun folgendes: der Schauspieler, der mir von seinen Bühnen-
plänen sprach, ist Hans Dieter Schwarze in Essen, seine genaue
Adresse kenne ich nicht. Ich habe noch andere Pläne, von denen
ich nicht weiss, wie, wann und ob ich sie anfangen soll: 1. hier

beim Funk, dachte an Höfer, der das Echo des Tages macht und
Dir sicher eine Chance geben würde – oder bei Otto Burmeister,
dem Leiter der Ruhrfestspiele, den ich in Hamburg kennen lernte und sehr nett fand.
Ich habe Dienstag noch eine Lesung in Wuppertal, dann einige
Tage frei, und muss dann am 1. März die verschobene Reise nach
Frankfurt, Heidelberg, Baden-Baden machen, von der ich so am
10. zurück sein werde. Dann bin ich den ganzen März hier und
will Höfer bearbeiten. Schreib mir nur, ob Du – – falls es klappt –
gleich kommen könntest, vorstellen usw. Vielleicht kann er für
seine Reportage-Abteilung Sprecher und Reporter gebrauchen.
In Hamburg sprach ich auch mit Milo Dor, der mir Geschichten
mitgeben wollte, aber dann, als ich abfuhr, so betrunken war,
dass ich nichts machen konnte. Sein Freund Federmann schickt
mir gleich von Berlin aus, nächste Woche, Geschichten für Euch.
Krämer-Badoni besuche ich Anfang März und spreche mit ihm.
Legt mit »Fred« bei der Westd. Allgemeinen los. Und bitte
schickt mir jeweils eine Abschrift – – vor allem wenn es geht, die
Brücke von B. – – die ich bald brauche.
In Hamburg habe ich einige Aufträge bekommen und Annemarie ist vollauf als meine Sekretärin beschäftigt. Wir können uns
kaum retten, und es ist wirklich gut, dass Ihr die Kurzgeschich-
ten-Arbeit macht. Von Aachen und D-Dorf bekam ich Belege.
Die beiden RIAS Geschichten kann ich Euch noch nicht geben,
weil ich sie in Wuppertal noch brauche. Dann kommen sie
gleich.
Lasst Euch nicht entmutigen, und wenn Ihr dringend Geld
braucht, schreibt es mir bitte … wenn ich welches hier habe, helfe ich Euch gern. Ich bin nicht der Ansicht, dass man Freunde
nicht anpumpen soll: genau das Gegenteil ist richtig.
Bitte denkt an die Brücke von B. und seid herzlich gegrüsst von
uns allen. Annemarie ist wieder ganz gesund. Und Tilla lässt fragen, was Euch noch im Haushalt fehlt.
Euer Hein

BA4, 1 1/2S, m

257   *Ernst-Adolf Kunz an Heinrich Böll*
den 1. 3. 53

Lieber Hein!

Am Freitag den 27. sollte dieser Brief schon weg. Die Brücke von B.
lag fix und fertig da, doch fehlte das geeignete Kuvert. Nachdem
ich heute noch mal Deinen Brief durchlas, stellte ich fest, dass Du
z. Zt. auf Deiner 10tägigen Reise bist. Nun haben wir arge Gewissensbisse, dass das Manuskript zu spät kommt. Vielleicht kann es
Dir Annemarie noch nachschicken, jedenfalls werde ich es auf dem
Kuvert vermerken. Am Samstag bekam ich nun endlich das Dünnpostpapier. Wir leben hier eben in einem Dorf und da dauern solche Bestellungen länger. Ausserdem war der Samstag insofern er-
eignisvoll, als mir Riehl von sich aus zum 1. April kündigte. Er kam
mir da sehr entgegen, weil dieses Verhältnis auf die Dauer doch keinen Bestand gehabt hätte. Ich habe noch ca. DM 1400.– von ihm zu
kriegen und kann mich daher einige Monate über Wasser halten.
Ausserdem werde ich im April, sollte ich bis dahin nichts gefunden
haben, stempeln gehen. Den Monat März brauche ich nicht im Lokal zu sitzen, sondern ich habe frei. Das empfinde ich als sehr angenehm, denn wir können uns dann gemeinsam intensiv der Agentur
widmen. Z. Zt. ist »Onkel Fred« unterwegs, die »Decke« ist in Vorbereitung. Wir haben uns jetzt noch 10 Adressen von großen Tageszeitungen besorgt, und sind dabei, diese systematisch mit Manuskripten von Dir zu bombardieren. Wäre doch gelacht, wenn wir
im Monat nicht fünf bis sechs Geschichten unterbringen. Guni
kommt mit der Tipperei immer mehr in Übung, ausserdem ist unsere neue gepumpte Schreibmaschine im großen und ganzen
ausgezeichnet, macht fünf Durchschläge, was die Arbeit sehr erleichtert. Sobald ich von Riehl, dem es wirtschaftlich wirklich
schlechtgeht, eine grössere Summe kriege, habe ich vor, zu Euch zu
kommen (mit Guni natürlich) und mit Deiner Hilfe eine neue (alte) Schreibmaschine zu erstehen.

Die augenblickliche Situation kann uns im Grunde nicht erschüttern, doch ist es etwas schmerzlich, zu bedenken, dass ich wieder
ein Jahr umsonst gerasselt habe, ohne Verschulden in Schulden
geraten bin und wieder von vorn anfangen muss. Wir hätten das

Geld versaufen sollen!! Jedenfalls habe ich gelernt, dass es nichts
Ekelhafteres gibt, als kaufmännische Tätigkeit. Nur dass diese Erfahrung etwas teuer bezahlt ist.

Augenblicklich freuen wir uns sehr, über das herrliche Frühlingswetter und über unsere unvergleichlich gemütliche Wohnung. Wir
können es kaum erwarten, dass Du herkommst und mit uns einige
müssige Tage bei »leichten Zigaretten« und guten Weinen ver-
bringst. Überleg Dir mal den Fall.

Von Geld und Pump brauchen wir vorläufig nicht zu reden, da wir
wie oben erwähnt noch einiges zu bekommen haben. Auch ich stehe auf dem Standpunkt, dass man Freunde anpumpen soll, doch
glaube ich: in meinem Fall lässt es sich vermeiden. Zur Not kann
ich ja auf Dein Angebot zurückkommen. Jedenfalls danke ich Dir
wirklich! Wir finden es schön, dass Milo Dor besoffen war. Es passt
so gut zu seinem Buch. In unseren Schreiben an die Zeitungen haben wir seine Geschichten mit Vorbehalt avisiert. Auch Krämer-Badoni haben wir angekündigt, sollte es mit beiden nichts werden,
schaden diese Hinweise nichts, denn sie geben der Agentur Niveau.

Von den Aachenern haben wir noch kein Belegexemplar, aber da
Du schreibst, dass Du eins hast, ist somit erwiesen: »Aschermittwoch« wurde dreimal gebracht. Das ist bei fünfzehn Zeitungen ein
tragbares Verhältnis.

Solltest Du, so Du Zeit hast, etwas bei Höfer erreichen, wäre das natürlich sehr schön. Interesse hätte ich auch am Verlagswesen
(Witsch). Bitte, fühle Dich durch diesen Hinweis zu nichts verpflichtet. Ich denke nur, dass sich dort mal eine Chance ergeben
könnte. Da ich ja jetzt wieder über meine Zeit verfügen kann, komme ich sowieso bald zu Euch und da können wir ja alles besprechen.

Zu der Brücke von B. (3 Abschriften) legen wir vorerst einen
Durchschlag von »Onkel Fred« und »Aschermittwoch« bei.

Grüsse Deine Sippe herzlich von uns und bestelle bitte Tilla, wenn
sie partout was schenken will, soll sie uns ein Tomatenmesser oder
einen ihrer Drucke von Chagall schicken. Im grossen und ganzen
sind wir, haushaltlich gesehen, komplett. Hein, schreib bald mal
wieder, auch wann wir mal für einen Tag zu Euch kommen können

Dein Ada und Guni

BA4, St (RUHR-STORY), 2S, m

258 Heinrich Böll an Gunhild und Ernst-Adolf Kunz
2. 3. 53

Liebe Guni, lieber Ada,
ich wäre Euch dankbar, wenn Ihr mir die beiliegenden Geschichten abtippen könntet, ausserdem aus dem »Wanderer« Aufenthalt in X. Bitte vorläufig keine der Geschichten für die Korrespondenz verwenden. Ich gebe noch Bescheid. Muss morgen, obwohl ich noch krank bin, für 5 Tage weg nach Heidelberg und Baden-Baden, bin am Sonntag wieder hier. Annemarie fährt mit. Die Aachener Zeitung überwies mir 17.40 Dm wahrscheinlich doch für »Aschermittwoch«, ich schicke Euch Euren Anteil 8.70 Dm in den nächsten Tagen.
Herzlichste Grüsse, auch an Mütter usw.
Hein

[ehZ] Bitte soviel Durchschläge, wie gut gehen und vielleicht 2 Abschriften von »Fred«.

Der »Huster« ist frei, war in der Rheinischen Post und West. Allgemeinen.

BA5, 1S, m

259 Ernst-Adolf Kunz an Heinrich Böll
Buer, den 7. 3. 53

Lieber Hein –
wir schicken Dir hier umgehend wie gewünscht:
5 Durchschläge »Aufenthalt in X.«
  ”   ”   »Der Brotbeutel des Gemeinen Stobski«
  ”   ”   »Die Suche nach dem Leser«
  ”   ”   »Die unsterbliche Theodora«

Alle Geschichten sind auf gutes Dünnpostpapier getippt, sind 100%ig richtig abgetippt, d. h. wir haben die Sachen zweimal

durchgesehen und verglichen. Du kannst die Manuskripte ohne
Bedenken sofort weiterschicken, ohne sie durchzusehen. Deine
Originalmanuskripte behalten wir hier, erstens: weil sie nicht
mehr in das Kuvert gehen und zweitens: weil wir ja eines hierbehalten müssen, solltest Du uns Bescheid geben, sie zu vertreiben. Wenn Du sie auch noch brauchst, schreibe es und wir schik-
ken sie sofort.

In dem »Brotbeutel« haben wir auf Seite 6, vorletzte Zeile, eine
kleine Änderung vorgenommen; und zwar hattest Du den Walter schon 1936 in eine kotbraune Uniform gesteckt, was, da er da
erst 6 Jahre alt war, nicht möglich war. Das ging frühestens mit
10 Jahren, wir haben also das Jahr 1940 eingesetzt. Ausser den
fehlenden Kommas und Deinen Tippfehlern haben wir nichts
korrigiert.

Hab Dank für die überwiesenen DM 8,70. Inzwischen ist der
»Onkel Fred« in der »Süddeutschen Zeitung« am 3. 3. erschienen,
die WAZ hat ihn angenommen und ebenso die »Hannoversche
Presse«. Leider ist bisher von noch keiner Seite (»Aschermittwoch«) ein Honorar gekommen. Nur liebenswürdige Briefe.
Wir sind jetzt durch Deine Tippaufträge etwas ins Hintertreffen
geraten mit der Agentur, doch holen wir das in kommender Woche gründlich nach. Wir müssen nämlich Mamas Haus und den
Jerry betreuen, da sie für diese Zeit zur Wera fährt. Wenn Du
Lust und Zeit hast, komm ein paar Tage. Andernfalls möchten
wir Tilla mal hier haben. Bestell ihr bitte folgendes: sie soll sämtliche Verpflichtungen für Samstag den 14. 3. und Sonntag den
15. 3. absagen und sich am Samstag eine Sonntagskarte lösen
und herkommen. Die Zugverbindung und wann sie »aus dem
Hause« muss, das schreiben wir noch. Sag ihr, sie soll nicht so
schwerfällig sein und umgehend die Zusage schicken.

Wir leben zur Zeit ganz beschaulich und widmen uns nur der
Schreiberei. Andererseits hat die arbeitslose Lage selbstverständlich bei der Familie den üblichen Staub aufgewirbelt.
Man braucht eben wieder seine Nerven. Vorerst lassen wir uns
aber nicht erschüttern und machen Ferien. Solltest Du so um
den 16./17. 3. zu Hause sein, würden wir eventuell mit Tilla oder
etwas später für anderthalb Tage zu Dir kommen.

Wir hoffen, dass Ihr inzwischen alle gesund geworden seid, und
dass Ihr es auch bleibt. Schreib uns, was Du noch brauchst, es
wird wie immer prompt erledigt.
Mit vielen herzlichen Grüssen an alle
Euer Ada
mit Guni
[ehZ] 2. Exemplar von Onkel Fred kommt noch, da z. Zt. alles
unterwegs.

BA4, St (RUHR-STORY), 1 1/2S, m

260   *Heinrich Böll an Ernst-Adolf Kunz*
Köln-Bayenthal, Schillerstr. 99, 12. III. 53

Lieber Ada, bitte nicht mit »Baum« loslegen. Keinesfalls. Wartet
doch bitte jeweils, bis ich Signal gebe. Ausser mit denen, die ich
freigab. Alle letzten keinesfalls. Ich komme bald. Hier ist ein toller Trubel wegen A. Tilla kann unmöglich
herzlich Hein

PK, eh

261   *Heinrich Böll an Ernst-Adolf Kunz*
Köln-Bayenthal, Schillerstr. 99, 16. 3. 53

Lieber Ada,
lass das eine Exemplar des »Baum« ruhig laufen, aber schicke bitte keine weiteren los, weil die Euch vorliegende Fassung wüst
zusammengekürzt ist, ich von der ursprünglichen aber keine
Abschrift habe, also jetzt auf das Erscheinen warten muss. Theodora kann losgehen sobald sie in der Neuen Zeitung erschienen
ist, die sie schon gesetzt hat, nur auf Platz wartet. Ich schreibe
dann gleich – – bietet sie zunächst einem »exklusiven« Blatt an,
einem – überhaupt würde ich vorschlagen, die erst einmal erschienenen Geschichten ökonomisch zu verteilen, weil es sonst

nach »Ausverkauf« aussieht. Die Postkarte ist frei, Leser und Decke muss ich sperren, weil sie bei einer Hamburger Agentur liegen. Theodora dann später – alles andere ist frei. Ich schreibe gleich heute an Krämer-B, ob er nicht was schicken kann. Dor scheint verschollen, ich höre nichts mehr von ihm. Ist in Berlin. Auch mit Schallück spreche ich. Meinen Roman schicke ich Euch in den nächsten Tagen. Könnt Ihr nicht mal zu einer Besprechung herkommen? Ich kann jetzt unmöglich weg. Ich muss wegen unseres Planes ununterbrochen »dran« bleiben. Neue Geschichten bald.
Herzlichst Grüsse an Euch und Hausfeld.
Hein

PK, m

262   *Heinrich Böll an Ernst-Adolf Kunz*
22. 3. 53

Lieber Ada,
wie Du siehst, ist Milo Dor inzwischen hier aufgekreuzt, hat einen Tag hier gewohnt und 8 Geschichten für Dich hinterlassen, zu denen folgendes zu sagen ist: Keine der Geschichten der Hannoverschen Presse anbieten, weil sie dort fast alle schon erschienen sind, zwei in der »Welt« (Akazien und noch eine, die nicht herauszufinden war), sonst kannst Du frei verfügen. Schallück sagte mir auch Mitarbeit zu. Von Badoni hörte ich noch nichts, doch will ich [im] Mai, wenn die Gruppe 47 tagt, weitere Autoren zu werben versuchen. Aus dem »Wanderer« kann ich nur »Mein teures Bein« freigeben, die beiden anderen hat schon seit einem Jahr eine Hamburger Korrespondenz, der ich sie nicht abnehmen kann, weil die Leute so nett sind. Frei ist jetzt auch die Theodora, die vorige Woche in der Neuen Zeitung erschien. Nur würde ich etwas warten, weil möglicherweise der Eindruck des NZ-Abdrucks bei den Redaktionen (die im allgemeinen etwas wütend auf die Nz sind) noch zu frisch ist, und die Geschichte keinesfalls nach Berlin schicken. Ich schicke bald

neue Geschichten, wenn ich etwas mit meiner Funkarbeit wei-
tergekommen bin.

Mit »exklusiv« meine ich folgendes: jede Zeitung muss den Eindruck haben, dass sie exklusiv behandelt wird, damit Ihr Euch
auch weiterhin – für die Zeitungen – von den üblichen Agenturen unterscheidet, die immer gleich 20-30 hektographierte Geschichten schicken zu einem Ausverkauf-Preis. Ich bin sehr erstaunt, wie gut Eure Arbeit klappt: Dors Adresse (für Briefe) ist
Redaktion Neue Zeit – – Graz (Österreich), Stemfergasse 7 – –
Adresse für Geld und Belege: Lilo Herschel, Frankfurt Main,
Fürstenbergstrasse 173. Ich schlage vor, Ihr gebt ihm für den ersten Abdruck 66 2/3 Prozent, für jeden weiteren 40, damit er
Spass an der Sache bekommt. Auch für die anderen würde ich
diesen Prozentsatz vorschlagen. Ich schreibe heute auch gleich
an Schnurr.
Herzliche Grüsse Euch allen
Hein

Z, m

263   *Ernst-Adolf Kunz an Heinrich Böll*
den, 24. März 53

Lieber Hein –
dieser feierliche Briefkopf soll Dir nur zeigen, wie wir die Redaktionen anschreiben. – Eben kam Dein Buch, das einen sehr guten Eindruck macht. Ausgezeichnete Aufmachung! Der Druck
im Vergleich zu Middelhauve viel besser. Man sieht wirklich,
dass es sich um einen Verlag handelt, der sein Handwerk versteht. Wir freuen uns von Herzen über diese Neuerscheinung,
und wir gratulieren Dir dazu! Dass dieses Buch Erfolg hat, davon sind wir, noch ehe wir es gelesen haben, überzeugt. Da keiner von uns den anderen zuerst lesen lassen will, sind wir überein gekommen, es vorzulesen. Sind beide rasend gespannt. Hab
Dank, Hein, für dies schöne Geschenk! Auch über die Geschichten von Dor sind wir sehr erfreut. Da wir ihn bei den interessier-

ten Zeitungen schon seit einiger Zeit avisiert haben und man uns versichert hat, man sei scharf darauf, wird es nicht schwer sein, sie unterzubringen. Natürlich haben Deine Stories stets den Vorrang bei uns. Stell Dir vor, was neulich passiert ist: Wie wir Dir ja schrieben, erschien »Fred« am 14. 3. in WAZ und Hannoverschen Presse. Der Badischen Ztg. hatten wir Fred mit der Versicherung angeboten, dass es sich um einen Erstdruck im Badischen Verbreitungsgebiet handele. Man hatte extra danach gefragt. Nun bringt diese grosse Zeitung ebenfalls am 14. 3. den Fred und am Dienstag bekommen wir vom dortigen Redakteur die Nachricht, dass das »Volk« in Freiburg ebenfalls Fred gebracht habe, auch am 14., also in einer Stadt 2mal. Wir waren fassungslos. Der Redakteur Weis, ein netter Mann, bedauerte diese Panne sehr und machte uns darauf aufmerksam, dass das »Volk« die Story nur durch den Matern-Dienst aus Karlsruhe oder Hannover haben könne. Natürlich haben wir sofort an das »Volk« geschrieben und um Bekanntgabe der Quelle gebeten. K a n n nur Hannover sein! Ist doch unverschämt, uns nicht zu informieren, nicht? Diese Piraten! Die Badische will nicht eher von uns was Neues haben, bis dieser Fall geklärt ist. Zahlt jetzt anstatt DM 100.– nur DM 50.–, da es sich um Zweitdruck handelt. Haben dann eine Durchschrift des Briefes an das »Volk« mit einem erklärenden Brief an Weis geschickt und somit unsere Unschuld bewiesen. Aus der Veröffentlichung im Volk kann man doch auch Honorar schlagen, nicht? Mal abwarten, was diese Leute schreiben. Der Süddeutschen hatten wir Huster angeboten, doch schrieb sie zurück, der läge schon von Dir vor. Das wirst Du vergessen haben, denn wir wussten es nicht. – Einige Ztg., so auch Kassel schrieben, »Fred« sei gut, doch zu lang. Wollen mehr. So langsam wird sich ein fester Kundenstamm entwikkeln, mit dem sich dann gut arbeiten lässt. Wir schreiben jede Feuilleton-Redaktion individuell und liebenswürdig an und erwecken dadurch bestimmt den Eindruck der Exklusivität. Die Manuskripte sind jetzt ausgezeichnet abgetippt. Nach etlichen Anschaffungen, die unerlässlich waren, decken die bisherigen Einnahmen genau die Unkosten. Natürlich stehen noch 3 od. 4 Honorare aus, die den Verdienst bedeuten. Da wir uns keine

grossen Illusionen gemacht haben, sind wir ganz zufrieden, auch, dass wir Dir diese Arbeit abnehmen, macht uns Spass. – Sobald wir genug Geld haben, kommen wir zu Dir. Von Riehl, dem Schuft, kriege ich noch ca. 1200.– DM, doch zahlt er einfach nicht. Will heute wieder hin, um Krach zu schlagen. Von was sollen wir sonst jetzt leben. Wenn ich zum Arbeitsgericht gehe, bekomme ich wohl Recht, doch dauert das stets lange. Eine ziemlich verzwickte Situation zur Zeit. – Sonst geht es uns gut. Wera wohnt nun auch mit ihrem Dicken in einer Mansarde, die sehr schön eingerichtet sein soll, wie Mama erzählte. Wir grüssen uns jetzt in Briefen mit »Dachstuhl Heil!« Also, Hein, das wär's. Dir nochmals Dank – Deinem Buch Erfolg.
Grüsse alle Deine Verwandten, besonders Annemarie von uns!
Dein Ada und Guni

[ehZ] Hein, schreib doch bitte mal Deine Telefonnr. Es wird vielleicht mal nötig sein, schnell anzurufen. Und dann denk daran, uns über evtl. Sendungen von Dir rechtzeitig zu informieren, ja?

BA4, St (RUHR-STORY), 2S, m

264   *Heinrich Böll an Ernst Adolf Kunz*
Köln-Bayenthal, Schillerstr. 99, den 29. 3. 53

Lieber Ada,
ich schicke Euch noch drei Geschichten, zu denen folgendes zu sagen ist … Erinnerungen eines jungen Königs … entscheidet sich in den nächsten Tagen, was damit los [ist]. Beim RIAS gesendet, noch nirgendwo veröffentlicht, liegt hier in Köln beim Funk bei einem Mann der gleichzeitig privat eine Zeitschrift herausgibt: Mann in Urlaub, deshalb alles ungeklärt: ich will ihm die Geschichte abnehmen (wenn es nicht schon zu spät ist) und Ihr könntet es damit bei der Neuen Illustrierten versuchen: bitte schreibt sie ab, schickt mir, wenn's geht, zwei Abschriften davon.
Hundefänger: liegt bei der »Welt« die ablehnt mit Korrespon-

denzen zu arbeiten. Also nur Entscheidung der Welt abwarten, dann frei … ich schreib Euch gleich. Tod der Elsa Baskoleit – – ist frei, ausgenommen die Süddeutsche Zeitung, wo sie vor einiger Zeit erschien. Könntet ihr evtl. in Berlin riskieren.

Sonst nicht viel Neues hier: aufreibendes Leben, weil fast täglich – wirklich täglich – bis 1-2 Uhr Besuch, auch heute wieder. Bauplan scheint zu klappen: Witsch ist mit den Vorbestellungen auf mein Buch sehr zufrieden. Ich schufte ununterbrochen, mache auch noch Lektor für Witsch, jetzt viele Buchbesprechungen und ähnliches. Ich kann unmöglich fort, sonst käme ich schnell.

Telefonnummer habe ich schon 39270, aber noch keinen Anschluss, ich schreibe gleich, wenn er da ist, wahrscheinlich noch vor Ostern. Bitte schickt mir Belege, wenn Ihr welche übrig habt: vor allen Dingen bei den anderen »Autoren« nicht vergessen, Belege zu schicken. Krämer-Badoni macht nicht mit, weil er selbst Kurzgeschichten Vertrieb aufbaut. An Schnurre schrieb ich, Schallück will Euch auch schicken. Von Federmann kommt noch mehr … Innigste Grüsse
Hein

[ehZ] Bitte von jedem eine Abschrift: [unleserlich] in kürze hier vorliegen.

Z, m

265   *Heinrich Böll an Ernst-Adolf Kunz*
Köln-Bayenthal, Schillerstr. 99, 30. 3. 53

Lieber Ada, leider ist der »junge König« inzwischen hier in Köln erschienen, also nichts mit der Neuen Ill. Ansonsten ist er völlig frei, und weil er hier nur in der Hauszeitschrift eines Gaststättenkonzerns erschien (also sozusagen privat), könnt Ihr ihn getrost dem Tagesspiegel anbieten, ansonsten jedem anderem, ausser der WAZ (die ihn seinerzeit honorierte ohne ihn zu bringen, weil er ihr zu heikel war). Also »Baskoleit« frei, bis auf Süd-

deutsche, mit »Hundefänger« warten. Ich wünsche Euch Glück
und Erfolg auch mit Dor, der gewiss mehr »liefern« wird wenn er
sieht, dass es klappt. Ich würde R. verklagen, wahrscheinlich der
einzige Weg, aber vielleicht sehr kostspielig. Erfahrungen mit A.
(ziemlich schwierige) lehren mich, dass man alles klären soll,
nichts Undurchsichtiges in der Schwebe lassen.
Herzliche Grüsse an Euch und Hausfeld
Hein + Annemarie

PK, m

266   *Ernst-Adolf Kunz an Heinrich Böll*
Buer, den 1. April 1953

Lieber Hein –
grossartige Stories hast Du uns da geschickt! »Der kleine König« gefällt uns am besten. Wir haben ihn sofort abgetippt und
legen Dir die gewünschten zwei Abschriften bei. Der Zeilenab-
stand ist jetzt so wie Du ihn brauchst. Auf jeder Seite sind genau
30 Zeilen. Heute kam nun Deine Karte mit genauen Anweisungen. Schade, dass es bei der »Neuen Illustrierten« jetzt nicht
mehr geht. Wenn eine Ztg. überhaupt so viel Platz hat, kann
man »König« sicher gut verkaufen. »Hundefänger« ist eigentlich
die richtige Länge. – Heute kam Nachricht, dass »Husten« in
Hannover angenommen ist. Ausserdem kam ein netter Brief
von Schnurre mit 4 sehr guten Geschichten, die zum Teil etwas
lang sind. Zwei lassen sich bestimmt überall anbieten. Dank für
Deine wichtige Vermittlung! Wir haben jetzt wirklich allerhand
gutes Material da, mit dem man viel anfangen kann.
Dann schicken wir Dir die Belege. Ist die Zeichnung in der
WAZ nicht gut? Lentz entschuldigte sich schon für den Druck-
fehler, hat der Zeichner verkorkst. - Das Durcheinander mit
»Fred« kommt langsam wieder klar. Haben Nachricht, dass Matern-Dienst in Hannover zahlen muss. Nur durch Zufall haben
wir das doch erfahren. Diese Literaturpiraten hätten sonst
nichts von sich hören lassen. Gezahlt hat bis jetzt noch keiner.
4 Honorare stehen aus.

Die Besuchsschwemme bei Euch ist ja wirklich aufreibend. Wie
kannst Du überhaupt dann arbeiten? Aus unserem Besuch wird
wohl erst nach Ostern was. Wir freuen uns so, Euch alle mal wieder zu sehen. Hatte eigentlich der Opa schon Geburtstag, oder
kommt der noch? Schreib mir das doch bitte. Ich fürchte, er war
schon. Hätte ihm so gern geschrieben.
Wenn Du mal Höfer sprichst, frag ihn doch mal, ob er noch
einen Sprecher braucht. Würd ich gern machen. Ob sich hier
was findet, weiss ich nicht. Werde jedenfalls nach Ostern alles
versuchen. Zum Kotzen, dass das wieder los geht. Wenn die
Agentur hier jetzt schon mehr abwürfe, täte ich nur noch das.
Wahrscheinlich kann man es so weit bringen, doch dauert das
natürlich seine Zeit. Wir tun hier allerhand, doch tun wir es
aus Freude an der Sache und das ist der ideale Zustand. – Trotz
der schönen Wohnung, würden wir sofort hier wegziehen,
wenn sich was Gutes fände. – Schade, dass Du nicht schnell
mal kommen kannst. – Feiert Ostern gesund und ohne Besu-
chermengen – Du tu' mal nichts. Wir grüssen alle: Opa, Tilla,
Alois, Alfred, Rei, René, Vinz, besonders herzlich Dich und
Annemarie –
Ada & Guni

BA4, 1S, m

267   *Heinrich Böll an Ernst-Adolf Kunz*
Köln-Bayenthal, Schillerstr. 99, den 2. 4. 53.

Lieber Ada, ich schicke Euch einmal eine gekürzte Form der
»schwarzen Schafe«, die Ihr – mit grosser Vorsicht – vielleicht einmal anbieten könnt: sie sind zwar länger als beliebt ist, aber vielleicht – – – – gelegentlich bei der WAZ.
Wolfdietrich Schnurre schrieb mir aus Berlin, dass er bei Euch
mitmachen will. Schreibt mir, wenn er sich meldet. Die schw.
Schafe erschienen bisher in der »Welt«, der »Welt der Arbeit«,
der »Neuen Zeitung«, der »Neuen lit. Welt«, im »Michael«, in
den »Documents« und in der Wartezimmerzeitschrift »Du

und die Welt«, also Vorsicht ... Herzliche Grüsse von uns allen
Hein

Z, m

268   *Heinrich Böll an Ernst-Adolf Kunz*
Köln-Bayenthal, Schillerstr. 99, 17. 4. 53

Lieber Ada, der »Hundefänger« ist frei; kam gestern in der
Frankf. Allgemeinen. Montagmorgen will ich mit Witsch über
Dich sprechen; W. war lange weg. Höfer ist leider krank; sobald
er gesund ist, bohre ich auch dort. Schallück bot sich an, Dich
mit hiesigem Oberspielleiter bekannt zu machen. Schreib mir
doch, ob ich was arrangieren soll. Vielleicht könnte ich Dich in
einer Buchhandlung hier unterbringen; würdest Du Dich dafür
interessieren? Ich bin krank, wirklich vollkommen erledigt.
Hausbau beginnt in den nächsten Wochen!! Wunderbares
Grundstück gekauft! Herzlich Dich, Guni und Deine Mutter
grüßend
Hein

PK, eh

269   *Heinrich Böll an Ernst-Adolf Kunz*
Köln-Bayenthal, Schillerstr. 99, 18. IV. 53

Liebe Guni, lieber Ada!
Das Hörspiel kommt Montag, den 20. 4. über Frankfurt – Mittelwelle. (20 Uhr). Buch geht gut, überall beste Kritiken und auch
im Verkauf gut. Französische Übersetzung garantiert und sehr
wahrscheinlich komplette Lesung auf UKW Köln. Ausserdem
ziemlich sicher Übernahme in Büchergilde Gutenberg. Witsch
strahlt, gibt mir (5 M) Bau-Darlehen. Ich bin seit Wochen wegen der verschiedensten Ursachen pleite, sonst ...
Kommt unbedingt mal her, aber schreibt vorher
herzlich Hein

PK, pers St, eh

270 *Ernst-Adolf Kunz an Heinrich Böll*
Buer, den 19. 5. [1953]

Lieber Hein – ich wollte Dich nur auf die Kritiken Deines Buches in der »Neuen literarischen Welt« aufmerksam machen. Am
10. 4. eine glänzende Besprechung von Rolf Schroers. Las nie
eine bessere. Am 25. 4. wurde Dein Buch in selber Zeitschrift
zum besten Buch des Monats erklärt. Vielleicht wusstest Du das
alles, doch hast Du evtl. die Exemplare nicht, die ich Dir schik-
ken will, wenn Du sie brauchst. Würde sie sonst gern behalten.
Schreibe Dir noch diese Woche einen längeren Brief. In unserer
Mansarde ist eine tropische Hitze. Dementsprechend laufen wir
auch herum. Abgesehen von der Knappheit gewisser wichtiger
Dinge geht es uns gut. Haben Geschichten von Dir in Sao Paulo,
Brasilien angeboten. Grosse deutsche Ztg. Was sollen wir mit
Devisen machen? Denk an Fussballbeingeschichte!
Wäre jetzt gut unterzubringen, da bald Endspiel. Von Dor ist
eine Geschichte erschienen. Honorare für Dich überweisen wir
in Kürze. Gruss an alle Dein Ada samt Frau.
[ehZ] Denkst Du an den Immermannpreis der Stadt Düsseldorf? Bis Sept. 53. Ich glaube so 5-10 000 DM.

PK, St (RUHR-STORY), m

271 *Ernst-Adolf Kunz an Heinrich Böll*
[Gelsenkirchen-]Buer, d. 21. 5. 53

Lieber Hein –
ich schicke Dir hier mal ein Hörspiel von mir und bitte Dich, es
durchzulesen, wenn Du Zeit hast. Es ist nicht der endgültige Ab-
tipp, denn ich habe vor, noch einiges zu ändern. Wenn es Dir
nicht zu viel Mühe macht, schreibe nur in das Manuskript, was
Du auszusetzen hast (bitte leserlich). Ich weiss genau, dass das
Hörspiel Schwächen hat, und würde mich nicht trauen, es ohne
Deine Beurteilung abzuschicken. Wenn Du glaubst, es sei
brauchbar, würden wir uns freuen. Schreib aber auch rücksichts-

los, wenn es Dir nicht gefällt. Wir wollen uns nichts vormachen.
Jedenfalls habe ich viel bei dieser Schreiberei gelernt. Was hältst
Du davon, wenn ich die gute Geschichte »Wie vor alters zog die
Argo – « von Jack London zu Hörspiel umarbeite? Du kennst
doch die Story, nicht? Liesse sich sehr gut machen. – Also schick
die »Übungssache« wieder her, wenn Du sie durch hast. Ich habe
nur dies eine Manuskript. Da wir zur Zeit restlos pleite sind,
würde uns die Aussicht auf eine Annahme beim Funk wieder
Auftrieb geben. »Du und die Welt« will zwar auch eine längere
Story von mir bringen, doch bis da mal Honorare kommen, sind
zwei Monate rum. Die Süddeutsche Ztg. wird Deinen König
bringen. Auch die Hannoversche bringt wieder was von Dir.
Hundefänger. Die WAZ hat jetzt die Theodora. Noch keine
Antwort, aber auf Lentz ist Verlass, der bringt sie. Dann sind
eine Reihe Honorare eingegangen. Du hast bei uns jetzt ein Gut-
haben von DM 65,50. Alles Fred und Huster. Hein, wir schicken
Dir das Geld bald. Sei nicht böse, dass Du es noch nicht hast,
aber wir hatten bis jetzt keine andere Möglichkeit, an Geld zu
kommen. Die Arbeitslosenunterstützung, die mir ja zusteht,
war ein Reinfall, da bis vor einiger Zeit noch ein Gewerbe auf
meinen Namen lief, das ich nie angemeldet hatte, das aber bei
meiner selbständigen Tätigkeit von meinem Teilhaber Bernhard
angegeben worden war. Und der hatte es nicht abgemeldet.
Drei Wochen wurden mir nicht gezahlt. Gerade auf diese Summe hatte ich gerechnet. Kriege jetzt pro Woche 32.–, eine lächer-
liche Summe, bei meinen Verpflichtungen. Heute muss die
Schreibmaschinenmiete gezahlt werden und die Rate für das
Darlehen von Dr. Haack (70.– zusammen). Wir haben trotzdem
vor, morgen neue Maschine zu kaufen. Ob wir jeden Monat DM
18.– Miete oder Rate zahlen ist egal. – Wenn Du mal wieder was
abzutippen hast, schick es uns. Ich kann jetzt schon ziemlich
schnell tippen und es macht keine Mühe. – Trotz all dieser Ärger-
nisse geht es uns ganz gut. Wir können uns den Tag einteilen
wie wir wollen, Guni näht und ich mache Ruhr-Story und sonstige Schreibereien. Häufig gehen wir zur Mama, die sich natürlich freut. Letzten Samstag gab sie ein grosses Fest für ihren Ke-
gelklub. Da konnte man Studien machen! Habe mich lange mit

Oberst a. D. Oster unterhalten und diesem an sich nicht üblen
Mann allerhand unter die Weste gedrückt, was offenbar noch
keiner getan hat. Er lud mich zu sich ein, doch gedenke ich nicht,
hinzugehen. Soweit kommt es noch! – Hein komm doch mal
her, wenn Du kannst. Mama würde sich auch sehr freuen. Sie
wird übrigens am 28. 5. 60 Jahre alt. Es geht ihr sehr gut z. Zt. Alles ist begeistert von Deinem Buch. Vor allem der nachbarliche
Bildhauer. – Ich will die Theodora mal der Neuen literarischen
Welt schicken, die auch so begeistert über Dich schrieb. Von
Dor und Schnurre erscheint da auch immer was. Hein, denk daran, uns über Deine Funksendungen zu informieren! Am 12. 5.
war Evelyn Waugh von Dir. Gestern las ich das erst.
Grüss bitte Annemarie und die Kinder von uns. Euer Familien-
foto wird von allen bewundert. Ist auch zu nett.
Komm bald mal mit Né oder Frau!
Herzlichst Dein Ada und Frau!

BA4, 1 1/2S, m

272   *Heinrich Böll an Ernst-Adolf Kunz*
Köln-Bayenthal, Schillerstraße 99, den 26. 5. 53

Lieber Ada,
ich komme eben völlig erschöpft von Paris und Mainz (acht Tage hintereinander Tagungen) zurück. Ich schreibe Dir später,
wenn ich das Spiel gelesen habe, mehr. Bitte verzeih die Kürze,
aber könnt Ihr mir abschreiben aus dem Wanderer:
1 Mann mit den Messern
2 An der Brücke
3 Damals in Odessa
4 Wir Besenbinder
5 Mein trauriges Gesicht
6 Kerzen für Maria
ausserdem 7 Theodora und 8 König und 9 Baskoleit.
Geld, sobald ich etwas habe
herzlichst Hein

Pk, pers St, m

273   *Gunhild Kunz an Heinrich Böll*
[Gelsenkirchen-]Buer, Immermannstr. 6, 27. 5. 53

Lieber Hein –
Eben kam Deine Karte. Haben von der Tagung in Paris im
»Echo d. Tages« gehört. Erhol Dich gut. Schreib uns doch bitte
umgehend, wieviel Durchschläge Du von jeder Geschichte ha-
ben willst. Es wird dann so schnell wie möglich erledigt.
Demnächst mehr. Schreib doch bitte auch von Paris.
Herzl. Grüsse
Guni und Ada.

PK, eh

274   *Heinrich Böll an Ernst-Adolf Kunz*
Köln, den 1. 6. 53

Lieber Ada,
ich schicke Euch den Federmannschen storyband: lest ihn
durch und schreibt die Geschichten ab, die Euch geeignet erscheinen. Ausserdem noch drei Vorträge von mir, die Ihr bitte
abschreiben wollt: Das Auge des Schriftstellers – – – Masken – –
Was ist aktuell für uns? Bitte macht mir dann eine genaue Aufstellung der abgetippten Seitenzahl aller Geschichten und Vorträge, damit wir verrechnen können. Ich habe das Hörspiel noch
nicht ganz gelesen, denke aber, dass ich es einem oder einigen
Hörspielleuten mal werde vorlegen können. Wir sprechen dann
darüber . . . Herzliche Grüsse an Euch
In Eile
Hein

BA5, 1S, m

275   *Ernst-Adolf Kunz an Heinrich Böll*
[Gelsenkirchen-)Buer, 2. 6. 53

Lieber Hein – eben kam Dein dicker Brief. Seit zwei Tagen tippen wir jetzt für Dich und hoffen, am Freitag damit fertig zu sein, damit Du am Samstag alles hast. – Wir würden uns alle sehr freuen, wenn Du Samstag – Sonntag kommen würdest. Nita kommt auch. – Solltest Du noch genau schreiben, dass Du kommst, schicken wir die Sachen nicht ab. Auch Belegexemplare liegen hier für Dich sowie ein langer Artikel über Dich mit Deinem Foto aus der WAZ. – Um die Verrechnung mach Dir keine Gedanken. Bekommst genaue Aufstellung von uns. – Von jeder Geschichte oder Aufsatz kriegst Du 4 Exemplare. Wird'n nettes Paket! – Es gibt allerlei zu besprechen: also komm. – Heute erschien diese Notiz aus der WAZ. – Das ist doch ein grossartiger Erfolg! Wir wünschen Dir, dass Du den Prix kriegst. Mit herzlichsten Grüssen an alle – Dein Ada
[ehZ G. K.]: Hein, bitte, bitte komm, wenn Du irgendein paar Stündchen stehlen kannst!
[Ausriß aus »Westdeutsche Allgemeine Zeitung«] Deutsche Hörspiele für »Prix Italia« ausgewählt
Baden-Baden, 1. Juni
Die Hörspiele »Das Bild des Menschen« von Peter Lothar und »Ein Tag wie sonst« von Heinrich Böll wurden von der Jury der öffentlich-rechtlichen Rundfunkanstalten der Bundesrepublik für den Wettbewerb um den »Prix Italia« ausgewählt.   (dpa)

PK, St (RUHR-STORY), eh

276   *Ernst-Adolf Kunz an Heinrich Böll*
[Gelsenkirchen-]Buer, den 5. 6. 53

Lieber Hein – noch haben wir die leise Hoffnung, dass Du morgen kommst – schön wär's!

Gerade haben wir alle Sachen abgetippt. Es ist ein ziemlicher

Haufen geworden, nicht? Ich will das Paket gleich zur Post bringen, damit Du es morgen hast.

Hier die Aufstellung:

4	Exemplare von	»Kerzen f. Maria«	=	13 Seiten
4	”	»Besenbinder«	=	5 ”
4	”	»Mann m. Messern«	=	12 ”
4	”	»Trauriges Gesicht«	=	7 ”
4	”	»An der Brücke«	=	2 1/2 ”
4	”	»Odessa«	=	6 ”
4	”	»Theodora«	=	4 1/2 ”
4	”	»Baskoleit«	=	4 1/2 ”
4	”	»König«	=	6 ”
4	”	»Auge d. Schrifts.«	=	5 1/4 ”
4	”	»Masken . . .«	=	6 ”
4	”	»Was ist aktuell«	=	6 ”

summa   =   77 1/4 Seiten

Von uns hast Du bis zum heutigen Tage zu kriegen:

»Badische Ztg« (Fred)	DM 25.–
»Nord-West Ztg« (Husten)	DM 6,90
»Hannoversche Presse« (Husten)	DM 12,50
»Generalanzeiger Wuppertal« (Fred)	DM 11,50
Pump in Köln	DM 10.–
summa:	DM 65,90

Wenn wir pro Seite DM 1.– ansetzen, hätten wir also ein Gutha-
ben von ca. DM 11,50. Diese Summe halten wir bei dem nächsten eintrudelnden Honorar ab. Einverstanden?
Es stehen noch etliche Honorare für Dich aus. So ist jetzt auch
die Hannoversche Sache geklärt. Der dortige Matern-Dienst hat
endlich reagiert, nachdem wir dreimal geschrieben haben. Die
Bande hat am Aschermittwoch schon Deine Story gebracht, ohne dass wir es wussten. Erst, nachdem wir auf den Busch ge-

klopft hatten, bekannten sie sich dazu. Sie zahlen Nachhonorar
von DM 15.– pro Geschichte. 3 haben sie übernommen
Ich lege Dir 2 Belegexemplare bei. »Westfälische Rundschau« ist
neuer Kunde. »Nord-West-Ztg« hatte schon was (siehe Aufstellung). Die »Neue literarische Welt« schickte heute »Theodora«
zurück, da sie nur Erstdrucke bringt. Wieso die wissen, dass das
keiner ist, wissen wir nicht. Kann man denen den »König« anbieten? Oder hast Du ihn irgendwo untergebracht? Wir haben
ihn unterwegs, doch noch keine Zusage. Könnten ihn also von
uns aus als Erstdruck anbieten. Dr. Ursula Risse schreibt sehr
nett und möchte gern was Neues haben von Dir. Von den Federmanngeschichten sind einige sehr gut zu verwenden. Diese Woche hatten wir ja nun wenig Zeit, was anderes zu machen. Nächste Woche widmen wir uns wieder der Agentur.
Ich lege noch eine Quittung bei, die Du bitte bei Gelegenheit
zurückschickst. Oder bringst, das wäre noch besser.
Solltest Du nicht kommen, sieh zu, dass es bald mal klappt. Wir
hoffen, dass Dir die Tipparbeit gefällt.
Herzliche Grüsse an alle, besonders an Annemarie –
Ada & Guni
Anlagen: 2 Belegexemplare
420 Blatt Dünnpost

BA4, 1 1/2S, m

277   *Heinrich Böll an Gunhild und Ernst-Adolf Kunz*
den 7. 6. 53

Lieber Ada, liebe Guni,
inzwischen hat sich das Blättchen gewendet und ich stehe tief
in Eurer Schuld, denn die Süddeutsche Zeitung schickte mir vor
einigen Tagen 140.–, von denen also 70.– Euch gehören (für Abdruck des Königs in N° 122). Meckert nicht bei denen wegen des
Irrtums! Ausserdem möchte ich das Papier und Durchschlagpa-
pier extra zahlen und wir müssen darüber abrechnen, wenn ich
komme! Der Neuen lit. Welt anzubieten, ist zwecklos. Lit. Zeit-

schriften überhaupt, weil sie Agenturen gegenüber immer
misstrauisch sind! Also spart das Porto – – ich schicke heute
»Baskoleit« hin, blockiert sie bitte für zwei Wochen. Die N. lit.
Welt bat mich um einen Beitrag, und obwohl die Baskoleit
schon in der Süddeutschen war, will ich es versuchen. Ich komme nächsten Samstagabend also, und wir reden über alles, und
ich denke, dass ich Euch auch Geld mitbringen kann (ich bin im
Augenblick ziemlich down, weil meine Verpflichtungen mich er-
drücken). Wir sprechen dann über alles, auch über Hörspiel – –
usw. Herzliche Grüsse

BA5, 1 1/2S, m

278   *Ernst-Adolf Kunz an Heinrich Böll*
[Gelsenkirchen-]Buer, d. 9. 6. 53

Lieber Hein – wir freuen uns sehr auf Dein Kommen. Du kannst
mitbringen, wen Du willst. Vielleicht empfiehlt es sich, Né diese
Freude zu machen, da Rai doch sicher Montag in die Schule
muss. Und Sonntag abend fahren, wäre ja nicht günstig. Aber
wie gesagt: uns ist jeder Knabe recht. – Du steigst also wie immer Middelicher Str. aus und kommst zum Hausfeld. Dort erwarten wir Dich. Am Sonntag nach dem Mittagessen gehen wir
dann zu uns. Mamas Garten eignet sich herrlich zum Spielen
und nebenan bei Kirschbaums ist ein Sandkasten mit drei netten Blagen, wo der Junge spielen kann. Weisst Du, der Bildhauer. Nach neuestem Stand haben sich Deine »Schulden« bei uns
verringert. Es sind nur noch DM 60.-. Wir sind froh, dass die
Süddeutsche den König gebracht hat. Papierkosten tragen
selbstverständlich wir. Kommt gar nicht in Frage, dass Du das
zahlst! Wir erwarten diese Woche noch mehr Honorar, so dass
wir verrechnen können. – Leider habe ich noch keinen neuen
Fahrplan, sonst würde ich Dir den Zug aussuchen. Also bis
Samstag. Komm nicht zu spät. Gruss A.

PK, St (RUHR-STORY), m

279   *Heinrich Böll an Gunhild und Ernst-Adolf Kunz*
Köln-Bayenthal, Schillerstraße 99, 23. 6. 53

Liebe Guni, lieber Ada,
ich bin sozusagen auf der »Durchreise« für einen Tag hier, fahre
morgen nach Hamburg und werde dort u. a. die 8 Geschichten
freizubekommen versuchen, die dort liegen. Die Wetzlarer
Neue Zeitung (Dr. Kramer, W. Weissadlergasse 9) brachte die
Waage der Baleks und schrieb mir, sie sei gelegentlich an anderem interessiert. Dort könnt Ihr gewiss in etwa 14 Tagen einmal
hinschicken. Schreibt dann, dass ich es Euch mitgeteilt habe
usw. Sonst bin ich sehr müde, sehr abgespannt und freue mich
auf die Ferien. Bisher haben wir noch keine Station gefunden.
Glaubt Ihr, dass oben im Sauerland so etwas zu finden ist, wie
wir es suchen? Wenn ja ...
Ab 1. 7. bin ich wieder ständig hier. Herzlichst Hein

PK, pers St, m

280   *Heinrich Böll an Gunhild und Ernst-Adolf Kunz*
Köln-Bayenthal, Schillerstraße 99, den 29. 6. 53

Meine Lieben,
schnell noch zwei neue Adressen für Euch: Deutsche Volkszeitung, Fulda Truchsesstr. 3-7 (an Konrad Winkler schreiben, der
mich kennt).
Neue Württ. Zeitung, Göppingen, Rosenstr. 24 (Herrn G.
Schindler schreiben, in ca. 3-4 Wochen). Für Volkszeitung
gesperrt: König, sonst alles frei. Und ausserdem schickt den
»König« einmal versuchsweise an Dr. Zacharias, Redaktion Welt
am Sonntag, Hamburg, Grosse Bleichen 36.
Bin nach 2500 KM (innerhalb 8 Tagen) restlos erschöpft und finde hier einen Berg Arbeit vor, bevor wir abfahren können. Wahrscheinlich doch Eifel.
Viele herzliche Grüsse
Hein

PK, pers St, m

281   Ernst-Adolf Kunz an Heinrich Böll
[Gelsenkirchen-]Buer, d. 30. 6. 53

Lieber Hein – wir hätten Dir schon längst geschrieben, wenn wir
nicht angenommen hätten, Du seist noch unterwegs. Hab Dank
für Deine drei Postkarten, vor allem für die neuen Adressen.
Wir werden die Herren bestens bedienen. – Das Neueste ist,
dass Wera ein angeblich wunderbar nettes Mädchen zur Welt gebracht hat. Wera-Alexa soll es heissen, wiegt 6 1/2 Pfund und ist
kolossal mobil. Auch Wera geht es ganz gut jetzt, obwohl sie
12 Stunden gebraucht hat, bis das Kind da war und dabei grosse
Schmerzen hatte. Mama ist sofort für ein paar Stunden hingefah-
ren und hat uns alles berichtet. Eine Anzeige kriegt Ihr ja von
Wera. Für die Oma Ortmeyer ist es das erste weibliche Enkel-
kind und darüber herrscht natürlich Freude. Ist ja auch wirklich
nett. – Ich habe die Ortmeyers und Nita in Hellersen mobilisiert,
eine Sommerunterkunft für Euch zu besorgen. Bei Nita bestehen Aussichten, vielleicht. Sie wird Euch sofort schreiben. Wir
hier wissen leider nichts. Wir können nur hoffen, dass Ihr bald
etwas Schönes findet. – Heute bekamen wir Nachricht, dass
»Der Mittag« den »Huster« in Satz gegeben hat. »Teures Bein«
bringt Hannover, im Wuppertaler Generalanzeiger sind bisher
alle drei angebotenen Geschichten von Dir erschienen. Belegexemplare liegen bei. Die »Neue Illustrierte« ist sehr an Arbeiten
interessiert, doch nur Erstdrucke. Vielleicht kannst Du uns mal
gelegentlich was Neues schicken, das in etwa dem Tenor der Zeitung entspricht? Wäre schön. Auch sonst ist allerhand unterwegs, doch hat man den Eindruck, als sei jetzt schon alles in Ferien. Die Antworten lassen sehr lange auf sich warten. Lentz hat
zwei Geschichten schon seit Wochen und reagiert gar nicht.
Neulich schrieb uns der Mann von der »Badischen« er habe unsere Adresse Herrn Dr. Paul Schaaf gegeben, der uns was schik-
ken will. Er erklärt uns, was Schaaf alles macht für Funk und so.
Ist doch komisch, nicht? Wir nehmen es als Zeichen dafür, dass
unsere Agentur Vertrauen erweckt. Schaaf scheint mit dem
Herrn Weis befreundet zu sein. Wir nehmen natürlich gern seine Sachen, und bieten sie an. Hoffentlich sind sie was!

Seitdem Du hier warst, sind noch keine Honorare eingetroffen, obwohl etliche zu erwarten sind. Wir überweisen sie am selben Tag an Dich. Deine Rundreisen erregen unsere Bewunderung. 2500 Km ist 'ne tolle Strecke, von hier bis Rostow ungefähr. Wir brauchten damals drei Wochen zu der Fahrt. – Ich lege Dir mal das Jack-London-Hörspiel bei. Es ist fertig abgetippt. Vielleicht kannst Du es mal irgendeinem Funkmann geben. Schreib mir doch mal, wem ich so was anbieten kann. Dann hast Du nicht die Arbeit. Du kennst doch sicher in Frankfurt oder Stuttgart jemanden. Ausser dem beiliegenden Exemplar habe ich noch zwei Durchschläge, die ich dann losschicken kann.

[ehZ] Uns geht es trotz dem mangelnden Geld gut. Es wird langsam Zeit, dass ich irgendwo verdiene, da wir Schulden haben. So'n Hörspiel könnte uns retten. Hein, sei herzlich gegrüsst und schreib mal, ob Ihr eine Sommerunterkunft habt. Besonderen Gruss an Annemarie, deren Übersetzung wir kaufen wollen. Wie heisst das Buch? Dein Ada

[ehZ von G. K.]: Viel Freude und Erholung in Eurer Sommerfrische, unsere Wohnung ist die Sauna und Mamas Garten die Sommerfrische.
Herzlichst Deine Guni

BA4, 1S, m

282   *Heinrich Böll an Gunhild und Ernst-Adolf Kunz*
Köln-Bayenthal, Schillerstraße 99, 2. 7. 53

Meine Lieben,
innigsten Dank für alles und viele Glückwünsche Euch und der (nun) Oma-Mama im Hausfeld zu Wera-Alexa. Hier ist es mörderisch heiss, aber ich kaufte verzweifelt einen Ventilator und fühle mich, wenn auch schwitzend, wohl. Eine Sommerunterkunft haben wir inzwischen, ganz nahe bei der Steinbachtalsperre (Strandbad), nicht weit von Euskirchen und Münstereifel.

Wir ziehen am 15. 7. dort hin, und es wäre schön, wenn Ihr uns dort einmal besuchen könntet. Da werde ich auch neue Geschichten schreiben. Ada soll die Durchschläge des Hörspiels schicken 1. an Heinz Huber, Hörspieldramaturgie des Süddeutschen Rundfunks, Stuttgart, Neckarstr. 145. 2. an Dr. Hartmann Goertz, Hörspielabteilung des Hessischen Rundfunks, Frankfurt, Bertramstr. 8. Es ist viel besser so, nur soll er sich auf mich beziehen.

Hein

PK, pers St, m

283   *Heinrich Böll an Gunhild und Ernst-Adolf Kunz*
Köln-Bayenthal, Schillerstraße 99, den 11. 7. 53

Lieber Ada, liebe Guni, herzlichen Dank für Euer Telegramm und die Karte. Ich weiss noch nichts Näheres über den Preis, der im September in Berlin verliehen wird, bekam nur gerade die offizielle Bestätigung und Begründung. Das ist schon ein wichtiger Preis. Wir quälen uns an den letzten grossen Arbeiten herum: Annemarie hat die Übersetzung fertig (in 6 Wochen) und sie ist gut. Wie das Buch heissen wird, ist noch nicht klar, der Titel macht noch Schwierigkeiten. Ich schlug vor: »Nimmer werden dir bleiben Ruhm und Name auf Erden.« Mal sehen. Bitte sofort Geschichten-Sendung an Volkszeitung Fulda abstoppen. Bitte sofort, weil KP finanziert. Fiel darauf herein, und möchte wirklich nichts damit zu tun haben. Kommt mal nach Kirchheim (Steinbachstr. 177a b. Fam. Blankenheim ab 17. 7.).
Sehr herzliche Grüsse
Euer Hein

PK, pers St, m

284   *Ernst-Adolf Kunz an Heinrich Böll*
[Gelsenkirchen-]Buer, 17. 7. 53

Lieber Hein – wir nehmen an, dass Ihr jetzt schon in Eurem Sommerquartier seid. Hoffentlich habt Ihr etwas Glück mit dem
Wetter! – Vor einigen Tagen fragte eine Hamburger Zeitschrift
»Das Fenster« an, ob sie den »Fred« bringen dürfte und unter
welchen Bedingungen! Die guten Leute schreiben, es handele
sich doch um einen Drittdruck. Haben die 'ne Ahnung! Wir haben ihnen sofort Manuskript geschickt. Auch der Hannoverschen P. haben wir auf Wunsch die »Theodora« geschickt. Da
diese Ztg. an die 10 Schwesterzeitungen hat, bieten wir denen alle Geschichten zuletzt an, um uns nicht die Chancen in den anderen Städten zu verderben. Mit der Fuldaer Volksztg. kam uns
die Sache schon ziemlich spanisch vor, als wir lasen, dass der
Herausgeber Wirth ist. Schicken nichts mehr von Dir hin. Allerdings wird der »Fred« schon erschienen sein. Las heute in der
Welt der Arb. Deinen Artikel »Was ist aktuell –«. Dohrenbusch
ist ja wirklich ein netter Mann. Auch die Ztg. ist vernünftig. Haben auch Dor gebracht. Hein, ohne Dich allzusehr drängen zu
wollen, aber wenn Du mal eine neue Story hast, schick sie. Die
Neue Illustrierte ist sehr interessiert, nimmt nur unveröffentlichte Arbeiten. Wir verrechnen alle Erstveröffentlichungen mit
80 zu 20 mit Dir, nicht? Es ist schon wichtig, dass wir diese Leute
kriegen. Wir haben jetzt ca. 18 fest interessierte Ztgn. Leider viele nur Erstdruckblätter. Zahlen natürlich auch besser. Haben
jetzt die »Postkarte« von Dir abgetippt. Ist sie ausser in den FH
sonst noch wo erschienen? Wollten sie Dohrenbusch anbieten.
Schreib mal, ob das geht. – Nun erholt Euch alle gut und tut
möglichst nicht viel. Sind auf Übersetzung gespannt. Herzliche
Grüsse – Ada – Guni

PK, St (RUHR-STORY), m

285   *Heinrich Böll an Gunhild und Ernst-Adolf Kunz*
z. Zt. Kirchheim b. Euskirchen, Steinbachstr. 177a, bei Fam. Blankenheim, 18. VII. 53

Liebe Guni, Lieber Ada,
wir haben die Brücken hinter uns abgebrochen – wie Ihr seht –
und sind vorgestern umgezogen. Es ist herrlich hier, und wir ha-
ben 3 sehr geräumige Zimmer und sind bei sehr netten Leuten.
Wenn Ihr Lust habt, besucht uns mal.
Bitte schreibt mir doch die Waage der Baleks 3-4 mal ab. Ich gab
Ada die FAZ, worin sie erschien. Und schickt es mir bitte hierhin.
Herzlich Hein
Bitte auch »Wiedersehen in der Allee« aus Wanderer abschreiben.
Herzlichst Hein

PK, eh

286   *Ernst-Adolf Kunz an Heinrich Böll*
[Gelsenkirchen-]Buer, d. 22. 7. 53

Lieber Hein – hier sind die abgetippten Geschichten »Waage«
4 Manuskripte, »Wiedersehen« 3. Wir beabsichtigen, die Waage
der Süddeutschen Ztg., der Badischen und evtl. Dohrenbusch
anzubieten. Letzterer nimmt nur Erstdrucke, doch kann man
vielleicht doch was machen. Der Mittag hat wieder eine Story
von Dir angenommen. Schreibt sehr nett, der olle Brües. – Gestern entdeckte Guni in einer Rundfunkzeitung für die nächste
Woche, dass Dein Hörspiel »Ein Tag wie sonst« am 30. 7. (Ich
begegne meiner Frau!) um 21 Uhr auf NWDR Mittelwelle gesendet wird. Können es nun endlich mal ohne Störungen hören.
– Hübner, der Rundfunkmann in Stuttgart schickte mir mit
einem sehr eingehenden Brief mein Hörspiel zurück mit der Begründung, es sei zu episch. Wird wohl recht haben, der Mann.
Ich solle es doch mit Erzähler machen und dann anbieten. Dazu
habe ich aber keine Lust, schon deswegen nicht, weil es ja eine
Bearbeitung ist. Frankfurt hat sich noch nicht gemeldet. Ich wür-

de es nun gern noch mal nach Hamburg schicken oder Köln.
Kennst Du da einen Mann dieser Branche? – Übrigens soll sich
die deutsche Volkspartei mit der Wirthspartei Bund der Deutschen zusammengeschlossen haben. Im Ostsender Berlin hörte
ich, dass die DVP dort sehr geschätzt wird. Also auch unwählbar.
Fr. Wessel spricht hier in KPD-Saal. Wollte Dir das nur schreiben, damit Du nicht mit den Leuten arbeitest. – Wir sitzen immer noch hier im Hausfeld, da Mama wohl erst morgen mit CH
kommt. Wenn Du schreiben solltest, dann wieder Immermannstr. Ob und wann wir Euch mal dort besuchen, hängt von
unserer finanziellen Lage ab. Eine Reihe Geschichten sind von
mir angenommen, doch die Honorare lassen auf sich warten. So
sind wir meist auf das Stempelgeld angewiesen. Von der Agentur ist noch allerhand zu erwarten. Wahrscheinlich hat die Süddeutsche die Theodora gebracht. Wir hatten sie vor langer Zeit
schon angeboten, bis jetzt noch keine Absage. – Lege Dir Belegexemplar der Hp. bei. Dr. Rasche nimmt alles von Dir. Das
Schöne ist, dass von dort immer zwei Bezahlungen kommen
müssen, da der Materndienst jede Geschichte übernimmt. Wir
wollen jetzt eine Grossaktion Deiner Geschichten starten, um
Deine wachsende »Berühmtheit« infolge des Preises auszunutzen. Ubrigens ist die »Waage« fabelhaft. Habe kaum je eine bessere Erzählung gelesen. Bestimmt! – Wie lange wollt Ihr in
Kirchheim bleiben? Tu' Du aber auch wirklich nicht zuviel. Du
brauchst bestimmt Ausspannung, auch Annemarie! Nur eine
Story schreib und die schick uns. Grüsse Deine ganze Familie
herzlichst von Ada & Guni.

BA4, 1S, m

287   *Heinrich Böll an Gunhild und Ernst-Adolf Kunz*
Kirchheim, Steinbachstr. 177a, 22. 7. 53

Liebe Guni, lieber Ada,
nun will ich Euch endlich schreiben, was – soviel ich weiss – Bundesebene ist: eine Zeitung, die in ganz Deutschland erscheint,

nehme ich an, nicht lokal gebunden oder gebietsmässig – wie etwa die WAZ. Bundesebene wäre also Frankf. Allgem., Welt und Neue Zeitung, die Zeit usw.

Ich schicke Euch noch ein paar Geschichten, die zum Teil leider lang sind. Das Dorf und die Decke dürften geeignet sein.

Dorf ist erschienen bisher FAZ, Welt, Neue Zeitung, Sonntagsblatt

Decke: WAZ, Kölner Stadt. Anzeiger, Rhein. Merkur

Zwerg und Puppe: Michael

Über die Brücke: FAZ

Pfirsichbaum: Neue Zeitung

Schreibt mir doch bitte mal eine genaue Aufstellung aller Geschichten, die ihr von mir vertreibt: mir geht es allmählich etwas durcheinander.

Hier ist es herrlich: ruhig und schön, wir haben viel Platz und zum Strandbad etwa 20 Minuten schönen Spazierweg. Wenn Ihr Lust habt, besucht uns mal: wir könnten Euch noch unterbringen. Wir bleiben mindestens bis 1.9. hier.

Vielen Dank für das Geld. Bald – in etwa 10 Tagen spätestens – bekommt ihr unveröffentlichte Geschichten. Ich habe noch eine Menge Pläne, muss nur – auch hier – erst noch einige Funksachen machen.

Kommt mal her, ich möchte auch mit Ada über einiges sprechen. Bisher waren meine Versuche beim Funk ergebnislos. Bei Witsch wäre evtl. was zu machen, nur würde da zunächst nur Volontärgehalt herauskommen. Ausserdem kenne ich den Mann, der am 1. 9. Dramaturg des Kölner Theaters wird, Ada soll mir doch mal schreiben, ob – und wo ich ernsthaft bohren soll.

Viele herzliche Grüsse an alle (auch Hausfeld)

Hein

[ehZ] Bietet doch mal dem Kölner-Stadt-Anzeiger (Breitestr.) Geschichten von mir an.

Herzlich Hein

BA5, 2S, m

288   *Ernst-Adolf Kunz an Heinrich Böll*
[Gelsenkirchen-]Buer, 27. 7. 53

Lieber Hein –
ich will Dir schnell die Aufstellung der Geschichten von Dir auf-
zählen, die wir vertreiben, bzw. zu vertreiben gedenken:
    Aschermittwoch
    Mein teures Bein
    Mein Onkel Fred
    Hundefänger
    Husten im Konzert
    Erinnerungen eines jg. Königs
    Die unsterbliche Theodora
    Tod der Elsa Baskoleit
    Die Postkarte
    Die Waage der Baleks
Diese Arbeiten werden angeboten, sind teilweise erstmalig unterwegs. Folgende beabsichtigen wir, demnächst loszuschicken:
    Ein Pfirsichbaum in seinem Garten stand
    Zwerg und Puppe
    Die Decke von damals (wird gut gehen)
    Wiedersehen mit dem Dorf   ”
    Über die Brücke
    Der Engel
    Die Kunde von Bethlehem
    Die schwarzen Schafe
    Suche nach dem Leser
    Brotbeutel des Stobski
    Besichtigung
Sind natürlich teilweise für die meisten Zeitungen zu lang, doch
wird sich hier und da eine finden, die auch längere Sachen
bringt. Die Welt am Sonntag schickte König zurück und will
aber andere haben. – Ich war für einen Tag in Rheydt, da CH
Mama brachte und ich so mitfahren konnte. Unsere Nichte ist
wirklich reizend: schreit kaum und wenn, dann ganz sanft, geradezu beruhigend. Wera geht es wieder recht gut, nachdem sie
doch ziemlich schwach und hinfällig war. Als sie das Kind

baden wollte während ich da war, überfiel sie die Angst und sie
traute sich nicht, da bisher nur Mama das Kleine gebadet hatte.
Da habe ich dann, als alter Badezuschauer bei Euren Kindern,
sehr fachmännisch das glitschige nasse Kind gehalten, während
Wera es einseifte. Eine aufregende Sache! Aber alles ging gut. –
Übrigens waren wir im zukünftigen Hauptquartier der Europaarmee: unheimlich, sage ich Dir. Da entsteht eine ganze Stadt
mit modernsten Anlagen, riesige Gebäude und Unmengen
Mannschaftbaracken. Wir sind durch dieses Gebiet gefahren ohne Erlaubnis und CH hatte Angst, wir würden als Spione einge-
steckt. – Den Plan Deines Hauses habe ich auch gesehen. CH
hat natürlich einige Einwände, die er Dir bei Deinem dortigen
Besuch erläutern will. Was ich für wichtig halte, ist eine Tür aus
dem grossen Wohnzimmer in den Garten. Warum Euer Architekt daran wohl nicht gedacht hat? Die Kinder können doch
nicht immer durch die vordere Haustür laufen! Aber das kann
man ja wohl noch abändern. – Für Deine Bemühungen beim
Funk hab herzlichen Dank! Ich weiss, dass das alles nicht so einfach ist und dass ich selbst gelegentlich mal zu diesen Leuten
müsste. Wenn Du so lieb bist und irgendwo bohren willst, so
meiner Ansicht nach bei Witsch. Erstens glaube ich, dass ich das
Verlagsgeschäft ganz gern kennen möchte und dass dort die Arbeit interessant sein könnte und zweitens würde mir ein Volontärgehalt vorerst genügen. Wenn Du mal nach Deiner Rückkehr
nach Köln ein Treffen mit Witsch managen könntest, wäre mir
das am liebsten. Vielleicht bei Dir? – Theater ist natürlich auch
sehr reizvoll, doch weiss ich aus Erfahrung, dass ein Dramaturg
keinen Einfluss hat auf Engagements; er kann ein Vorsprechen
vermitteln, aber dazu bin ich nicht recht geeignet. Eine kleine
Gastrolle auf Engagement wäre da das beste. Habe es früher immer so gemacht, um Vorsprechen zu umgehen. Es gibt zwei Ka-
tegorien Schauspieler: die einen sprechen fabelhaft vor auf einer
leeren Bühne und ohne Partner, die anderen, und das sind die
meisten, versagen bei dieser blödsinnigen Prüfung, sind jedoch
im abrollenden Stück brauchbar. Also Hein, wenn schon bohren, dann bei Witsch, ja? Wäre uns lieb in Köln zu wohnen, obwohl wir unsere Mansardenwohnung sehr schätzen. – Geht Ihr

oft schwimmen? Wir hatten in diesem Jahr noch keine Gelegenheit dazu, obwohl ganz in der Nähe ein grossartiges Freibad ist,
aber das Wetter ist einfach miserabel. – Demnächst kriegst Du
wieder Belegexemplare. Haben erst eins von der Wirth-Zeitung
hier (Fred). – Wir grüssen Euch herzlich, auch Mama lässt grüssen und wir werden bestimmt im August kommen, wenn wir
die Moneten haben!
Dein Ada

BA4, 2S, m

289   *Heinrich Böll an Ernst-Adolf Kunz*
[Kirchheim], 8. 8. 53 [Stempel]

Lieber Ada,
meinen herzlichen Glückwunsch zu Philipp Wiebes Erfolgen!
Ich telefonierte eben mit Dohrenbusch, der mich fragte, ob ich
Wiebe kennte, vollkommen hingerissen war und es bedauerte,
nicht jede Woche einen Wiebe bringen [zu] können. Eine Geschichte hat er noch in Satz, sie kommt bald. Also: alles Gute!
Gestern war ich in Rheydt: daraufhin heute abend eine energi-
sche Rücksprache mit unserem Architekten.
Wera-Alexa ist wirklich reizend: nur: seht doch auch Ihr zu, dass
sie christianisiert wird. Herzliche Grüsse und alles Gute Euch
beiden.
Hein

PK, m

290   *Ernst-Adolf Kunz an Heinrich Böll*
[Gelsenkirchen-]Buer, d. 10. 8. 53

Lieber Hein – ich schreibe an Deine Sommerfrischenadresse,
denn ich vermute, dass Du jetzt wieder dort bist. Hab Dank für
Deine Karte, die heute kam. Ich freue mich, dass Dohrenbusch

meine Geschichten gefallen. Da die Leute recht gut bezahlen, hilft uns das auch über unsere augenblicklich nicht sehr gute Lage hinweg. Ich möchte Dohrenbusch Deine »Postkartengeschichte« schicken mit dem Vermerk, sie sei bisher nur in den FH erschienen. Vielleicht nimmt er sie. Halte sie für sehr geeignet. Wie ist es mit einer neuen Geschichte, Hein? Die grosse Berliner Zeitung »DER TAG« schrieb heute auch, sie sei interessiert an Arbeiten nicht über 80-90 Zeilen. Die kriegen erst mal den Huster! – Übrigens ist heute abend um 21 Uhr im Rias eine halbstündige Sendung über Dein preisgekröntes Buch. In der Rundfunkzeitung wird diese Sendung besonders empfohlen. In Dialogen will man das Buch bringen, einen Querschnitt sicher. So werden wir heute abend zur Mama wandern, um uns diese Sendung nicht entgehen zu lassen. – Mit gleicher Post wie dieser Brief gehen DM 58.– auf Dein Postscheckkonto ab. Die Verrechnung habe ich auf der Rückseite des Abschnittes. Dazu ist noch zu sagen, dass das Wartezimmer nicht gut zahlt, jedenfalls hatten wir mehr erwartet. Ein Belegexemplar kriegst Du noch, haben es angefordert. Auch die Hannoversche Presse hat über Theodora kein Beleg geschickt. Tolle Bummelei, jetzt wo alles in Urlaub ist. Von der Aachener hast Du auch was zu kriegen, und von denen hört man auch nichts. Aber wir passen auf! Beim Mittag sind wir uns nicht klar, ob die DM 60.– für Huster, für Theodora oder für beides ist. Auf dem Geldabschnitt stand nichts. Wir nehmen an (und hoffen es) das Honorar war für Huster. – Heute kamen auch die Arbeiten Deines Bruders Alfred, von denen ich eine schon gelesen habe und die mir in ihrer Einmaligkeit gut gefällt. Lässt sich sicher was mit machen. Jedenfalls werden wir uns die grösste Mühe geben. Von Schnurre haben wir noch nichts losschlagen können. Ist uns sehr peinlich, aber lässt sich nicht ändern. – Wann Wera-Alexa getauft wird, wissen wir auch noch nicht. Mama möchte zu gern, dass es hier gemacht würde, schon weil hier die uns bekannten Pfarrer sind (im Grunde egal, aber doch ganz schön), aber mit CH kann man anscheinend nicht darüber reden. Mama hat es erfolglos versucht. Ich nehme an, dass Wera noch nicht im Besitz ihrer ganzen Kraft ist und so auch lässig ist gegen den Dickkopf CHs. Aber das ändert

sich schon. In der Familie Ortmeyer braucht man nämlich Kraft und Nerven. – Wie lange bleibt Ihr in Kirchheim? Wera schrieb von zwei Monaten. Wenn Ihr nämlich im Sept. wieder nach Köln geht, wollten wir dorthin kommen, da das auch billiger ist. Wir hoffen, dass Ihr Euch wirklich gut erholt. Nicht wahr? So ein Hausbau kostet Nerven. Ich glaube, dass CH Euch gut berät, denn in Architektur hat er tatsächlich was los. Er tut es auch gern und »um Gottes willen kein Geld!« – Ich beabsichtige, Tilla ernstlich zuzuschreiben, dass sie jetzt in den Ferien mal herkommt. Sie hat doch Zeit und hier ist es schön jetzt. Hoffentlich reagiert sie überhaupt bei ihrer Faulheit. Vielleicht ist sie auch gar nicht faul, sondern es ist ihr lästig zu schreiben? – –
Lieber Hein, sei herzlichst gegrüsst und grüsse auch Annemarie und die Kinder
von Deinem Ada und Guni
PS Da ich Schnupfen habe, Brief sofort vernichten! Schnupfen im Sommer ist entsetzlich. Mama brachte ihn von Wera mit.

BA4, 1S, m

291   *Ernst-Adolf Kunz an Heinrich Böll*
[Gelsenkirchen-]Buer, d. 23. 8. 53

Lieber Hein – heute fährt Tilla wieder weg und so kann [ich] Euch mal auf diesem Weg einen Gruss schicken. Sonntag will sie ja zu Euch kommen. Sie bringt Dir einige Geschichten von mir mit, von denen sie glaubt, dass man sie dem Funk anbieten könnte. Bitte, schau Dir mal die Sachen an, ob etwas Geeignetes dazwischen ist. Schön wäre es! Was Dir nicht gefällt, schick bitte bald zurück, ja? Ich wäre Dir sehr dankbar, wenn Du durch Deine Beziehungen etwas erreichen könntest – nicht wegen des Prestige, sondern wegen des Geldes wäre uns das wirklich angenehm. Nochmals: wenn Du glaubst, es sei Mist, lass es bitte! – –
Ich schreibe hier auf einer wunderbaren fast lautlosen Maschine, die wir gestern gekauft haben.
Adler Privat! Ein wundervolles Ding mit vielen technischen

Erleichterungen. Haben sie auf Raten gekauft, da wir sie ja doch
stets brauchen werden. – Heute kommen Nita, Wera, CH und
Lexa. Wir freuen uns sehr. Komm Du doch auch noch mal, ja?
Vielleicht mal mit Annemarie? Wir sind so auf ihre Übersetzung
gespannt! Tilla sagt, die wäre gut, was wir unbedingt glauben. –
Seid alle herzlichst gegrüsst
von Ada

BA5, 1S, m

292   *Heinrich Böll an Gunhild und Ernst-Adolf Kunz*
Kirchheim b. Euskirchen, Steinbachstr. 177a, 31. 8. 53

Lieber Ada, liebe Guni,
verzeiht mein langes Schweigen und meine Kürze. Es kommt
ein wenig viel auf mich zu: Bausorgen, Finanzsorgen, und dazu
die ganze Arbeit, die nie abnimmt und mir keine Zeit mehr zu
dem lässt, was mir wirklich Spass macht: Geschichten schreiben.
Da ich hoffe, dass wir uns bald hier oder in Köln sehen (wir bleiben also bis 1. 10. zunächst fest hier, wahrscheinlich länger), will
ich über Adas Geschichten lieber mündlich mich äussern, nicht,
weil ich sie schlecht finde, und mich fürchte, darüber zu sprechen, sondern weil es dann fruchtbarer ist. Zunächst folgendes:
Freitag 4. 9. Gespräch zwischen Pater L. Siemer und mir am
Funk, unbedingt hören, weil mich Eure Meinung sehr interessiert. Wurde vorgestern aufgenommen, und ist ziemlich scharf –
aber von beiden Seiten. Möchte mit Euch über einen mir vor-
schwebenden Plan sprechen: Einer von Euch oder Ihr beide
zusammen könntet, wenn Ihr Lust habt, mein(e) Sekretär(in)
werden, da Annemarie laufend übersetzen will.
Kommt doch mal.
Sehr herzliche Grüsse Bitte sperrt Baskoleit und Wiedersehen
mit Dorf für 1 Monat, ja? Bitte!
Hein

PK, m

293 *Ernst-Adolf Kunz an Heinrich Böll*
[Gelsenkirchen-]Buer, d. 1. 9. 53

Lieber Hein – hab Dank für Deine Karte. Ich habe Carl-Heinz
sofort beauftragt, das Gespräch am Freitag auf Band aufzuneh-
men. Er wird es auch tun und so hast Du auch später Gelegenheit, es abzuhören. Wir sind alle sehr gespannt und hoffen, dass
Du den Leuten ordentlich die Meinung gesagt hast. Warsinski
wurde ja so überfahren, der arme Hund! Werden Dir sofort danach schreiben, wie uns die Sache gefallen hat. Haben vorigen
Mittwoch noch mal die Brücke von B. im Rias gehört. Guter
Empfang und daher erstmalig jedes Wort genau verstanden. Ist
ein ausgezeichnetes Hörspiel, wirklich. Guni, die es noch nicht
gehört hatte, war ganz erschüttert. – Ich stehe mit Hübner vom
Funk in Stuttgart in regem Briefwechsel. Schicke meine Hörspiele hin und erhalte sie stets mit einem sehr eingehenden
Schreiben zurück. Er gibt darin die Gründe für die Ablehnung
so präzis an, dass ich auch weiterhin diesem sicherlich netten
Mann meine Arbeiten schicken werde. Vielleicht klappt es doch
einmal. – Ich bin froh, dass Dir meine Geschichten in etwa gefallen, denn ich weiss bestimmt genau, dass sie nicht so gut sind
wie Tilla sie fand. Man kann nicht von heute auf morgen gute
Geschichten schreiben, stilistisch und so weiter. Ja, es ist wirklich notwendig, dass wir Euch mal besuchen, um über alles zu
sprechen. Sekretär wäre nicht schlecht! Würde uns sicher viel
Spass machen, doch möchten wir Dich finanziell nicht so belasten. Guni würde das sehr gern tun und sie hätte auch neben der
Agentur Zeit genug dazu. Ich glaube gern, dass Dir das eine
grosse Erleichterung wäre, denn wenn Du nicht mehr zum
Schreiben kommst, hat der ganze Schriftverkehr keinen Sinn.
Du musst in erster Linie schreiben. Jede Geschichte ist leicht unterzubringen. Natürlich, wenn Du mehr Geschichten schreiben
kannst, kommt auch mehr Geld herein, und ein gewisser Prozentsatz für Guni liesse sich da schon abzweigen. Wenn ich
dann noch irgendeinen kleinen Job in Köln hätte, der nicht über
8 Stunden täglich geht, ginge alles ganz gut. Aber das muss besprochen werden, denn wenn wir nach Köln ziehen, muss die

Sache schon sicher sein. Wir würden gern nach Köln kommen,
wie Du Dir ja denken kannst. – Übrigens, wenn Du mal ein Klavier haben willst, kann ich Dir eins leihen oder schenken. Ich bekomme dies Ding nun endlich von meiner Bonner Tante. Vielleicht verscheuer ich es auch. – Ehe ich es vergesse: ich soll Dich
sehr herzlich von Richard Erdmann grüssen. Er war neulich mit
seiner Geliebten, Helga Rädel (Katharina Knie), bei uns und ist
ganz begeistert von Deinen Erfolgen. Sein schönstes Bühnen-
erlebnis verschaffte ihm Dein Ausspruch, den Du vor Jahren
getan hast, nämlich, dass man bei unserem Theater gar keine
Kulissen und Kostüme brauche, da man sich alles so vorstellen
könne. Das ist für einen Regisseur das grösste Kompliment, verstehst Du? – Am 1. 10. soll nun die kleine Alexa von unserem Vetter hier in Buer getauft werden. – Ob Du am 19. 9. herkommen
kannst? Es gab mal so etwas wie eine Tradition, meinen Geburtstag in grossem Kreis zu feiern und die möchten wir fort-
führen, wenn wir auch nichts von Traditionen halten. Diesmal
wäre noch ein richtiger Grund, da ich schon ganze dreissig Jahre
alt werde, ausserdem mich vor einem Jahr verlobte. Also wenn
es Deine Zeit erlaubt, komm doch. CH und Wera, die auch kommen, könnten Dich evtl. mitnehmen von Düsseldorf. Wenn Du
nicht kannst, bin ich Dir auch nicht gram. – Sobald wir Geld
(verdammtes Zeug) haben, kommen wir zu Euch nach Kirchheim. Ich warte auf das Erscheinen der Domno-Geschichte in
der Welt der Arbeit, sie sollte schon längst erschienen sein! Aber
Dohrenbusch schrieb auch, er könne nicht nur meine Sachen
bringen, womit er ja recht hat. Also wenn die erschienen ist,
dann habe ich nach einigen Tagen das Honorar und das reicht
für eine Reise zu Euch. Ich lege Dir eine Kritik bei, die wir neulich in einer Weiberzeitung des Lesezirkels fanden. Sie ist amü-
sant durch ihre Dummheit, finden wir. Dieselbe Frau (kenne
ihren Namen nicht) schreibt sonst sicher Kochrezepte. »Man
nehme auf eine Buchseite nur ein Aber!«
Grüsse Annemarie und die Kinder –
Herzlichst Dein Ada & Guni.

BA5, 2S, m

294   *Ernst-Adolf Kunz an Heinrich Böll*
[Gelsenkirchen-]Buer, d. 5. 9. 53

Lieber Hein – noch nie haben wir eine Funksendung mit mehr
Spannung erwartet als gestern abend. Wir waren bei der Mama,
die unsere Nachbarn Kirschbaum eingeladen hatte, da diese keinen guten Apparat haben. Abgesehen von der guten Ansage
und der noch besseren Lesung waren wir von der Debatte zwischen Dir und dem netten Pater sehr begeistert. Das war doch
was anderes als das Gestammel von Warsinski! Am schönsten
waren die wiederholten Bemerkungen des Paters, dass er jetzt,
nachdem er Dich kennengelernt hatte, er die ganze Sache anders
sehe. Man hatte den Eindruck, dass er Dir anfangs allerhand
scharfe Sachen unter die Weste drücken wollte, doch liessest Du
ihn ja wirklich nicht dazu kommen. Die Debatte über das »arme
Schwein«! Leider ging der Pater nie auf Deinen Hinweis ein,
dass doch der Priester, der die Beichte abnimmt ein prachtvoller
Mann ist. Als wir seinerzeit das Kapitel lasen, hatte dieser Priester sofort unsere ganze Sympathie. Irgendwie war Pater Siemer
gekränkt, hatte offenbar vor, seinen Orden zu rechtfertigen,
ging aber von ganz falschen Gesichtspunkten aus. Überhaupt
hatte man gegen Ende der Debatte den Eindruck, als wenn er so
recht nicht wusste, was er noch dagegen sagen sollte. Die Saffianpantöffelchen! Wir mussten oft lachen über Deine ruhigen
und klugen Antworten. Es war übrigens so, als wenn Du bei uns
im Zimmer gesessen hättest. Dein »verstehen Sie?« am Ende
einiger Sätze ist rhetorisch ausgezeichnet. Der Partner kann
dann gar nicht anders, als ja sagen und damit nimmst Du ihm
den Wind aus den Segeln, denn was er evtl. später noch anbringen will, fällt dadurch unter den Tisch.
Wir sind davon überzeugt, dass das nicht Deine Absicht war,
doch ist diese Frage sehr geschickt. Verstand übrigens nicht alles, der Pater! Aber er konnte nichts machen. Kirschbaums, die
auch viele Kleriker kennen, bestätigten voll und ganz die negativen Seiten, die in Deinem Buch darüber gezeigt sind. »Er soll
doch noch deutlicher werden!« sagte Herr Kirschbaum immer.
Was soll ich noch viel schreiben: mit einem Wort: wir waren

sehr froh, dass Du so souverän das Gespräch führtest und keines Deiner Argumente war schwach. Alles hatte Hand und Fuss. Deutlich hörte man, wie Du Dir Deine Zigarette anzündetest und mit viel Geräusch den Rauch auspustetest. Hoffentlich dem Pater nicht ins Gesicht! Man spürte sehr genau, dass der Pater nur an den Klerus von Köln dachte, auch an Frings. Obwohl Du ja erklärtest, dass das nicht so wäre. Mama war ganz glücklich, als Du unsere dreckige Stadt Gelsenkirchen nanntest. – Jedenfalls haben sicher sehr viele diese Sendung gehört und während Warsinski alles verloren hat, hast Du zweifellos alles gewonnen. Witsch wird sich die gepflegten Hände reiben. Wir hoffen jetzt nur, dass CH alles auf Band gekriegt hat. Dann hören wir uns die Sache in Kürze noch mal an. Es sind so viele gelungene Aussprüche darin, dass einem das nicht langweilig werden wird. Lass Dir ja nicht vorschreiben, was Du zu schreiben hast! Gut, wie Du das ablehntest. Wir glauben ja, dass es nur Deiner ruhigen beherrschten Stimme zu verdanken ist, dass der Ton nicht scharf wurde. Der Pater war dazu bereit, bestimmt. Auch so war es nicht gerade milde. – Schreib mal gelegentlich, was der Pater für ein Mensch ist. Das heisst, wir haben schon festumrissene Pläne, wie wir bald zu Euch kommen können. Dann erzähl uns alles. Tilla wird ja auch begeistert sein. – Ich lege noch eine Kritik bei, die wir von Tante Grete Küppersbusch bekamen. Leider hat sie sie nicht richtig ausgeschnitten. Im ganzen doch sehr positiv. Wenn Du Wert darauf legst, können wir sie Dir noch einmal vollständig besorgen, da mein Schwiegervater sie auch haben wird, er hält Christ und Welt. Übrigens eine selten blöde Zeitung, sehr national. – Wir werden am Sonntag Zentrum wählen und als Kandidaten den von der SPD. Nichts anderes bleibt uns übrig. Alle anderen Parteien sind Unsinn. Was man auch gegen die SPD vorbringen kann, sie hat wenigstens die wenigsten Nazis. Und CDU macht doch das Rennen. – Hein, Du hast Dich gut geschlagen und wir sind darüber froh. – Sei herzlichst gegrüsst samt Annemarie und Kindern! Von Deinem und Deiner Ada und Guni

BA4, 1S, m

295   *Heinrich Böll an Gunhild und Ernst-Adolf Kunz*
8. 9. 53

Lieber Ada, Liebe Guni,
als geringen Trost schicke ich Euch die Beingeschichte, die doch
vielleicht so geht. Sie ist unveröffentlicht. Einige andere Geschichten kann ich – nach Rücksprache mit Dohrenbusch –
Euch nicht geben für die Neue Illustrierte, weil D. bestimmt
gekränkt sein würde.
Ada muß unbedingt mit D. sprechen, wenn er wieder zurück ist
(ist in Urlaub). Ich habe einen bestimmten Plan: Dohrenbusch
(einer der nettesten Redakteure, die es gibt) kennt die Leute
von der Büchergilde Gutenberg und hat dort großen Einfluß.
Die Büchergilde Gutenberg sucht »eigene Autoren«. Ada müßte
einen Roman schreiben und »eigener Autor« der Büchergilde
Gutenberg werden (Mindestauflage von 20 000 garantiert).
Das ist mein Plan: nun lacht nicht. Deshalb unbedingt Dohren-
busch-Rendez-Vous nach dem 1. 10.
Im Augenblick sitze ich hier ziemlich trocken, d. h. ohne Geld,
sonst würde ich Euch die Reise vorschießen. Ich erwarte noch
Geld und bitte Euch, mir zu schreiben ob ich Euch helfen soll.
Verzeiht die Kürze, ich bin ziemlich in Druck, weil ich ein Schu-
bert-Hörspiel abliefern muß.
Herzlich Hein

BA5, 1 1/2S, eh

296   *Ernst-Adolf Kunz an Heinrich Böll*
[Gelsenkirchen-]Buer, den 11. 9. 53

Lieber Hein –
die Beingeschichte ist gar nicht übel, und wir haben sie sofort
abgetippt. Heute ging sie an den »Tagesspiegel« in Berlin ab. Guni hatte von ihrer Tante dort eine Kritik über Dein Buch geschickt bekommen, und zwar hat sie Lennig verfasst, mit dem
wir vor einiger Zeit schon mal Verbindung hatten, der aber nur

Erstdrucke haben will. Ich lege Dir die Kritik bei, vielleicht
kennst Du sie noch nicht. – Auch sonst ist jetzt wieder allerhand
unterwegs, und wir können nur hoffen, dass möglichst viele anbeissen. Wir sind immer sehr froh, wenn wir Dir ein paar Moneten auf Dein Konto überweisen können. Es stehen noch einige
Honorare für Dich aus, vor allem die Aachener zahlen trotz höf-
licher Mahnung nicht und dann die »Wirth-Zeitung«, die seinerzeit den »Fred« brachte, und eine Arbeit von mir, schweigt sich
aus. Wahrscheinlich nach verlorenem Wahlkampf pleite. Haben
auch dort gemahnt und werden noch einige Tage warten, bis wir
energisch werden! –
Der Plan, den Du mit mir verfolgst, ist sehr verlockend, doch
weiss ich wirklich nicht, ob ich so einfach einen Roman schreiben kann. Könnte mir denken, dass es genug Autoren gibt, die
der Büchergilde Gutenberg schon durch ihren Namen geeigneter erscheinen. Schliesslich habe ich nichts vorzuweisen als ein
paar gedruckte Geschichten, die bestimmt nicht das Wohlbeha-
gen der Gutenberg-Leser steigern werden. Natürlich würde ich
gern versuchen, einen Roman zu schreiben, habe auch genug
Ideen, aber es dauert doch recht lange, bis er fertig sein würde
und in dieser Zeit muss ich irgendwas anderes machen. Das Arbeitsamt versucht jetzt, mich wieder irgendwo einzusetzen als
Verkäufer, da das schließlich seine Aufgabe ist. Nun wäre es mir
egal, was ich tue, doch wenn ich an meine Verkäufertätigkeit
denke, wird mir schlecht. Alles, nur das nicht noch einmal! Zur
Zeit haben wir etwa mit der Unterstützung (125.–) monatlich
200.– bis 250.– zum Leben. Das könnte reichen, doch müssen
wir zu viel abzweigen für notwendige Dinge wie Miete 50.–,
Schreibmaschine 27.–, Gas, Licht etc. Sicher, wir leben nicht
schlecht, doch ohne die Unterstützung ginge es nicht. Durch
meine Geschichten habe ich bisher 260.– verdient und habe
theoretisch noch mal soviel zu erwarten. Aber diese Summen er-
strecken sich auf zu grosse Zeiträume, verstehst Du? Und viele
Zeitungen lehnen meine Themen ab, obwohl sie positiv darüber schreiben. Die Leser sind entscheidend, ist ja klar. Nun versuche ich »gängige« Geschichten zu schreiben. – Entschuldige,
dass ich Dich mit unserer finanziellen Situation so vertraut ma-

che, aber ich will damit nur sagen, dass ich sehr daran interessiert bin, mit Dohrenbusch ins Gespräch zu kommen. Vielleicht gibt es doch einen Weg. Mir ist wirklich alles recht ausser Arbeiten, die mit Verkaufen zusammenhängen. Da hab ich 'nen Horror vor! Auch muss ich daran denken, meine Schulden abzutragen, ein schwieriges Unterfangen. Wir würden keinen Augenblick zögern, ganz nach Köln zu ziehen, wenn sich dort was ergäbe. Und wie geschrieben: Sekretärarbeiten für Dich übernehmen wir gerne. Besonders Guni ist ganz scharf darauf. Ich würde es auch gern machen, doch befürchte ich, Dich zu sehr zu belasten. Ja, wenn Du kein Haus bautest! Aber so – Ich dachte nun, dass wir doch erst nach dem 1.10. nach Köln kommen, wenn D. wieder da ist. Habe übrigens gerade neulich eine Betrachtung von Alfred an D. geschickt. Vielleicht nimmt er sie. Würde gern Alfred helfen dadurch. – Hein, meinst Du, daß es Dir möglich wäre am 19. herzukommen? CH. hat Dein Gespräch mit Pater Siemer gut auf Band gekriegt und er wird es herbringen, damit wir es noch mal hören. Ich hatte vor, mal richtig wieder zu saufen. Habe das unendlich lange nicht getan und habe allein auch keine Lust dazu. CH kann ganz gut etwas vertragen und Du doch auch. Schreib mal kurz, ob es nicht geht, dass Du eben kommst. – Nita fährt morgen nach Köln und von da aus nach Italien, Nähe San Remo. – Es hat hier wieder unangenehme Episoden mit der Fa. Haack gegeben. Von Gunis Tante, der Schwester meiner Schwiegermutter, hörten wir, dass diese Frau in unverschämter Weise über uns gesprochen hat. Die Tante scheint eine nette Frau zu sein, denn sie hält ganz zu Guni. Aber nun bin ich die Sache restlos leid. Ich werde versuchen, diese heuchlerische Schwiegermutter nie wieder zu sehen. Und dann wagt dieses Biest noch, uns hier in unserer Wohnung zu besuchen als ob alles in Ordnung wäre. Der alte Haack macht auch die verrücktesten Sachen. Schreibt beleidigende Briefe an Guni, die darüber natürlich nicht glücklicher wird. Daraufhin habe ich sie angehalten, mal ihre Meinung zu schreiben. Sie tat es. Spielte sehr geschickt auf das Verhältnis mit Nita an und fragte, ob er glaube, sie wisse nichts davon. So tut er nämlich immer, der Bursche.

So blütenweiss! Darauf kam ein Brief in ganz anderem Ton. Ich habe ihn nicht gelesen, aber er muss klein beigegeben haben. Es ist ekelhaft. Schliesslich habe ich nie verborgen, dass nicht allzuviel mit mir los ist und ich denke, dass diese Bande jetzt wenigstens Guni in Frieden lassen kann, nachdem wir verheiratet sind. Schon aus diesem Grund wäre für Guni eine andere Stadt gut, so ungern wir uns von unserer Mansarde trennen. Am meisten reizt diese Familie, dass Guni nur noch zur Mama geht und sich da sehr wohl fühlt. Im Grunde kann uns das auch nicht erschüttern, aber es ist doch unangenehm. –

Hein, Du brauchst uns wirklich nicht finanziell zu helfen – mach Dir da keine Sorgen. Wenn ich an die Zeit denke, in der es Euch schlechtging, da leben wir immer noch gut gegen. Ausserdem habe ich seit zwei Tagen mein Klavier hier, das ich im Notfall verscheuern kann. Die Bonner Tante hat es endlich geschickt. Ein ausgezeichnetes Instrument! Steht bei Mama, die nur Choräle darauf spielen kann. »So nimm denn meine Hände –« etc. Das konnte sie immer schon. Leider spielen Guni und ich ja nicht. CH spielt ganz gut und Wera auch. Wenn die Platz hätten, könnten die es haben. Ich würde gern mal wieder mit Dir plaudern. Ich bin sehr gern nur unter Frauen, aber manchmal wird es zu viel. Nicht lästig, aber zu viel. Guni stört mich nie, sie ist wirklich grossartig. Aber da gibt es noch die Mama, deren Freundinnen etc. Alles Frauen. Und die Männer sind stinklangweilig. –

Du, komm doch mit Deiner Annemarie her, wenn sie Lust und Zeit hat. Wäre wirklich zu nett! Schreib auf jeden Fall kurz. Auch ob Dein Schuberthörspiel fertig ist und wann es gesendet wird. Berlin, nicht? –

Wahnsinnig langer Brief! Aber ich hatte gerade Lust, Dir zu schreiben.

Grüss Deine Kinder und besonders herzlich Annemarie von Eurem Ada

BA4, 2S, m

297   *Heinrich Böll an Ernst-Adolf Kunz*
Kirchheim, 14. 9. 53.

Lieber Ada,
es [ist] unmöglich einzurichten, dass ich am 19. zu Euch komme. Ich muss am 24. in Berlin sein, habe bis dahin noch zwei
Lesungen abzuhalten und eine Menge zu schreiben, wozu ich
mich verpflichtet habe. Unsere Bauerei hat angefangen, gestern war die Ausschachtung beendet. Nun muss nur noch die
Kreditfrage »durchgehetzt« werden. Wir müssen unbedingt
das Treffen mit Dohrenbusch Anfang Oktober arrangieren: er
ist so eingenommen von Dir, das er Dir irgendwie helfen wird:
Durch Aufträge, Buchbesprechungen, Reportagen oder ähnliches.
Wegen des Plans betr. Büchergilde würde es evtl. genügen,
wenn Du ein Romanexposé vorlegen würdest, Dich verpflichten könntest, es zu einem bestimmten Termin abzuliefern.
Aber darüber müssen wir mit Dohrenbusch direkt sprechen.
Ich würde mich an Deiner Stelle, um die Unterstützung noch
etwas zu bekommen krank schreiben lassen (wenn so etwas
geht).
Das Sekretärsangebot war nicht als Wohltätigkeitsgeste gedacht: eine ganz konkrete Notwendigkeit, und ich würde Euch
ohne selbst in Schwierigkeiten zu kommen, zunächst (bei halb-
tägiger Arbeitszeit) mindestens 150.– Dm bieten. Die Agentur
könntet Ihr weiterbetreiben.
Nur müsstet Ihr in Köln wohnen, und es fragt sich, ob Ihr Eure
Wohnung mit einem möblierten Zimmer (oder Leerzimmer)
vertauschen wollt. Wahrscheinlich käme dieser Job vom 1. 2. 54
an in Frage.
Seid nicht böse, wenn ich nicht zur Geburtstagsfeier komme: es
ist unmöglich, und zu meiner eigenen Arbeit kommt die Reise-
rei, die Baugeschichte, die Finanzierung usw. Hätte ich doch nie
angefangen, mir mit dem Geld eine Wohnung gekauft und
Schluss.
In das Buchbesprechungshandwerk würde ich Ada gern einfüh-
ren, falls Dohrenbusch da etwas machen könnte (pro Bespre-

chung mindestens 30-40 Mark, zuerst geht es schwer, nachher
leichter). Seid herzlich gegrüsst und lasst wieder von
Euch hören
Hein und Annemarie

Z, m

298   *Heinrich Böll an Ernst-Adolf Kunz*
Kirchheim b. Euskirchen, 3. 10. 53

Lieber Ada,
ich kam gestern aus Berlin zurück, völlig down, wie man so
schön sagt, überlastet mit Aufträgen und allem möglichen und
bin wirklich ein wenig lebensmüde, zumal unser Bau jetzt angefangen hat und wir mitten in diesem Brassel auch drin sind. Nun
habe ich mit Dohrenbusch ein Treffen für Donnerstag nachmittag (8. 10. vereinbart) und es wäre schön, wenn Du am Mittwoch kommen könntest.
Ich freue mich sehr, wenn wir einmal über alles sprechen können. Ich lege Dir eine Coburger Zeitschrift bei, die mir ein Bekannter mitbrachte. Schreib Du als »Agent« und Inhaber der
Rechte einen gesalzenen Brief an die Stadtverwaltung, die meine Geschichte dort unhonoriert abgedruckt hat.
Also, du kommst am Mittwoch mit Guni, ja? Unsere Wohnung
steht ja leer und Ihr könnt dort wohnen und kochen? Verzeih
die Kürze und sei herzlichst gegrüsst! Im Flugzeug nach Berlin
wurde die Welt d. Arbeit kostenlos verteilt – – – alle lasen Deine
Geschichte in 2000 Meter Höhe.
Herzlich Euch alle grüssend
Hein

BA5, 1S, m

299 Ernst-Adolf Kunz an Heinrich Böll
[Gelsenkirchen-]Buer, d. 5. 10. 53

Lieber Hein –
wir kommen am Mittwoch nachmittag. Freuen uns sehr auf ein
Wiedersehen mit Dir und den anderen!! Gibt allerhand zu besprechen. Heute schrieb auch Lentz von der Westdeutschen Allgemeinen, dass er bis zum 13. 10. so was, eine Erzählung über
»Kriegsgefangene« haben möchte. Am 18. 10. will er eine ganze
Beilage über dieses Thema bringen. Vielleicht hast Du was da
oder kannst etwas kurz tippen? Andernfalls habe ich vor, Deine
»Botschaft« mit Deiner Genehmigung etwas zu ändern und
dann hinzuschicken. Das besprechen wir dann. Schreibe Dir
nur jetzt davon, weil Du vielleicht Lust hast, darüber etwas Neues zu schreiben. Ich hatte schon was geschrieben, ehe der Brief
kam, doch ist das zu scharf. Uns ärgert der Rummel, den man
mit diesen ehemaligen Offizieren macht. Wenn man an die Gefangenen denkt, die vor zwei Jahren kamen!! –
Gestern haben wir hier im engsten Familienkreis Alexa getauft.
War sehr schön. Nita war gerade aus Italien zurück. Es gibt allerhand zu erzählen.
Grüss Annemarie und die Kinder, die wir ja wahrscheinlich
nicht sehen werden. Leider!!
Den Coburgern werden wir einheizen!
Herzlichst Dein und Deine
　　　　Ada　　　Guni

BA4, 1S, m

300 Heinrich Böll an Gunhild und Ernst-Adolf Kunz
z. Zt. Kirchheim, 10. 10. 53

Liebe Guni, lieber Ada,
ich schicke Euch zwei Geschichten, »Die blasse Anna«, die einmal in der FAZ (Frankfurt) erschien, und »Im Lande der Rujuks«, die nur in der NZ Berlin erschien. Dazu den Dialog, den

Ihr bitte gleich an Lenz schickt (ich schrieb Lenz, dass er von
Euch etwas bekäme). Schickt ihm auch ruhig die bearbeitete
Botschaft.
Verzeiht die Kürze, ich bin sehr im Druck und seid herzlichst ge-
grüsst von uns allen. Annemarie bedauerte sehr, Euch nicht ge-
sehen zu haben. Die Kinder sind glücklich über das Spielzeug
und danken sehr herzlich
Euer Hein

[ehz] Bitte macht mir doch Abschriften von
König (3)
Baskoleit (3)
Rujuks (3)
Anna (3)
Ihr habt 15 DM gut bei mir (30 von WAZ)

BA5, 1S, m

301   *Heinrich Böll an Gunhild und Ernst-Adolf Kunz*
16. 10. 53

Liebe Guni, lieber Ada,
ich schicke Euch noch eine Geschichte, die zwar ein bisschen
hart ist, aber vielleicht doch für Weihnachten brauchbar. Sie ist
veröffentlicht bisher in Frankf. Heften, Neue Zeitung Berlin
und im Aufwärts Köln, einer Jugendzeitschrift der Gewerk-
schaften.
Mir geht es besser, seitdem mir ein dicker Weisheitszahn gezo-
gen wurde.
Herzlich Euch alle grüssend, Hausfeld und Rheydt und Hellersen
Euer Hein

BA5, 1/2S, m

302 *Ernst-Adolf Kunz an Heinrich Böll*
[Gelsenkirchen-]Buer, d. 17. 10. 53

Lieber Hein –
hier sind die von Dir gewünschten Abschriften. Hoffentlich
kommen sie nicht zu spät! Die beiden neuen Geschichten von
Dir sind sehr gut! Eine willkommene Bereicherung unserer
Agentur. Bitte, schreib doch mal, ob wir sie Dohrenbusch anbieten können. Das ist bestimmt etwas für ihn. Übrigens schrieb er
heute sehr nett an Guni (handschriftlich), dass er abermals zwei
meiner Geschichten annimmt. Ist doch prima, nicht? Nehme an,
dass unser Zusammentreffen nicht fruchtlos war. Überhaupt
war es sehr schön bei Euch, und wir möchten Dir herzlich für
Deine Mühe und noble Bewirtung danken. Du musst unbedingt, wenn Du herkommst, Annemarie mitbringen. Sag ihr, wir
alle legten grossen Wert darauf! Ausserdem wollen wir die Rujuk-Geschichte der Süddeutschen anbieten. Du musst uns
schreiben, wo Du beabsichtigst, die Sachen hinzuschicken.
»Welt am Sonntag«: sollen wir auch dahin schicken? Wir möchten nicht, dass es ein Durcheinander gibt, das wir verschulden. –
Die DM 15.– von der WAZ haben wir verrechnet. Wir bekamen
für Dich von der »Fuldaer Volkszeitung« endlich DM 20.–. Lächerlich wenig für »Fred«! Dann von der Hannoverschen Presse
DM 25.– für »Decke«. Abgetippt hat Guni 22 Seiten, da blieben
also nur noch DM 15.– zu verrechnen, nicht? Die Coburger Diebe wollen für Hundefänger DM 20.– schicken. Redeten sich
recht töricht raus, sie hätten nicht gewusst, von wem die Geschichte war. Dabei hatten sie sie mit Deinem Namen unter-
zeichnet. – Wir haben mal eine kurze Aufstellung gemacht, wieviel Geld bisher nur bei uns »Fred« einbrachte: DM 378.– Ist
doch toll. Im ganzen haben wir bisher für alle Deine Geschichten 1184.– bekommen. Wenn man berechnet, dass die Agentur
erst Anfang März etwas abwarf, so kommt man bei 8 Monaten
zu einem Durchschnitt von 147,38 pro Monat. Du hast also
durchschnittlich pro Monat DM 73,50 bekommen. Natürlich
kann man die ganze Sache noch viel grösser betreiben, und wir
hoffen, dass uns das in den nächsten Monaten gelingt. Jedenfalls

ist uns das alles eine grosse Hilfe z. Zt. Unsere Unkosten sind natürlich noch so hoch, da wir viele Blätter anschreiben, die ableh-
nen. Die fallen dann später weg, und wir werden eine gewisse
Sicherheit haben, dass die Zeitungen, denen wir was schicken,
auch annehmen. Später, wenn wir mal in Köln wohnen sollten,
könnten wir sowieso mehr tun, da wir dann an der Quelle
sitzen. Man könnte auch noch besser mit Dir Hand in Hand arbeiten. Die Abtippereien für Dich würde Guni dann in ihrer
Eigenschaft als Sekretärin machen, sie würde Dich dann nicht
unnötig etwas kosten. – Die BOTSCHAFT haben wir unterwegs, ebenso den Dialog. Muss heute erscheinen. – Schreib
doch auch mal, ob wir »An der Brücke« jetzt vielleicht haben
können. Halten sie für sehr geeignet. –
Hein, nochmals Dank für alles! Sei mit Deiner Familie herzlichst
gegrüsst von
Deinem Ada & Guni

[ehZ] Ist es nicht unerhört, dass Churchill den Nobelpreis bekommt? Und nicht Greene oder Hemmingway?

BA4, 1S, m,

303   *Heinrich Böll an Ernst-Adolf Kunz*
Kirchheim b. Euskirchen, 19. 10. 53

Lieber Ada,
die Weihnachtszeit würde ungefähr 2,- kosten (Ladenpreis
3.60). Schreib mir kurz hierher, ob ich sie bestellen soll. »Die
Schwarzen Schafe« kosten mich 1.20 DM. Die beiden Geschichten könnt Ihr anbieten, wo Ihr wollt. Ich gebe sie ganz frei. Sie
waren [unleserliches Wort]: Rujuks, NZ Berlin, Anna FAZ.
Herzlich Euer Hein
Bohrt kräftig bei Dohrenbusch nach, auch mit Artikeln!

PK, eh

304 Heinrich Böll an Gunhild und Ernst-Adolf Kunz
Köln-Bayenthal, 29. 10. 53

Mein lieber Ada, liebe Guni,
heute sind wir wieder umgesiedelt, und ich sitze – Gott sei
Dank! – wieder oben auf meiner Bude. Ich habe noch viel zu tun,
ehe ich meine eigentliche Arbeit, den Roman, beginnen kann.
Ich habe mich [mit] Lentz von der WAZ, mit dem ich heute wegen eines Artikels telefonierte, bei Euch Ende November/An-
fang Dezember verabredet.
Heute eine Geschichte von Andreas von Walter, der unten in
Südwestafrika sitzt und zu schreiben begonnen hat: ich finde
die Sache nicht schlecht, und vielleicht könnt Ihr sie gebrauchen. Könnt Ihr mir eine Abschrift von »DORF« (Wiedersehen) schicken und »An der Brücke« noch dreimal abschreiben:
Mir schrieb die Neue württ. Zeitung, die von mir für Weihnachten etwas haben will, offenbar etwas direkt von mir, denen will
ich Dorf schicken – – schickt Ihr es denen also bitte nicht.
Herzlichste Grüsse von uns allen
Hein

[ehZ] Eben waren Wera und CH kurz hier – könnt Ihr mit »Krippenfeier« etwas anfangen?

BA5, 1S, m

305
Ernst-Adolf Kunz an Heinrich Böll
[Gelsenkirchen-]Buer, d. 2. 11. 53

Lieber Hein –
wir können uns gut vorstellen, dass Du glücklich bist, wieder in
Deiner Bude sitzen zu können. So schön das Landleben sein mag,
hat es für Dich doch den Nachteil, dass Du durch Deine notwen-
digen Reisen nach Köln keine Ruhe hast. Die Kinder werden es
wohl am meisten bedauern, dass sie wieder in der Stadt sind. –

Auf Deinen Besuch Ende Nov. freuen wir uns – auch auf das
Treffen mit Lentz!

Du hast bisher vergessen, uns darüber zu informieren, ob wir
»An der Brücke« anbieten können. Die Hp und einige andere Ztg.
würden sie bestimmt gern bringen. Denk mal dran. – Der Neuen
Württembergischen Ztg. haben wir am 23. 7. die »Theodora« und
am 25. 9. den »Huster« geschickt, ohne bisher von den Leuten
eine Antwort bekommen zu haben. Was die wohl mit dem Rückporto machen? Wenn Du ihnen das »Dorf« schickst, kannst Du
vielleicht darauf hinweisen, dass wir berechtigt sind, Deine Arbeiten anzubieten, ja? – Die Krippenfeier werden wir anbieten,
obwohl sie etwas lang ist. Vielleicht der Süddeutschen, dem
Hamburger Abendblatt, der WAZ etc., die können sie sicher bringen. – Die Jagdgeschichte von v. Walter ist gut, doch etwas lang.
Will sehen, ob ich sie kürzen kann. Müsste eigentlich gehen. –

Wenn es geht, bestell doch für uns die »Weihnachtszeit« in
5 Exemplaren und die »Schafe« in 6! Wäre schön, wenn wir die
den netten Redakteuren mit einem Gruss schicken könnten.
Man verpflichtet sich die Leute dadurch etwas. –

Für Dich sind eine ganze Reihe Honorare fällig, doch bummeln
die Buchhaltungen der Ztg. schrecklich. Einzig bei der »Welt der
Arbeit« geht es schnell. –

Uns geht es ganz gut. Lesen mit Begeisterung Thomas Wolfe.
Wunderbar dicke Bücher, nicht?

Grüss Annemarie und die Kinder von uns! Auch Opa und Tilla.
Herzlichst Dein und Deine
Ada und Guni

BA4, 1S, m

306   *Heinrich Böll an Gunhild und Ernst-Adolf Kunz*
Köln-Bayenthal, Schillerstraße 99, 5. 11. [53]

Liebe Guni, lieber Ada,
die »An der Brücke« Affäre ist immer noch ungeklärt, ich schreibe heute noch einmal nach Hamburg. Ich brauche sie nur für

ausl. Zeitungen. Bitte schreibt mir doch »Dorf« dreimal ab, das
ich auch nur für die Württ. Zeitung freihaben möchte, die mir
schrieb, dass sie Theodora bringt. Ausserdem hätte ich gerne
noch Abschriften von
Krippenfeier
Postkarte
Zwerg und Puppe
Die Bücher bestelle ich sofort für Euch, und wenn Ihr gerne
noch was zu lesen hättet, schreibt es mir. Morgen muss ich wieder für eine Woche weg, ohne die geringste Reiselust zu verspü-
ren. Die Umsiedlung fällt uns doch schwer, wir müssen erst wieder einen gewissen Rhythmus finden.
Herzlichst Euch beide grüssend von allen
Hein

PK, pers St, m

307 *Heinrich Böll an Ernst-Adolf Kunz*
Köln-Bayenthal, Schillerstraße 99, 10. 11. 53

Lieber Ada,
die Bücher habe ich bestellt: sie kommen, sobald ich sie habe.
Schrieb ich Euch, daß ihr mir bitte auch »Krippenfeier« 3mal abschreiben sollt? Tut es bitte schnell.
Ich sprach mit Wolfgang Hildesheimer, den ich für einen der Besten halte, und erwärmte ihn für Euch: Ihr werdet sicher von
ihm hören.
Sehr herzlich
Euer Hein

PK, pers St, eh

308 Ernst-Adolf Kunz an Heinrich Böll
[Gelsenkirchen-]Buer, d., 10. 11. 53

Lieber Hein –
hier sind die Abschriften in je drei Exemplaren: »Dorf«, »Krippenfeier«, »Postkarte«, »Zwerg und Puppe« mit zusammen 20 Tippseiten. Wie immer haben wir das mit den eingegangenen Honoraren verrechnet.

Aus Coburg kamen	DM 20.–	(Coburger Wegweiser)
Welt d. Arbeit	DM 35.–	(Jünger)
Hamburger Abendb.	DM 35.–	(Jünger)
	DM 90.–	

Von der vorigen Manuskriptsendung waren noch DM 5.– zu verrechnen, so dass Du noch DM 20.– bekommst, die wir heute abschicken. Wir hoffen, dass es Dir so recht ist. Schreib uns ja, wenn Du was einzuwenden hast! Die Abrechnung stimmt so genau. Steht alles im Kontobuch. Was Dir nicht klar ist, erklären wir Dir bei Deinem Kommen.
Am 7. 11. waren Wera, CH und Nita hier. Nita hatte von ihrem Kollegen Dein Buch geschenkt bekommen. Auch hier liegt es aus. Der Verkauf müsste demnach gut sein, oder?
Hein, uns interessiert die Sache mit Kesten, auf die Du geantwortet haben sollst. Hast Du beide Zeitungen da? Kannst Du sie mal schicken? Neulich schickte man mich vom Arbeitsamt aus zur Untersuchung, um mich bei körperlicher Fähigkeit dementsprechend einzusetzen. Natürlich verspüre ich dazu nicht viel Lust, und es kam auch nicht dazu, da meine Verwundung immer noch gefährlich genug aussieht. »Beckenschussbruch«, vor diesem Wort kapituliert jeder Arzt – nicht nur in Gefangenschaft. Dabei ist es nie einer gewesen. Tausende von Arbeitern werden jetzt arbeitslos und mich will man einsetzen. Die Agentur hält uns einigermassen über Wasser. Wenn wir die nicht hätten, ginge es uns dreckig. Haben wir Dir zu verdanken! Dohrenbusch ist nett. Er brachte vorige Woche wieder etwas von mir, schickte heute eine Arbeit zum Totensonntag zurück, da er nicht nur Wiebe bringen könne. Hat er recht, der Mann. - »Baskoleit« geht heute an die WAZ und andere Redaktionen zum Toten-

sonntag. Wir schicken Dir demnächst mal eine Aufstellung über
die fälligen Honorare. Wenn sie eintreffen, gehen sie am selben
Tag auf Dein Postscheck.
Sag der Tilla Dank für ihre Karte, wir schreiben ihr bald. Von
Wera hörten wir, wie gross die Kinder geworden sind. Sind sehr
neugierig darauf und kommen schon deshalb bald mal wieder
zu Euch. Aber erst komm Du mal. –
Grüsse an alle – Dein Ada   Deine Guni

[ehZ] Am Donnerstag ist in UKW eine Sendung von Dir. Werden sie hören!

BA4, 1S, m

309   *Heinrich Böll an Gunhild und Ernst-Adolf Kunz*
Köln-Bayenthal, Schillerstraße 99, 13. 11. 53

Meine Lieben,
anbei je 5 Weihnachtszeit und Schwarze Schafe
Weihnachtszeit kostet   2,–   10,–
Schwarze Schafe   1,15   5,75
                                   15,75
Hat Zeit mit dem Geld. Ich komme nicht Ende November, son-
dern Anfang Dezember (4. oder 5.).
Sehr herzlich Hein

BA5, pers St, eh

310   *Heinrich Böll an Gunhild und Ernst-Adolf Kunz*
Köln-Bayenthal, Schillerstraße 99, 14. 11. 53

Liebe Guni, lieber Ada,
Die WAZ überwies mir für »Botschaft« und »Dialog« insgesamt 77,50 DM, wovon also 38,75 Euch gehören. Ziehen wir
die Bücher mit 15,75 ab, bleiben für Euch 23,– DM. Ada soll

unbedingt auch an Honig, (NWDR) Köln, Geschichten schicken.

Wir sehen uns also Anfang Dezember.

Sehr herzlich

Hein

PK, pers St, eh

311 *Heinrich Böll an Guni und Ernst-Adolf Kunz*
Köln-Bayenthal, Schillerstraße 99, 21. 11. 53

Meine Lieben,
ich komme am 3. 12. nachmittags, schreibe noch Genaues, und muß dann am 4. 12. mittags weiter nach Münster. Ende November klappt nicht mehr. Es wäre nett, wenn Ihr Lentz verständigen könntet. Ich schreibe ihm auch.

Bis dahin

herzlich Euch alle grüßend

Hein

PK, pers St, eh

312 *Heinrich Böll an Ernst-Adolf Kunz*
24. 11. 53

Lieber Ada,
ich könnte möglicherweise hier bei Witsch – in der Werbeabteilung einen Job für Dich finden: man fragte mich geradezu nach jemand – – wahrscheinlich ab 1. 4. ... möglicherweise früher, und mit einem Anfangsgehalt so um 300. Du müsstest Besprechungen sammeln, ausschneiden, Archiv anlegen, bei der ganzen Werbung helfen – – Besprechungen arrangieren usw.: eine sehr interessante Sache – – müsstest allerdings perfekt maschineschreiben können.

Soll ich die Sache ernsthaft für Dich betreiben? Der Verlag ist jetzt hier in der Marienburg in einem grossen, renovierten Haus gleich am Südpark. Schreib mir doch, ob ich das Eisen schmieden soll. Die Korrespondenz könnte Guni ja weitermachen ... nur müsstet Ihr hier wohnen, zunächst möbliert, und wir müssten schen, dass Ihr später eine kleine Wohnung bekommt. Unser Haus wächst - - wie man mir erzählt (war selbst noch nicht da).

Es bleibt also mit meinem Besuch beim 3. 12. nachmittags herzlichst Hein

Dohrenbusch bringt den König - - wir teilen uns dann das Honorar, könnt Ihr den König so lange sperren, bis er erschienen ist?

BA5, 1S, m

313 *Ernst-Adolf Kunz an Heinrich Böll*
[Gelsenkirchen-]Buer, den 25. 11. 53

Lieber Hein –
über Deinen Brief habe ich mich sehr gefreut! Natürlich wäre das ein Job für mich, von dem ich auch glaube, dass ich ihn ohne Schwierigkeiten bewältigen kann. Meine Fähigkeiten im Maschineschreiben wachsen von Tag zu Tag, und ich glaube, dass ich damit keine Schwierigkeiten haben werde. – Also schmiede bitte das Eisen, wenn Du kannst. Bin jederzeit bereit, mich bei Witsch vorzustellen und den besten Eindruck zu machen. Das Wohnungsproblem schreckt uns nicht. Wir brauchen lediglich ein grosses leeres Zimmer mit Wasser. Und das wird sich ja finden lassen.

Auf Deinen Besuch freuen wir uns sehr! Habe gestern sofort an Lentz geschrieben und ihn für den 3. 12. abends eingeladen. Ich möchte Dich bitten, erst nachmittags zur Mama zu kommen, bei der wir Dich erwarten wollen. Abends gehen wir dann zu uns rüber und erwarten gegen 19 Uhr Lentz, ja? – Hier ist ein Zug, den Du benutzen kannst:

Aus dem Hause: 13.45 Uhr
Köln Hbf. ab: 14.27 "   Eilzug
Gelsenk. an: 16.01 "   durchgehend!
Linie 1 od. 21 ab: 16.10 "
Im Hause Kunz: 17.00 "

Der Zug ist doch richtig, nicht? Nimm ruhig eine Karte bis
Münster. Man kann ja unterbrechen.
Am 6. Mai hatten wir den »König« Dohrenbusch schon angebo-
ten, der ihn aber zurückreichte, da er nur Erstdrucke haben woll-
te. Wenn er ihn jetzt bringt: desto schöner. Wir haben die Ge-
schichte nur in der Schweiz bei der »Neuen Züricher Zeitung«
angeboten – sie kann hier also nicht vorher erscheinen.
Grüss Deine ganze Familie von uns.
Herzlichst
Dein Ada

BA4, 1S, m

314   *Ernst-Adolf Kunz an Heinrich Böll*
[Gelsenkirchen-]Buer, den 12. 12. 53

Lieber Hein –
am selben Tag, an dem ich Rai zur Bahn brachte, kam natürlich
Geld für Dich an. Honorare des MITTAG für »Beine« und »Jünger« zusammen DM 40.– Wir warten jetzt noch auf eine Geldsendung für Dich und schicken dann eine grössere Summe ab,
damit es sich besser lohnt. – Dann haben wir hier in der »Westfä-
lischen Rundschau« Dortmund, SPD, zum Tag des Buches am
28. 11. zufällig einen Artikel von Dir entdeckt »So war es« betitelt,
in dem Du über die Berechtigung der Kriegsliteratur (Mailer,
Borchert, Merle, Döblin und auch Wolfe) schreibst. Weisst Du,
wie der Artikel dort erscheinen konnte? Wenn ja, ist es gut –
wenn nein, schreib uns umgehend, damit wir der Sache nachge-
hen können. – Wir werden den Artikel hierbehalten, um ihn im
nächsten Jahr zu verwerten. Einverstanden?

Der SÜDWESTFUNK hat eine meiner Geschichten angenommen und will sie bald bringen. Bekam einen sehr netten Brief von Rosengarten, in dem er mich auffordert, mehr zu schicken – nur länger –, 220 Zeilen lang. Es ist die Geschichte mit dem ungarischen Geiger, die Du wohl auf dem Flug nach Berlin gelesen hast. Dabei fand ich die anderen angebotenen Sachen viel besser! – Egal, wir freuen uns doch sehr darüber. – Dohrenbusch schrieb uns eine ausgesprochen »humorige« Postkarte, in der er Geschichten anfordert. Haben ihm auch die von v. Walther und Lentz geschickt. Sind gespannt, was er annimmt. Übrigens schrieb auch Honig, er könne meine Geschichten gebrauchen, habe jedoch schon soweit disponiert, dass im Moment keine Möglichkeit der Annahme bestünde. Vielleicht nur eine geschickt formulierte Ablehnung. – Auch die »Rujuks« sind nun endlich in der »Badischen« erschienen. – Haben gestern einige der von Lentz empfohlenen Zeitungen mit Deinen Stories bombardiert. Als Einführung eignest Du Dich am besten. Meist ist es der »Huster«, auf den sie anbeissen. Grössere Aktion geht jetzt erst mal mit »Rujuks« los. – –
Mama hat sich köstlich über Rai amüsiert. Ist ja auch ein wirklich kluger, gewitzter Bursche. War wirklich nett, dass Du ihn mitgebracht hast. – Übrigens die Sache mit der Uhrzeit war Betrug. Ich hatte Rai dazu aufgestachelt, und er spielte die Rolle doch fabelhaft, nicht? Allerdings sei zu unserer Rechtfertigung gesagt, dass ich ihm die Funktion des »kleinen« Zeigers klarmachen konnte. Also die Stunden kann er ablesen, nur nicht die Minuten. Wäre auch noch zu schwer.
– Grüss Annemarie herzlich von uns und sag ihr, auf ihre Übersetzung freuten wir uns sehr. Wollen es vorlesen. Tilla soll mal schreiben. –
Herzlichst Dein
Ada

BA4, 1S, m

315   Heinrich Böll an Gunhild und Ernst-Adolf Kunz
Köln-Bayenthal, Schillerstraße 99, 14. 12. 53

Meine Lieben, ich habe inzwischen alle Veranstaltungen abgesagt, bin also völlig frei und stürze mich mit Wonne in die Arbeit. Eben kam ich von meiner letzten, anstrengenden Tour ins
Saargebiet zurück. Die kleine Geschichte zum Tag des Buches
habe ich für die Korrespondenz des Börsenvereins der Buchhändler geschrieben; ich muss erst klären, ob sie nächstes Jahr
frei ist, dann könnt Ihr sie vertreiben. Aber wartet erst, bitte.
Und bitte, schreibt doch alle 2 Seiten-Geschichten je dreimal ab,
ja. Ich brauche sie für einen bestimmten Zweck.
Alles Gute und viele herzliche Grüsse an Lentz, dessen Artikel
ich ausgezeichnet finde. Wenn Ihr Lust und Geld habt, kommt
doch noch einmal. Im Augenblick voller Bausorgen
Euer Hein

PK, pers St, m

316   Ernst-Adolf Kunz an Heinrich Böll
[Gelsenkirchen-]Buer, d. 18. 12. 53

Lieber Hein –
erlaube uns, Dir diese abgetippten sechs »Unter Zweiseiten Geschichten« zum 36. Geburtstag zu schenken. Ausserdem lass Dir
Glück wünschen, dasselbe Glück, dass Du ja bisher gehabt hast.
Wir sind davon überzeugt, dass Du noch lange nicht auf der Höhe der Anerkennung und des Erfolges stehst. So wie es in den
letzten drei Jahren bergauf gegangen ist, wird es weitergehen,
verlass Dich darauf. Und lass Dich nicht jagen, weder vom Publikum noch von den Verlegern. Du hast weiss Gott viel getan
in der letzten Zeit und Dein neustes Buch wird noch lange wei-
terverlangt werden. Schreib uns mal, wie das Weihnachtsgeschäft war. Was man so hört, muss das Buch ja toll gekauft werden jetzt. Es ist gut, dass Du Dich entschlossen hast, mal alles
abzusagen. Nun halt aber auch wirklich mal Ruhe! Wenn Du

mal gar nichts tun willst, komm her und ruh Dich aus. Wir freuen uns immer sehr, das weisst Du. –

Wir beabsichtigen, Anfang Januar wieder für einige Tage nach Köln zu kommen. Tilla hatten wir zu Silvester eingeladen. Bisher weder Zu- noch Absage. Bestell ihr doch bitte, wir rechneten fest mit ihr. – Gestern kamen Ortmeyers und brachten uns die Alexa für 14 Tage. Mama wird sich jetzt in Fürsorge und Brasselei überschlagen. Aber das Blag ist auch nett. –

Hein, wühl doch noch mal Deine Ordner nach kurzen Geschichten durch und schick sie uns. Es gab da doch eine, die im Funk gesendet wurde! Ich habe grade eine recht lange Erzählung für den Wettbewerb des Süddeutschen Rundfunks geschrieben. Ich schicke sie mal hin, und wenn ich auch nicht mit einem Preis rechne, so besteht vielleicht die Möglichkeit, dass sie wenigstens im Funk gesendet wird. Mal abwarten.

Morgen gehen Deine Bücher an die Redakteure. Bestimmt ist das Echo positiv.

Ein ruhiges Weihnachtsfest, wünschen wir und viele Grüsse an alle

Dein und Deine

   Ada   Guni

BA4, St (RUHR-STORY), 1S, m

317   Heinrich Böll an Gunhild und Ernst-Adolf Kunz
30. 12. 53

Liebe Guni, lieber Ada,
zunächst herzlichen Dank für Euren Brief und die Abschriften. Darf ich Euch bitten, mir noch folgende Geschichten abzuschreiben, unter den üblichen Bedingungen:

Rujuks und Theodora

Baskoleit

jg. König

Aschermittwoch (bald, da für Funk)

Bitte je 5 gute Abschriften (auf Dünnpost), ich brauche sie zum

Teil fürs Ausland, zum Teil für den Funk, da ich - - aus dringenden finanziellen Gründen - - noch einmal eine Ladung loslassen
will.

Ich bin jetzt ganz mit meinem Roman beschäftigt. Leider wird
es vorläufig nichts mit Geschichten: wenn ja, lass ich von mir
hören und kommt doch noch einmal her.

Euch allen wünsche ich viel Glück im Neuen Jahr, besonders
Euch beiden und grüsst mir alle herzlichst
Euer Hein

Rasch hat im Almanach der Hann. Presse für 1954 die Theodora
abgedruckt. Könnt Ihr mir einen Beleg besorgen?

Den Materndienst würde ich ganz kündigen an Eurer Stelle. Das
ist reine Ausnutzerei - - die versorgen mindestens zehn Zeitungen mit Geschichten und zahlen schäbig. Lasst sie möglichst
ganz schwimmen.

BA5, 1S, m

Editionsbericht

Beschreibung der Form

Die Briefe werden in den heute üblichen Normen DIN A 4 und DIN A5 angegeben.
Des weiteren gibt es Briefkarten, Postkarten, Ansichtspostkarten, Zettel und Telegramme. Bei den Zetteln handelt es sich um unterschiedliche, nicht zu vereinheitlichende Größen. Zum Beispiel aus Notizblöcken herausgerissene Zettel oder um mehrfach geteilte Bögen des Formats DIN A4.

Abkürzungen:
BA4   =   Brief DIN A4
BA5   =   Brief DIN A5
BK   =   Briefkarte
PK   =   Postkarte
APK   =   Ansichtspostkarte
Z   =   Zettel
T   =   Telegramm

Hat der Brief einen Kopfbogen, so wird das mit »K« angegeben. Trägt der Brief als Absender einen Stempel, wird das mit »St« angegeben. Um welche Art Kopfbogen bzw. Stempel es sich handelt, wird in ( ) vermerkt.

Abkürzungen:
K   =   Kopfbogen
St   =   Stempel
pers K   =   persönlicher Kopfbogen
pers St =   persönlicher Stempel

Die Briefe werden in ganze und halbe Seiten gezählt.

Abkürzung:
S   =   Seite

Es ist vermerkt, ob der Brief eigenhändig oder maschinenschriftlich verfaßt ist. Trägt ein maschinenschriftlicher Brief eine eigenhändige Ergänzung, ist dies ebenfalls vermerkt.

Abkürzungen:

eh = eigenhändig
m = maschinenschriftlich
ehZ = eigenhändiger Zusatz

Anordnung der Briefe

Die Anordnung der Briefe erfolgt chronologisch.
Briefe von Dritten, sofern sie sich auf den Sachverhalt beziehen, sind mitaufgenommen worden.
Der Briefwechsel ist nicht lückenlos. Sowohl Briefe Heinrich Bölls als auch Ernst-Adolf Kunz' sind verlorengegangen.
Briefe ohne Tagesdatum, deren Monat aber genannt bzw. erschlossen worden ist, sind am Ende des jeweiligen Monats eingeordnet.

Drucktechnische Einrichtung – Formale Präsentation

Die Briefe sind durchnumeriert.
Ergänzungen, Erschließungen, Bemerkungen und Hinweise des Herausgebers bzw. Auslassungen sind in [ ] wiedergegeben.
Jeder Brief trägt eine normierte Kopfleiste mit Angabe der Korrespondenzpartner, des Abfassungsortes und des Datums.
Da die Abfassungsorte im wesentlichen Köln und Gelsenkirchen sind, wird bei fehlender Angabe dann keine Ergänzung vorgenommen, wenn es sich um ebendiese beiden Orte handelt.

Textabdruck

Die Briefe werden recte abgedruckt. Das betrifft auch die Grobstruktur wie Briefkopf, Stempel, Datumszeile, Anrede, Absätze, Zitate, Grußformel und Unterschrift.
Offenkundige Verschreibungen und Flüchtigkeiten sind korrigiert worden. Ebenfalls grammatikalische Versehen und Flüchtigkeiten in der Interpunktion, zum Beispiel ein fehlendes Kom-

ma bei einer Aufzählung bzw. kein Punkt am Ende eines Satzes.
Ansonsten ist in die Interpunktion nicht eingegriffen worden.
Beide Briefpartner haben keine einheitliche Interpunktion. Die
Zeichensetzung ist oft Ausdruck großer Hektik und Erregung,
dokumentiert die Umstände, unter denen die Briefe geschrieben worden sind.
Wortabkürzungen, soweit sie als allgemein verständlich voraus-
gesetzt werden können, sind nicht ergänzt worden.
Sichere Textergänzungen bei Lücken im Text werden in [ ] wiedergegeben.
Nicht zweifelsfrei lesbare Wörter oder Textstellen sind mit [?]
hinter dem entsprechenden Wort versehen bzw. mit [unleser-
lich] oder [unleserliches Wort].
Gestrichene Stellen sind mit [...] gekennzeichnet. Hier geht es
um das Persönlichkeitsrecht noch lebender Personen.

Ausgenommen beim Namensregister sind Grußformeln von
und an Annemarie Böll bzw. der Kinder der Familie Heinrich
Böll.

Trotz intensiver Befragung von Zeitzeugen war es nicht in jedem einzelnen Fall möglich, den Sachverhalt zu klären. Dies findet keine besondere Erwähnung in den Anmerkungen. Auf den
Hinweis: »Nicht zu ermitteln« wurde weitgehend verzichtet.

Bereits erläuterte Sachverhalte wurden, um Wiederholungen zu
vermeiden, nicht jedes Mal von neuem erklärt.

Textstellen aus Werken Heinrich Bölls werden nach den zur Zeit
gängigen Werkausgaben zitiert.
Heinrich Böll, Werke. Romane und Erzählungen, 4 Bände, Köln
1987. [WA, Bd, S.]
Heinrich Böll, Schriften und Reden, 9 Bände, München (dtv)
1985. [dtv 1 etc., S.]

Böll und Kunz – eine Freundschaft im Nachkrieg

I

»Dein Urteil über meine Arbeit hat mir wieder Mut gemacht«, schrieb Heinrich Böll im Mai 1948 an Ernst-Adolf Kunz. »Ich hatte sehr gespannt darauf gewartet, weil ich ja weiss, dass Du den Krieg kennst und weiss, dass Du ihn auf die gleiche Weise wie ich ›erlebt‹ hast.« [63] Das Urteil von Ernst-Adolf Kunz bezog sich auf das Typoskript »Von Lemberg nach Czernowitz«, das Heinrich Böll wenige Tage zuvor abgeschlossen hatte und das unter dem Titel »Der Zug war pünktlich« als seine erste Buchveröffentlichung im Dezember 1949 im Verlag Friedrich Middelhauve erschien.

Als Böll am 6. und 7. Februar 1948 in Gelsenkirchen dem Freund aus unveröffentlichten Arbeiten vorlas, vermerkte er das ausdrücklich in seinem Notizbuch.

Bereits im Juni 1947 hatte er Kunz versichert: »Ich werde Dir selbstverständlich alles ›Gedruckte‹ von mir gleich zuschicken. Es würde mich riesig interessieren, Deine Kritik und Deine Anteilnahme zu hören.« [17] Vier Wochen zuvor, am 3. Mai 1947, war im »Rheinischen Merkur« als Bölls erste Veröffentlichung »Aus der ›Vorzeit‹« erschienen, ein durch die Redaktion bis zur Unkenntlichkeit verstümmelter Text aus einem 18seitigen Typoskript. Der Titel des Originals: »Vor der Eskaladierwand«.

Böll reiste viele Male zur Familie Kunz nach Gelsenkirchen und las Kurzgeschichten, Erzählungen und Romankapitel vor. Typoskripte wurden hin- und hergeschickt, der Besuch des Freundes in Köln sehnlichst erwartet. Als Ernst-Adolf Kunz vom 6. bis 8. März 1948 in Köln weilte, vermerkte Böll auch diesen Besuch in seinem Notizbuch – an drei aufeinanderfolgenden Tagen versah er den Eintrag mit einem Ausrufezeichen.

Der Kontakt war nicht einseitig. Schon am 12. Februar 1946, ein dreiviertel Jahr, nachdem sich beide im amerikanischen Kriegs-

---

*   Die Nummern in [...] beziehen sich auf die Briefe

gefangenenlager in Attichy, nordöstlich von Paris, angefreundet hatten, schrieb Ernst-Adolf Kunz an den Freund in Köln: »Sobald ich mal eine ganze Woche frei bin, reise ich zu Dir [...]. Hier habe ich keinen Freund oder wie man es nennen soll und sehne mich nach einem vernünftigen Gespräch mit Dir.« [8]

Köln 1948: In dieser Stadt lebte es sich literarisch wie auf einer Insel. Köln war kulturelle Provinz, nicht zu vergleichen mit den 60er, 70er und 80er Jahren, in denen diese Stadt kulturelles Profil gewann. An die Konzerte und Aktionen im Atelier von Mary Bauermeister (u. a. mit Karl-Heinz Stockhausen, Nam June Paik, Dieter Schnebel, John Cage, Maurico Kagel, Hans G. Helms) war noch nicht zu denken. Ebensowenig an Wolf Vostell und Happening & Fluxus, nicht an die Kunstmetropole Köln und schon gar nicht an eine Stadt, in der die Literatur einmal eine bedeutende Rolle spielen würde – ausgelöst sicherlich durch Heinrich Böll und Paul Schallück, getragen aber auch von Autoren wie Hans Bender, Jürgen Becker, Peter Faecke, Dieter Wellershoff und Günter Wallraff. Erst recht nicht an die legendären »Kölner Mittwochgespräche« des Bahnhofsbuchhändlers Gerhard Ludwig, die zwischen Dezember 1950 und Juli 1956 260mal im Wartesaal des Kölner Hauptbahnhofs stattfanden. Für die Kölner hatte das Jahr 1948 folgende kulturellen Höhepunkte: In der Alten Universität die Ausstellungen »Meisterwerke aus dem Wallraf-Richartz-Museum« und »Gotische Kunst«, und im Dombunker drängten sich über 24000 Besucher vor dem »Dionysos-Mosaik«. Es gab Sinfonie- und Chor-Konzerte, und die Städtischen Bühnen brachten meist Klassiker zur Aufführung. Natürlich wurde auch »Des Teufels General« von Carl Zuckmayer gegeben, das populärste zeitgenössische Theaterstück in der Bundesrepublik, mit beinahe 3300 Aufführungen von Dezember 1947 bis zur Spielzeit 1949/50. Die Mehrheit der Bevölkerung interessierten andere Ereignisse: Bei der großen Reliquienprozession anläßlich der 700jährigen Grundsteinlegung des Kölner Doms, am 15. August 1948, standen hunderttausend auf den Trümmern am Prozessionsweg. Im September nahm das Kölner Hänneschen Theater, das alte volkstümliche Stockpuppentheater, wieder seinen Spielbetrieb auf und zählte bis zum

Ende des Jahres 25000 Besucher. Auch der Kölner Karneval etablierte sich wieder: Am 11. November hatte das Karnevalslied »Wir sind die Eingeborenen von Trizonesien« von Karl Berbuer Premiere. Und als im Frühjahr 1949 der Sieger beim ersten internationalen Pferderennen in Köln geehrt wurde, spielte die Kapelle statt der verbotenen Nationalhymne eben dieses »Trizonesienlied«.

Literatur spielte im öffentlichen Leben überhaupt keine Rolle. Unter den 9 Buchverlagen, die 1948 im Adreßbuch des Deutschen Buchhandels aufgeführt waren, befand sich kein einziger literarischer Verlag.

Noch im Juli 1949 schrieb Böll nach Frankfurt an Alfred Andersch: »Sie mögen mir glauben, dass ich mich sehr freuen würde, wenn Sie irgendwie Zeit fänden – falls Sie Köln berühren –, mich einmal zu besuchen. Vielleicht auch können Sie mir irgendwie Anschluss an Gruppen junger Schriftsteller ermöglichen. Es ist wirklich deprimierend, so als absolutes literarisches Individuum da zu hocken.«

Natürlich war Annemarie Böll Heinrich Bölls erste Leserin, diejenige, die ihn immer wieder bestärkte, den einmal eingeschlagenen Weg unbeirrt weiterzugehen. Außer ihr und ein paar »klerikalen Bekannten« hatte Heinrich Böll in Köln niemanden, mit dem er sich austauschen konnte, der sich für seine Erzählungen interessierte. »Das Schlimme ist«, schrieb er im Juli 1948 an Kunz, »dass ich nicht reisen kann, [...] nicht die Reise nach München, Hamburg, Kassel usw. finanzieren könnte, das wären hunderte Mark; von einer persönlichen Rücksprache verspräche ich mir fast einen glatten Erfolg. Anwesenheit ist fast alles. Aber sei mal anwesend.« [79] München war der deutsche Sitz des Abendland Verlags, bei dem Heinrich Böll einen ganzen Stapel Erzählungen liegen hatte; in Hamburg war der »Nordwestdeutsche Rundfunk«, und in Kassel redigierte Moritz Hauptmann die Zeitschrift »Das Karussell«, wo im August 1947 die Erzählung »Die Botschaft« erschienen war, danach noch »Kumpel mit dem langen Haar« (November 1947) und »Der Mann mit den Messern« (April 1948). In Kassel wurden außerdem die »Hessischen Nachrichten« publiziert, wo ebenfalls einige Kurzgeschichten Bölls erschienen waren.

Anwesenheit vor Ort, um direkt mit Redakteuren sprechen und Verlegern zu verhandeln, war eine Geldfrage, so wie natürlich auch das Verschicken von Manuskripten. [156] Je breiter man seine Erzählungen streuen kann, desto sicherer ist der Abruck in einer Zeitschrift oder Zeitung. In der Erzählung »Die unsterbliche Theodora«* von 1953 karikiert Heinrich Böll diese Situation. »Ruhm ist nur eine Portofrage«**, läßt er den Protagonisten Bodo Bengelmann sagen. »Bodo [...] investierte sein ganzes Lehrlingsgehalt von 50,– DM in Porto und schickte dreihundert Gedichte an dreihundert verschiedene Redaktionen, ohne Rückporto beizulegen: eine Kühnheit, die in der gesamten Literatur einmalig ist. Vier Monate später [...] war er ein berühmter Mann. Einhundertzweiundfünfzig von seinen Gedichten waren gedruckt worden.«***

Es war kein Zwiegespräch, was sich in Gelsenkirchen im Hause Kunz in der Zeppelinallee nach den Lesungen Heinrich Bölls entwickelte. Im Wohnzimmer hatte sich ein kleines Auditorium versammelt, außer Ernst-Adolf waren die Schwestern Wera und Anita und die Mutter Gertruda Kunz dabei. Die Diskussionen, die Atmosphäre dieser Lesungen wirkten auf Heinrich Böll befreiend. Trotz der fast aussichtslosen Situation, sich von Köln aus als Schriftsteller zu behaupten, und der finanziellen Not, in der die Familie steckte, hieß es nach einem Besuch bei Kunzens: »Jetzt werde ich arbeiten, arbeiten, arbeiten!« [27] Das zeigt, welche Kraft er aus den Vorleseabenden schöpfte, es war auch eine Trotzreaktion auf die Absagen, die er von den Feuilletonredaktionen bekam.

Heinrich Böll kannte keinen »Feierabend« [43], schrieb rastlos weiter, »vier Arbeiten in 14 Tagen« [40], und die ersten 40 Seiten eines »Kriegsromans« (»Wie das Gesetz es befahl« – Fragment im Nachlaß). [41] »Schlaf kenne ich kaum noch, dafür Tee so schwarz wie meine Seele, kaum noch von Kaffee zu unterscheiden.« [56] Die Belastungen, die sich Böll notgedrungen auferlegte, hielt er nur mit Narkotika und Aufputschmitteln durch: Im-

---

* WA, Bd. 2, S. 11-15
** S. 14
*** S. 13 f.

mcr wieder ist von Tee, Kaffee, Zigaretten, Schnaps und Medikamenten die Rede, an die er durch Vermittlung von Ernst-Adolf Kunz' Vater kam: Optalidon und Pervitin. [32, 112, 179] Tagsüber verdiente er Geld mit Privatstunden, half in der Schreinerei seines Bruders Alois aus, kümmerte sich um den Aus- und Umbau des Hauses in der Schillerstraße 99 in Köln-Bayenthal, und nachts schrieb er. Er lebte ständig unter »Spannung« [112] und setzte sich selbst unter Druck.»Ich arbeite wie ein Irrer [...] Es geht jetzt wirklich um meine Existenz«, hieß es im Brief vom 23. 3. 1948 – für Juli 1948 kündigte sich die Geburt des Sohnes René an. Trotz der Kölner Situation und aller Gemütsschwankungen, denen er unterlag, war er fest entschlossen und überzeugt, sich als Schriftsteller zu behaupten.»Jetzt, wo kein Gold mehr zu verscheuern ist, muß ich versuchen, das Gold aus meinem Gehirn zu kratzen«, hieß es am 24. Mai 1948. [61] Gemeint ist »Das Vermächtnis«, das zwar die Reise durch die Verlage antratt, aber erst 1982 erschien.*
Trotz der Privatstunden und der Aushilfe in der Schreinerei seines Bruders, bezeichnete Böll die Schriftstellerei als seine »eigentliche Arbeit«. [74] Nach eigener Zählung produzierte Böll 1948 500 Seiten Text.
Er unternahm jeden Versuch, mit dem Literaturbetrieb in Kontakt zu kommen. Für ein Preisausschreiben, Einsendeschluß war der 31. 12. 1947, reichte er Mitte 1947 den Roman »Kreuz ohne Liebe« ein. Darüber berichtete er am 4. Januar 1948 seinem Freund, um gleich hinzuzufügen, »ich warte mit Spannung auf Bescheid«. [37] Monate später, noch immer hatte Böll keine Reaktion auf seinen eingereichten Roman, schrieb er: »Jeden Tag lauere ich wie ein Wahnsinniger auf den Briefträger.« Denn: »Ich erwarte immer noch den großen ›Schlag‹«. [72] »Der Briefträger als Götterbote« heißt eine kurze Geschichte, die Böll Jahre später für den »Nordwestdeutschen Rundfunk«, Köln (gesendet am 6. 11. 1952) schrieb und die seine verzweifelte Situation im Jahr 1948 wiedergab: »Keine Post zu bekommen – das ist fast ein

---

* Zur Entstehungsgeschichte von »Das Vermächtnis« vgl. Karl Heiner Busses Nachwort zu: »Heinrich Böll. Das Vermächtnis«, Köln 1990 (KiWi)

Fluch, ein Fluch, den wir unmittelbarer empfinden als die Wirkungen der großen politischen Gewitter! Der Engel der kleinen persönlichen Neuigkeiten, die unser Leben bestimmen, ist an unserem Hause vorübergeschwebt, er ließ uns im Schatten liegen, ließ uns hinter den Gardinen warten, macht uns für Stunden traurig, bis die Hoffnung wieder anfängt, die Hoffnung auf die nächste Postzuteilung, und wir warten hinter den Gardinen, warten auf den unscheinbaren Menschen, der für uns die Hoffnung personifiziert, [. . .].«*

Der Tag der Währungsreform, der 20. Juni 1948, bedeutete für viele literarische und kulturelle Zeitschriften das Aus. »Die sogenannten freien Berufe zittern alle. Auch mir wurde ein wenig schlecht, als ich bei meinem Buchhändler am Samstag vor dem ›Schnitt‹ einen Haufen Abbestellungen von Zeitschriften sah.« [68]

Kurz vor der Währungsreform beeilten sich die Verlage, auch auf Geschichten, die erst viel später oder nie erscheinen sollten, die Honorare noch in Reichsmark zu zahlen. 600 Reichsmark waren es für Heinrich Böll. »Freitag und Samstag war ich ein reicher Mann, 600 alte Mark brachte insgesamt der Briefträger, alle Verlage wollten ihre Schulden loswerden.« [68] Am folgenden Montag war das Geld nichts mehr wert. Und so wundert es nicht, daß Heinrich Böll noch im September 1948 aus seiner literarischen Arbeit »keinen Pfennig eingenommen« hatte. [89] Außer dem Geld aus den Nachhilfestunden (»meine Haupteinnahmequelle«), denn »keine Sau kauft Bücher oder Zeitschriften« [76], sowie den noch ausstehenden Gehältern von Annemarie Böll, die am Tag der Währungsreform den Schuldienst gekündigt hatte [70], hatten sie keine Einkünfte.

Böll bemühte sich um einen Job im Literaturbetrieb. Mit Annemarie entwickelte er die Idee, aus dem Englischen zu übersetzen. Als Arbeitsprobe übersetzten sie einen Essay von Stephen Spender, »W. H. Auden And the Poets of the Thirties«, den sie an den neugegründeten Friedrich Middelhauve Verlag in Opladen schickten. Die Übersetzungsprobe sollte der Grundstein

---

* vgl. »Jünger Merkurs«, dtv 1, S. 57

für eine »neue[n] Existenz« werden. [75] Zunächst ein vergeblicher Versuch. Als erste gemeinsame Übersetzung von Annemarie und Heinrich Böll erschien 1953 der Roman von Kay Cicellis »Kein Name bei den Leuten« im Verlag Kiepenheuer & Witsch.

II

Jemanden, den man kaum kennt, etwas so Persönliches wie ein literarisches Typoskript anzuvertrauen – zumal dieser nicht im Literaturbetrieb tätig war, also für Heinrich Böll »nichts tun« kannte – ist ungewöhnlich. Von Ernst-Adolf Kunz muß für Böll eine Faszination ausgegangen sein, die wir heute nur in Ansätzen begreifen können.

Im Unterschied zu Böll, der durch das kleinbürgerliche, katholische Köln geprägt wurde, war die Biographie von Ernst-Adolf Kunz eher unkonventionell. Er war unstet und rastlos, sprunghaft und wenig konsequent in der Verfolgung beruflicher Ziele – vor allem in den 40er und zu Anfang der 50er Jahre. Wenn man sein Leben nachzeichnet, dann trifft auf ihn, den Ruhrgebietsmenschen, viel eher ein kölscher Spruch zu, den man Böll, dem Kölner, nie unterschieben könnte: »Et hät noch immer jotjegangen« – es ist noch immer gutgegangen, irgendwie hat man sich immer noch durchs Leben geschlagen.

Kunz wurde geboren am 19. 9. 1923 in Gelsenkirchen-Schalke. Sein Vater, Dr. Ernst Kunz, war Hals-, Nasen-, Ohrenarzt. Laut Gunhild Kunz, der späteren Frau Ernst-Adolfs, »ein Deutsch-Nationaler«, »Monarchist im Grunde, aber wenn schon Demokratie, dann wenigstens Deutsch-Nationale«. Die Beziehung zwischen Ernst-Adolf Kunz und seinem Vater, der bei der Geburt des Sohnes fast fünfzig Jahre war, war eher ein »Großvater-Enkel-Verhältnis«. Ernst Kunz war sehr auf Etikette und gesellschaftlichen Status bedacht und schickt seinen Sohn 1938, Ernst-Adolf war 15 Jahre alt, ins Internat, ins Landschulheim Burg Nordeck im Hessischen, weil ihm die Noten des Sohnes, bloß »2« und »3«, nicht paßten.

Die Mutter Gertruda Kunz, eine Rußlanddeutsche, wurde 1893

auf der Krim geboren. Gunhild Kunz beschreibt sie als sehr »spontan«, gegen die Nationalsozialisten eingestellt, »einfach aus reinem Instinkt heraus«: »Das paßte ihr einfach nicht, daß Kinder gezwungen wurden, nachmittags zum Dienst zu gehen, anstatt daß sie spielen konnten oder ins Kino [...], sich vergnügen konnten, wie sie wollten. Ihr paßte es nicht, daß Kinder einfach gezwungen waren, irgendwo in eine Gruppe zu gehen, zu marschieren und bestimmte Dinge zu machen, die irgend jemand angeordnet hatte.« Auch wenn Gunhild Kunz ihre Schwiegermutter als eher unpolitisch beschreibt, hatte Gertruda Kunz schon früh eine für eine junge Frau damals ungewöhnliche Vorstellung von Freiheit, Selbständigkeit und Unabhängigkeit entwickelt. Im April 1914 hatte sie zusammen mit ihrer Schwester dem Vater die Einwilligung abgetrotzt, die Krim zu verlassen und nach Weimar in ein Pensionat zu gehen. Im August 1914 brach der Erste Weltkrieg aus, und das Geld, das der Vater regelmäßig nach Weimar schickte, kam dort nicht mehr an. Wie lange Gertruda Kunz und ihre Schwester noch im Pensionat bleiben konnten, ist ungeklärt. Gesichert ist, daß sich beide Mädchen als Haushaltshilfen verdingten. 1919 starb Gertrudas Schwester, und fortan schlug sie sich alleine durch. »Es gab, wenn überhaupt, ein winziges Taschengeld. In irgendeiner Abstellkammer wohnte man dann ohne Heizung [...] und arbeiten mußte man nicht zu knapp, vierzehn, sechzehn Stunden war gar nichts. Und an Urlaub war überhaupt nicht zu denken.« Ende 1919 lernte sie eine wohlhabende Dame von der Mosel kennen, die dort Weingüter besaß, und wurde von ihr als Gesellschafterin eingestellt. Sie wurde standesgemäß eingekleidet, bekam regelmäßig ihren Lohn und begleitete die alte Dame fortan auf deren Reisen. In den Kurorten und vornehmen Hotels fiel Gertruda auf, sorgte für ein wenig Furore. »Allein schon durch die Größe von 1.72 m. Für damalige Verhältnisse! Groß und blond, lebhaft und spontan und natürlich für eine Deutsche ein gewisses Flair. Allein schon dadurch, daß sie auch mal ein russisches Wort benutzte, nie ganz richtig Deutsch gesprochen hat, immer den östlichen Akzent beibehalten hat.«
Auch Heinrich Böll muß von dieser Frau beeindruckt gewesen

sein. Kaum ein Brief an den Freund, in dem nicht besonders herzliche Grüße an sie übermittelt wurden.

Anders, als der Vater es wohl beabsichtigt hatte, erhielt Ernst-Adolf Kunz im Landschulheim Burg Nordeck eine freie Erziehung. Die Jugendlichen waren weitgehend für sich selbst verantwortlich. In der Schule wurde besonderen Wert auf freies Arbeiten gelegt. Zu Beginn der Woche wurden der Unterrichtsplan besprochen, Übungsaufgaben, Berichte und Referate verteilt, und jedem Schüler blieb es selbst überlassen, wann er die Arbeiten verrichtete. Neben Griechisch und Latein, Mathematik und Algebra standen die musische Erziehung im Vordergrund. Es wurde Hausmusik gemacht, und die Schüler schrieben Theaterstücke, die sie selbst aufführten. Bis auf den Leiter der Schule, der in Uniform und mit Parteiabzeichen herumlief, und den Mathematik und Turnlehrer bezeichnete Ernst-Adolf Kunz die Lehrer als liberal und weltoffen: Burg Nordeck »hatte genau die Struktur wie die von dem berühmten Geheeb geleitete Odenwaldschule, die von Klaus Mann so gut beschrieben wurde. [...] Ich war in der Nazi-Zeit dort und hatte Lehrer, die die Nazis aus den Staatsschulen rausgeworfen hatten, gute Lehrer mit demokratischen Idealen. Ich habe sogar mal einen Roman über die damalige Zeit geschrieben, es war mein erster Versuch, der mißlang und den ich gar nicht angeboten habe.«* 1941 wurde Burg Nordeck aufgelöst, angeblich, weil unter den Jugendlichen zu viele defätistische Meinungen kursierten. Die tatsächlichen Gründe für die Auflösung sind ungeklärt. Ernst-Adolf Kunz mußte zurück nach Gelsenkirchen. 1942 machte er sein Abitur und wurde noch im selben Jahr zum Kriegsdienst herangezogen. Kunz mußte als Panzergrendier an die Front nach Rußland, an den Fuß des Kaukasus. Den Rückzug der deutschen Heere macht er an der Südfront in Rußland mit: Wolga, Rumänien, Ungarn. In Ungarn wurde er schwer verwundet und ins Lazarett nach Wien transportiert. Durch die Beziehungen seines Vaters wurde er nach Delbrück, einer Kleinstadt im

---

* E.-A. K. zit. n. »Philipp Wiebe zum 70. Geburtstag«, Gelsenkirchener Lebensbilder, Folge 10, Stadtbücherei Gelsenkirchen 1993, S. 17

Kreis Paderborn, verlegt. Hierhin wurde seine Familie evakuiert. Als die Amerikaner in Paderborn einmarschierten, lösten
sie das Lazarett auf und transportierten die Kranken und Ver-
wundeten ins amerikanische Kriegsgefangenenlager nach Attichy nordöstlich von Paris. Als Verwundeter kam Kunz ins
Versehrtencamp, was den Vorteil hatte, daß die dort unterge-
brachten Gefangenen früher entlassen wurden. Im Versehrtencamp lernte er Heinrich Böll kennen, der es geschafft hat, dort
unterzuschlüpfen.

Aus den Aufzeichnungen Ernst-Adolf Kunzens:

»Ca. 2. Mai 1945 – Namur. Besprüht und mit DDT entlaust.

Ca. 3. Mai 1945 – PoW-Groß-Camp Attichy.

Versehrtenkompanie.

ca. 8. Mai 1945 – Heinrich Böll getroffen und mit ihm bis zum Ende der Gefangenschaft zusammengeblieben.« Die Tage im Versehrtencamp in Attichy waren öde und lang, heiß und ent-
behrungsreich. Heinrich Böll beschreibt einige Momente der
Gefangenschaft in der Erzählung »Im Käfig«:

»Irgendeiner stand am Zaun und blickte grübelnd durch das sta-
chelige Dickicht aus Draht. Er suchte etwas Menschliches zu
entdecken, aber er sah nichts als dieses Durcheinander, dieses
auf schreckliche Weise systematische Durcheinander der Dräh-
te – dann Hungergestalten, die in der Hitze zur Latrine torkelten,
Lehm und Zelte, wieder Draht, wieder Hungergestalten, Lehm
und Zelte bis ins Unendliche. [...] Unmenschlich war auch das
tadellose, glühende, starre Gesicht des weißlichblauen Himmels, und irgendwo schwamm die Sonne in ihrer eigenen Unbarmherzigkeit. Die ganze Welt war nur stillstehende Glut.«*

Ähnliche Eindrücke sammelte Josef W. Janker. Er spricht von
der »Blechschmiede von Attichy«, und auch bei ihm tritt das
Motiv des Drahtzauns überdeutlich hervor. Ebenso die große
Hitze, die »knallige Julisonne«.** Ein anderer Kriegsgefanger
aus Attichy gibt zu Protokoll: »Das Hungern in Verbindung mit
dem schweren Mokka, den die Gefangenen zu trinken bekamen,

---

*   WA, Bd. 1, S. 8
**   J. W. Janker, »Mit dem Rücken zur Wand«, Frankfurt 1964, S. 95-116

führte bald zu nervlichen Zusammenbrüchen, Herzattacken und Magenkrankheiten. Rapider Kräfteverfall bei älteren Stabsoffizieren, nach zwei Monaten Gefangenschaft schwere Kreislaufstörungen, Ohnmachtsanfälle, Umfallen bei den üblichen Appellen. Die ständig währende Unterernährung brachte dann einen körperlichen Verfall, der zu starker Abmagerung und geschwollenen Unterschenkeln führte. Ich wog bei meiner Entlassung bei einer Größe von 1,83 Meter nur noch 105 Pfund.«*
Viel ist aus den gemeinsamen Wochen Heinrich Bölls und Ernst-Adolf Kunz' in Attichy nicht überliefert. 1985, kurz vor seinem Tod, kam Böll noch einmal auf das Lagerleben zu sprechen: »... stunden-, tagelang sprach ich mit meinem verstorbenen Freund Ada Kunz über Oblomow hinter Stacheldraht, im Zelt, beim Suppe-›fassen‹, bei endlosen Rundgängen im Camp da bei Attichy.«**
Für Ernst-Adolf Kunz endete die Gefangenschaft am 27. August 1945. Er wurde nach Delbrück entlassen und traf dort zwei Tage später ein. Die Familie war inzwischen wieder in Gelsenkirchen und wohnte in der Zeppelinallee 60. Dorthin kam er am 3. September. »Alle unversehrt zusammen!« notiert er.
Ohne Ausbildung und ohne Interesse für ein Studium arbeitete Kunz in den folgenden sieben Jahren in ganz unterschiedlichen Berufen. Zunächst als Schauspieler
Als »blutiger Anfänger zwischen Grössen, von denen die Stadt sprach«, spielte er ab Anfang September 1945 bei der »Volksbühne Essen« [3] und wechselte am 1. Mai 1946 zum »Westdeutschen Künstlerdienst/Neues Theater« nach Gelsenkirchen. Schon am 1. Juni des Jahres ging er zurück zur »Volksbühne« nach Essen, denn nur wenige Tage, nachdem Kunz in Gelsenkirchen angefangen hatte, war das kleine Privattheater pleite. Am 1. Oktober 1946 ging er wieder nach Gelsenkirchen zum dortigen »Theater des Westens«. Am 1. September 1947 fing er in Recklinghausen beim »Central-Theater« an. Eine feste Spielstätte hatten

---

*   P. Carell/G. Böddeker, »Die Gefangenen. Leben und Überleben deutscher
     Soldaten hinter Stacheldraht«, Berlin 1980, S. 166 [Vgl. a. Anm. Br. Nr. 11,
     »Pfingsten 1945 – Attichy«]
**   »Oblomow auf der Bettkante«, dtv 9, S. 202

die kleinen Privattheater selten. Die Bühnen, bei denen Kunz arbeitete, reisten quer durchs Ruhrgebiet, bis an den Niederrhein und ins östliche Westfalen. Gespielt wurde in den Hinterzimmern von Gaststätten oder auf den Bühnen heruntergekommener Varietés. Meist fuhren die Schauspieler auf den Pritschen der Lastwagen mit, die auch die Bühendekorationen transportierten. Die Reisen waren zermürbend. Die neuen Rollen wurden nachts gelernt. Alle machten alles. Kurz vor Eröffnung des »Central-Theaters« schrieb Kunz an den Freund nach Köln: »Stell Dir vor: am 2. Sept. wollen wir unser ›Central-Theater‹ eröffnen und die Schwierigkeiten der Beschaffung von Holz, Zement, 400 Stühlen, Farben, Leinwand, Kostüme, Rollenmaterial, ja Tänzerinnen etc., das alles wächst uns fast über den Kopf. Noch knappe 14 Tage und noch keine Probe für ›Katharina Knie‹ von Carl Zuckmayer.« [23].

Wie für fast alle Berufe, kam nach der Währungsreform 1948 der große Einbruch. Um überleben zu können, spielten die Theater auf »Teilung«: »In einer Betriebsversammlung wurde am Montag bei uns beschlossen, 4 Wochen auf Teilung zu spielen; d. h. Erdmann [Richard Erdmann, Intendant des »Central-Theaters«; H. H.] bekommt genauso viel wie das kleinste Ballettmädchen. Wir rechnen mit höchstens 30 M im Monat. Wie soll das werden.« [67] Wie viele andere Privattheater auch, mußte das »Central-Theater« seinen Spielbetrieb einstellen. Das Geld, das die Menschen hatten, mußten sie für Nahrung, Kleidung, Wohnung und Hausbrand ausgeben.

An Schauspielern, Tänzern, Dramaturgen und Regisseuren herrschte ein absolutes Überangebot, und nur wenige von ihnen kamen bei den im Aufbau sich befindenden städtischen Theatern unter. Im Herbst 1948 erhielt Kunz noch einmal ein Angebot eines Privattheaters. Er ging nach Herten zur »Union heimatvertriebener Bühnenkünstler«. Aber auch hier die gleiche Situation. Am 17. Januar 1949 schrieb er an Heinrich Böll: »Bei uns ist wieder eine Krise, die uns die letzten Nerven raubt. Die Theatersituation ist schrecklich. Engagement woanders ist kaum möglich. Agenten sind überlaufen und viele bieten sich an, umsonst zu spielen. Wir spielen Tag für Tag. Es hängt mir zum Halse heraus.« [111] Acht Wochen später stellte auch dieses Theater seinen Spielbetrieb ein.

Die Programme der Privattheater bestanden aus Schwänken, Lustspielen und vor allem Operetten – ausgerichtet auf den Geschmack des Publikums, das sich ablenken und vergnügen wollte. Mit anspruchsvollem Theater war kein Geld zu verdienen. Wenn überhaupt, verdienten die Theater mit »Unsinn« Geld. [34] Die »Operette« bringt das Geld. [46]

In »Der Zigeunerbaron« spielte Kunz den Conte Canero, in »Marietta« die Rolle des Antonio, in »Maske in Blau« den Gaucho Josè. Man sah ihn in den Schwänken »Die Logenbrüder«, »Der Meisterboxer« und »Der kühne Schwimmer«. Im Repertoire von fast vier Jahren finden sich nur zwei Stücke, die nach Inhalt und Intention den Vorstellungen des Schauspielers Ernst-Adolf Kunz entsprachen: In »Der Biberpelz« von Gerhart Hauptmann spielte er den Amtsvorsteher von Wehrhahn und in Carl Zuckmayers Schauspiel »Katharina Knie« den Landwirt Martin Rothacker.

Ab November 1949 verkaufte er als Propagandist Kugelschreiber – das Stück für 2.50 Mark, was zu jener Zeit ein repräsentatives Geschenk war. Er baute seinen Stand vor Kaufhäusern in Mühlheim a. d. Ruhr, in Essen, in Siegen und in Gelsenkirchen-Buer auf. Vom Weihnachtsgeschäft versprach er sich in Köln sehr guten Umsatz. Vom 1. Dezember 1949 bis zum 15. Januar 1950 stand er in der Kölner Innenstadt vor dem Warenhaus »Kaufhof«. [165] Während dieser Zeit wohnte er bei Heinrich Böll in der Schillerstraße 99, im Kölner Vorort Bayenthal. Für die Arbeit als Propagandist kam ihm seine Erfahrung als Schauspieler offensichtlich zugute, denn, wie sich Gunhild Kunz erinnert, war er sehr erfolgreich: »Er hat glänzend diese Kugelschreiber verkauft, natürlich auf Provisionsbasis, hat dadurch sehr gut verdient und konnte zum Teil die Schulden zurückzahlen, die er gemacht hatte.«

Während seiner Zeit als Propagandist entwickelte er die Idee zu »Werbi«. Mit einer Werbeagentur wollte sich Ernst-Adolf Kunz selbständig machen. Im Entwurf eines Werbetextes versicherte er: »Ausgebildete Sprecher« und »Schauspieler« böten »die Ge-

währ einer individuellen und geschmackvollen Reklame«. Er bat
»Lautsprecherpropaganda« an und verwies besonders auf
»Modeschauen«, bei denen »erfahrene Conférenciers für einen
originellen und geschmackvollen Ablauf« sorgen und »gutausse-
hende Schauspielerinnen« als »Mannequins« auftreten sollten.
Selbstverständlich bot er auch »schriftliche Werbung« an: »amü-
sante, durchschlagende Prosatexte oder Reime für ihre Schau-
fenster-, Zeitungs- und Kinoreklame.« Das Unternehmen star-
tete erst gar nicht richtig. Nur ganz wenige Anfragen gingen bei
Kunz ein.

Daraufhin verkaufte er Schreibmaschinen und Couchgarnitu-
ren und beteiligte sich an einem Textilgeschäft, wo ihn jedoch
seine jeweiligen Geschäftspartner übers Ohr hauten. Auch sein
Engagement bei der Bausparkasse Wüstenrot in Bottrop war
nur von kurzer Dauer. Gunhild Kunz erinnert sich: »Es gibt
keine Wohnungen, es gibt keine Häuser, die Häuser liegen in
Trümmern, also haben die Leute nichts weiter im Kopf – und sie
hatten auch nichts weiter im Kopf –, als sich irgendwie eine
Wohnung oder ein Haus zu schaffen. Also muß eine Bausparkasse wie Wüstenrot natürlich ein glänzendes Geschäft sein. Puste-
kuchen! Es wäre eines gewesen, wenn die Leute ein bißchen
mehr Geld gehabt hätten. Aber sie hatten es einfach nicht. Das,
was sie verdienten, brauchten sie zum Leben, und es war zu wenig übrig, um Bausparverträge abschließen zu können.«

In vielen Berufen zu scheitern ist tragisch, und Ernst-Adolf
Kunz mußte sich wiederholt bei seiner Familie Geld leihen. Bei
den Banken war er außerdem wegen des Konkurses des Textil-
geschäfts verschuldet. Dieses ständige Scheitern im Berufsleben
führte bei ihm aber nicht, wie etwa zeitweise bei Heinrich Böll,
zu einer tiefen psychischen Krise. Oft hatte es den Anschein des
genauen Gegenteils. Das Scheitern in einem Beruf weckte die
Neugier auf den nächsten Job – auf die Erfahrungen, die dort zu
machen waren. Kunz war überzeugt und fest entschlossen, sich
irgendwie durchzuschlagen. Sicherlich dadurch erleichtert, daß
er nicht wie Heinrich Böll eine Familie zu ernähren hatte.

Sein Lebensmut sank durch seine ständigen Niederlagen nicht,
und schon gar nicht wollte er auf Nikotin und andere Genuß-

mittel verzichten: »Ich sage mir, ehe ich mir einen Tag verbiestere ohne Tabak, kauf ich ihn für jeden Preis.« [4]
Et hät noch immer jotjegangen.

In der Geschichte »Wir sind weder Hochstapler noch Spione« gibt Ernst-Adolf Kunz einen Einblick in seine und seiner Frau Lebensphilosophie: »So peinlich es unseren Gläubigern gegenüber ist, wir können es nicht ändern. Wanda und ich sind einfach nicht in der Lage, mit schuldbewußter Miene vor diese ehrenwerten Leute zu treten und ihnen, wenn schon nicht ihr Geld, so doch wenigstens das erhabene Gefühl ihrer Macht über uns zu schenken. Natürlich sind wir uns unserer Schuld bewußt, doch bringen wir es nicht fertig, deshalb Zerknirschung zu heucheln. Dieser Mangel an komödiantischer Begabung ist peinlich. Wenn einer dieser Gläubiger meine Frau mit berechnender Freundlichkeit fragt, wie es uns gehe, kann diese nicht anders als mit strahlenden Augen zu antworten: ›Großartig, Herr Dresen, wirklich gut!‹ Und man spürt sofort, daß sie nicht wie der Milchmann Dresen unsere finanzielle Lage meint, sondern unsere Gesundheit oder unser harmonisches Leben.«*

III

Nicht nur die Isolation in Köln machte es schwer, im Literaturbetrieb Fuß zu fassen. Es hatte auch mit den Themen und Motiven zu tun, die Heinrich Böll wichtig waren. Krieg, mit all seinen Begleiterscheinungen: Tod, Blut, Dreck, Elend, Krankheit, Hunger, verwundete und verstümmelte Körper, Prostitution. Die Erinnerung an die jüngste Vergangenheit als Warnung vor einer Zukunft, in der sich so etwas wiederholen könnte.
Anfang 1949 bestätigte Paul Schaaf, Lektor im Verlag Friedrich Middelhauve, die Annahme von »Der Zug war pünktlich«. Danach schrieb er am 2. März 1949 in einem ausführlichen Brief an Heinrich Böll, daß er einen literarischen Erfolg für möglich halte, einen Verkaufserfolg aber ausschließe:

* »Welt der Arbeit« / »Freie weite Welt« v. 3. 7. 1953

»Wir haben nämlich augenblicklich eine äußerst entschiedene Abneigung des Publikums gegen alle Bücher, die etwas mit Krieg zu tun haben. Ja, es ist völlig klar, daß heute eine geradezu schauerliche Welle von ›Harmlosigkeit‹ und Gartenlaube-Format durch die Leser und auch durch die Literatur geht. Es ist ein krampfhaftes Augen-Zumachen. Ich bin mir auch bewußt, daß wir mit Ihren Büchern durchaus nicht dem ›Publikums-Geschmack‹ entsprechen [. . .].«

Darüber dürfen auch die Anfangserfolge nicht hinwegtäuschen, die Heinrich Böll mit dem Abdruck von Erzählungen und Kurzgeschichten erzielt hatte, und in denen der Krieg, »mein eigentliches Gebiet«, thematisiert wurde. [95] Er war sich der Situation durchaus bewußt, wenn er an Ernst-Adolf Kunz schrieb: ». . . keine Sau will etwas vom Krieg lesen oder hören.« [95] »Ich weiss zwar, dass das Thema Krieg nicht gesucht und nicht beliebt ist, aber ich kann nichts daran ändern, und leider bin ich wirklich nicht – so glaube ich – dazu ausersehen, mich der allgemeinen Pralinenproduktion einzugliedern.« [109]

Allerdings: ». . . bekomme ich gute Feuilleton-Angebote, kann aber nichts auf die Beine bringen, da ich mich auf 2-3 Schreibmaschinenseiten beschränken muss und ausserdem nur optimistischen Kram ›liefern‹ soll. Das wird gut bezahlt und ›geht‹ ab wie frische Brötchen. Aber ich kann einfach nicht.« [88]

Am 14. Dezember 1948 schrieb Böll einen zornigen Brief an Konrad Legat, Literaturredakteur des »Rheinischen Merkur«. Er beklagte sich, daß mehrere Einsendungen von ihm, immerhin seit dem 12. November 1947, ohne Antwort geblieben waren, und er vermutete: »Die Arbeiten passen wohl nicht mehr – jedenfalls nicht die Kriegsgeschichten – in den Rahmen ihrer Zeitung«. Es ging dabei u. a. um die Erzählungen »Zwei Stunden in der Nacht«, »Die Essenholer« und »Steh auf, steh doch auf«. Auch dieser Brief blieb unbeantwortet. Immerhin ist im »Rheinischen Merkur« die erste und dritte Veröffentlichung Heinrich Bölls erschienen: im Mai 1947 »Aus der ›Vorzeit‹« [s. o.] und im September 1947 »Der Angriff«. Zwei Geschichten, in denen der Krieg Thema ist.

Am 28. Dezember 1948 wandte sich Heinrich Böll abermals an

den »Rheinischen Merkur«. Er schrieb an Otto B. Roegele, den Redakteur für Kulturpolitik der christlich-katholischen Zeitung. Wieder ging es ihm um den »Rahmen« dieser Zeitung, die sich seit Monaten im Fahrwasser des Kalten Krieges befand. Heinrich Böll zettelte eine Diskussion an: »Ich wäre Ihnen sehr dankbar, die wesentlichen meiner Fragen öffentlich [zu] beantworten. Für unsere ganze Generation, die beanspruchen darf, alle Wirklichkeiten des modernen Krieges kennengelernt zu haben, wäre es gewiß erleichternd und klärend zu wissen, was Sie als Vertreter einer so sehr für die christlich-bürgerliche Welt maßgebenden Zeitung [...] zu sagen hätten.« Was Böll öffentlich geklärt und diskutiert haben wollte, war die Frage, ob ein sich auf seinen christlichen Glauben berufender Journalist drei Jahre nach dem Zweiten Weltkrieg allen Ernstes wieder Überlegungen zur »Remilitarisierung« des deutschen Volkes anstellen durfte. »Halten Sie es für eine reale politische Möglichkeit in Deutschland eine Remilitarisierung durchzuführen, die NICHT eine Wiederkehr des Militarismus bedeuten würde? Halten Sie den demokratischen deutschen Offizier – eine bisher durchaus irreale Erscheinung – für eine realisierbare Möglichkeit?« Zum Schluß wollte er wissen: »Was ist ein Verteidigungskrieg? Kann man nicht auch Verteidigungskriege provozieren? Hatten nicht 1939 England und Frankreich uns den Krieg erklärt, und befanden wir uns nicht auf der ganzen Linie in Verteidigung?« Heinrich Böll fragte das vor dem Hintergrund folgender Ansichten, die Otto B. Roegele am 18. Dezember 1948 auf der Titelseite seiner Zeitung verbreitet hatte: »Es besteht ein Unterschied zwischen dem Soldaten als Bürger in Waffen, der sich bereit hält, um in der Stunde der Bedrängnis sein Haus, sein Land und die ihm anvertrauten Werte zu verteidigen – und dem ›Militarismus‹ [Hervorhebung Roegele], für den sinnloser Drill, Kaserne und Töten Lebenszwecke sind.« Soldaten, wie er sie sich vorstellte, seien einzig dazu da und ausgerüstet, ihr Vaterland zu verteidigen. Denn mittlerweile, orakelte Roegele weiter, verlaufe die »Grenze zwischen Europa und Asien hundert Kilometer östlich von Frankfurt«, und die Politik der Sowjetunion seit 1945 stelle »einen einzigen Vormarsch nach dem Westen dar«. Vor dieser

»Realität« könne der Christ seine Augen nicht verschließen:
»Junge Menschen, die als Frontkämpfer alle Greuel des Krieges
erlebten, haben unter Berufung auf ihr Christentum entrüstet
den Gedanken zurückgewiesen, jemals wieder Waffen zu tragen. Ist diese Entrüstung, deren seelische Hintergründe wir verstehen, wirklich christlich?« Und dann kam er zum Höhepunkt
seiner Aufrüstungskampagne:
»Wer da glaubt, er könne das Dilemma zwischen Notwehr und
befohlenem Mord dahin lösen, daß er für seine Person auf alle
Verteidigung verzichtet und sich so aus jeder sozialen Bindung
und Verantwortung ausklammert, der irrt sich gründlich, am
gründlichsten, wenn er Christ ist. Die Bereitschaft zu Selbstauf-
gabe ist keine christliche Antwort auf die Bedrohung der Gemeinschaft.«
Politischer Hintergrund dieser christ-katholischen Kriegsfüh-
rung war der »Zweite Internationale Kongreß der Europäischen
Union der Förderalisten« im November 1948, bei dem der mili-
tärische Schutz Deutschlands im Rahmen einer europäischen
Verteidigung unter Einbeziehung der Deutschen diskutiert wurde. Konfessioneller Hintergrund dafür war die Schrift »Institu-
tiones iuris publici ecclesiastici« von Alfredo Ottaviani, Mitglied
des Heiligen Offiziums, nach der es nicht erlaubt ist, »einen
Krieg zu erklären«, in der aber der »Widerstand gegenüber
einem gewaltsamen Angriff auch heute noch als erlaubt angesehen werden muß«.
Die »Bedrohung der Gemeinschaft«, die Otto B. Roegele sah,
war natürlich, ganz in christlicher Tradition, der Untergang des
Abendlandes, herbeigeführt durch die Sowjetunion mit ihrer
»triebmäßig-technizistischen Lebensform«. Auf diese ideolo-
gischen Verrenkungen zielte Heinrich Böll, als er schrieb: »[. . .]
daß es sich bei einem möglichen Krieg zwischen Ost und West
selbstverständlich für den Westen um die Verteidigung des
Abendlandes handeln würde«. Und er folgerte und forderte seinen Briefpartner heraus: »Warum ziehen Sie nicht die eine und
einzige Konsequenz festzustellen, daß also die ehemalige deutsche Wehrmacht drei und ein halb Jahre lang das Abendland in
Rußland verteidigt hat.«

Der Disput zwischen Heinrich Böll und Otto B. Roegele, der
für die politische und weltanschauliche Position Bölls in dieser
frühen Phase seines literarischen Schaffens nicht unwesentlich
war, wurde nicht öffentlich ausgetragen. Otto B. Roegele wei-
gerte sich und brach die Korrespondenz mit Böll ab. Fast vier
Jahre später, am 6. Juni 1952, erschien wieder eine Erzählung
Bölls im »Rheinischen Merkur«: »Reine Nervensache«. Das war
der Erstdruck von »Husten im Konzert«, eine Geschichte ganz
nach dem Motto: leicht, literarisch und humorvoll.
Der Briefwechsel mit Otto B. Roegele legt offen, was in den Absagen, die Heinrich Böll auch von anderen Zeitungen auf eingereichte Erzählungen erhielt, nie thematisiert wurde: Wie will
man die deutsche Bevölkerung auf den Kalten Krieg einstim-
men, wenn die Schriftsteller des Landes durch die Darstellung
des Krieges die Wehrbereitschaft der Menschen unterwandern
und Zweifel an den gängigen Feindbildern produzieren?
Drei Tage vor dem Brief an Konrad Legat erhielt Böll Post von
der »Süddeutschen Allgemeinen Zeitung« aus Pforzheim. Die
Literaturredakteurin Hildegard Piritz schickte am 11. Dezember
1948 die Erzählung »Siebzehn und vier« zurück: »…leider war es
nicht möglich, Ihren Beitrag, der für den Totensonntag vorgesehen war, zu bringen. Es liegt am Stoff, wie Sie wissen.« Der Stoff,
der Stil, die Sicht auf die Dinge: »Es war nicht viel von ihm zu erkennen, sein Oberkörper war zerfetzt, und Blut und Knochen-
splitter hatten das Gesicht überschwemmt, nur seine Schultern
waren unverletzt, und unter der linken Unteroffiziersklappe
steckte noch die Karte; ich zog sie heraus: Es war der König…«*
Kurz und bündig die »Hannoversche Presse« am 6. Oktober
1948: »Wir werden überschwemmt mit Kriegs- und Heimkeh-
rerthemen. Könnten Sie sich aus diesem Rahmen wohl einmal
lösen?«
Moritz Hauptmann, Redakteur der Zeitschrift »Das Karussell«,
schickte am 10. September 1948 die Erzählung »Trunk in Petöcki«
zurück: »[. . .] ist Kriegsmilieu, und von Soldaten wollen die

---

* »Siebzehn und vier«, WA, Bd. 1, S. 75. Die Erzählung erschien erst 1983 im
Sammelband »Die Verwundung«.

Leute im Augenblick nichts hören. Ebensowenig von Trümmern und Hunger.« Die Erzählung gelangte über Umwege an die »Nordseezeitung«, wo sie am 7. Mai 1949 erschien. [vgl. 135]

Auch für die bereits eingereichte Erzählung »Jak, der Schlepper« sah Moritz Hauptmann wenig Chancen. In einem Brief vom 30. April 1948 heißt es: »Die Geschichte […] ist eindringlich und gut. Ich werde sie gern im Karussell bringen, wenn ich auch eigentlich finde, dass wir im Augenblick die schon sehr gequälten Menschen mit einer solchen Nervensäge nicht noch mehr quälen sollten. Wir müssen einmal wieder etwas Licht und Trost spenden.«

»Licht und Trost« sollten es sein, »Trümmer und Hunger« waren auszusparen: »optimistischen Kram« [s. o.] eben. »Eine optimistische Geschichte« heißt eine Erzählung, die Heinrich Böll zwischen dem 7. April und dem 25. Mai 1949 schrieb und in der er die für ihn widerwärtige Situation literarisch verarbeitete: »Zahlreiche Bitten, einmal eine wirklich optimistische Geschichte zu schreiben, brachten mich auf den Gedanken, das Schicksal meines Freundes Franz zu erzählen […].«* Wie schon in der Erzählung »Die unsterbliche Theodora« [s. o.] oder in »Die Suche nach dem Leser« von 1952** thematisiert Böll in zahlreichen Texten die Situation, in der er sich als freier Schriftsteller befand. Für ihn war es zu diesem Zeitpunkt die einzige Möglichkeit, sich mit einem Betrieb auseinanderzusetzen, dem er als unbekannter Autor wehrlos ausgeliefert war.

Noch bis ins Jahr 1952 ereilten Heinrich Böll immer wieder Ermahnungen, Krieg und Trümmer zu vergessen, die Leute nicht fortwährend auf diese Realität zu stoßen.

Alfred Andersch, Redakteur beim Hessischen Rundfunk in Frankfurt und dort Leiter des »Abenstudio«, schickte am 22. Juni 1949 mehrere Erzählungen zurück. »Eine Verwendung im Radio […] ist bei keiner der Arbeiten möglich, da die technisch geeigneten, also die richtige Länge aufweisenden Erzählungen sich mit Themen befassen, die, augenblicklich gebracht, zu einer

---

* WA, Bd. 1, S. 185
** WA, Bd. 2, S. 539 ff.

Hörer-Revolte führen würden. Die derzeitige Publikumsmentalität muß vom Funk berücksichtigt werden, so schlecht sie auch ist.« Der Verweis auf den Hörer, auf die »Publikumsmentalität« – was immer das sein mag –, ist ganz und gar öffentlich-rechtlicher Jargon. Als ob nicht der Geschmack des Publikums gebildet und das Interesse an Themen geweckt würde, auch und gerade durch den öffentlich-rechtlichen Rundfunk. Da versteckten sich Redakteure hinter einer anonymen Masse, um sich selbst nicht zu weit vorzuwagen.

Die Erzählungen, die Andersch zurückschickte, waren u. a. »Aufenthalt in X« und »Rendez-Vous«. Letztlich kann man die Haltung Alfred Anderschs als eine Zumutung für die Hörer betrachten. Er traute ihnen nichts zu, erklärte sie von vornherein für unmündig, sich mit kritischer Literatur, und als Reflex darauf, mit ihrer Situation im Jahr 1949 auseinanderzusetzen.

Der Feuilleton-Dienst des Verlags Kurt Desch forderte am 28. Oktober 1949 »leichtere« und »unverbindlichere Kost« von Heinrich Böll, und Otto August Ehlers, dem Redakteur des »Sonntagsblatts«, war daran gelegen, »ein möglichst positives Feuilleton zu machen«. Am 22. Februar 1950 reichte er u. a. die Erzählungen »Wiedersehen in der Allee«, »Mein trauriges Gesicht«, »Aufenthalt in X« und »Lohengrins Tod« zurück. Bis auf »Wiedersehen in der Allee«, die im Juli 1948 in der »Literarische[n] Revue« erschien, erschienen alle anderen Erzählungen erst im Sammelband »Wanderer, kommst du nach Spa . . .«. Bemerkenswert an der Absage Otto August Ehlers war, daß hier zum erstenmal nicht nur Erzählungen, in denen der Krieg beschrieben wurde, abgelehnt wurden, sondern mit »Lohengrins Tod« eine Erzählung, in der Trauer – es geht um den Tod eines Kindes – das Thema ist. Man sieht, wo das deutsche Feuilleton hinsteuert: weder Krieg noch Hunger, weder Trümmer noch Trauer. Keine Arbeitslosigkeit, [»So ein Rummel« zum Beispiel, s. u.] sondern den Blick starr nach vorne gerichtet, Aufbauwut.

Das Problem Bölls, der stetige Kampf mit seinem Anspruch als Schriftsteller und den Forderungen der Kultur- bzw. Literaturredaktionen, brachte Michael Lentz, Redakteur der »Westdeutschen Allgemeinen Zeitung«, in einem Brief vom 8. Januar 1952 auf den Punkt: »Nun habe ich noch ›Über die Brücke‹ und ›So ein Rummel‹. Ich finde beide Geschichten großartig, aber, verstehen Sie mich richtig, sie sind nicht mehr so aktuell, als daß man sie unseren Lesern, die ja die Nachkriegsereignisse überwunden haben und auch nicht gern daran erinnert werden möchten, anbieten könnte. [...] Diese Absage ist zugleich eine Aufforderung: Schicken Sie mir neue Kurzgeschichten, aktuelle, zeitbezogene, solche, in denen das Nachkriegserlebnis nicht im Vordergrund steht. Wenn's geht, nicht allzu lang, wenn's geht, so humorvoll wie ›Die schwarzen Schafe‹, aber eben nicht so lang.«

Michael Lentz drehte und wand sich. Daß die Erzählung »So ein Rummel«, in der als zentrale Figur ein Arbeitsloser auftritt, im Januar 1952 nicht mehr »aktuell« sein sollte, zeugt von erstaunlicher Verdrängung gegenüber den tatsächlichen Verhältnissen in Deutschland. Im Winter 1951/52 betrug die Arbeitslosenquote offiziell 11,4 %, die Dunkelziffer und die sogenannte versteckte Arbeitslosigkeit nicht eingerechnet.

Humorvoll sollte es zugehen im deutschen Feuilleton. Krieg und Nachkriegszeit wollte man als zwei voneinander getrennte Epochen behandelt wissen. »Das heutige Publikum wolle sich unterhalten, aber nicht erschüttern lassen«, notierte Franz Josef Pootmann 1949, nachdem er mit verschiedenen Feuilletonredakteuren über deren Arbeit gesprochen hatte, »es wolle von Themen aufgeregt, aber nicht von inneren Konflikten beunruhigt werden. Zeit- und Geistesproblematik seien verpönt«. Die Redakteure machten sich das zu eigen und griffen auf »bewährte alte Autoren« wie Ina Seidel, Ganghofer, John Knittel, Rudolf Herzog oder Hedwig Courths-Mahler zurück.*

»Humorvoll«, aber nicht »zu lang«, sollte es zugehen im deutschen Feuilleton. Heinrich Böll kam diesem Anspruch nach. Was sollte er auch anders machen? Eine Familie mit drei Kindern wollte versorgt sein. »Humorvoll«, aber nicht »zu lang« – wenn dabei die Portofrage [s. o.] gelöst werden kann, ist der

---

*   F. J. Pootmann, »Das Elend der Literatur in Westdeutschland«, in: »Aufbau«, 5. Jg., H. 11, 1949, S. 977 f.

finanzielle Erfolg greifbar. In den folgenden zwei Jahren gab es wahre Bestseller unter den Kurzgeschichten Heinrich Bölls. »Mein Onkel Fred« und »Die Suche nach dem Leser«. »Husten im Konzert« wurde nach dem Erstdruck im »Rheinischen Merkur« [s. o.] im Juni 1952 in den nächsten zwei Jahren noch mindestens 17mal nachgedruckt; »Jünger Merkurs« nach der Erstausstrahlung im »Nordwestdeutschen Rundfunk«, Köln, (6. November 1952) im darauffolgenden Jahr 17mal; »Die unsterbliche Theodora« nach dem Erstdruck in »Die Neue Zeitung« am 18. März 1953 und der Erstsendung im »Rias Berlin« am 30. Januar 1953 in eineinhalb Jahren mindestens 17mal. »Bekenntnis eines Hundefängers« nach dem Erstdruck in der »Frankfurter Allgemeine Zeitung« vom 17. April 1953 bis zum Jahresende mindestens 10mal.

Diese und andere Beispiele [s. u.] zeigen, daß Heinrich Böll die Wege und Schleichwege des Literaturbetriebs beherrschte, durch die Vorveröffentlichung seiner Kurzgeschichten im Rundfunk doppelt verdiente. Die humorvollen Geschichten wurden ihm aus der Hand gerissen, aber eines seiner »Lieblingskinder« (so in einem Brief vom 19. 11. 1948 an Wolfgang Pfundtner vom Feuilletondienst des Verlags Kurt Desch), die Erzählung »Aufenthalt in X«, konnte Böll im Feuilleton nicht unterbringen. Er bekam Absagen über Absagen – etwa von der renommierten Zeitschrift »story« des Rowohlt Verlags (»da wir Erzählungen aus der Kriegsatmosphäre und Kriegserlebnisse nur sehr ungern bringen«) –, und sie erschien erst 1950 im Sammelband »Wanderer, kommst du nach Spa . . .« Aus dem »Verscheuern« der Erzählung vor der Aufnahme in den Sammelband, wie Heinrich Böll noch gegenüber Kunz frohlockt hatte, war nichts geworden. [121] Alle Absagen wurden mit dem Thema begründet: Krieg und – in dieser Erzählung besonders – seinen Begleiterscheinungen. Die Geschichte spielt in Ungarn. Es ist ist mehr als nur eine Liebesgeschichte zwischen einem deutschen Landser und einem ungarischen Mädchen. Zu Beginn der Erzählung gibt es einen Dialog zwischen zwei deutschen Soldaten. Der eine sagt zu dem anderen: »Die Sache ist die [. . .], Kumpel, ich hab' den Kram satt, verstehst du? So satt, wie ich gar nicht sagen kann, verstehst du, ich geh' stiften. Ja, ich geh' stiften, in die Pußta hinein. Ich kann mit Pferden umgehen, zur Not eine manierliche Suppe kochen, sie können mich alle am Arsch lekken. Machst du mit?«* Stiften gehen, das ist unmißverständlich, das bedeutet: Desertion. Es bedeutet die uneingeschränkte Verweigerung gegenüber Kriegs- und Wehrdienst, und das mitten im Kalten Krieg. Der Korea-Krieg, der im Juni 1950 ausbrach, war absehbar, und seit längerem wurde offen darüber nachgedacht, ob die Bundesrepublik wiederbewaffnet werden sollte. Wie die katholische Kirche dazu stand, hatte Josef Kardinal Frings, der Vorsitzende der Deutschen Bischofskonferenz, für die katholischen Christen am 23. Juli 1950 eindeutig und endgültig festgelegt: die Unvereinbarkeit christlichen Denkens mit der Wehrdienstverweigerung.

Etwa zur gleichen Zeit wie »Aufenthalt in X« entstand das unveröffentlichte Drama »Wie das Gesetz es befahl«. Zentrales Thema ist die Frage nach der Desertion. Die Geschichte spielt in einem kleinen Ort in Deutschland, am 8. April 1945. Der Einmarsch der amerikanischen Truppen steht unmittelbar bevor. Zwei Landser, die unverhohlen ihre Sympathie für einen hingerichteten Deserteur bekunden, werden denunziert und an ein Exekutionskommando überstellt. Heinrich Böll hatte das Stück für das »Central-Theater« [s. u.] in Recklinghausen geschrieben, die Hauptrolle sollte Ernst-Adolf Kunz spielen. Fahnenflucht ist ebenfalls Thema des 1992 aus dem Nachlaß herausgegebenen Romans »Der Engel schwieg«.

IV

Nicht nur die persönliche Freundschaft zu Heinrich Böll machte Ernst-Adolf Kunz (von Annemarie Böll einmal abgesehen) zu dessen erstem Leser. Es waren die ähnlichen Erfahrungen aus Krieg und gemeinsamer Gefangenschaft und die Sicht auf die Dinge, die sein Urteil für Böll so wertvoll machte. »Ja, Hein, so

---

* WA, Bd. 1, S. 521

war es«, schrieb Kunz am 27. Mai 1948 nach der Lektüre von »Der
Zug war pünktlich«: »Der nagelneue Leutnant, der Unrasierte
(ich kannte genauso einen), die Verblendeten, die den Krieg gewannen (zu einem früheren Zeitpunkt so 43 habe ich sogar auf
sie gehört!), die verdammte sonore Stimme (mir fiel sie ebenso
auf die Nerven), der Blonde (wir hatten so einen in der Garnison), die ›Opernsängerin‹ (in Ungarn kannte ich eine junge
Schauspielerin in der gleichen Situation) und alles, alles ist richtig und echt und furchtbar.«
Kunz teilte Bölls Anliegen, den Krieg zum Thema zu machen,
weil die Vergangenheit in die Gegenwart reichte und über die
unmittelbare Nachkriegszeit hinauswirkte; weil die Zukunft der
zu diesem Zeitpunkt noch nicht gegründeten Bundesrepublik
Deutschland auch von der Vergangenheit geprägt sein würde.
»Welcher Soldat erzählt, oder besser kann diese Eindrücke
erzählen?! Die Worte sind schwer zu finden für solche Schilderungen. Du hast das geschafft. Diese Nächte im Eisenbahn-
wagen, die so deprimierend waren, so beklemmend und
hoffnungslos lang, diese Nächte nochmals erleben in weissüberzogenem Bett und sauber und zu Hause, ist einfach toll.« Für die
Erzählung »Der Zug war pünktlich« wünschte sich Kunz Millionen Leser: ». . . 6 Millionen Auflage mindestens, so dass wenigstens jede Familie den schrecklichen Krieg nochmal lesen kann
und klug wird.« [63] Doch ein finanzieller Erfolg, wie auch Böll
gehofft hatte, wurde sein erstes Buch nicht. Die Erzählung erschien im Dezember 1949, und in einem halben Jahr wurden 145
Exemplare verkauft: ». . . ganze 58 DM plus für mich bei 3500 mi-
nus.« [173] Die 3500 DM Schulden errechnen sich aus den Vorschüssen des Verlages Friedrich Middelhauve bis zum Mai 1950.
Vorschüsse auf »Der Zug war pünktlich«, den Erzählungsband
»Wanderer, kommst du nach Spa . . .« und einen monatlichen
Wechsel.
Was die Aufgabe des Dichters wenige Jahre nach dem Zweiten
Weltkrieg sei, hatte trefflich – und entlarvend zugleich – Rudolf
Alexander Schröder formuliert: »Trost als Amt des Dichters, als
Charakteristikum seines Auftrags, das begreifen wir alle, auch
wenn wir zunächst vielleicht die Frage offen lassen, ob das ein

Auftrag unter andern oder ein genereller, ein allumfassender sei.«* Wer 1947 als Schriftsteller seine eigentliche Aufgabe in der Tröstung des einzelnen sah, wer angesichts der jüngsten deutschen Vergangenheit, angesichts der politischen, sozialen, ökonomischen und kulturellen Situation im Deutschland des Jahres 1947 nicht mehr wollte, der verweigerte sich bewußt den Fragen der Zeit: »Sollte in der Tat das Trostamt [...] ein Amt des Dichters sein, sollte es ferner nicht ein zufälliges, ein gelegentliches, sondern ein generelles, ein allübergreifendes und allumfassendes sein, so müßte es eines sein, dessen Trost auch noch in der härtesten Rüge, auch noch in der Schilderung des Greuelvollsten, des Verwerflichsten, des Häßlichsten und Hassenswürdigsten wirksam wäre.«** Damit formulierte R. A. Schröder die Haltung derjenigen Autoren, die als sogenannte »innere Emigranten« während des 3. Reichs publizieren konnten und nach Ende des Krieges die ersten gewesen waren, die sich im deutschen Feuilleton und in den Deutschen Akademien einrichten konnten: Hans Egon Holthusen, Werner Bergengruen, Frank Thies, Hans Carossa und viele mehr. Sie hielten die Plätze besetzt.

Hinzu kam noch – etwa beim Rowohlt Verlag –, daß die Verleger sich besonders nach amerikanischer Literatur umsahen, um dem Lesepublikum Autoren und Titel zu präsentieren, die ihnen in den Jahren zuvor vorenthalten worden waren: John Steinbeck, James Thurber, Thomas Wolfe, Ernest Hemingway, wenn die Verlage nicht sowieso auf die bewährte Backlist zurückgriffen, statt junge Autoren zu veröffentlichen.

---

*   R. A. Schröder, »Vom Beruf des Dichters in der Zeit«, in: »Merkur«, 1. Jg., 1947/48, H. 6, S. 869
**   ebenda S. 871

V

»Aus Köln in die Welt«* heißt ein Sammelband, der sich mit der
Enstehung und Entwicklung des Senders in Köln – vom »Nordwestdeutschen Rundfunk« zum »Westdeutschen Rundfunk« –
beschäftigt. Das mag auch Heinrich Bölls Vision Ende der 40er
Jahre gewesen sein. Der »Nordwestdeutsche Rundfunk« in
Köln war das einzige nennenswerte Medium in dieser rheinischen Provinz, in dem ein junger Autor Geld verdienen und
durch das er über Köln hinaus bekannt werden konnte. Die einzige Chance, der Isolation in der rheinischen Provinz zu entgehen. Literarische Verlage gab es zu der Zeit in Köln überhaupt
nicht. Einzig der Kontakt zum Rundfunk bot die Möglichkeit,
mit Leuten aus dem Kulturbetrieb in Kontakt zu kommen.
Pater Alois Schuh, der wie Robert Grosche zu Heinrich Bölls
»Rundfunkbeziehungsleuten« [109] gehörte, hatte bei Werner
Höfer, Redakteur der Sendung »Echo des Tages«, vorgesprochen und Erzählungen Heinrich Bölls angekündigt. Am 10. Oktober 1948 schickte Böll Kurzgeschichten an den Redakteur im
Kölner Funkhaus: »Vielleicht halten Sie es nach Lektüre der
Arbeiten für verantwortbar, sich für meine Mitarbeit auf dem literarischen Gebiet des Rundfunks zu verwenden. Ich lege Ihnen
nur veröffentlichte Arbeiten vor, da ich annehme, daß die
Durchsicht von Manuskripten Ihnen zuviel Mühe machen
würde.«
Da hatte Böll – noch in Unkenntnis der Gepflogenheiten der öffentlich-rechtlichen Kultur – die Situation sehr genau einge-
schätzt. Meist hatte nur der Autor eine Chance, der sich bereits
durch Buch- oder Zeitschriftenveröffentlichungen hervorgetan
hatte.
Die Briefsendung an Werner Höfer kommentierte Böll am
11. Oktober 1948 im Brief an Kunz:
»Beim Rundfunk bin ich jetzt wenigstens an den einzig erreichbaren Mann an maßgebender Stelle empfohlen, das heißt, ich
›darf‹ ihm Sachen schicken und kann, falls etwas Gnade findet,

* Köln 1974

weiterhin hoffen, daß sie mich vielleicht eines Tages als Lektor
oder Kritiker gebrauchen können. Jedesmal, wenn ich an dem
Neubau des Kölner Senders vorbeigehe (ehemaliges Hotel Monopol am Dom), frage ich mich, ob ich eines Tages da nicht sitzen könnte.« [95]

Weder Zu- noch Absage erfolgte auf diesen Brief, und schon gar
keine Einladung zu einem persönlichen Gespräch. Am 12. Mai
1949 bat Böll Pater Alois Schuh, den Redakteur im Kölner Funkhaus daran zu erinnern, die eingereichten Kurzgeschichten zurückzuschicken.

Ein halbes Jahr später verwendete sich sein Lektor Paul Schaaf
für ihn beim Kölner Sender. Am 16. April 1949 schrieb Böll an Edmund Ringling, den Leiter der Abteilung Musik und Literatur:
»... wie mir Herr Dr. Paul Schaaf erzählte, darf ich Ihnen einige
meiner Arbeiten vorlegen. Um Ihnen die Lektüre zu erleichtern,
schicke ich solche, die bereits erschienen und besser lesbar sind.
Vielleicht halten Sie es für möglich, diese oder andere die ich Ihnen vorlegen könnte, im Sinne einer Autorensendung zusam-
menzustellen.«

Heinrich Böll war optimistisch. Beim Kölner Sender wollte er
persönlich vorsprechen, »anwesend« sein. Dann die Entrüstung:
»Gestern versuchte ich vergebens, zu Herrn Dr. Ringling vorzu-
dringen«, schrieb er am 13. Mai 1949 an Paul Schaaf. »Selbst der
Trick zu sagen, ich sei bestellt, nützte nichts. Der Pförtner versah
allzu geflissentlich seine Funktion als Sieb, rief an – Herr Dr.
Ringling entsann sich weder meiner noch meiner Manuskripte –
und ließ mir dann sagen, daß die Arbeit an einen Lektor zu-
gesandt worden sei und daß ich zu gegebener Zeit Bescheid
erhielt. Ich bin keineswegs etwa verbittert oder enttäuscht, ungefähr so hatte ich mir meinen Versuch vorgestellt.«

Am 16. September 1949 ein weiterer Brief an Paul Schaaf: »Meine
drei telephonischen Unterredungen mit Herrn Dr. Linfert [Lei-
ter der Abt. »Kulturelles Wort«; H. H.] waren zwar in wohlwol-
lendem freundlichen Ton (meinerseits durchaus von der erforderlichen Devotion), aber leider ergebnislos. Herr Dr. Linfert
glaubt nicht, dass er etwas für mich tun kann. Seine Aufgaben
liegen wohl mehr auf kulturgeschichtlichem Gebiet. [...]

Statt dessen bin ich immerhin zum Vorzimmer von Herrn Dr. Ringling vorgedrungen, habe dort (immer, immer mit der erforderlichen Devotion) wegen meiner Manuskripte nachgefragt und wurde auf die nächsten Tage vertröstet.« »Aus Köln in die Welt«: Der Versuch scheiterte zunächst. Am 15. November 1949 dann die frohe Kunde an Ernst-Adolf Kunz: »Radio Frankfurt hat eine Geschichte von mir angenommen. Näheres weiß ich noch nicht. [...] Immerhin ein Anfang. Außerdem wird Radio Stuttgart vor Weihnachten eine Probelesung aus »Der Zug war pünktlich« bringen, vielleicht auch Köln. Die Brüder geben leider um Manuskripte nichts und sind so primitiv, daß das Gedruckte ihnen wirklich mehr imponiert.« [162] Heinrich Böll bezog sich hier auf eine Aussage seines Lektors Paul Schaaf, der am 22. Oktober 1949 geschrieben hatte, er könne erst wieder etwas beim Rundfunk unternehmen, wenn ein Buch vorliege. Der »Hessische Rundfunk« sendete am 2. Januar 1950 die Erzählung »Über die Brücke«. Zum erstenmal war eine Erzählung von Böll im Rundfunk zu hören.

Vom Kölner Sender kam immer noch nichts. Am 15. Mai 1950 schickt er einen vorerst letzten Brief an den Nordwestdeutschen Rundfunk. Er wollte von Edmund Ringling die am 16. April 1949 eingereichten Erzählungen zurückhaben. »Da einzelne dieser Arbeiten als Belegexemplare für mich einen gewissen Wert darstellen – um so mehr, da die Zeitschriften nicht mehr existieren und weitere Belegexemplare zu besorgen schwierig wäre, abgesehen von dem finanziellen Opfer –, suchte ich mehrmals Ihre Sekretärin auf und bat um die Rückgabe. In Ihrem Vorzimmer wurde mir bedeutet – ich war zum letzten Male dort im November 1949 –, daß die Arbeiten in den nächsten Tagen zurückgesandt würden. Ich kann nicht annehmen, daß es sich um ein bloßes Vertrösten handelt – es wäre zu sinnlos, da mir die Wahrheit über den möglichen Verlust der Belege dienlicher wäre.« Es war alles zunächst vergeblich.

Die Ausstrahlung der Erzählung »Über die Brücke« blieb die einzige im Jahr 1950. Im Winter 1951 gab es ein paar Lesungen aus der »Wanderer, kommst du nach Spa ...«, und am 25. Januar 1951 sendete der »Südwestfunk« einen Auszug aus dem 1. Kapitel

von »Wo warst du, Adam?«: »Der General«. Die Redakteure der
öffentlich-rechtlichen Rundfunkanstalten meldeten sich erst,
als Heinrich Böll auf der Frühjahrstagung der »Gruppe 47« in
Bad Dürkheim (4. bis 7. Mai 1951) für die Erzählung »Die schwarzen Schafe« den Preis zugesprochen bekam. Man wollte nicht
versäumen, den überraschenden Preisträger der »Gruppe 47« im
Programm zu haben: »... man ›bittet‹ mich um Beiträge«. [190]
Auch Lesungen aus dem im Herbst des Jahres erschienenen Roman »Wo warst du, Adam?« waren jetzt möglich. Ab 1952 und
vor allem ab 1953 war Heinrich Böll im deutschen Rundfunk prä-
sent: Erzählungen und Kurzgeschichten, Glossen und Betrachtungen, Hörspiele und zahlreiche Autorenporträts über Léon
Bloy, Kay Cicellis, Robert Morel, Evelyn Waugh, Alfred Andersch, Ernst Kreuder, Paul Schallück u. a. wurden gesendet.
Die Erzählungen und Glossen, die ab 1952 gesendet und teilweise im Auftrag der Rundfunkanstalten geschrieben wurden, waren nach Heinrich Bölls eigener Bewertung eher »Pralinenpro-
duktionen«. [s. o.] Sein eigentliches Thema – auch noch Anfang
der 50er Jahre –, der Krieg »mit allen Nebenerscheinungen« und
Auswirkungen, war kein Thema für den Rundfunk. Abgesehen
von der Lesung aus »Wo warst du, Adam« und vereinzelten
Kurzgeschichten aus »Wanderer, kommst du nach Spa ...«.
Von Krieg und Trümmern, von Dreck und Elend, von der Vergangenheit, die in die Gegenwart reicht, wollte man auch im öffentlich-rechtlichen Rundfunk wenig wissen.
Ein anderes Thema, das ab Mitte der fünfziger Jahre für Heinrich
Böll wichtig wurde, das er vielleicht in jenen Jahren auch als sein
»eigentliches« bezeichnet hätte, die Kritik an der Katholischen
Kirche, wurde beim »Nordwestdeutschen Rundfunk« eher mit
Vorsicht betrachtet. Am 5. November 1952 schickte Werner Honig, Literaturredakteur im Kölner Sender, die Erzählung »Krippenfeier«* zurück: »Ich wünschte, wir könnten sie senden. Ich
glaube aber, sie ist ein wenig zu hart. Unsere Hörer sind doch im
siebenten Nachkriegsjahr (leider oder Gottseidank?) schon
wieder so bürgerlich geworden, daß man ihnen literarische

---

*   Erstdruck in »Frankfurter Hefte« im Januar 1952

Schläge dieser Art nicht gut zumuten kann.« Der Brief von Werner Honig zeigt, wohin die Auseinandersetzungen um und mit Heinrich Böll in den folgenden Jahren gehen sollte. Eckpfeiler waren der Roman »Und sagte kein einziges Wort« von 1953 und als vorläufiger Höhepunkt von Bölls Kritik an der katholischen Kirche der »Brief an einen jungen Katholiken« aus dem Jahr 1958. Der Intendant des Süddeutschen Rundfunks in Stuttgart setzte den Essay kurz vor der Ausstrahlung ab.

VI

Zum Paradoxon der Medien gehört es, daß, wenn ein Thema tabu ist, es gleichzeitig Metathema wird. Die Darstellung von Krieg, Hunger, Trümmer und Elend war im deutschen Feuilleton nicht gefragt. Über die Absichten aber, die die Schriftsteller verfolgten und über ihren Anspruch ließ sich trefflich streiten. In der Zeitschrift »Die Literatur« erschien im Mai 1952* Bölls Aufsatz »Bekenntnis zur Trümmerliteratur«, sieben Jahre nach Kriegsende und mitten im Wiederaufbau. Mit dieser Schrift irritierte Böll viele Leser, die von der Literatur Trost und Vergessen erwarteten. »Unsere Augen sehen täglich viel: sie sehen den Bäcker, der unser Brot backt, sehen das Mädchen in der Fabrik – unsere Augen erinnern sich der Friedhöfe; und unsere Augen sehen Trümmer: die Städte sind zerstört, die Städte sind Friedhöfe, und um sie herum sehen unsere Augen Gebäude entstehen, die uns an Kulissen erinnern, Gebäude, in denen keine Menschen wohnen, sondern Menschen verwaltet werden, verwaltet als Versicherte, als Staatsbürger, Bürger einer Stadt, als solche, die Geld einzahlen oder Geld entleihen – es gibt unzählige Gründe, um derentwillen ein Mensch verwaltet werden kann.«** Die Fragen, die Böll hier aufwarf, drehten sich um die jüngste deutsche Vergangenheit zwischen Erinnern und Vergessen, zwischen Trümmern und Aufbauwut. »Es ist unsere Auf-

* Nr. 5, 15. Mai 1952
** dtv 1, S. 31

gabe daran zu erinnern, daß der Mensch nicht nur existiert, um verwaltet zu werden – und daß die Zerstörungen in unserer Welt nicht nur äußerer Art sind und nicht so geringfügiger Natur, daß man sich anmaßen kann, sie in wenigen Jahren zu heilen.« [ebd.]

Der umtriebige Kölner Buchhändler Gerhard Ludwig, der im Jahre 1949 die erste Bahnhofsbuchhandlung eröffnet hat, veranstaltet seit Dezember 1950 seine inzwischen legendären »Kölner Mittwochgespräche«. Er kannte Bölls Aufsatz aus der Zeitschrift »Die Literatur«, und kurz entschlossen lud er diesen ein, seine Position bei den Mittwochgesprächen zu diskutieren. »Warum Trümmerliteratur?« hieß die Veranstaltung am 23. Juli 1952 im Wartesaal 3. Klasse des Kölner Hauptbahnhofs. Mit Heinrich Böll saß sein Freund und Kollege Paul Schallück auf dem Podium.

Die Literatur von Böll, Schallück und anderen Schriftstellern der jüngeren Generation, hieß es aus dem Publikum, wollten viele nicht lesen, »weil sie selber mit dem eigenen Erleben noch nicht fertig sind«. Als »politisch-pädagogische Erziehungsliteratur« habe die Trümmerliteratur ihre Berechtigung gehabt, jedoch nicht mehr 1952: »Neben der Realität der Trümmer gibt es heute eine andere Realität. Die Realität des grandiosen deutschen und europäischen Wiederaufbaus.« Diesem Thema sollten sich die Schriftsteller widmen. Sie sollten zeigen, was bis 1952 in einem Land geschaffen worden war, das noch vor sieben Jahren in Schutt und Asche darniedergelegen hatte.

Der katholische Pfarrer Carl Klinkhammer aus Düsseldorf, der auch später noch einige Streitereien mit Böll vom Zaun brechen sollte, forderte bei diesem 90. Mittwochgespräch: Auch die »jungen Autoren sollen sich endlich mal aufraffen und ein Buch schreiben, was an den tausend vergangenen Jahren etwas Positives aufzeigt. [. . .] Positiv in dem Sinn, daß wir nicht kollektivschuldig sind.«* Das hatte u. a. Ernst von Salomon in seinem Bericht »Der Fragebogen« demonstriert, von dem in einem Jahr

---

* [vgl. Herbert Hoven u. Martin Stankowski, »Die Kölner Mittwochgespräche 1950-1956«, WDR 3, 9. 10. 1993]

250.000 Exemplare verkauft wurden. Von Bölls erstem Roman, »Wo warst du, Adam«, ebenfalls 1951 erschienen, wurden in einem Jahr nur 3000 Exemplare verkauft.

Das 90. Kölner Mittwochgespräch mit Heinrich Böll und Paul Schallück fand in der deutschen Presse ein nachhaltiges Echo. Selbst der Berichterstatter der katholischen Zeitschrift »Michael« war von den Thesen Bölls und Schallücks überzeugt.* Jürgen Petersen vom »Nordwestdeutschen Rundfunk« in Hamburg wollte von Heinrich Böll den Aufsatz auf Band gesprochen haben, schrieb aber am 21. Oktober 1952 ab, da die Konkurrenz in Köln den Aufsatz schon ausgestrahlt hatte: »Das Auge des Romanschriftstellers«. Ebenfalls unter dem Titel »Das Auge des Schriftstellers« sendete der »Süddeutsche Rundfunk« den Essay am 20. Januar 1953. Im Dezember 1952 erschien »Das Auge des Schriftstellers« in der »Deutschen Studentenzeitung« u. a. mit Beiträgen von Luise Rinser, Ilse Aichinger, Rolf Schroers, Karl Krolow, Alfred Andersch und Wolfgang Weyrauch, der oder wie? sehr deutlich formuliert, worauf es ankommt, im siebenten Jahr nach Kriegsende: »Schriftsteller begeben sich in die Vergangenheit und holen aus der Vergangenheit die Ursachen für die Gegenwart. Sie begeben sich in die Gegenwart und deuten sie aus. Sie stützen sich in die Zukunft und entreißen ihr die Geheimnisse, damit die Gegenwart wisse, worauf sie sich gefaßt machen muß.«** Später wurde »Bekenntnis zur Trümmerliteratur« in vielen Zeitungen nachgedruckt. Heute gilt der Essay als einer der programmatischen Beiträge zur Position der jüngeren deutschen Literatur nach dem Zweiten Weltkrieg.

»Bekenntnis zur Trümmerliteratur« handelt vom »Auge des Schriftstellers«, das »menschlich und unbestechlich« sein sollte, handelt vom »Sehen«, um die »Dinge durchsichtig« zu machen und sie mittels der Sprache zu »durchschauen« und zu beschreiben.*** Einer ähnlichen Metapher bediente sich Jean-Paul Sartre, als er schrieb: »Wir schreiben für unsere Zeitgenossen, und wir

*   vgl. »Im Trümmerfeld der Wirklichkeit«, in: Michael Nr. 31, 3. 8. 1952
**   vgl. »Deutsche Studentenzeitung«, 12. 12. 1952
***   ebenda S. 30

wollen nicht unsere Welt mit den Augen der Zukunft ansehen, es wäre das sicherste Mittel, sie zu töten; sondern mit unseren leiblichen Augen, mit unseren wahren vergänglichen Augen. [...] Wir erinnern indes daran, daß in der ›zeitverpflichteten Literatur‹ die Verpflichtungen in keinem Falle die Literatur vergessen machen darf und daß es unsere Hauptsorge sein soll, der Literatur dadurch zu dienen, daß wir ihr neues Blut zuführen, gleich wie wir der Allgemeinheit dienen wollen, indem wir ihr die Literatur geben, die ihr gemäß ist.«*

VII

In den fünfziger Jahren hatten selbst die regionalen und lokalen Tageszeitungen eine samstägliche Erzählerseite. Nicht das literarische Experiment wurde hier dem Leser angeboten, sondern die unterhaltende Literatur fürs Wochenende. Die Seiten mußten gefüllt werden. Woche für Woche wurden im deutschen Feuilleton Hunderte von Erzählungen, Kurzgeschichten, Glossen, Betrachtungen und Erlebnisberichte gedruckt. Der Markt war unersättlich. 1954 wurden täglich 13,4 Millionen Zeitungen aufgelegt. Die Erzählerseite der Wochenendausgabe machten die Kulturredakteure neben ihrer täglichen Arbeit, neben dem aktuellen Feuilleton. Diese Arbeit schafften die Redakteure nur, wenn sie auf einen Fundus zurückgreifen konnten. Und nicht nur das: Sie mußten sich auf die – zumindest durchschnittliche – Qualität der angebotenen Geschichten verlassen können. Und hier spielten die literarischen Agenturen eine Rolle, von denen es in den fünfziger Jahren in der Bundesrepublik Deutschland ca. 15 bis 20 gegeben hat und die etwa 90% des Bedarfs der Redaktionen deckten. Ausgenommen von dieser Vermittlung waren die wenigen überregionalen Zeitungen wie »Frankfurter Allgemeine Zeitung«, »Süddeutsche Zeitung«, »Die Welt«, »Die Zeit« und »Die Neue Zeitung«, die direkt mit den Autoren ver-

---

*   J.-P. Sartre, »Der Schriftsteller und seine Zeit«, in: »Die Umschau«, Jg. I, H. 1, September 1948, S. 19 u. 21

handelten und Wert auf Erstdrucke legten. Den Redakteuren der anderen Tageszeitungen war völlig klar, daß ihnen durch die Agenturen keine Erstdrucke angeboten wurden – was bei der niedrigen Honorierung der regionalen und lokalen Zeitungen auch anders nicht zu erwarten war. Hier machte die Umschlagsgeschwindigkeit einer Erzählung den Gewinn für den Schriftsteller aus. Der »Markt«, so Heinrich Vormweg, damals Kulturredakteur des »Bonner Generalanzeigers«, war »völlig unübersichtlich«.[*] Es waren keine Agenturen im angelsächsischen Sinn, die die Kurzgeschichten dem gefräßigen Markt vorwarfen, es waren eher Schreibstuben zur Verwertung von Nebenrechten. Schreibkraft war die Ehefrau. Sie tippte die Geschichten ab, kuvertierte sie ein, brachte sie zur Post, prüfte die Eingänge der Belegexemplare und die Honorarabrechnungen und achtete sorgfältig darauf, daß das Verbreitungsgebiet der Zeitungen sich nicht überschnitt. Einer, der das literarische Gewerbe schon früh durchschaute und die Verteilung seiner literarischen Ware in Zusammenarbeit mit seiner Frau perfekt durchorganisiert hatte, war Ernst Kreuder.[**] Von ihm sagte Karlheinz Deschner: »Er lebt von Zeitungsgeschichten, die in ihrer Mehrzahl ebenso gekonnt und spannend wie literarisch wertlos sind. Doch von seinen Büchern könnte Kreuder, wie viele Autoren von Rang, nicht existieren.«[***]

Im Briefwechsel Bölls mit Kunz wird am 29. August 1952 [vgl. 227] zum erstenmal von einer Agentur zur Verwertung von Erzählungen und Kurzgeschichten gesprochen. Von wem die Idee zu einem solchen Unternehmen stammt, läßt sich nicht mehr sagen. Heinrich Böll hatte als Autor schon verschiedentlich in Kontakt mit Agenturen gestanden: Der Pressedienst des Herriet-Schleber-Verlags, bei dem die Zeitschrift »Das Karussell« erschien, hatte Erzählungen an die »Hessischen Nachrichten« und die »Nordseezeitung« [s. o.] vermittelt; der Feuilleton-Dienst des Verlags Kurt Desch [105] forderte ihn zur Mitarbeit auf und die »Gruppe junger Autoren«, denen er zeitweise angehörte, gründete einen eigenen Pressedienst [179]. Für das Unternehmen Böll/Kunz versprach er, regelmäßig »Manuskripte« zu liefern [233], und im Brief vom 10. Dezember 1952 an den Freund in Köln heißt es: ». . . ab 1. Januar fangen wir an«. [241] Die ersten Typoskripte wurden am 18. Januar 1953 verschickt. Aus steuerlichen Gründen lief die Agentur auf den Namen von Gunhild Haack, die Ernst-Adolf Kunz am 13. Februar 1953 heiratete. Ein Name wurde bald gefunden: »Ruhr-Story« [252]. Verträge zwischen Heinrich Böll und der Agentur »Ruhr-Story« gab es nicht. Die eingehenden Honorare wurden im Verhältnis 50 : 50 abgerechnet. Bei den wenigen Erstdrucken, die über die Agentur vertrieben wurden, bekam Heinrich Böll 65 Prozent, 35 Prozent die Agentur. Die Erzählungen und Kurzgeschichten wurden mit einem Original und vier Durchschlägen abgetippt und verschickt. Erster und bedeutendster Autor der Agentur »Ruhr-Story« war Heinrich Böll. Schon früh war die Agentur sehr erfolgreich [s. o.] Der Erfolg – gerade mit Kurzgeschichten Bölls – setzte sich in den 50er und 60er Jahren fort. Über die Agentur »Ruhr-Story« wurde zum Beispiel »Die unsterbliche Theodora« bis 1959 über 35mal vertrieben; »Husten im Konzert« bis 1959 ebenfalls über 30mal nachgedruckt; »Jünger Merkurs« von Oktober 1953 bis Oktober 1955 mehr als 20mal gedruckt, und die Erzählung »Unberechenbare Gäste« von 1955 bis 1959, also in nur vier Jahren, 32mal. Absoluter Spitzenreiter war »Der Lacher«. Vom Erstdruck im »Sonntagsblatt« (Hamburg) am 30. 1. 1955 bis zum 3. September 1960, als das »Wiesbadener Tagblatt« die Geschichte druckte, lassen sich 39 Abdrucke nachweisen. Dabei wurde die Geschichte im ersten Jahr, 1955, gleich 25mal nachgedruckt.

Das »Zugpferd für die Agentur« [Gunhild Kunz in einem Inteview am 30. 10. 1989] war Heinrich Böll. Durch ihn, oder aufgrund seines Namens, stießen andere Autoren zur Agentur. Früh schon Milo Dor und Reinhard Federmann, Wolfdietrich Schnurre und Paul Schallück. Später Josef Reding und Siegfried Lenz. Umsatzstar bei der »Ruhr-Story« wurde auch Wolfgang Ebert.

Die Agentur lieferte nicht nur prompt die passenden Geschichten für die Weihnachts- und Osterbeilagen, sondern Gunhild und Ernst-Adolf Kunz hatten auch andere Gedenk-, Feier- und Brauchtumstage in ihrem Kalender vorgemerkt. Totensonntag oder Aschermittwoch: »Die Rheinische Post schrieb am Rosenmontag, wir sollten ›Aschermittwoch‹ für ihr Verbreitungsgebiet sperren.« [255]

Die These vom Rundfunk als dem hauptsächlichen oder einzigen Mäzen der deutschen Nachkriegsliteratur läßt sich in Kenntnis des Zeitungsmarktes so nicht mehr halten.

Frühjahr 1953. Ernst-Adolf Kunz war arbeitslos. Er arbeitete bei der Agentur mit und fing an, selbst Geschichten zu schreiben. Die erfolgreiche Distribution war durch die Agentur, die ab Mitte 1953 von Gunhild Kunz allein weitergeführt wurde, gegeben. Literarische Versuche von Kunz gab es schon früher. Ende 1950 schickte er Heinrich Böll einige Proben, unterbrach die Schriftstellerei jedoch wieder, weil er Geld verdienen mußte [s. o.]. Die erste Geschichte von Kunz, »Der Dunkelmann«, erschien im Juli 1953 in der Ärztezeitung »Im Wartezimmer« und wurde von Gunhild Kunz über die Agentur »Ruhr-Story« vertrieben. Da es »peinlich wirkte« eine Geschichte von Ernst-Adolf Kunz unter dem Namen von Gunhild Kunz zu verbreiten, wurde nach einem Pseudonym gesucht. Schon die erste Geschichte erschien unter Philipp Wiebe; Wiebe war der Mädchenname seiner Mutter, mit drittem Vornamen hieß Kunz Philipp, benannt nach seinem Großvater.

Die Geschichten, die er schrieb, entsprachen genau dem Bedürfnis der Tageszeitungen. Sie waren »gekonnt und spannend«, »literarisch wertlos« und politisch unbedenklich. Philipp Wiebe war in den nächsten Jahren sehr erfolgreich mit Zeitungsgeschichten. Seine dritte Geschichte, »Er lebte in Paris«, die am 31. 7. 1953 in der »Welt der Arbeit« erschien und Paris-Impressionen ins Ruhrgebiet verlegt (eine Ruhrgebietsstadt wird ›Klein Paris‹), wurde in einem Jahr viermal gedruckt. Eine sentimentale Geschichte, die nach den Kriterien Heinrich Bölls zur »Pralinenproduktion« zu zählen wäre. Die Geschichte »Nachts in der Mansarde«, die nur vier Wochen später ebenfalls in der »Welt der Arbeit« [7. 8. 1953] erschien, war noch erfolgreicher. Innerhalb eines Jahres wurde sie neunmal nachgedruckt. Es ist die sentimentale Unterhaltung eines Ehepaares nachts in ihrer Mansarde: Es ist heiß, und die Gedanken kreisen um ihr bisheriges Leben, um das Miteinander, das im Laufe der Ehejahre zum Nebeneinander geworden ist.

Schon mit seiner fünften Geschichte, »Die hohe Kunst der Boldarreks«, erzielte Philipp Wiebe einen Achtungserfolg. Für diese Geschichte wurde ihm 1954 der Erzählerpreis des Süddeutschen Rundfunks zugesprochen.

Erzählungen Philipp Wiebes, die dem literarischen und politischen Anspruch von Kunz entsprochen hätten, in denen etwa der Krieg zum Thema gemacht wird, erschienen nur vereinzelt. »Wiedersehen mit Domno«, die Begegnung eines Deutschen mit einem Russen, erschien nur einmal, am 27. 11. 1953 in »Welt der Arbeit«. »Denn dort wie hier«, die parallele Lebensgeschichte eines russischen und eines deutschen Landsers, wurde zweimal gebracht: 1954 im Almanach der Hannoverschen Presse und am 27. 6. 1954 in der »Neuen Ruhr Zeitung«: »Plötzlich überkam ihn ein wundervolles Gefühl der Sicherheit, und er ahnte, was sein junger Gegner empfand: die Sympathie zu einem Menschen, die alle Parolen und Befehle überwindet – das Verstehen um den Wahnsinn des Krieges und um die Anmaßung der Regierungen, den Tod eines Menschen zu fordern, nur, weil er auf der anderen Seite stand.«

Auch die Texte, die sich mit der deutschen Gegenwart beschäftigen und konkret auf gesellschaftliche Zustände zielen, die Kunz empören und die Wiebe in eine Geschichte umsetzt, sind wenig erfolgreich. »Und keiner empörte sich« erzählt das Leben eines jüdischen Ladenbesitzers, der seinen im 3. Reich enteigneten Besitz wieder zugesprochen bekommt. Über dem Eingang seines Geschäfts, das er bald wieder übernehmen wird, hängt eine Tafel: »TOTAL AUSVERKAUF wegen Rückgabe des Geschäfts an den JÜDISCHEN Besitzer!« (Die Geschichte erschien am 23. 1. 1954 in der »Hannoverschen Presse«) [vgl. a. 242] Die Zeitungsgeschichte »Leider kein Zufall«, die die deutsche Wiederbewaffnung zum Thema machte, erschien nur einmal, am 20. 2. 1954 in der »Deutschen Volkszeitung«. Der Protagonist der Geschichte provo-

ziert: »Lesen Sie hin und wieder mal die Titelseiten unserer Zeitungen – nicht die Kinoreklame – nein die Titelseite? Fällt Ihnen
nicht auf, daß da immer häufiger die Rede vom deutschen Soldaten ist – ja, daß es so scheint, als schwänge ein geheimer Stolz
in diesen Nachrichten – eine gewisse Genugtuung! Lesen Sie
doch – lesen Sie alle über den Frieden, der angeblich nur durch
deutsches Militär gesichert werden kann.« Ein Jahr zuvor, am
19. 3. 1953, hatte der Deutsche Bundestag den Vertrag zur Europäischen Verteidigungsgemeinschaft ratifiziert, und vier Wochen nach dieser Zeitungsgeschichte, am 26. 3. 1954, wurde das
1. Wehrverfassungsgesetz verabschiedet.

Im ersten Jahr seiner schriftstellerischen Tätigkeit wurden von
Philipp Wiebe fast 50 Geschichten gedruckt bzw. nachgedruckt.
Auch hier brachte die Umschlagsgeschwindigkeit der Zeitungs-
geschichten dem Autor den finanziellen Erfolg.

Ende 1953 hatte Ernst-Adolf Kunz seinen Job gefunden.

Bis zu seinem Tod am 9. November 1981 arbeitete er als freier
Autor. Als Philipp Wiebe schrieb er Reportagen und Reiseberichte, Zeitungsgeschichten und Theaterkritiken. 1960 erschien
sein erstes Buch: »Vater badete jeden Tag« – Sottisen über seinen
Vater Ernst Kunz. Der Roman »Vor unserer Tür«, 1963, schilderte
das Leben Edgar Kassners während und nach dem Krieg, als
dieser sich eine Existenz aufbaute. Der Roman wurde zum
»Buch des Monats« gewählt und erreichte eine Auflage von
25000 Exemplaren. Danach ist kein Buch mehr von Philipp
Wiebe erschienen.

Für den Rundfunk schrieb er Features und Hörspiele. 1979
strahlte der »Westdeutsche Rundfunk« das Hörspiel »Die Brief-
taube heißt ›Posta güvercini‹« aus, von dem Joachim Hahn sagt,
es sei bis heute »die einzige multikulturelle Liebesgeschichte in
der Geschichte des Ruhrgebietshörspiels«.* Fürs Fernsehen
schrieb Philipp Wiebe mit Erfolg Drehbücher nach literarischen
Vorlagen. Erfolgreichstes Drehbuch war »Suleyken« nach Siegfried Lenz, ebenfalls ein Autor, dessen Kurzgeschichten und Erzählungen über die Agentur »Ruhr-Story« verbreitet wurden.

* Philipp Wiebe zum 70. Geburtstag, ebenda S. 35

Anmerkungen

1

›*Klara*‹: Spitzname eines Mitgefangenen. Name nicht zu ermitteln.

meine neue Adresse: Zeppelinallee 56 in Gelsenkirchen.

La Hulpe: Ort 20 km südöstlich von Brüssel. Das Gefangenenlager in La Hulpe wurde vom englischen Militär bewacht.

Wunsdorf: D. i. Wunstorf, Stadt im Kreis Hannover.

Wiedenbruck: D. i. Wiedenbrück, Stadt im Kreis Gütersloh.

Milsch: Mitgefangener. Name nicht zu ermitteln.

Rietberg: Stadt im Kreis Gütersloh.

Delbrück: Stadt im Kreis Paderborn.

Nita: Anita Kunz, Schwester von E.-A. Kunz.

Geseke: Stadt im Kreis Soest.

Paderborn: E.-A. Kunz mußte sich dort bei der englischen Behörde abmelden.

2

Neßhoven: Dorf der Gemeinde Much, im südwestlichen Teil des Bergischen Landes gelegen.

»Rhein-Sieg«Tabak: H. B.s eigene Bezeichnung für einheimischen Tabak. Im Siegkreis gab es den Tabakproduzenten Adolf Engels, dessen »Engels-Strang-Tabak« in Geschäften gegen Raucherkarten zu bekommen war. Kurz nach dem Krieg durfte die Bevölkerung selber Tabak anpflanzen. Adolf Engels kaufte die Blätter auf und verarbeitete sie. Er war der einzige Tabakproduzent im Siegkreis, dessen Tabak in Geschäften zu kaufen war.

Lager 10: Vgl. H. B., »Brief an meine Söhne oder vier Fahrräder«, dtv 9, S. 206-228. Vgl. H. B. »Als der Krieg zu Ende war«, WA, Bd. 3, S. 31-51.

Ernst Fey: E. F. war mit H. Böll und E.-A. Kunz im Kriegsgefangenenlager.

5 : 1 Bestand: Wahrscheinlich auf das Teilen der Zigaretten bezogen. 1 Zigarette für 5 Personen.

Helmut: Mitgefangener. Name nicht zu ermitteln.

Micha: Mitgefangener. Name nicht zu ermitteln.

Arnsberg: Stadt im Hochsauerlandkreis.

Lager: Vgl. H. B. »Im Käfig«, WA, Bd. 1, S. 8 f.

300 von 5000: Eintrag Notizbuch, 2. September 1945: »Die letzte Prüfung. Köln aufgerufen (Böll nicht dabei)«. Eintrag 9. September 1945: »morgens fällt der Name ›Böll‹.

Weeze: Gemeinde im Kreis Kleve.

allerletzte Stacheldraht: Die Kriegsgefangenen aus dem Regierungsbezirk Köln wurden auf der Bonner Hofgartenwiese versammelt und von dort aus entlassen. Vgl. H. B., »Brief an meine Söhne oder vier Fahrräder«, dtv 9, S. 206-228. Vgl. H. B., »Notstandsnotizen«, dtv 3, S. 289 f.

Bonner Universität, wo ich glücklichere Tage gesehen hatte: H. B. trat nach seinem Abitur als Lehrling in die Buchhandlung Lempertz in Bonn ein. Die Bonner Universität hat er nie besucht. Auf seinem Weg zur Buchhandlung kam er jeden Morgen an der Universität vorbei.

meine Schwester: Gertrud Böll. H. B. traf sie an der Rheinfähre von Bonn nach Königswinter, um von dort weiter nach Siegburg zu fahren.

Siegburg: Stadt im Rhein-Sieg-Kreis.

Krankenhaus: Städtisches Krankenhaus Siegburg.

ungarischer Mantel: Vgl. H. B., »Stichworte«, dtv 3, S. 133-148.

P. o. W.: Prisoner of War.

Büchse: Die Büchse und H. B.s Holzlöffel befinden sich im Archiv der Erben. Vgl. a. H. B., »Stichworte«, dtv 3, S. 133-148.

fuhr mit dem Rad: Vgl. H. B., »Brief an meine Söhne oder vier Fahrräder«, dtv 9, S. 206-228.

mittleren Bauern: Vgl. Schluß dieses Briefes.

schwerer Herzfehler: Die medizinische Abschlußuntersuchung aus der Gefangenschaft vom 8. 9. 1945 führte neben Fieber und einer Granatsplitter-Verletzung am Hinterkopf auch Herzbeschwerden auf, die eine »klinische Begutachtung erforderlich« machten.

eine Buchhandlung zu beginnen: Schriftliche Auskunft von Frau Gunhild Kunz: »Heinrich Böll und Ernst-Adolf Kunz wollten gemeinsam eine Buchhandlung aufmachen, wenn irgend möglich in Köln oder in irgendeiner Kleinstadt. Sie wollten dort im Hinterzimmer sitzen, lesen und rauchen, trinken und diskutieren, während vorne im Laden ein freundliches Mädchen Bücher verkauft.« Der Plan zu dieser möglichen Existenzgründung wurde im Kriegsgefangenenlager in Attichy erörtert.

Geschäft meines Bruders: Alois Böll betrieb in Köln, in der Vondelstraße, eine Schreinerei, die er schon Ende der dreißiger Jahre von seinem Vater Viktor Böll übernommen hatte.

als Geistlicher verkleidet: Alois Böll befand sich zu dem Zeitpunkt, als die Alliierten den Rhein in breiter Front überschritten, in einem Lazarett im rechtsrheinischen Siegkreis. Er überredete einen Kaplan, ihm eine Soutane zu leihen, und als Priester verkleidet marschierte er durch die angreifende Armee hindurch nach Marienfeld im Bergischen Land. Dorthin waren seine Frau Maria und die Kinder Marie-Therese und Johannes Franziskus evakuiert worden. Wenig später kam Alois Böll für kurze Zeit in amerikanische Kriegsgefangenschaft.

3

Seine Erkältung: Christoph Böll hatte keine Erkältungskrankheit, sondern Brechdurchfall.

Essener Volksbühne: Unmittelbar nach dem Krieg wurden viele kleine Privattheater gegründet, die oft nur wenige Monate überlebten. Das Repertoire dieser Privattheater bestand hauptsächlich aus Operetten, Singspielen und Schwänken.

»Logenbrüder«: »Die Logenbrüder«, Schwank von Karl Lauffs, entstanden 1909. Aufführung der »Künstler-Gastspiele Lilly Bonnèt«, Essen. Die Aufführung fand im Bürgerhaus in Mühlheim-Heißen statt, E.-A. Kunz spielte den Architekten Földner.

4

Dein trauriger Brief: Christoph Böll war am 14. 10. 1945 im Städtischen Krankenhaus Siegburg gestorben. In einem Brief vom 23. 3. 1948 an Axel Kaun schrieb H. B., daß Christoph an einer »Nachkriegsepidemie« gestorben sei. Das »Statistische Jahrbuch der Stadt Köln« für 1946 weist aus, daß die häufigste Todesursache bei Jungen unter einem Jahr – abgesehen von Frühgeburten – Durchfall und Darmkatarrh war.

»Logenbrüder«: »Die Logenbrüder«; vgl. Anm. Br. Nr. 3.

Mein Vater: Ernst Kunz war Arzt und bekam zur Ausübung seines Berufes ein bestimmtes Quantum reinen Alkohols zugeteilt.

5

Marienfeld: Dorf bei Much, im südwestlichen Teil des Bergischen Landes gelegen.

ein tolles Haus: In der Schillerstraße 99, im Kölner Stadtteil Bayenthal, renovierten die Familienmitglieder ein nicht ganz zerstörtes Haus. Das Haus war Eigentum der »Bau- und Bodenbank«. Dort wohnten der Vater Viktor Böll, Alois Böll mit seiner Frau Maria sowie den Kindern Maria-Therese, Johannes Franziskus, Gilbert und Clemens. Außerdem H. B.s Schwestern Mechthild und – für kurze Zeit – Gertrud. Heinrich und Annemarie Böll meldeten sich aber erst am 25. 2. 1946 bei der Meldebehörde an.

öden Nest: Neßhoven; vgl. Anm. Br. Nr. 2.

bei meinem Bruder bleiben: H. B. arbeitete laut Arbeitspaß ab dem 28. 10. 1945 56 Stunden in der Woche bei seinem Bruder Alois in der Schreinerei. Aufgrund seiner Kriegsverletzungen war er amtlich nur »beschränkt einsatzfähig«. Die Lebensmittelkarten wurden ihm weiterhin in Much ausgegeben.

alten Vater: Viktor Böll wurde am 26. 3. 1870 in Essen geboren, war also bereits 75 Jahre alt.

Brilon: Stadt im Hochsauerlandkreis.

Tante meiner Frau: Paula Schneider aus Brilon.

Helmut: Vgl. Anm. Br. Nr. 2.

Duisburger Ernst: Ernst Fey.

6

das wunderschöne Buch: Reinhold Schneider, »Weihnacht der Gefangenen«, Freiburg 1945.

neue Rolle: Vgl. Br. Nr. 8.

Velbert: Stadt im Kreis Mettmann b. Düsseldorf.

Ernst: Ernst Fey.

Stratmann: Willi Stratmann, Klassenkamerad von E.-A. Kunz.

Kerkhoff: Klassenkamerad von E.-A. Kunz.

7

Bruder: Alois Böll.

mit Möbeln vollgestopften Raum: Die Räume des Hauses Schillerstraße 99 konnten erst allmählich und nacheinander renoviert werden, so daß die Möbel immer von einem Raum in einen anderen transportiert werden mußten.

Helmut: Vgl. Anm. Br. Nr. 2.

8

Lemgo: Stadt im Kreis Lippe.

Wülfrath: Stadt im Kreis Mettmann b. Düsseldorf.

Mühlheim: Stadt im Ruhrgebiet, an der Ruhr gelegen.

Kettwig: Heute Stadtteil von Essen.

Maler Derkum: Kunstlehrer von E.-A. Kunz auf Burg Nordeck, Landschulheim bei Gießen.

Hüls oder Hülsen: Wahrscheinlich Marl-Hüls, Stadt im Ruhrgebiet.

Schwester von Stratmann: Nicht zu ermitteln.

Er ist immer noch nicht da: Am 2. Juni 1947 ermittelte H. B. Willi Stratmanns Gefangenenadresse. Dieser befand sich noch im Gefangenenlager Nr. 102 in Colmar.

50 g. = 70 M: Zigarettenwährung. 50 g Tabak kosten 70 Mark.

9

für meinen alten Herrn nach Essen: Viktor Böll wurde in Essen geboren. Ein Großteil seiner 8 Geschwister bzw. ihre Familien lebten noch dort.

Ernst Fey besucht: E. F. wohnte zu dieser Zeit in Duisburg.

Universität angemeldet: H. Böll hatte sich an der Universität zu Köln für das Fach »Alte Philologie« eingeschrieben. Wesentlicher Grund war, daß er dadurch Anspruch auf Lebensmittelkarten hatte.

Berge von frischen Broten: Ernst Fey arbeitete in der von Jakob Fey geleiteten Hochfelder Brotfabrik in Duisburg. Das Motiv des Brotes findet sich an zahlreichen Stellen im Werk H. B.'s. Vgl. u. a. »Der Geschmack des Brotes«, WA, Bd. 2, S. 652-654. »Das Brot der frühen Jahre«, WA, Bd. 2, S. 655-746.

10

Operette von Kollo: »Nur Du« von Walter Kollo. Uraufführung 1927 in Berlin. E.-A. K. spielte die Rolle des Ladislaus.

»Neue Theater«: Eines der vielen kleinen Privattheater im Ruhrgebiet. Näheres nicht zu ermitteln.

11

Studium aufgenommen: Vgl. Anm. Br. Nr. 9.

Berufsangelegenheit meines Schwagers: Dr. Edi Imdahl, Bruder von Annemarie Böll. Er arbeitete in der Verwaltung der Karls-Universität in Prag und nahm wohl unter dem Druck der deutschen Besatzer den Namen seiner Großmutter an. Er gehörte seit Dezember 1945 zum Haushalt der Familie Böll.

Artikel über »Pfingsten 1945 – Attichy«: »Ich werde euch einen Tröster geben. Tagebuchblatt aus der Gefangenschaft«. In: Kirchenzeitung für das Erzbistum Köln 1 (1946), H. 6, S. 47.
Am 28. Mai 1945 notierte H. B. in sein Notizbuch: »erschütternder Gottesdienst vor 100en hungernder Gefangener«.
Wortlaut des Artikels: »Heute ist also Pfingsten. Langsam stehe ich auf und schaue auf die Sonnenuhr am gegenüberliegenden Zeltgiebel. Pfingsten 1945 in Attichy, Frankreich, habe ich eben auf die erste Seite in meinem Feldschott, den ich durch alle Stürme und Kontrollen durchgerettet habe, eingetragen. Also, einhalb elf ist es. Dann wird es ja langsam Zeit, daß ich mich zur Pfingstmesse aufmache. Ich nehme eine meiner Decken unter den Arm und schleiche langsam über den Fußballplatz zu der kleinen Tribüne, wo der Gottesdienst stattfinden soll. Nach und nach versammelt sich die Gemeinde. Sie alle sehen eingefallen und mager aus. Da kommt auch schon der Priester, ein Sani, mit zwei Gehilfen, die den provisorischen Altartisch tragen. Schnell wird aus dem Meßkoffer der Altar aufgebaut und der Priester mit Miniaturmeßgewändern bekleidet. Die

Messe beginnt. Die Gemeinde hat sich im Kreis um den Altar niederge-
lassen, denn zum Stehen sind wir alle zu schlapp. Der Priester verliest
nun das Evangelium und spricht anschließend ein paar Worte des Trostes
und der Aufmunterung. Darauf nimmt die Messe ihren Fortgang. Wir
singen und beten und sind wohl alle mit unseren Gedanken bei unseren
Lieben daheim, die jetzt sicher auch die heilige Messe feiern und für uns
beten. – Die Messe ist beendet. Allmählich verläuft sich die Gemeinde. Jeder geht langsam zu seinem Zelt zurück und wir alle warten nun sehn-
süchtig auf die Mittagssuppe, die einzige warme Mahlzeit des Tages.
Auch der größte Topf wird leer und meiner ist nicht sehr groß. Nachdenklich schaue ich hinein und habe so das Gefühl, als ob ich noch gar nicht
richtig angefangen hätte. Ich versuche mit meinen Fingern noch etwas
herauszuwischen, aber es ist nicht der Rede wert. Ich stelle meinen Topf
beiseite, breite meine Decke aus und hoffe, daß es mir gelingen wird, den
Nachmittag zu verschlafen.«

12

niedergerissenen Stadt: Köln gehörte neben Dresden und Hamburg zu den
am meisten zerstörten deutschen Städten des Zweiten Weltkriegs. Die
schwerste Zerstörung geschah am 31. Mai 1942, als britische Kampfflug-
zeuge über 1000 Bomben auf Köln abwerfen. Befehlshaber war Luft-
marschall Arthur Harris, der in Köln bis heute »Bomber Harris« genannt
wird. Vgl. »Köln, 31. Mai 1942: Der 1000-Bomber-Angriff«, Hrsg. vom
NS-Dokumentationszentrum der Stadt Köln, Köln 1992.

habe das Wagnis begonnen und schreibe: H. B. hatte schon Mitte der dreißiger
Jahre angefangen zu schreiben. Ende 1936/Anfang 1937 schrieb er die Erzählung »Die Brennenden«, Mitte 1937 die Erzählung »Die Unscheinbare«, beide Erzählungen im Nachlaß. Vgl. a. Heinrich Vormweg, »Böll vor 1945«, in:
Bernd Balzer (Hrsg.), Heinrich Böll 1917-1985, Bern 1992, S. 13-23.

Eine Aufstellung H. B.s vom 15. 11. 1946 weist 27 Erzählungen und Kurzgeschichten aus, die er zwischen Mai und November 1946 verfaßt hat. Im
Mai 1946 entstand die umfangreiche Erzählung »Der General stand auf
einem Hügel«, die 1991 posthum veröffentlicht wurde; vgl. »Neue Rundschau« 102, 1991, H. 2, S. 9-31.

13

glückliche Geburt: Raimund Böll wurde am 19. 2. 1947 geboren.

14

»Verkauften Großvater«: »Der verkaufte Großvater« von Anton Hamik. Plan des »Central-Theater« Recklinghausen. Das Stück ist nie aufgeführt worden.

Biberpelz: »Der Biberpelz« (Uraufführung 1893 im »Deutschen Theater«, Berlin) von Gerhart Hauptmann. Eine Aufführung des »Central-Theater« Recklinghausen, dessen eigentliche Eröffnung aber erst für den September 1947 vorgesehen war; vgl. Br. Nr. 23. E.-A. K. spielte den Amtsvorsteher von Wehrhahn.

Erdmann: Richard Erdmann leitete nach dem Krieg die »Volksbühne« in Essen. Von 1947 bis 1949 Intendant des »Central-Theater« Recklinghausen. Anschließend Schauspieler an den Städtischen Bühnen Gelsenkirchen.

15

meine Geschwister im gleichen Haus: Mechthild und Alois Böll.

Freundin meiner Frau: Irmgard Mauri.

René Deltgen: Bühnen- und Filmschauspieler. Geboren 30. 4. 1909, gestorben 29. 1. 1979. Von 1945 an Mitglied der »Bühnen der Stadt Köln«.

Schalla: Hans Schalla war Leiter des »Studio« in der Venloer Straße in Köln-Ehrenfeld. Anschließend Schauspieldirektor in Düsseldorf und von 1949 an Intendant des Schauspielhauses Bochum.

Schauspielhaus: Die große Spielstätte der »Bühnen der Stadt Köln«.

Kammerspiele: Die kleine Spielstätte der »Bühnen der Stadt Köln«.

»Millowitsch«: »Volkstheater Millowitsch« in der Aachener Straße. Privattheater. Leitung: Willi Millowitsch. Das Repertoire besteht hauptsächlich aus Schwänken.

Mein Roman: »Kreuz ohne Liebe«, Roman im Nachlaß.

Schritte an die Öffentlichkeit: Vgl. Anm. Br. Nr. 16.

16

mein Roman: »Kreuz ohne Liebe«.

Schritte an die Öffentlichkeit: Am 27. März 1947 reichte H. B. die Erzählung »Vor der Eskaladierwand« dem »Rheinischen Merkur« ein. Am 3. Mai 1947 erschien u. d. T. »Aus der ›Vorzeit‹« ein Auszug aus ebendieser Erzählung. (Am 17. Oktober 1947 reichte H. B. die Erzählung noch einmal der Zeitschrift »Das Karussell« ein, dort bliebt sie ungedruckt.)

An die Zeitschrift »Das Karussell« schickte H. B. die Erzählungen »Der Dieb«, »Der Schulschwänzer« und »Die Botschaft«. Am 5. Mai 1947 teilte der Verlag mit, daß »Die Botschaft« »zur Veröffentlichung zurückbehalten« wird. Die beiden anderen Erzählungen gingen an H. B. zurück. Für »Die Botschaft« erhielt H. B. am 23. Juni 1947 einen Postbarscheck in Höhe von 145 Reichsmark.

Shaw: George Bernard Shaw, »Die heilige Johanna«.

17

»Karussell«: »Die Botschaft« erschien in: »Das Karussell«, 2. Jg., Folge 14, August 1947, S. 43 ff.

wegen Papiermangels keine Abschriften machen: Vgl. H. B., »Herausforderung an die Sprache. Autoren fehlte oft sogar das Schreibpapier«. Interview »Kölner Stadtanzeiger«, Nr. 106, 8. 5. 1985. Vgl. »Am Anfang«, dtv 5, S. 46-50.

mir neulich 1500 Bogen besorgte: 17 Druck-Bogen eines Kunstbandes im Format 27,5 x 36 cm. Zahlreiche im Nachlaß erhaltene Typoskripte sind auf diese Bögen geschrieben.

im »Rheinischen Merkur«: Vgl. Anm. Br. Nr. 16.

17 kleine Geschichten:
a) an »Das Karussell«
    1. »Die Botschaft«
b) an »Frankfurter Hefte«, eingereicht am 12. Mai 1947
    2. »Aus Amerika«
    3. »Vom Schwarzmarkt«
    4. »Wiedersehen mit B.«
    5. »Der Flüchtling«
c) an »Rheinischer Merkur«, eingereicht am 23. Mai 1947
    6. »Der Dieb«
    7. »Im Käfig«
    8. »Der Angriff«
d) an »Das goldene Tor«, eingereicht am 31. Mai 1947
    9. »Der Schulschwänzer«
    10. »Veronika«
    11. »Der blasse Hund«

e) an »Das Karussell«, eingereicht am 31. Mai 1947
   12. »Gefangen in Paris«
   13. »Kumpel mit dem langen Haar«
f) an »Die Fähre«, eingereicht am 31. Mai 1947
   14. »Ein altes Gesicht«
   15. »Rendez-Vous in Trümmern«
g) an Dr. Glöckner (Bekannter der Familie Böll, der die Absicht hatte, einen Verlag zu gründen), eingereicht am 3. Juni 1947
   16. »Der Fremde«
   17. »Vive la France«

Roman fertig: »Kreuz ohne Liebe«; vgl. Anm. Br. Nr. 19.

kommt mir zum Halse heraus: Nach Abschluß eines Typoskripts hat H. B. daran selten noch größere Korrekturen vorgenommen.

bei diesem Wetter: Große Hitze. Am 14. Mai 1947 schrieb H. B. die Kurzgeschichte »Im Käfig«, [WA, Bd. 1, S. 8 f.], in der es heißt: »Unmenschlich auch war das tadellose, glühende, starre Gesicht des weißlichblauen Himmels, und irgendwo schwamm die Sonne in ihrer eigenen Unbarmherzigkeit. Die ganze Welt war nur stillstehende Glut, verhalten wie der Atem eines Tieres im Bann des Mittags. Die Hitze lag auf ihm wie ein gräßlicher Turm aus nackter Glut, der zu wachsen schien [. . .].« (S. 8)

»Heilige Johanna«: Vgl. Br. Nr. 16.

Haupternährer: Für Raimund bekam die Familie Böll von Nachbarn und Freunden Nahrungsmittel, die diese entbehren können.

schwarzmarktmäßig: Vgl. H. B., »Kumpel mit dem langen Haar«, WA, Bd. 1, S. 62-67. Und: »Vom Schwarzmarkt«, Typoskript im Nachlaß.

18

»Die heilige Johanna«: Vgl. Anm. Br. Nr. 16.

Deine Gedichte: Im Nachlaß von H. B. befinden sich einige Gedichte.

Roman: »Kreuz ohne Liebe«.

gegen Tabak getauscht: E.-A. K. hatte u. a. eine elektrische Eisenbahn gegen Tabak eingetauscht.

19

hamstern: Umgangssprachlich für gesetzeswidriges Anhäufen von Vorräten. Gemeint ist hier aber vor allem das Tauschgeschäft, wozu die Städter aufs Land fuhren und meist übervorteilt wurden. Vgl. H. B., »Ein Hemd aus grüner Seide«, WA, Bd. 1, S. 68-71.

eine herrliche Allee: Bayenthalgürtel, eine Querstraße zur Schillerstraße, in der die Familie Böll wohnte. Der Bayenthalgürtel trennt die Kölner Stadtteile Marienburg und Bayenthal. Marienburg ist ein großbürgerlicher Stadtteil mit repräsentativen Villen und Parkanlagen. In Bayenthal gibt es viele kleine Handwerksbetriebe. Der Weg zum Rhein, den Heinrich und Annemarie Böll fast täglich gingen, führte über den Bayenthalgürtel.

Paket aus England: Annemarie Böll arbeitete nach ihrem Anglistikstudium ein Jahr als Lehrerin an einer katholischen Schule in der Nähe von Manchester. Aus dieser Zeit bestanden noch viele Kontakte, was sich vor allem in der Hilfsbereitschaft der englischen Freunde Robin und Mary Daly zeigte.

Mein Roman: Der Verlag »Neues Abendland« organisierte ein Romanpreisausschreiben, an dem sich H. B. mit »Kreuz ohne Liebe« beteiligte. Am 27. Juni 1947 bestätigte Johann Wilhelm Naumann den Eingang des Typoskripts.

zweite Geschichte von mir angenommen: »Kumpel mit dem langen Haar« erscheint im Novemberheft von »Das Karussell«, 2. Jg., 1947, 17. Folge, S. 46 ff.
Am 11. Juni 1947 schrieb Moritz Hauptmann, Redakteur von »Das Karussell« an H. B., er sei »überzeugt«, dieser gehöre zu den »zukunftversprechenden Erzählern«.

20

Roman: »Kreuz ohne Liebe«.

Brilon i. W.: Brilon im Westerwald.

21

»Land d. Lächelns«: »Das Land des Lächelns«, Operette von Franz Lehár (Uraufführung im Oktober 1929 in Berlin). Aufführung der »Volksbühne

Essen«. E.-A. Kunz spielte den Sekretär der chinesischen Gesandtschaft Fu-Li.

Roman: »Kreuz ohne Liebe«, das Originaltyposkript hat H. B. E.-A. Kunz geschenkt.

22

»Brotcoup«: Brotcoupon, Brotmarken.

Flasche »Wundersam«: Selbst hergestellter Likör.

Roman: »Kreuz ohne Liebe«.

23

»Central-Theater«: »Central-Theater«, Recklinghausen. Intendant: Richard Erdmann; Direktor: K. G. Franke. Eines der vielen kleinen Privattheater jener Zeit, existierte bis Ende 1949.

»Katharina Knie«: Schauspiel (1928) von Carl Zuckmayer. Aufführung des »Central-Theater«, Recklinghausen. E.-A. K. spielte den Landwirt Martin Rothacker.

Erfolg im Rhein: Merkur: Vgl. Br. Nr. 16.

Gedichte: Vgl. Br. Nr. 18.

24

»Karussell«: »Das Karussell«; vgl. Anm. Br. Nr. 17.

Novelle: »Die Botschaft«; vgl. Anm. Br. Nr. 17.

Die kleine Biographie: Die biographische Notiz lautet: »... geboren am 21. Dezember 1917 in Köln. Abitur 1937. Erste literarische Versuche 1936-37, unterbrochen durch Arbeitsdienst und Wehrmacht (1938-1945). Seit der Entlassung aus der amerikanischen Kriegsgefangenschaft (Ende 1945) Studium der Germanistik in Köln. Wiederaufnahme der schriftstellerischen Arbeit Ende 1946.«

»Camel«: Zigarettenmarke.

25

»Die blaue Kaskade«: Erzählung im Nachlaß, geschrieben im März 1947.

»Die Brücke«: »Über die Brücke«, der »Hessische Rundfunk« sendete die Erzählung am 1. Januar 1950.

Gedichte: Vgl. Anm. Br. Nr. 18.

Roman: »Kreuz ohne Liebe«.

Rezept mit Anleitung: Vgl. Br. Nr. 26.

26

meine Frau hat am 19. wieder in der Schule angefangen: Seit dem 19. August 1947 unterrichtete Annemarie Böll als Englischlehrerin an der Realschule Severinswall in Köln.

Taube: Bezeichnung für die bei Bölls beschäftigten Haushaltshilfen.

»Der Angriff«: In: »Rheinischer Merkur«, Nr. 34, 13. 9. 1947, S. 10.

27

Deutz: Stadtteil im rechtsrheinischen Köln. Der Deutzer Bahnhof ist neben dem Hauptbahnhof der zweite große Bahnhof für Personenzüge.

einige Geschichten kamen zurück: Vgl. Anm. Br. Nr. 17
Am 23. August 1947 schickte die Zeitschrift »Die Fähre« H. B. die eingereichten Erzählungen zurück. Hans Hennecke schrieb u. a.: »Meine Mitarbeiter und ich, die wir diese Arbeiten mit besonderem Interesse lasen, kamen nie ganz von dem Eindruck los, daß Ihnen ein entscheidendes Letztes an Durcharbeitung – thematischer und stilistischer Art – fehle. Sollte das nicht auch damit zusammenhängen, dass Sie alle [...] an e i n e m [Sperrung Hans Hennecke] Tage gearbeitet sind.«
Am 13. 9. 1947 schickte die Zeitschrift »Das Karussell« zwei Erzählungen zurück. Moritz Hauptmann zitierte in seinem Brief an H. B. Ernst Glaeser, der gesagt hatte: »Böll soll sich vor Lyrismen hüten. Sein verhaltener Realismus, der seine anderen Arbeiten auszeichnet und selbständig macht, leidet darunter.« E. G. bezieht sich hier auf die Erzählungen »Ein altes Gesicht« und »Über die Brücke«, die H. B. am 8. September 1947 eingereicht hatte. Bezogen auf »Die Botschaft« und »Kumpel mit dem langen Haar«, die zur Veröffentlichung angenommen waren, ergänzte M. Hauptmann

die Einwände von E. Glaeser: »Diese Lyrismen, in denen Sie leicht ins Alltägliche abgleiten, sind es ja auch, die wir gleichsam wie die Heckenschneider aus Ihren Erzählungen entfernen, um den ›verhaltenen Realismus‹ klarer herauszustellen.«

28

Premiere: »Katharina Knie« von Carl Zuckmayer, vgl. Br. Nr. 23.

29

»Merkur«: »Rheinischer Merkur«.

Interessenten ausgebuddelt: Vgl. Anm. Br. Nr. 31.

»Katharina«: »Katharina Knie« von Carl Zuckmayer, Vgl. Br. Nr. 23.

Geschichten vorlesen: Es war Usus, daß H. B. bei seinen Besuchen bei der Familie Kunz aus noch unveröffentlichten Erzählungen bzw. Romanteilen vorlas.

30

»Biberpelz«: »Der Biberpelz« von Gerhart Hauptmann; vgl. Anm. Br. Nr. 14.

31

»Katharina«: »Katharina Knie« von Carl Zuckmayer, vgl. Br. Nr. 23.

ersten dramatischen Versuch: Ist im Nachlaß nicht zu ermitteln.

betr. des Bilderverkaufs: Dr. Ernst Kunz beabsichtigte, Bilder zu verkaufen, und hatte H. B eine Liste der Maler und ihrer Werke geschickt. Näheres nicht zu ermitteln.

viel unterwegs:

   a) an »Münchner Magazin«, eingereicht am 28. August 1947
     1. »Gefangen in Paris«
     2. »Der erste Schritt«
     3. »In der großen Pause«

b) an Fritz Ritter aus Ludwigshafen, der ein »Magazin« plante, das
»ausschließlich der Unterhaltung dient«, aber offensichtlich keine
Lizenz erhalten hatte, eingereicht am 29. September 1947
4. »In guter Hut«
5. »Die kleine Melodie«
6. »Kurz vor Bethlehem«
7. »Der Dieb«
c) an »Rheinischer Merkur«
8. »Über die Brücke«
9. »Allein«
10. »Todesursache: Hakennase«
d) an »Das Karussell«
11. »Vor der Eskaladierwand«
12. »Vive la France«
13. »Der Fremde«
14. »Unterwegs«
15. »Das Hemd aus grüner Seide«
16. »Schiffschaukel«

in Köln einige kleine Verlage: Das Adreßbuch des Deutschen Buchhandels
weist für Ende 1947/Anfang 1948 für Köln 9 Buchverlage aus. Darunter ist
aber kein literarischer Verlag. Näheres nicht zu ermitteln.

»die blaue Kaskade«: »In der blauen Kaskade«; vgl. Br. Nr. 25.

32

»Merkur«: In »Rheinischer Merkur« ist für 1948 kein Erstdruck von H. B.
nachzuweisen.
In einem Brief vom 8. November 1947 bedauerte Konrad Legat die Rück-
stellung der Veröffentlichung von »Über die Brücke« bis Ende Januar 1948,
weil infolge Papierknappheit ein früherer Termin nicht möglich wäre. Am
8. März 1948 schrieb Herbert Burgmüller, Lektor im Weismann Verlag, daß
er die Erzählung in der »Literarische[n] Revue« veröffentlichen wolle. Am
31. März 1948 trat der »Rheinische Merkur« von der Veröffentlichung zurück.
»Hessischen Nachrichten«: In »Hessische Nachrichten« erschien am 15.11.1947
»Ein Hemd aus grüner Seide« und am 7.2.1948 »Wir suchen ein Zimmer«.
Die Zeitschrift »Das Karussell« arbeitete mit der Tageszeitung »Hessische Nachrichten« zusammen. Beide Publikationen erschienen in Kassel.
Beiträge, die bei den »Hessische[n] Nachrichten« eintrafen, aber für eine
Zeitschrift geeigneter erschienen, gingen an »Das Karussell«. Beiträge an

»Das Karussell«, die geeigneter für ein Feuilleton erschienen, gingen an »Hessische Nachrichten«. Die beiden Erzählungen H. B.s waren über »Das Karussell« an die Redaktion der »Hessische[n] Nachrichten« gelangt.

Roman: »Kreuz ohne Liebe«.

»Des Teufels General«: Schauspiel von Carl Zuckmayer. Erstaufführung der »Bühnen der Stadt Köln« am 10. 1. 1948. Regie: Herbert Maisch. Die Hauptrolle des Fliegergenerals Harras spielte René Deltgen.

meine kleine Bude: H. B. hatte sich im Haus Schillerstraße 99 eine Mansarde als Arbeitszimmer eingerichtet.

Optalidon oder Saridon: Aufputschmittel, die rezeptpflichtig waren. Vgl. a. H. B., »Was soll aus dem Jungen bloß werden?«, dtv, Einzelveröffentlichung, München 1983. (S. 98: »pervitinsüchtig«)

vermaggelt: Ein im Rheinland gebräuchliches Wort für makeln, Geschäfte machen, Geschäfte vermitteln, tauschen. Vgl. Adam Wrede, Neuer Kölnischer Wortschatz, Band 2, Köln 1958, S. 170: »In den Notjahren 1946-1948 bedeutete das Wort: gegen Gesetz u. Verordnung Handel, Tauschhandel mit rationierten Waren treiben, Schwarzhandel treiben mit Kauf u. Verkauf von Waren ohne amtliche Bezugsscheine.«

Molière: »Der eingebildete Kranke« von Molière sollte in der Spielzeit 1947/1948 vom »Central-Theater« zur Aufführung gebracht werden. Das Projekt war nie realisiert worden.

33

»der Kumpel mit dem langen Haar«: »Kumpel mit dem langen Haar« in: »Das Karussell«, Jg. 2, Folge 17, November 1947, S. 46 ff.

Brief von einem Verlag: Axel Kaun vom »Horizont Verlag« schrieb H. B. am 21. November 1947, daß er eine Anthologie plane, und forderte ihn auf, Erzählungen einzureichen. Die Anthologie ist nie erschienen.

34

»Das Schwarzwaldmädel«: Operette von Leon Jessel (Uraufführung im August 1917 in Berlin). Aufführung des »Central-Theater«, Recklinghausen. In dieser Inszenierung wirkte E.-A. K. nicht mit.

»Kath. Knie«: »Katharina Knie« von Carl Zuckmayer; vgl. Anm. Br. Nr. 23.

»Frauen haben das gern«: Operette von Walter Kollo. Aufführung des »Central-Theater«, Recklinghausen. E.-A. K. spielte darin den Heinz Fellner.

Biberpelz: »Der Biberpelz« von Gerhart Hauptmann; vgl. Anm. Br. Nr. 14.

»Das tapfere Schneiderlein«: Schauspiel von Robert Bürkner. Aufführung des »Central-Theater«, Recklinghausen. Nicht zu ermitteln, welche Rolle E.-A. K. spielte.

Optalisches: Hier allgemein für Aufputschmittel; vgl. Anm. Br. Nr. 32.

35

Schwester: Vermutlich Wera Kunz.

Verlaine: Paul Verlaine. In H. B.s Bibliothek befindet sich ein Band »Gedichte« aus dem Hans Putty Verlag, Wuppertal 1947.

Optalidon: Vgl. Anm. Br. Nr. 32.

36

Schwester: Wera Kunz.

»Biberpelz«: »Der Biberpelz« von Gerhart Hauptmann; vgl. Anm. Br. Nr. 14.

Quittung: Bezeichnung für Kinder, hier: Raimund Böll.

37

Taube: vgl. Anm. Br. Nr. 26.

Paket aus der Schweiz: Es handelt sich hier, wie bei den Paketen aus England, um dieselben Freunde von Annemarie Böll. [vgl. Anm. Br. Nr. 19] Die Pakete aus England mußten über die Schweiz geschickt werden, weil ein direkter Versand nach Deutschland nicht möglich war. Die englischen Freunde hatten amerikanische Dollars an eine Schweizer Organisation geschickt, die dann wiederum Lebensmittelpakete an den Bestimmungsort nach Deutschland schickte. Dazu eine Meldung aus: »Kölnische Rundschau«, 12. Juli 1949: »Lebensmittelpakete im Werte von 12 bis 28 Schweizer Franken können jetzt über die Schweizer Caritas-Zentrale in

Luzern an Personen der drei westlichen Besatzungszonen Deutschlands geschickt werden […]. Derartige Pakete mit Lebensmitteln oder Medikamenten können sich alle Deutschen schicken lassen, deren Freunde oder Bekannte in der Schweiz sich bereit erklärt haben, die Kosten für die Pakete in schweizerischer Währung zu tragen.«

Reisebericht: Nicht zu ermitteln.

»Biberpelz«: »Der Biberpelz« von Gerhart Hauptmann; vgl. Br. Nr. 14.

Einsendetermin: Der Roman »Kreuz ohne Liebe« ist nicht mit einem Preis bedacht worden. Am 26. Mai 1948 teilte der Verlag H. B. mit, daß der Roman schon vor längerer Zeit zurückgeschickt worden sei.

38

»Literarischen Revue«: Vormals »Die Fähre«, ebenfalls im »Willi Weismann Verlag« München erschienen. »Wiedersehen in der Allee«, in: »Literarische Revue«, 3. Jg., Heft 7, Juli 1948, S. 403 ff.

»Roman«: »Kreuz ohne Liebe«; vgl. Anm. Br. Nr. 37.

39

»Des Teufels General«: Schauspiel von Carl Zuckmayer; vgl. Anm. Br. Nr. 32.

»Biberpelz« war glänzend: H. B. besuchte die Premiere am 6. Februar 1948; vgl. a. Anm. Br. Nr. 14.

Roman: »Kreuz ohne Liebe«; vgl. Anm. Br. Nr. 37.

Trümmer bilden eine schaurige Kulisse: Für den 16. Februar 1948 organisierten die »Roten Funken«, eine Kölner Karnevalsformation, den ersten Karnevalsumzug nach dem Krieg. Der erste Rosenmontagszug nach dem Krieg fand im darauffolgenden Jahr statt, am 28. Februar 1949.

40

Siegburger Bruder: Alfred Böll wohnte zu der Zeit noch in Siegburg. Von dort zog er nach Köln in die Schillerstraße 105, in unmittelbarer Nachbarschaft zu H. B. und seiner Familie.

vier Arbeiten in 14 Tagen: »Lohengrins Tod«, laut Eintrag Notizbuch am 10.

Februar 1948 abgeschlossen und am selben Tag an Axel Kaun vom »Horizont Verlag« geschickt.

»Am Ufer«, am 20. Februar 1948 eingereicht an »Das Karussell« und an Axel Kaun.

»In der Cheruskerstraße«, laut Eintrag Notizbuch am 18. Februar 1948 abgeschlossen und am 20. Februar 1948 ebenfalls an Axel Kaun geschickt.

»Steh auf, steh doch auf«, Eintrag im Notizbuch 5. Februar und 15. Februar 1948, eingereicht am 2. März 1948 an »Rheinischer Merkur«. Erschien in: »Michael«, Jg. 8, Nr. 33, 13. 8. 1950.

Am 5. Mai 1948 schrieb Axel Kaun an H. B., daß er »Lohengrins Tod« und »Wiedersehen in der Allee« in die Anthologie [vgl. Anm. Br. Nr. 33] aufgenommen habe, die er gerade in Satz gegeben habe. »Am Ufer« schickte er beiliegend zurück. »In der Cheruskerstraße« behielt er für eine mögliche spätere Veröffentlichung zurück.

41

laß Dich mal gründlich untersuchen: Aufgrund seiner schauspielerischen Aktivitäten [vgl. Nachwort] bekam E.-A. K. keinen ausreichenden Schlaf. Außerdem war die Versorgung mit Lebensmitteln – vor allem, wenn die Schauspieltruppe unterwegs war – äußerst knapp.

»Des Teufels General«: Vgl. Anm. Br. Nr. 32.

Nita muß sicher bald ins Examen: Anita Kunz wurde am Hygiene Institut in Gelsenkirchen zur medizinisch-technischen Assistentin ausgebildet. Nach dem Examen arbeitete sie an einem Institut in Menden im Sauerland.

Kriegsroman: »Wie das Gesetz es befahl«. Romanfragment im Nachlaß. Im März 1948 lagen 40 Seiten vor, die Niederschrift wurde etwa Juli/August 1948 abgebrochen.

42

Krische: Otto Kriesche.

Suntinger: Adalbert Suntinger.

Doktor Fleischer: Figur aus »Der Biberpelz« [vgl. Anm. Br. Nr. 14], gespielt von Erich Dorth.

Wulkow: Wulkow, der Schiffer, Figur aus »Der Biberpelz« [vgl. Anm. Br. Nr. 14], gespielt von Karl Joachim Singwitz.

Ignaz in Knie: Ignatz Scheel, Trampolinspringer, Luftakrobat, Figur aus »Katharina Knie« [vgl. Anm. Br. Nr. 23], gespielt von Karl Joachim Singwitz.

Frl. Schäfer: Anneliese Schaefer. Spielte in »Der Biberpelz« die Rolle der Waschfrau Wolff.

Helga Rädel: Spielte in »Der Biberpelz« die Rolle der Leontine, Wolffs Tochter. In »Katharina Knie« die Titelrolle Katharina Knie, Tochter von Karl Knie.

43

drei neue Stories: »Von allen Dächern«, »Auch Kinder sind Zivilisten«, »Wir Besenbinder«.

die Schule schwänzen / nie so etwas wie »Feierabend«: Allgemein für nicht zur Ruhe kommen. Am liebsten wollte H. B. alle Arbeit liegen lassen. Vgl. »Feierabend des Künstlers«, in: H. B. »Ansichten eines Clowns«, WA, Bd. 3, S. 164 ff.

vom Joch der Schule befreit: Annemarie Böll schied nach der Geburt René Bölls aus dem Schuldienst aus. Arbeitete später aber wieder als Vertretung.

Brief von einer »angesehenen« Zeitschrift: In einem Brief vom 8. März 1948 bedauerte Herbert Burgmüller, Redakteur der »Literarische[n] Revue«, daß H. B. »Über die Brücke« schon für einen Zeitungsabdruck vergeben habe, und bat ihn dafür zu sorgen, daß erst die Zeitschrift und dann die Zeitung bedacht würde. Der Brief endete: »Auf jeden Fall würde es mich freuen, wenn uns Ihre Mitarbeit weiter erhalten bliebe.«

44

Fragen wegen des »Stückes«: »Hellsehen oder das Trinkgeld«, Stück im Nachlaß, 3 Akte. Noch am selben Tag begann H. B. mit der Niederschrift dieser Kriminalkomödie. Schon am 23. März 1948 schrieb er an E.-A. K.: »Da ist das Stück«; vgl. Br. Nr. 45.

45

das Stück: »Hellsehen oder das Trinkgeld«; vgl. Anm. Br. Nr. 44.

46

»*Marietta*«: Operette von Walter Kollo. (Uraufführung am 22. 12. 1924 im
Metropol-Theater in Berlin). Aufführung des »Central-Theater« Recklinghausen. E.-A. K. spielte den Haushofmeister Antonio, Conte del Fosco.

»*Großvater*«: »Der verkaufte Großvater«, Volksstück von Anton Hamik
[vgl. Anm. Br. Nr. 14]. Mit der Verschiebung war der Plan endgültig aufgegeben worden, das Stück zur Aufführung zu bringen.

Gronau: Stadt am Niederrhein, nahe der holländischen Grenze.

47

Deutz: Vgl. Anm. Br. Nr. 27.

Bonikum: Schnaps.

an die Arbeit zu gehen: H. B. beabsichtigte »Hellsehen oder das Trinkgeld«
[vgl. Anm. Br. Nr. 44] zu überarbeiten.

»*Marietta*«-*Besuch:* »Marietta«, Operette von Walter Kollo; vgl. Anm. Br.
Nr. 46. H. B. hat die Aufführung nicht gesehen.

»*Sensen*«: Familienausdruck für Streit.

einen Balzac geschickt: Nicht festzustellen, um welchen Titel von Honoré de
Balzac es sich handelt. Immer wieder hat sich H. B. mit H. d. Balzac beschäftigt. Vgl. »Über Balzac«, dtv 3, S. 21-23 und »Eugénie Grandet«, Hörspiel nach dem Roman von H. d. B., Erstsendung »Nordwestdeutscher
Rundfunk«, Köln, 21. 12. 1958, Regie: Edward Grothe.

49

Komödie: »Hellsehen oder das Trinkgeld«; vgl. Anm. Br. Nr. 44.

Quantitätsmesser der Shaw: »Die Heilige Johanna« von George Bernard
Shaw ist eine »dramatische Chronik« in 6 Szenen und einem Epilog. Es
gibt keine Einteilung nach Akten.

Glühbirnen: Vgl. Br. Nr. 57.

50

»*er*«: Raimund Böll.

51

bei dem Kleinen: Raimund Böll.

*nebenbei noch eine Kurzgeschichte geschrieben: »*Jak, der Schlepper«. H. B. schickte die Geschichte am 24. April 1948 an »Das Karussell«. Am 30. April 1948 antwortete Moritz Hauptmann und merkte an, daß die Geschichte angenommen ist. Die Geschichte erschien nicht mehr, da »Das Karussell« im Juni 1948 eingestellt wurde. Erst 1983 erschien »Jak, der Schlepper« im Sammelband »Die Verwundung«. Vgl. WA, Bd. 1, S. 222-234.

52

Alleen: Im Kölner Stadtteil Marienburg gibt es viele Alleen. Vgl. a. Anm. Br. Nr. 19.

»richtigen« Novellen: H. B. meint hier die literarische Gattung der Novelle. Ansonsten benutzte er den Begriff Novelle sehr frei. Häufig bezeichnete er damit eine längere Erzählung.

aus »literarischen« Gründen nach Mühlheim/Ruhr: Am 23. April 1948 schrieb Herbert Burgmüller, Redakteur der »Literarische[n] Revue«, daß er Ende Mai/Anfang Juni wieder in Mühlheim zu erreichen sei, und forderte H. B. auf, ihn dort zu besuchen.

englischen Freunden: Robin und Mary Daly. Vgl. Anm. Br. Nr. 19 u. 37.

53

Operette: »Marietta«; vgl. Anm. Br. Nr. 46.

Urfaust: Faust Manuskript Johann Wolfgang v. Goethes aus dem Jahr 1774. 1887 von Erich Schmidt herausgegeben.
Premiere des »Urfaust« im sogenannten »Kleinen Haus« im »Theater des Westens« in Gelsenkirchen. Regie: Hein Hoyer, der auch gleichzeitig den Mephisto spielte.

54

Paket aus England: Gemeint sind hier die Pakete aus England, die über die Schweiz verschickt wurden. Vgl. Anm. Br. Nr. 37.

die ganze Sippe (15 Böller): Vater Viktor Böll, Heinrich und Annemarie Böll mit Raimund, Alois und Maria Böll mit Marie-Therese, Johannes Franziskus, Gilbert, Clemens, Birgit, Mechthild, Gertrud.

Wipulver: Offensichtlich ein Tippfehler. Es müßte Milchpulver heißen.

grosse Novelle angefangen: Eintrag Notizbuch 19. April 1948: »begonnen: ›zwischen Lemberg und Cernovitz‹« [Czernowitz]. U. d. T. »Der Zug war pünktlich« ist die Erzählung im Dezember 1949 als erstes Buch von H. B. erschienen. Vgl. H. B., »Vergebliche Warnung«, dtv 5, S. 270 f.

in Mühlheim zu tun: H. B. beabsichtigte, Herbert Burgmüller noch vor dessen Abreise aus Mühlheim zu besuchen und nicht, wie dieser vorgeschlagen hatte, Ende Mai/Anfang Juni. Vgl. Anm. Br. Nr. 52.

hübsche Mädchen meines Bruders: Birgit, Tochter von Aloïs Böll.

Empfehlung an den Verlag Kurt Desch: Bereits am 19. März 1948 schrieb Axel Kaun an H. B.: »Auch habe ich Herrn Dr. Gunter Groll [...], den Cheflektor des Desch Verlages auf Sie aufmerksam gemacht. [...] Ebenso hat Herr Claus Hardt, der Leiter des von Desch demnächst herausgegebenen Feuilleton-Dienstes, stets Interesse an unveröffentlichten Arbeiten.«

Übersetzungspläne: Am 28. Mai 1948 fuhr H. B. nach Mühlheim zu Herbert Burgmüller [vgl. a. Anm. Br. Nr. 52]. Mit ihm besprach er auch mögliche Übersetzungen aus dem Englischen für den Willi Weismann Verlag bzw. für die »Literarische Revue«. In einem Brief vom 2. Juni 1946 bezog sich Herbert Schlüter, Redaktion »Literarische Revue«, auf eben dieses Treffen: »[...] bin ich in der glücklichen Lage, Ihnen heute einen Aufsatz von Stephen Spender über ›W. H. Auden and the Poets of the Thirties‹ zur probeweisen Uebersetzung vorzuschlagen.«

»Stück«: »Hellsehen oder das Trinkgeld«.

55

Blättchen: H. B. und E.-A. Kunz drehten sich ihre Zigaretten selber. Wenn einer Zigarettenblättchen übrig hatte, schickte er sie dem Freund. Ähnlich verhielt es sich mit Tabak.

gespannt auf Deinen Roman: Es dürfte sich hier nicht um »Kreuz ohne Liebe« handeln, denn diesen Roman kannte E.-A. K. schon. Im Nachlaß befinden sich aus jener Zeit zwei Romanfragmente, »Am Rande« und »Aus dem Tagebuch eines jungen Priesters«. Eintrag Notizbuch 16. Januar 1948: »angefangen Roman: Am Rande«. Eintrag Notizbuch 23. Januar 1948: »begonnen: Bekenntnis eines jungen Prinzen [Priesters]«.

Die Erzählung »Die Verwundung«, 1983 erschienen in dem gleichnamigen Sammelband, bezeichnete Böll zu Anfang als Roman. Eintrag Notizbuch 16. Januar 1948: »angefangen Roman: Die Verwundung«.

Bezieht sich E.-A. K. allerdings auf Bölls Brief vom 21. April 1948 [vgl. Br. Nr. 54], so kann es sich hier auch um »Zwischen Lemberg und Czernowitz« handeln, zumal die Gattungsbezeichnungen [vgl. a. Anm. Br. Nr. 52] H. B.s als auch E.-A. K.s undifferenziert sind.

»Marietta«: Vgl. Br. Nr. 46.

Stacheldraht vor 3 Jahren: Gefangenenlager in Attichy.

56

Herne: Stadt im Ruhrgebiet.

57

neuen Arbeit (80 Tippseiten) fertig: »Zwischen Lemberg und Czernowitz«. Eintrag Notizbuch 12. Mai 1948: »Lemberg – Cz. beendet«. Eintrag Notizbuch 18. Mai 1948: »Lemb. – Cz. beendet.«. Eintrag Notizbuch 30. Mai 1948: »endgültige Korrektur von Lemberg und Czernowitz«.

»Jak, der Schlepper«: Vgl. Anm. Br. Nr. 51.

gehe ich ins Konzert: Am 9. und 10. 5. 1948 schrieb H. B. in sein Notizbuch: »Beethoven«. In der Aula der Kölner Universität fand am 9. 5. 1948 ein »Beethovenprogramm« statt. Dirigent war Otto Volkmann.

den Sportmediziner: Dr. Bruno Spellerberg, ein Schulfreund H. B.s.

Dämmerfreund: Die Dämmerung, ein Motiv, das in vielen frühen Erzählungen H. B.s vorkommt.

die Sache: »Zwischen Lemberg und Czernowitz«.

58

Beitrag zur Tabaksdose: Loser Tabak.

neues »Stück«: Ohne Titel. Im Nachlaß befinden sich zwei von drei geplanten Akten. Thema: Krieg. Handlungsort: die Normandie.

59

neues Werk: »Zwischen Lemberg und Czernowitz«; vgl. Anm. Br. Nr. 57.

neues Stück: Vgl. Anm. Br. Nr. 58.

Hellseher: »Hellsehen oder das Trinkgeld«; vgl. Anm. Br. Nr. 44. H. B. hat die Kriminalkomödie nicht mehr bearbeitet.

»*Asmodie*« *von François Mauriac:* in »Die Quelle« 2. Jg, 1948, Nr. 4, S. 137-189.

Edouard Bourdet: Französischer Schriftsteller und Kritiker.

»*Blauen Kaskade*«: »In der blauen Kaskade«. Erzählung im Nachlaß. Entstanden März 1947.

60

Meine Arbeit: »Zwischen Lemberg und Czernowitz«; vgl. Anm. Br. Nr. 57.

61

neue Novelle: »Das Vermächtnis«. Eintrag Notizbuch 22. Mai 1948: »Angefangen: Das Vermächtnis, 20 Seiten«. Erschienen als Einzelveröffentlichung 1982. Zur Entstehung der Erzählung vgl. H. B., »Das Vermächtnis«, Nachwort von Karl Heiner Busse, Köln 1990 (KiWi 211).

Warendorf: Stadt in Westfalen.

bei Euch: Am 20. und 21. Mai 1948 war H. B. bei Kunzens in Gelsenkirchen.

Tante: Paula Schneider aus Brilon.

Burschen: Raimund Böll.

Das Stück: Vgl. Br. Nr. 58.

62

Deine Arbeit: »Zwischen Lemberg und Czernowitz«.

Dein großer Roman: »Kreuz ohne Liebe«, Roman im Nachlaß.

Drama: Hier die dramatische Schilderung in »Zwischen Lemberg und Czernowitz«.

»Natterngezücht«: Roman von François Mauriac.

63

Dein Urteil über meine Arbeit: Am 28. Mai 1948 war H. B. wiederum bei E.-A. K. in Gelsenkirchen und las aus »Zwischen Lemberg und Czernowitz« vor. Am 30. Mai 1948 Eintrag in Notizbuch: »endgültige Korrektur von Lemberg und Czernowitz«.

neue Arbeit: »Das Vermächtnis«; vgl. Br. Nr. 61.

Korrektur an den Verlag nach München: H. B. schickte »Zwischen Lemberg und Czernowitz« an den »Willi Weismann Verlag« nach München. Am 26. Juni 1948 schrieb Herbert Burgmüller an H. B., daß der Verleger Willi Weismann das Typoskript abgelehnt habe.

Bizone: Zusammenschluß der amerikanischen und britischen Besatzungszone in Deutschland zum Vereinigten Wirtschaftsgebiet am 1. Januar 1947.

64

Tante: Paula Schneider.

65

Dinslaken: Stadt im Kreis Wesel, zwischen Wesel und Duisburg gelegen.

66

Panik: Vor der Währungsreform, die für die drei westlichen Besatzungszonen am 21. Juni 1948 in Kraft trat.

Amis: Amerikanische Zigaretten. H. B. spielt hier auf die Schwarzmarktwährung an. Vgl. Br. Nr. 8 u. 17.

Tante: Paula Schneider.

Bei Euch: H. B. war vom 14. bis 16. Juni 1948 bei Kunz in Gelsenkirchen.

67

letztes Porto verschreiben: Nach der Währungsreform wurden auch neue Briefmarken eingeführt. Die alten Briefmarken verloren ihre Gültigkeit.

Dein Päckchen: Buchgeschenk H. B.s zum Geburtstag von Ernst Kunz.

68

Bezugsschein: Grundnahrungsmittel und Grundstoffe wie zum Beispiel Kohle, Treibstoffe, Glühlampen, Edelmetalle und Seife sowie Kaffee und Tabak blieben weiterhin bewirtschaftet, und ihre Preise wurden kontrolliert. Erst am 31. März 1950 wurde die Ausgabe von Lebensmittelkarten beendet.

vor dem »Schnitt«: Am Samstag vor der Währungsreform.
Auch für die Verlage ist der Tag der Währungsreform ein wichtiges Datum. In den Tagen vor dem 21. Juni 1948 bekam H. B. noch viele Honorare angewiesen, die natürlich in Reichsmark ausgezahlt werden. U. a. am 11. Juni 1948 70,00 RM für den Abdruck von »Wir Besenbinder« in: »Der Ruf«. Die Erzählung sollte erst noch erscheinen. Am 15. Juni 1948 100,00 RM für den Abdruck von »Wiedersehen in der Allee« in: »Literarische Revue«, auch diese Erzählung war noch nicht erschienen.

Angebot vom Verlage des »Karussell«: Am 16. Juni 1948 schrieb Moritz Hauptmann an H. B.: »[. . .] ich denke mir, daß man allmählich darangehen könnte, die besten Ihrer Erzählungen, die Sie bereits geschrieben haben und in der nächsten Zukunft noch schreiben werden, zu einem Band zusammenzufassen für unseren Buchverlag.«
Der Buchverlag ist der Harriet Schleber Verlag in Kassel.

Gehalt meiner Frau: Annemarie Böll schied »zum 31. 8. 1948 aus dem Realschuldienst und dem Beamtenverhältnis« aus. Da der Mutterschutz 6 Wochen vor und 6 Wochen nach der Geburt eines Kindes wirksam war, ergaben sich 3 Monate Gehalt. Eine eventuelle »Abfindungssumme« wurde ihr mit Datum vom 14. Juli 1948 vom Regierungspräsidenten Köln in Aussicht gestellt.

»Vermächtnis«: »Das Vermächtnis«. Eintrag Notizbuch 28. Juni 1948: »Vermächnis beendet. Deo gratias«. Eintrag Notizbuch 13. Juli 1948: »Arbeit am Vermächtnis mit Annemarie«.

englische Lyrik: Vgl. Anm. Br. Nr. 54. H. B. übersetzte die Gedichte des Aufsatzes von W. H. Auden. Vgl. a. Br. Nr. 69.

Prosaübersetzungen meiner Frau: Vgl. Anm. Br. Nr. 54. Annemarie Böll übersetzte den Prosateil des Aufsatzes. Vgl. a. Br. Nr. 69.

Ernst: Ernst Fey.

Briloner Gebiet: Brilon im Sauerland.

alten Roman: »Kreuz ohne Liebe«.

69

5 deutsche 1 M, [...] 20 Amis 4 M: Auch wenn die sogenannte Zigarettenwährung nach der Währungsreform keinen Bestand mehr hatte, bemaßen viele noch die Kaufkraft nach dieser Einheit. D. i.: 5 deutsche Zigaretten kosteten 1 DM, 20 amerikanische Zigaretten kosten 4 DM.

Teilungsplan: Vgl. Br. Nr. 66.

»Kinder – Kinder«: Lustspiel von Hans Fitz. (Entstanden 1939.) Aufführung »Central-Theater« Gelsenkrichen. E.-A. K. spielte den Kaufmann Sepp Dollmann.

Margot: Margot Grimm.

und Kindern: E.-A. K. spielt hier auf die Geburt des zweiten Kindes, René Böll, an.

will ich unbedingt zu Maisch: Herbert Maisch war seit 1946 Generalintendant der Bühnen der Stadt Köln.

70

(meinem Bruder): Alois Böll.

»Rosco«: Zigarettenmarke.

Die Anthologie: Vgl. Br. Nr. 40.

Angebot vom Karussell: Vgl. Anm. Br. Nr. 68.

»Lemberg«: »Zwischen Lemberg und Czernowitz«.

»Vermächtnis«: »Das Vermächtnis«.

literarische Übersetzung: Vgl. Anm. Br. Nr. 54.

kleinen Zeitschrift: Gemeint ist hier wahrscheinlich die Zeitschrift »Story« des Rowohlt-Verlags.

Photos: Vgl. Br. Nr. 54.

71

Zigeunerbaron: »Der Zigeunerbaron«, Operette von Johann Strauß (Uraufführung Oktober 1885 in Wien). Aufführung des »Central-Theater« Recklinghausen. E.-A. K spielte den königlichen Kommissär Conte Carnero.

Direktor: K. G. Franke.

auch Nita verdient: Sie arbeitete als medizinisch-technische Assistentin.

bei Maisch bewerbe: Vgl. Anm. Br. Nr. 69. E.-A. K. hatte nie bei Herbert Maisch vorgesprochen.

Margot: Margot Grimm.

Ulster: Weit geschnittener Herrenmantel aus schwerem Stoff.

in Recklinghausen aus: Gemeint ist hier die bevorstehende Pleite des »Central-Theater«, Recklinghausen.

72

»Lemberg« zurück: Vgl. Anm. Br. Nr. 63.

Eine Süddeutsche Zeitung druckte eine Geschichte nach: »Süddeutsche Allgemeine Zeitung«, Pforzheim. Näheres nicht zu ermitteln.

»existenzialistisch«: In einem Brief vom 19. Mai 1948 an Axel Kaun schrieb H. B.: »Ich weiß nicht genau, was die sogenannten Existenzialisten wollen, aber ich habe die dunkle Ahnung, dass ich etwas Aehnliches möchte. Auch weiss ich nicht genau, was die Surrealisten wollen, aber auch dort habe ich die dunkle Ahnung, dass ich etwas Aehnliches möchte.
Vor allen Dingen möchte ich eine wirklich literarische Literatur, wo zunächst einmal die handwerklichen Mittel zu einer gewissen Meisterschaft gediehen sind, ehe man anfängt, eine neue Philosophie und eine ›Sendung‹ daraus zu machen.
Wenn ich das erreicht hätte, würde ich mich zum Sprecher und Diener jener grossen kosmischen Symbolik machen, die der Welt unsichtbar innewohnt; diese sichtbar machen, ihr Transparenz verleihen und lesbar werden lassen, was ›den Heiden eine Torheit ist‹. Denn wir leben ja unter Heiden (das ist nicht anklägerisch gemeint, sondern mitleidig, doch wiederum nicht mit dem Mitleid des Sicheren gegenüber dem Unsicheren,

sondern mit dem Mitleid dessen, der weiss, dass er schuldig ist gegenüber dem, der nicht weiss, dass er schuldig ist; eine nur scheinbare Ueberheblichkeit).«

Briefträger: Vgl. »Jünger Merkurs«, dtv 1, S. 56 f. Vgl. a. Nachwort.

»Vermächtnis« [...] geht Montag auf die Reisen, zusammen mit »Lemberg«: Am 14. Juli 1948 schickte H. B. die letzte Fassung von »Das Vermächtnis« an Axel Kaun, »Horizont Verlag«, der schon im Besitz einer ersten Fassung war. Am 4. Juli 1948 schickte H. B. einen Durchschlag an Konrad Legat, »Rheinischer Merkur«, mit dem Hinweis, die »umfangreiche Arbeit« eigne sich »möglicherweise als Fortsetzungserzählung«. Vgl. a. Anm. Br. Nr. 68. »Zwischen Lemberg und Czernowitz« hatte H. B. an Moritz Hauptmann geschickt, dieser antwortete am 14. August 1948 für den Harriet Schleber Verlag: »[...] ich bin wie gelähmt duch die gegenwärtige Lage, die der Währungsschock geschaffen hat. Ihre Erzählung [...] habe ich mit großer Anteilnahme gelesen. Sie ist gut, wenn sie auch im einzelnen noch der Feile bedarf. Aber der sogenannte ›Büchermarkt‹ verschließt sich im Augenblick allen Projekten bis auf die wenigen Ausnahmen ›Romane bekannter Autoren‹.« Im selben Brief teilte M. Hauptmann mit, daß Betriebskapital des Verlages sei auf 5 % abgewertet und »Das Karussell« sei »sofort zum Stillstand« gekommen.

alten Roman: »Kreuz ohne Liebe«.

das bewußte Telegramm: Nachricht über die Geburt René Bölls.

die Tante: Paula Schneider.

dicken Bengel: Raimund Böll.

Aus England: Vgl. Anm. Br. Nr. 37.

mit Maisch klappte: Vgl. Anm. Br. Nr. 71.

von Eurem Direktor: K. G. Franke.

73

»Lemberg«: »Zwischen Lemberg und Czernowitz.

Herne: Stadt im Ruhrgebiet.

Schwarzwaldmädel: »Das Schwarzwaldmädel«, Operette von Leon Jessel; vgl. Anm. Br. Nr. 34.

»Kinder, Kinder«: »Kinder..., Kinder...«, Lustspiel von Hanns Fitz; vgl. Anm. Br. Nr. 69.

Nita und Wera Turnier: Anita und Wera Kunz spielten Tennis.

Rotthausen: Stadtteil von Gelsenkirchen.

Margot: Margot Grimm.

»Zigeunerbaronproben: »Der Zigeunerbaron«, Opcrcttc von Johann Strauß; vgl. Anm. Br. Nr. 71.

74

»existentialistische« Geschichte: Wahrscheinlich »An der Angel«. Einträge darüber im Notizbuch 2. und 5. Juli 1948. Erschienen 1950 im Sammelband »Wanderer, kommst du nach Spa ...«.

»Stück«: Drama ohne Titel im Nachlaß aus dem Soldaten-Milieu. 2 Akte sind erhalten und wurden E.-A. K. zur Begutachtung geschickt. Der 3. Akt wurde vermutlich nie aufgeführt.

Mein Bruder: Alois Böll.

die schönste Frau der Welt: Ingrid Bergman in »Das Haus der Lady Alquist«, England 1940, Regie: Thorold Dickinson.

»Vermächtnis« einer Zeitung als Fortsetzungserzählung anbieten: Vgl. Anm. Br. Nr. 72.

Bund von Kriegsdienstverweigerern: Es handelt sich hier um die »Internationale der Kriegsdienstgegner« »War Resistent International« (WRI), gegründet 1923 in London.

»Kreuzzug« gegen die Russen: Die Diskussion um die Remilitarisierung in den einzelnen Zonen wurde schon länger geführt. Ein erster Höhepunkt in der Diskussion war ein Artikel von Otto B. Roegele im »Rheinischen Merkur« vom 18. Dezember 1948, in dem dieser unter der Überschrift »Die Erkenntnis wächst« für eine »westeuropäische Truppe« unter Beteiligung der Deutschen in den Westzonen eintrat. Gedacht als Verteidigung gegen die sowjetische Besatzungsmacht. Vgl. a. Nachwort.

Bewegung, die in München von einem Dominikanermönch geführt wird: Wahrscheinlich in Zusammenhang mit der WRI [s. o.]. Näheres nicht zu ermitteln.

Buchkritiken: Bei der »Kölnische[n] Rundschau« bewarb sich H. B. bereits am 19. Februar 1948 »um die Stellung eines nebenberuflichen Lektors«.

bei meiner Schwägerin: Maria Böll.

»alter Roman«: »Kreuz ohne Liebe«.

75

Uebersetzung ist angenommen: Vgl. Anm. Br. Nr. 54
Am 13. Juli 1948 schrieb Herbert Schlüter, »Literarische Revue«, an H. B.:
»Ich freue mich, Ihnen sagen zu können, dass ich die Übersetzung, spe-
ziell für die Prosateile, durchaus gelungen finde. [...] Weniger glücklich
bin ich mit den Versübertragungen, die, um gerecht zu sein, recht gut klin-
gen, doch vielleicht den spezifischen Ton nicht so recht treffen. [...]
Wenn wir, woran ich nicht zweifle, die Rechte an dem Spender-Essay erwerben, wollen wir ihn gern in Ihrer Uebertragung abdrucken.«
Der Essay von Stephan Spender über W. H. Auden ist nicht erschienen.

»Teufels General«: »Des Teufels General«; vgl. Anm. Br. Nr. 32.

76

handwerkliche Studien: Wahrscheinlich bezieht sich H. B. hier auf die Ablehnung des »Vermächtnisses« durch Axel Kaun; s. u.

»Vermächtnis« wurde abgelehnt: Am 14. Juli 1948 lehnte Axel Kaun, »Horizont
Verlag«, »Das Vermächtnis« ab. Einmal wegen der »völlige[n] Ungeklärt-
heit unserer Verlagslage« nach der Währungsreform, zum anderen aber
auch wegen literarischer Bedenken: »[...] nicht sehr angetan von der um-
ständlichen Weitläufigkeit und der sentimentalischen Überladenheit Ihrer Sprache, die bei aller angestrebten Gepflegtheit noch zu oft ungezü-
gelt überfliesst und sich – verzeihen Sie – dann in eine Art schwülstiger
seelischer Dramatik verliert. Bewegt und angerührt durch geschehene
Vorgänge und Erlebnisse während des Krieges, sind Sie wie mir scheint
noch mehr auf der Suche, diese für sich zu klären und in gültige Bezüge
zu bringen, als dass es Ihnen gelingen könnte, sie mit dem ausgewogenen
Abstand des Erzählers zu meistern. Ich würde deshalb manches kürzer
fassen, nicht allein um der grösseren sachlichen Nüchternheit willen,
sondern um einer tieferen und überlegteren Beziehung und Verdichtung
willen. Vielleicht wird es guttun, wenn Sie das Ganze erst einmal in
einem Zuge herunterschreiben würden, es einige Tage liegen lassen und
dann erst daran gehen, Cäsuren und Straffungen und Verdichtungen im
Ausdruck und in der allgemeine[n] Form anzubringen.«

bei einem katholischen Verlag versuchen: Bezieht sich auf den Brief von Axel
Kaun, s. o., in dem es heißt: »[...] möchte ich Ihnen eher raten, sich [...]
mit einigen katholischen Verlagen in Verbindung zu setzten, [...].«

Karussellbrüdern: »Das Karussell« wurde herausgegeben von Maria Harriet
Schleber, unter Mitarbeit von Wolfgang Pöschl und Moritz Hauptmann.

Mein Bruder: Alfred Böll.

M-Lehrer: Mathematiklehrer.

»Familiensense«: Familienstreit.

CDU weiter am Ruder bleibt: Bezieht sich wahrscheinlich auf die Kommunalwahlen in Nordrhein-Westfalen am 17. Oktober 1948. Bei den ersten Kommunalwahlen im Jahr 1946 erzielte die CDU die absolute Mehrheit.

KPD: Kommunistische Partei Deutschlands. Am 17. 8. 1956 wurde die KPD durch das Bundesverfassungsgericht verboten.

Lustspieleinakter: Eintrag Notizbuch 18. Juli 1948: »Versuch an Drama«. Näheres nicht zu ermitteln.

Grossvater: Viktor Böll.

SU: Sowjetunion.

77

»Zigeunerbaron«: »Der Zigeunerbaron«; vgl. Anm. Br. Nr. 71.

78

Zigeunerbaron: »Der Zigeunerbaron«; vgl. Anm. Br. Nr. 71.

Margot: Margot Grimm.

Halterner See: Stausee bei Haltern mit mehreren Freibädern.

Castrop Rauxel: Industriestadt im Ruhrgebiet, Kreis Recklinghausen.

Vermächtnis: »Das Vermächtnis«.

Lemberg: »Von Lemberg nach Czernowitz«.

Dein Stück: Vgl. Anm. Br. Nr. 76.

79

Rundfunk: Am 14. Juli 1948 schickte H. B. die Erzählung »Die Essenholer« an den »Nordwestdeutschen Rundfunk« (NWDR) in Hamburg. Die Erzählung wurde mit Datum vom 27. Juli 1948 zurückgeschickt: »Die Essenholer«

passen nicht ins Programm, aber: »Auch bereits erschienene Kurzgeschichten interessieren uns, wenn sie andere Stoffe behandeln.« Am
6. August 1948 schrieb H. B. nochmals dem NWDR und legte bereits
veröffentlichte Erzählungen bei. »Kumpel mit dem langen Haar«, »Die
Botschaft«, »Der Mann mit den Messern« – alle erschienen in: »Das Karussell«. »Wir Besenbinder« – erschienen in: »Der Ruf«. Außerdem drei
Zeitungsausschnitte – hier nicht zu ermitteln, um welche Erzählungen es
sich handelt.

Bruder: Alois Böll.

ein Münchner Gönner: Axel Kaun.

Hammelrath: Willi Hammelrath: »Ein Siedlungswerk – Tatsachen und
Lehren«, in: »Frankfurter Hefte«, 3. Jg., H. 6, 1948.

Maisch: Herbert Maisch; vgl. Anm. Br. Nr. 71.

Zigeunerbaronen: »Der Zigeunerbaron«; vgl. Anm. Br. Nr. 71.

Grossvater: Viktor Böll.

»Lamberthier«: Theaterstück von Louis Verneuil.

in Art der »Brücke«: »An der Brücke«. Die einzige Erzählung, die H. B. laut
Notizbuch in den letzten sechs Wochen abgeschlosen hatte, ist »An der
Angel« [vgl. Anm. Br. Nr. 74].

Schweizer Kaffee: Vgl. Anm. Br. Nr. 37.

Ernst: Ernst Fey.

Dombaufest: Die offiziellen Feierlichkeiten zum 700jährigen Bestehen des
Doms fanden am 15. August 1948 mit einer Reliquienprozession durch
das zerstörte Köln statt. Vgl. Nachwort.

Meine Schwester: Mechthild Böll.

den Hühnern zur unabsichtlichen Freiheit verhilft: Die Familie Böll hielt sich im
Garten des Hauses Schillerstraße 99 Hühner. Das Schlachten der Hühner
war Aufgabe von Großvater Viktor Böll. Zum Vergnügen der Kinder
schlug er den Hühnern den Kopf ab und ließ sie dann noch eine Weile
weiter laufen.

80

Renés Ankunft: René Böll wurde am 31. 7. 1948 geboren.

81

Wera hat mit ihrer Schule angefangen: Folkwang-Schule in Essen. Fach: Töpferei.

Margot: Margot Grimm.

Klatt: Agnes Klatt.

Roman: »Kreuz ohne Liebe«.

Maisch: Herbert Maisch; vgl. Anm. Br. Nr. 71.

82

den grossen Umzug: Feierlichkeiten zum Dombaufest; vgl. Anm. Br. Nr. 79.

Bruder: Alois Böll.

83

»Zigeunerbaron: »Der Zigeunerbaron«; vgl. Anm. Br. Nr. 71.

Oldenkott: Tabakmarke.

Deiner neuen »Quittung«: René Böll.

84

»Las Casas«: Bartolomé de Las Casas; vgl. H. B. »Erinnerung an Las Casas«, dtv 9, S. 229.

Hello: Ernest Hello. In H. B.s Bibliothek befinden sich zwei Bücher von E. H., die vor 1948 erschienen sind: »Sonntag, der Tag unseres Herrn« und »Worte Gottes«. Vgl. a. H. B. »Das Paradox der Heiligkeit«, zu Ernest Hello: »Heiligengestalten«, in: »Deutsches Volksblatt«, 24. Oktober 1953.

85

Bücherpaket: Vgl. Anm. Br. Nr. 84.

die Stories: »Story«. Monatliches Leseheft des Rowohlt-Verlages. Erschien von 1946 bis 1952. Bis Heft 10, 1949 erschienen dort nur Autoren des Auslands, danach auch Texte deutscher Autoren.

Sonderheft Hemingway: Ernest Hemingway. Sonderheft zum 50. Geburtstag. »story«, 2. Jahr, Heft 12, 1948.

»Mein Alter«: Erzählung von Ernest Hemingway. In: Sonderheft zu E. H.s 50. Geburtstag, s. o.

Freundin von Nita: Gisela Hewel.

86

Verdienstspanne von Metzgern, Bäckern und Lebensmittelfritzen: Abgabemenge und Preise für Lebensmittel waren zu der Zeit noch festgelegt. H. B. meinte hier wohl die Möglichkeit, trotz Lebensmittelkarten nebenher »schwarzes« Geld zu verdienen.

Abfindung: Für Annemarie Böll nach ihrem Ausscheiden aus dem Schuldienst.

Der Dicke: Raimund Böll.

die Mädchen: Anita und Wera Kunz.

klerikalen Bekannten: Robert Grosche. Vgl. a. H. B. »Nachwort zu ›Ansichten eines Clowns‹«, dtv 9, S. 263.

Feuilleton Redakteurin: Hildegard Pieritz, »Süddeutsche Allgemeine Zeitung«, Pforzheim.

mein Freund vom Horizont: Axel Kaun, »Horizont Verlag«.

Anthologie: Vgl. Anm. Br. Nr. 33. Am 22. September 1948 schrieb Günther Birkenfeld, Inhaber des »Horizont Verlag[s]«, daß die Folgen der Währungsreform es bis jetzt nicht möglich gemacht hätten, die Anthologie in Satz zu geben.

Berliner Verleger: Günther Birkenfeld, »Horizont Verlag«.

Ernst: Ernst Fey.

87

Preisausschreiben: Notiz in: »Westdeutsche Allgemeine Zeitung«, 14. August 1948: »Die westfälische Zeitschrift ›Neue Kirche‹ in Bethel bei

Bielefeld veranstaltet zur Förderung des christlichen Schrifttums einen Wettbewerb für Erzählungen, die mit echter Volkstümlichkeit wertvollen Gehalt und künstlerische Gestaltung verbinden sollen. Als erster Preis sind 800 D-Mark neben elf weiteren Geldpreisen ausgesetzt.« Kurz darauf, Datum nicht zu ermitteln, bat H. B. in einem Schreiben an die »Neue Kirche« um die Teilnahmebedingungen.

»*Dreimäderlhaus*«: »Das Dreimäderlhaus«, Operette von Heinrich Berté (Uraufführung Januar 1916 in Wien). Aufführung des »Central-Theater« Recklinghausen. E.-A. K. spielt die Rolle des Nowotny.

88

Abfindung: Eintrag Notizbuch 1. September 1948: »Abfindung«; vgl. a. Br. Nr. 86.

Feuilleton-Angebote: Am 28. August 1948 schrieb Moritz Hauptmann an H. B.: »[…] möchte ich Ihnen vorschlagen, daß Sie uns für unseren Feuilletondienst kurze Geschichten von zwei bis drei Schreibmaschinenseiten einsenden. Nicht zerquält und pessimistisch, handlungsstark und nicht betrachtend. […] Die literarische Qualität braucht darunter nicht zu leiden.« Der Feuilletondienst des »Harriet Schleber Verlag[s]« hatte nur kurze Zeit bestanden. Näheres nicht zu ermitteln. Hauptsächlich kooperierte er mit den »Hessischen Nachrichten«.

optimistischen Kram: Bezieht sich auf den Brief von Moritz Hauptmann; s.o. Vgl. Nachwort.

»neue Kirche«: Vgl. Anm. Br. Nr. 87.

Rundfunk: Vgl. Anm. Br. Nr. 79. Am 7. September 1948 schickte das Lektorat die eingesandten Erzählungen an H. B. zurück.
Am 13. August 1948 schickte H. B. drei Erzählungen an den »Süddeutschen Rundfunk« (SDR): »Das Rendez-Vous«, Kurzgeschichte im Nachlaß; »Aufenthalt in X« und »In der Finsternis«. Eine Antwort vom SDR lag zu dieser Zeit noch nicht vor.

Auswanderungspläne: Laut Auskunft Annemarie Böll: »nie wirklich ernst gemeint«.

Dicken: Raimund Böll.

Paket aus England: Vgl. Anm. Br. Nr. 37.

wo ich noch bei meinem Bruder war: Als H. B. noch bei Alois Böll in der Schreinerei gearbeitet hatte.

Tagebücher: Dr. Ernst Kunz war im 1. Weltkrieg Stabsarzt. Während dieser Zeit führte er ein umfangreiches Tagebuch.

89

Feuilletonversuche: H. B. bemühte sich jetzt selbst, kurze Erzählungen in den Feuilletons der Tageszeitungen bzw. Wochenzeitungen unterzubringen. Die bisherigen Veröffentlichungen in »Hessische Nachrichten« und »Süddeutsche Allgemeine Zeitung« waren Übernahmen aus Zeitschriften gewesen.
Am 2. September 1948 schickte er »Die Essenholer« an den »Rheinischen Merkur« mit der Bemerkung: »Der Tatsachenbericht »Moskau glaubt nicht an Tränen« regte mich zu parallelen Betrachtungen über Erlebnisse in amerikanischer Kriegsgefangenschaft, die ich im Dienste einer ausgleichenden, über jede Propaganda erhabenen Gerechtigkeit gerne fixieren und Ihnen zur Verfügung stellen würde. Vielleicht mit dem Titel ›USA trocknet Tränen‹.«
Am selben Tag schickte er »Auch Kinder sind Civilisten« und »Wiedersehen mit dem Dorf« an die »Rheinische Zeitung«.
Ebenfalls am 2. September 1948 »Trunk in Petöcki«, »So ein Rummel« und »Abschied« an Moritz Hauptmann in der Hoffnung, dieser könne eine Erzählung in den »Hessische[n] Nachrichten« unterbringen. »So ein Rummel« erschien in: »Hessische Nachrichten«, Nr. 123, 17. 9. 1948.
Am 3. September 1948 schickte er dem Lektorat des »Südwestfunks« die Erzählungen »Unsere gute alte Renée« und »An der Angel«.

nicht optimistischer Art: Vgl. Anm. Br. Nr. 88.

Kulturberichterstattung aus Köln: Auf Empfehlung von Axel Kaun schrieb H. B. am 8. September 1948 an Möhrke, »Hannoversche Presse«, und bot seine Mitarbeit an: »Vielleicht gelegentliche Kulturberichterstattung aus Köln oder manchmal einen Beitrag zum Feuilleton.«
Dieselbe Frage richtete er am 23. 9. 1948 an die Zeitschrift »Der Ruf«: »[...] besteht irgendeine Möglichkeit, dass ich für Ihre Zeitschrift eine Kölner Korrespondenz, Kulturberichterstattung oder Aehnliches übernehmen kann?«

Steinekloppen: Um die Kriegsschäden zu beseitigen, wurden alle verfügbaren Personen zu gemeinnützigen Diensten herangezogen, u. a. um Steine von Mörtelresten zu säubern, damit sie wieder verwendet werden konnten.

was natürlich gekauft wird, sind »bekannte Autoren«: Autoren der sogenannten inneren Emigration wie Hans Carossa, Ernst Jünger, Werner Bergengruen, Rudolf Alexander Schröder, Stefan Andres, Reinhold Schneider. Oder aber ausländische – vor allem amerikanische – Autoren wie John Steinbeck, James Thurber, Thomas Wolfe, Ernest Hemingway.

neues Stück: Ohne Titel. Im Nachlaß zwei von drei geplanten Akten. Entstanden zwischen dem 3. und 17. September 1948. Das Stück handelt vom Krieg und spielt in der Normandie.

Domkapitular: Robert Grosche.

Ernst: Ernst Fey.

Vater: Viktor Böll stammt aus Essen.

Anzeige: Nicht zu ermitteln. Die Anzeige ist wahrscheinlich unter Chiffre aufgegeben worden.

90

Zigeunerbaron: »Der Zigeunerbaron«, Operette von Johann Strauß; vgl. Anm. Br. Nr. 71.

Franke: K. G. Franke.

Ernst: Ernst Fey.

91

Rotthausen: Ortsteil von Gelsenkirchen.

Dreimäderlhaus: »Das Dreimäderlhaus«, Operette von Heinrich Berté; vgl. Anm. Br. Nr. 87.

Dein Stück: Vgl. Anm. Br. Nr. 89.

NWDR: »Nordwestdeutscher Rundfunk«; vgl. Anm. Br. Nr. 88. H. B. hat das Stück nicht beendet.

92

So ein Rummel: Vgl. Anm. Br. Nr. 88.

Dicken: Raimund Böll.

das Stück: Vgl. Anm. Br. Nr. 88.

Taube: Vgl. Anm. Br. Nr. 26.

ein nettes kleines Feuilleton entworfen: Am 28. September 1948 schickte H. B. einen »neuen Feuilleton-Versuch« an Moritz Hauptmann. Wahrscheinlich »An der Brücke«, Eintrag Notizbuch 27. September 1948: »abends ›An der Brück‹ [Brücke]«. Die Erzählung erschien dann aber in: »Der Ruf«, Nr. 4, H. 3, Februar 1949, S. 12 f.

Kriegtagebücher Deines Vaters: Vgl. Br. Nr. 87.

das ich das selbst nicht getan habe: H. B. hat im Krieg kein Tagebuch geschrieben. Unmittelbares Zeugnis sind seine Briefe an die Familie und an Annemarie Böll, die Karl Heiner Busse herausgeben wird. Vgl. a. eine Auswahl in: H. B., »Rom auf den ersten Blick. Reisen, Städte, Landschaften«, Bornheim-Merten 1987, S. 11-50.

Preisausschreiben: Vgl. Anm. Br. Nr. 87.

Anreger: Vgl. Br. Nr. 87. Wera Kunz hatte H. B. auf das Preisauschreiben der »Neue[n] Kirche« aufmerksam gemacht.

93

Stück: Vgl. Anm. Br. Nr. 89.

»Vogelhändler«: »Der Vogelhändler«, Operette von Carl Zeller (Uraufführung im Januar 1891 in Wien). Aufführung des »Central-Theater« Recklinghausen. E.-A. K. spielte den Professor Süffle.

neuer Tenor: Erich Dorth.

Uffz.: Unteroffizier.

Erdmann Direktor: Direktor ist immer noch K. G. Framke.

Film »Finale«: »Finale«, 1948. Regie: Ulrich Erfurth. Musik: Tschaikowskys Klavierkonzert b-moll op. 23. Es spielten u. a. Hedwig Schmitz, Willy Fritsch, Else von Möllendorf.

94

unterwegs, um »Beziehungen« zu realisieren: H. B. hatte kein Geld, um zu reisen. Seine persönlichen Kontakte knüpfte er meist in Köln. In dieser Zeit vor allem zu Robert Grosche und Pater Alois Schuh, die er auch an diesem 7. Oktober 1948 besucht hatte.

Preisausschreiben: Vgl. Anm. Br. Nr. 87.

der Dicke: Raimund Böll.

95

Der Herr vom anderen Stern: »Der Herr vom andern Stern«, 1948. Regie: Heinz Hilpert. Die Hauptrolle spielte Heinz Rühmann.

Geburt des zwölften Böllerenkels: Viktor Böll, Sohn von Alois und Maria Böll, geboren am 9. 10. 1948.

Preisausschreiben: Unter dem Kennwort seiner beiden Söhne »Raimund« und »René« reichte H. B. am 11. Oktober 1948 zwei Arbeiten ein. Näheres nicht zu ermitteln.

Beim Rundfunk: Der »einzig erreichbare[n] Mann an massgebender Stelle« hieß Werner Höfer. H. B. schickte ihm am 10. Oktober 1948 einige Erzählungen. Vgl. a. Nachwort.

Anthologie-Aufforderung: Am 30. September 1948 forderte Eric A. Peschler vom »Abendland Verlag« H. B. auf, sich an einer Anthologie zu beteiligen mit der »Absicht, der jungen deutschen Dichtung den Weg ins benachbarte Ausland, vor allem nach Frankreich zu bereiten«.

der Verleger: Günther Birkenfeld.

noch ein Feuilleton erschienen: »Einsamkeit im Herbst« in: »Hessische Nachrichten«, Nr. 128, 23. 9. 1948.

»Stück«: Vgl. Anm. Br. Nr. 89.

bestandene Assessor meines Bruder: Alfred Böll ist Lehrer.

Tilla: Mechthild Böll.

»vif«: lebendig, lebhaft.

West-Typ – dem Geschlecht meiner Mutter zuneigend: Maria Herrmanns stammte aus Düren, eine Kleinstadt in der Nähe von Aachen.

96

Hewel: Gisela Hewel.

Karussell: »Das Karussell«.

Schäfer: Anneliese Schäfer.

Klatt: Agnes Klatt.

Borchert: Wolfgang Borchert, »Draußen vor der Tür«, Hamburg 1947. Vgl.
H. B., »Die Stimme Wolfgang Borcherts«, dtv 1, S. 157-160.

Papa: Ernst Kunz.

Schachts »Abrechnung mit Hitler«: Hjalmar Schacht, »Abrechnung mit Hitler«,
Reinbek 1948. Erschien als RO-RO-Druck im Zeitungsformat für 1,00 DM.

Wanne-Eickel: Stadt im Ruhrgebiet.

Vogelhändler: »Der Vogelhändler«, Operette von Carl Zeller, vgl. Anm. Br.
Nr. 93.

neueste Quittung: René Böll.

97

Dicke: Raimund Böll.

98

»Literarische Revue«: »Wiedersehen in der Allee« in: »Literarische Revue« 3.
Jg., Heft 7, Juli 1948, S. 403 ff.

»Ruf«: »Der Ruf«. »Wir Besenbinder« in: »Der Ruf«, Nr. 3, Heft 14, 25. 7. 1948,
S. 11 f.
»Mein teures Bein« in: »Der Ruf«, Nr. 3, Heft 20, 15. 10. 1948, S. 16.

manches ermutigende Schreiben: Vgl. u. a. Anm. Br. Nr. 95, die Aufforderung
zur Anthologie des »Abendland Verlag[s]«. Außerdem die Anfrage der
BBC, s. u.

Burgmüller: Herbert Burgmüller, Redakteur »Literarische Revue«. Herausgeber war Willi Weissmann.

BBC London: Am 15. Oktober 1948 schrieb Herbert Burgmüller, er habe
H. B. an die BBC empfohlen, die eine Hörfunkserie mit neuer deutscher
Literatur plane.

der Dicke: Raimund Böll.

Menden: Stadt in Westfalen. Zweigstelle des Hygiene-Instituts der Stadt
Gelsenkirchen, an dem Anita Kunz arbeitete.

99

Anthologie: Eric A. Peschler vom »Abendland Verlag« schrieb am 27. Oktober 1948, daß er für die geplante Anthologie [vgl. Anm. Br. Nr. 95] die Erzählung »An der Angel« ausgewählt habe. Außerden möchte er sich mit H. B. über eine »geschlossene Ausgabe«, d. h. einen Band mit Erzählungen, unterhalten.

Vom BBC wurde ich jetzt offiziell aufgefordert: Am 25. Oktober 1948 schrieb Ernst H. Berk, daß er für eine Sendereihe des BBC »eine Auswahl repräsentativer deutscher Nachkriegs-Kurzgeschichten« zusammenstelle. »Es darf keine Kriegsreportage sein, aber ein Kriegs-Milieu ist nicht ausgeschlossen«. Am 5. November 1948 reichte H. B. u. a. »Aufenthalt in X«, »Die Essenholer« und »Über die Brücke« ein.

Sperrkonto: Die »Bezahlung« für die Ausstrahlung in der BBC »erfolgte [...] im Namen des Verfassers« auf ein Sperrkonto, daß zur Begleichung der Kriegsschulden diente.

»Vermächtnis«: Am 27. Oktober 1948 schrieb Wolfgang Pfundtner, Leiter der »Feuilleton-Korrespondenz« des »Verlag[s] Kurt Desch« an H. B.: »Unser Hauptlektor, Herr Dr. G. Groll, hat sich eingehend mit Ihren Arbeiten beschäftigt und dabei einen sehr erfreulichen und starken Eindruck von dem Autor Heinrich Böll gewonnen. Wir freuen uns, Ihnen sagen zu können, dass von den Kriegsdarstellungen junger Autoren, die uns bekannt geworden sind, Ihr Roman »DAS VERMÄCHTNIS« ohne Zweifel eine der besten ist. Wir haben über Ihr Manuskript in unseren Lektoratssitzungen lange diskutiert und sind uns durchaus darüber im klaren, dass es nicht nur publizierbar ist, sondern dass es auch ein Erfolg werden kann. Dennoch haben wir von der Annahme abgesehen.« Grund sind die in Kürze erscheinenden Titel u. a. von Hans Werner Richter »Die Geschlagenen«, München 1949. Erwähnt werden noch Wolfdietrich Schnurre und Alfred Andersch, von beiden ist im »Verlag Kurt Desch« aber nie ein Buch erschienen.

Feuilleton-Dienst des Desch-Verlages: Im Brief von Wolfgang Pfundtner [s. o.] hieß es weiter: »[...] interessieren mich besonders Ihre kürzeren Erzählungen. [...] Ich glaube, dass man bei einer ganzen Reihe von Zeitschriften etwas für Sie tun kann. Noch lieber wäre mir allerdings, Sie hätten in Ihrer Schreibtischschublade einige kürzere Manuskripte. Die Zeitungen, besonders die Tageszeitungen, legen grossen Wert auf Beiträge, die nicht mehr als drei Schreibmaschinenseiten umfassen.«

»Vermächtnis« habe ich gleich wieder auf die Reise geschickt: Am 30. Oktober 1948 antwortete H. B. auf den Brief von Wolfgang Pfundtner [s. o.] und teilte mit: »Ich werde die Arbeit wieder auf die Reise schicken [...].« Nicht nachzuweisen, ob und wohin H. B. »Das Vermächtnis« geschickt hat.

»Ruf«: »Der Ruf«. Im Brief vom 26. Oktober 1948 teilte Dr. Wagner mit, daß die Erzählung »Auch Kinder sind Civilisten« zur Veröffentlichung angenommen sei. Sie erschien in: »Der Ruf«, Nr. 3, Heft 23, 1. 12. 1948, S. 12. Weiter hieß es in dem Brief: »Wir bitten Sie, weiterhin mit uns Verbindung zu halten.«

»Taube«: Vgl. Anm. Br. Nr. 26.

Strickaufträge: Frau Gertruda Kunz verdiente zu dieser Zeit zusätzlich Geld mit Nähen und Stricken.

100

»Lit. Revue«: »Literarische Revue«.

»Ruf«: »Der Ruf«.

verläßt uns Nita: Ihre erste Arbeitsstelle war die Zweigstelle des Hygiene-Instituts der Stadt Gelsenkirchen in Menden, Westfalen.

Hella: Hella Spieker.

Vogelhändler: »Der Vogelhändler«, Operette von Carl Zeller, vgl. Anm. Br. Nr. 93

»blonde Inge«: Inge Kanty.

»Die kostbaren letzten Minuten«: In »Abschied« [vgl. WA, Bd. 1, S. 515] heißt es: »Charlotte stand am Fenster des langen Flurs, und sie wurde dauernd von hinten gestoßen und beiseite gedrängt, und es wurde viel über sie geflucht, aber wir konnten uns doch diese letzten Minuten, diese kostbaren letzten, gemeinsamen unseres Lebens nicht durch Winkzeichen aus einem überfüllten Abteil heraus verständigen ...«

101

BBC: Vgl. Anm. Br. Nr. 99.

Willi: Willi Stratmann.

102

Hella: Hella Spieker.

103

Genever: Wacholderbranntwein.

der Dicke: Raimund Böll.

In Innsbruck: »Abendland Verlag«. Verlagsort war Innsbruck, weil zu der Zeit für Deutschland noch keine Lizenz vorlag. Die wurde erst Ende Dezember 1948 erteilt.

Verlagsleiter für Deutschland: Eric A. Peschler.

»Vermächtnis«: »Das Vermächtnis«. Am 10. November 1948 schrieb Eric A. Peschler, H. B. möge das Typoskript überarbeiten, dann werde er es der Verlagsleitung in Innsbruck zur Annahme empfehlen. »Ich halte Ihre Arbeit thematisch für vorzüglich; formal bedarf Sie einer gruendlichen Ueberarbeitung [...].«
Am 31. Dezember 1948 schickte H. B. das überarbeitete Typoskript an Peschler zurück mit dem Hinweis, er habe die »Kapitelbezeichnung ›erster Brief, zweiter‹ usw. fallen lassen« und schlage statt dessen vor, die Kapitel durch »römische Ziffern« zu kennzeichnen.

Ein früherer literarischer Bekannter: Axel Kaun ist in den Verlag Kurt Desch eingetreten und arbeitete in der Redaktion von »Glanz«, »eine neue grosse Zeitschrift [...], die anstelle des bisherigen PRISMA treten wird [...]. Es ist beabsichtigt, aus der neuen Zeitschrift eine splendide und fuer breitere kultivierte Leser- und Beschauerkreise moeglichst interessante Sache zu machen, wie sie nach dem Kriege in Deutschland in dieser Form noch nicht dagewesen ist. [...] Erzaehlungen, Kurzgeschichten, kurzum, beste belletristische Beitraege, werden wir natürlich auch gebrauchen koennen.« »Glanz« erschien von Januar bis Juni 1949 und wurde von Bruno Erich Werner herausgegeben.
»Prisma« erschien von November 1946 bis Dezember 1948.

Feuilleton-Dienst: Vgl. Anm. Br. Nr. 99.

»Der Aufenthalt in X«: Noch am selben Tag schickte H. B. die Erzählung an Wolfgang Pfundtner vom Feuilletondienst des Verlags Kurt Desch mit dem Hinweis, »sie ist eines meiner Lieblingskinder«. Die Erzählung erschient erst 1950 im Sammelband »Wanderer, kommst du nach Spa ...«.

Lit. Revue: »Literarische Revue«.

104

kurzer Besuch: Am 26. November 1948 war H. B. abends nach Gelsenkirchen zu Kunz gefahren und kam am 27. November zurück.

der Maler: Paul Wunsch.

Die Filmgeschichte: Ein dreizehnseitiges Filmexposé zu »Der Zug war pünktlich« ist im Nachlaß erhalten.

Landsergeschichte: Entweder »Die Essenholer« oder »Siebzehn und vier«.

Uebersetzerei: Am 11. November 1948 schrieb H. B. an den Verlag »Friedrich Middelhauve« und bot an, zusammen mit Annemarie Böll Übersetzungen aus dem Englischen zu machen. Er verwies auf die Übersetzung für die »Literarische Revue« [vgl. Anm. Br. Nr. 75].

Samowar: russische Teemaschine.

105

Verlagsdirektor aus O.: Georg Zänker, »Middelhauve Verlag«, Opladen, der H. B. am 15. Dezember 1948 in Köln besuchte. Er kannte Arbeiten von H. B. aus »Der Ruf«, »Das Karussell« und »Literarische Revue« und hatte versucht, H. B.s Adresse über das Einwohnermeldeamt herauszubekommen.

Borchert: Wolfgang Borchert.

Lizenz: Die Lizenzen zur Gründung von Buch-, Zeitungs- und Zeitschriftenverlagen wurden zu dieser Zeit noch von den alliierten Besatzungsmächten vergeben.

»Lemberg«: »Zwischen Lemberg und Czernowitz«; am 29. November 1948 forderte H. B. das Typoskript von Moritz Hauptmann zurück, der es am 6. Dezember 1948, noch rechtzeitig vor dem Treffen mit Georg Zänker, zurückschickte.

Reihe amerikanischer Autoren: Der Plan des »Friedrich Middelhauve Verlags« amerikanische Autoren zu verlegen, wurde nicht realisiert.

Druckerei: Seit 1924 besaß Friedrich Middelhauve, Inhaber des gleichnamigen Verlags, in Opladen eine Druckerei. 1938 übernahm er das Papierverarbeitungswerk Julius Cramer in Köln-Ehrenfeld.

Wirtschaftsverlag: 1946 gründete Friedrich Middelhauve den wissenschaftlichen Verlag »Westdeutscher Verlag«.

L.: Lemberg, »Zwischen Lemberg und Czernowitz«.

die Innsbrucker: »Abendland Verlag«.

Tilla: Mechthild Böll.

Wunsch: Paul Wunsch.

Vermächtnis: »Das Vermächtnis«, vgl. Anm. Br. Nr. 103.

Filmentwürfe[n]: Vgl. Anm. Br. Nr. 103.

»Mella«: Karamelbonbon. Hier allg. für Bonbon.

Deinen Besuch: E. A. Kunz war vom 12. bis 14. Dezember bei Bölls in Köln.

»bedrückte« (so wie Wunsch): Paul Wunsch war zur gleichen Zeit bei Bölls in Köln. Vom 6. bis 14. Dezember 1948.

106

Kasseler Feuilleton-Verlag: Am 23. Dezember 1948 schrieb Goebel vom »Harriet Schleber Verlag«, Kassel: »Die allgemein katastrophale Papierlage der Zeitungen hat es uns unmöglich gemacht, weitere Veröffentlichungen der beiden Erzählungen ›Abschied‹ und ›Der Rummel‹ zu erreichen. ›Abschied‹ wurde 16, ›Der Rummel‹ 18 Zeitungen angeboten. Veröffentlicht wurden beide je einmal in den ›Hessischen Nachrichten‹ [...]. Da es scheint, dass auch im neuen Jahr sich die Feuilletons noch weiterhin verkleinern werden, haben wir unseren Feuilletondienst zunächst eingestellt.«

Rummel« in: »Hessische Nachrichten«, Nr. 123, 17.9.1948.

Abdruck des A.: »Abschied« in: »Westfälische Rundschau«, Nr. 124, 16. 12. 1948, S. 3.

Parole 15: Die Verabredung zwischen H. B. u. E.-A. K., ein Fest zu veranstalten. Parole 15 = 15 Flaschen Wein.

war um halb 5 in Köln: Vom 28. bis 30. Dezember war H. B. in Gelsenkirchen.

»Jour«: Jour fixe.

Rezept für P.: Pervitin. Vgl. a. Anm. Br. Nr. 32.

107

»Wie das Gesetz es befahl«: Drama im Nachlaß. Entstanden zwischen dem 4. und 11.1.1949. Der Titel ist einem Vers entlehnt, den die Spartaner für ihre gefallenen Soldaten auf den Gedenkstein setzten. Friedrich Schiller übersetzt in seinem »Spaziergang« den Vers wie folgt:
»Wanderer, kommst du nach Sparta, verkündige dorten, du habest
Uns hier liegen gesehn, wie das Gesetz es befahl«.
Vgl. a. H. B. »Wanderer, kommst du nach Spa . . .«, WA, Bd. 1, S. 487-497.

Roman: »Der Engel schwieg«, Köln 1992. Geschrieben zwischen 1949 und 1950. Der Roman ist vom »Verlag Friedrich Middelhauve« im Herbst 1950 angezeigt worden. Dort aber nicht erschienen.

Kurzgeschichte: Wahrscheinlich »Die Toten parieren nicht mehr« [Titel des Entwurfs]. Kurzgeschichte im Nachlaß. Die Geschichte ist aus »Wie das Gesetz es befahl« übernommen. Datum der Reinschrift: 5. Januar 1949.

Bruder: Alois Böll.

Der »Vermächtnis«-Mann: Am 3. Januar 1949 schrieb Eric A. Peschler: »In den kommenden Tagen werde ich in Innsbruck die Annahme Ihres Romans DAS VERMÄCHTNIS und eines Sammelbandes Ihrer Erzählungen beantragen [. . .].«
E. A. Peschler, deutscher Verlagsleiter des »Abendland Verlag[s]«, brauchte für jedes Projekt die Zustimmung der Innsbrucker Verlagszentrale. Gleichzeitig fragte er an, ob H. B. bei »Inverlagnahme« dem »Abendland Verlag« ein »Optionsrecht auf Ihre folgenden Arbeiten« einräumt.
H. B. antwortete am 12. Januar 1949: »Bezügl. des Optionsrechts kann ich Ihnen leider nichts Bindendes schreiben. Es ist bei mir so, dass ich mit mehreren Verlagen zusammenarbeite, denen ich zum Teil aus der Zeit meiner ersten Veröffentlichungen her freundschaftlich verbunden und auch geschäftlich verpflichtet bin. Selbst wenn ich einmal irgendwie einen Vertrag unterschreiben würde, der mir auch eine gewisse finanzielle Sicherheit böte, würde ich mir immer vorbehalten, dem einen oder anderen ausserhalb des Vertrages einmal wieder eine Arbeit anzubieten [. . .].« H. B. hoffte, daß die Einräumung des Optionsrechts nicht »Vorbedingung« für die »Verlagnahme« sei.

Anthologie: Vgl. Anm. Br. Nr. 99.

Lemberg: »Zwischen Lemberg und Czernowitz«.

108

Die Parole: Vgl. Anm. Br. Nr. 106.

Inge: Inge Kauty.

LKW-Fahrten: Die Theatertruppe reiste mit der Dekoration auf offenen Lastwagen zu den Spielstätten.

Hella: Hella Spieker.

Rez.: Rezepte.

109

das »Stück«: »Wie das Gesetz es befahl«, vgl. Anm. Br. Nr. 107.

Pralinenproduktion: Allgemein für die Hinweise der Feuilletonredaktionen, etwas Heiteres und Aufmunterndes zu schreiben und nicht nur zurückzublicken auf die Vergangenheit, auf den Krieg.
Vgl. H. B., »Der Schrei nach Schinken und Pralinen«, dtv 1, S. 131 f. Vgl. a. Nachwort.

»Parole 15«: Vgl. Anm. Br. Nr. 106.

»constanze«: Vgl. Anm. Br. Nr. 104.
9000 Manuskripte waren eine Zwischenbilanz. In einem Rundschreiben vom 25. Mai 1949 an die Teilnehmer des Preisausschreibens teilte »constanze« mit, daß insgesamt »24.431 Manuskripte« eingegangen waren.

Rundfunkbeziehungsleute: Pater Alois Schuh und Robert Grosche.

der ganze Funk in den Händen der SPD: H. B. meint hier den »Nordwestdeutschen Rundfunk«, Köln.

meinen beiden Verlagen: »Middelhauve Verlag« und »Abendland Verlag«.

Optionsvertrag: Vgl. Anm. Br. Nr. 107.

Herr Z.: Georg Zänker, Verlagsdirektor des »Middelhauve Verlags«.

Wera [...] guten Start in der Werkstatt: Töpferei-Werkstatt der Folkwangschule in Essen.

110

meine technische Arbeit: Bearbeitung von »Wie das Gesetz es befahl«.

Parole 15: Vgl. Anm. Br. Nr. 106.

111

Stück: »Wie das Gesetz es befahl«.

Semmelroth in Köln: Wilhelm Semmelroth. Von 1946 bis 1953 Leiter der Hörspielabteilung des »Nordwestdeutschen Rundfunks«, Köln.

8. April: Ende des 2. Weltkriegs am 8. April 1945.

Stück in Frankreich: Vgl. Anm. Br. Nr. 89.

Anthologie: Vgl. Anm. Br. Nr. 99.

112

diplomatische[n] Verhandlungen: Am 12. Januar 1949 schrieb H. B. an Georg Zänker, »Middelhauve Verlag«, er befinde sich in einer »Zwickmühle«. Beim »Abendland Verlag« stand H. B. mit »Das Vermächtnis« im Wort, der »Middelhauve Verlag« wollte »Von Lemberg nach Czernowitz« herausbringen. Beide Verlage wollen außerdem einen Sammelband mit Erzählungen herausbringen. Auch waren beide Verlage an einem Optionsrecht interessiert.

Herr Z.: Georg Zänker.

»Lemberg«: »Von Lemberg nach Czernowitz«.

nach München fahren: Um persönlich mit Eric A. Peschler vom »Abendland Verlag« die Situation zu erörtern.

Cheflektor des Opladener Verlages: Paul Schaaf ist Lektor im »Middelhauve Verlag«.

»Stück«: »Wie das Gesetz es befahl«; vgl. Anm. Br. Nr. 107.

»Draußen vor der Tür«: Theaterstück von Wolfgang Borchert. Als Hörspiel am 13. Februar 1947 vom »Nordwestdeutschen Rundfunk«, Hamburg, erstgesendet.

Z. aus B. zurück: Georg Zänker aus Berlin.

der Innsbrucker Verlag 24 Geschichten [...] noch 18 (druckbare) für den Opladener: Ob das von H. B. angegebene Verhältnis stimmt, ist nicht zu ermitteln. Im Brief vom 12. Januar 1949 an Georg Zänker schrieb er, daß »etwa 18 meiner Erzählungen« beim »Abendland Verlag« liegen. Auch ist nicht zu ermitteln, um welche Erzählungen es sich im einzelnen handelt.

Tilla: Mechthild Böll.

die Tage voller »Stunden«: Nachhilfestunden.

113

»Taurus«: »Taurus« erschien von Januar 1949 an als »illustriertes Journal« im »Handelsblatt Verlag«, Düsseldorf. Nach wenigen Nummern wurde die Zeitschrift eingestellt. Herbert Burgmüller hatte die Redaktion auf H. B. aufmerksam gemacht. Fritz Heerwagen schrieb am 15. Dezember 1948 an H. B.: »Der Untertitel unserer Zeitschrift ›das internationale Journal für den guten Geschmack‹ mag Ihnen andeuten, welches Niveau wir halten und an welchen Leserkreis wir uns wenden. Was wir benötigen, sind sowohl Romane, die zum fortsetzungsweisen Abdruck geeignet sind, als auch kürzere und längere Erzählungen.« Fritz Heerwagen schlug ein Treffen in Düsseldorf vor, was am 31. Januar 1949 stattfand.

Cheflektor: Paul Schaaf, »Middelhauve Verlag«.

Innsbrucker Manuskripte: »Das Vermächtnis« und Erzählungen für den geplanten Sammelband; vgl. a. Anm. Br. Nr. 111.

meine Frau in England: Annemarie Böll plante mit den beiden Söhnen in die Nähe von Manchester zu den Freunden Robin und Mary Daly zu fahren. Vgl. Br. Nr. 19 u. 150.

114

Prozess verloren: Mietstreitigkeiten. Prozess gegen den Vermieter. Näheres nicht zu ermitteln.

Das Stück: »Wie das Gesetz es befahl«; vgl. Anm. Br. Nr. 107.

Parole: Vgl. Anm. Br. Nr. 106.

115

entscheidende Mann: Paul Schaaf.

Der Verlag schrieb mir heute: Am 4. Februar 1949 schrieb Georg Zänker an H. B., daß Paul Schaaf immer noch erkrankt sei und seine Reise nach Opladen bzw. Köln nicht antreten könnte. Und: »Unser Verlagslektor, Herr Dr. Paul Schaaf, hat sich mit Ihren Arbeiten sehr eingehend beschäftigt. Das Interesse an Ihren Veröffentlichungen ist bei uns dadurch noch verstärkt worden.«

des Innsbruckers: »Abendland Verlag«.

»Abschied«: Vgl. Anm. Br. Nr. 106.

zwei Geschichten: »Der Leutnant sagte wir sollen . . .«; Kurzgeschichte im Nachlaß. »Oliver Twist will mehr«; Kurzgeschichte im Nachlaß.

Stück: »Wie das Gesetz es befahl«; vgl. Anm. Br. Nr. 107.

zwei angefangene Romane: »Der Engel schwieg«; vgl. Anm. Br. Nr. 107.

»Wie das Gesetz es befahl«: Typoskript im Nachlaß. Der Roman wurde nach 40 Seiten abgebrochen.

116

»An der Brücke«: In: »Der Ruf«, Nr. 4, Heft 3, 1. 2. 1949, S. 12 f.

Theater des Westens: Privattheater im Bahnhofshotel in Gelsenkirchen. Hauptsächlich Operettenaufführungen.

Margot: Margot Grimm.

Adalbert: Adalbert Suntinger.

117

Annemaries Freundin: Mary Daly. Vgl. Anm. Br. Nr. 19.

»Das große Treiben«: »The Overlanders«, 1946. Regie: Harry Watt.

Erzengel der Familie: René Böll.

In Düsseldorf: Gespräch mit der Redaktion des »Taurus«.

»Brücken von Berkowo«: »Geschichte der Brücke von Berkowo«. Erzählung im Nachlaß. Entstanden Februar 1948. Nicht zu ermitteln, wohin H. B. die Erzählung geschickt hat. Vgl. a. »Wo warst du, Adam?«, WA, Bd. 1. S. 630-795. Hier Kapitel 8.

Lektoratstätigkeit: Am 24. Februar 1949 schrieb H. B. an Herbert Schlüter, »Literarische Revue«: »Ich wende mich heute mit einer vielleicht ausserhalb Ihres Arbeitsbereichs liegenden Bitte an Sie. Ich wäre Ihnen dankbar, wenn Sie mir etwa 4 Hefte der ›lit.Revue‹ No 7, die meine Arbeit [»Wiedersehen in der Allee«, in: Literarische Revue, 3.Jg., H. 7, S. 403 ff.] enthielt, zuschicken lassen könnten, möglichst unter Ladenpreis. Ich möchte Bewerbungen loslassen, um irgendeine ›lit.‹ Position, Lektor oder Aehnliches. Vielleicht auch können Sie – falls das im Rahmen des

Möglichen liegt – in einer biographischen Notiz bei Veröffentlichung meiner Arbeit ›Über die Brücke‹ [die Erzählung ist erst im Sammelband »Wanderer, kommst du nach Spa...« erstveröffentlicht; H. H.] eine ›dezente‹ Andeutung einflechten über meine Ambitionen. Ueberhaupt – was ich kaum erwarte – sollten Sie einmal irgendwas hören oder sehen und glauben, mich empfehlen zu können, so wäre ich Ihnen sehr dankbar. Meine finanzielle Situation ist denkbar unerfreulich [...].«

118

der Verleger: Am 24. Februar 1949 besuchte Friedrich Middelhauve H. B. Noch am selben Tag schrieb er an Paul Schaaf: »[...] ich muss Ihnen gestehen, dass ich sehr erstaunt und natürlich erfreut war, welchen Eindruck meine Erzählung ihm offenbar gemacht hat.«

»Weiberkarneval«: Weiberfastnacht, volkstümliche Bezeichnung für den Donnerstag vor dem Fastnachtssonntag. An diesem Tag übernehmen traditionell die Frauen das »Regiment« in Köln.

das »Vermächtnis«: Am 21. Februar 1949 teilte Paul Schaaf H. B., daß er auch »Das Vermächtnis« gelesen habe, es aber nicht als einzelnen Titel veröffentlichen wolle, sondern zusammen mit anderen Erzählungen »und zwar so, daß nicht etwa das ›Vermächtnis‹ am Anfang steht, sondern sozusagen in der Mitte, eingefaßt von den kleineren Erzählungen.« Er verschwieg nicht, daß ihm die »Brief-Form« nicht gefiel. Zu diesem Zeitpunkt kannte Paul Schaaf noch nicht die überarbeitete Fassung, die beim »Abendland Verlag« lag. [vgl. a. Anm. Br. Nr. 76.] »Das Vermächtnis« wurde für Frühjahr 1951 vom »Middelhauve Verlag« angekündigt, erschien aber erst 1982 im »Lamuv Verlag«.

Harry: Freund von Wera Kunz.

Hans Jochen: Freund der Geschwister Kunz.

hörte ich Trauriges: Nach dem verlorenen Mietprozess [vgl. Anm. Br. Nr. 114] mußte die Familie Kunz die Wohnung räumen und hatte nicht genug Geld, um das zerbombte und ausgebrannte Haus in Gelsenkirchen-Schalke wiederaufzubauen.

119

Vermächtnis angenommen: Am 17. März 1949 bestätigte Eric A. Peschler in einem Brief sein Telegramm vom 10. März 1949.

»Lit. Revue«: »In der Finsternis«, in: »Literarische Revue«, Jg. 4, Heft 4, April 1949, S. 204 ff.

Situation der jungen deutschen Dichtung: Am 9. März 1949 schrieb Herbert Schlüter, »Literarische Revue«: »Würde es Ihnen Freude machen zum Thema der jungen Dichtung etwas Grundsätzliches oder auch nur kritisch Betrachtendes zu sagen? Vielleicht könnten Sie auch einfach etwas über sich selbst, d. h. über Ihre besonderen literarischen Absichten und Problemstellungen aussagen.« Am 24. März 1949 schickte H. B. seinen »Versuch, etwas über die Situation der jungen Schriftsteller zu sagen«, an die »Literarische Revue«.

die Kritik über Greene: Nicht zu ermitteln. U. d. T. »Das Ende der Moral« erschien eine Kritik H. B.s über »Der Ausgangspunkt« in: »Frankfurter Hefte«, 7. Jg., H. 5, Mai 1952, S. 377-379. Vgl. a. dtv 1, S. 32-36.

Kölner Zeitung: Auf Empfehlung von Franz Kusch wandte sich H. B. am 10. März 1949 an Wilhelm Mogge, Feuilletonredakteur »Kölnische Rundschau«, und reichte einige Erzählungen ein. U. a. »So ein Rummel«; vgl. a. Anm. Br. Nr. 133.

die Zeitschrift: »Taurus«.

Life: Amerikanische Illustrierte.

120

2 Bücher: »Das Vermächtnis«, »Von Lemberg nach Czernowitz«.

die Revue: »Literarische Revue«; vgl. Anm. Br. Nr. 119.

»Frauen haben das gern«: Operette von Walter Kollo; vgl. Anm. Br. Nr. 34.

alte Stories: Gemeint ist hier die Zeitschrift »Story«. Erscheint seit August 1946 im Rowohlt-Verlag.

121

Hauptrummel des »Scheiss« Paukens: Besonders in den Wochen vor der Versetzung in die nächst höhere Klasse. Das Schuljahr endete zu der Zeit mit den Osterferien.

122

Gewerbegericht: Ob E.-A. K. tatsächlich gerichtlich gegen K. G. Franke, Direktor des »Central-Theater«, Recklinghausen vorgegangen ist, ist nicht zu ermitteln.

Recklinghausen: Stadt im Ruhrgebiet.

123

fahre ich Morgen nach Opladen: Zum »Middelhauve Verlag«.

Medea von Anouilh: Jean Anouilh »Medea«. Erstaufführung der »Bühnen der Stadt Köln« am 5. 4. 1949 im »Studio« in der Venloer Straße. Regie: Friedrich Siems.

Tilla und mein Bruder Alfred, die doch Gehaltsempfänger sind: Mechthild Böll war Volksschullehrerin. Alfred Böll war Gymnasiallehrer. Er unterrichtete die Fächer Mathematik, Physik und katholische Religionslehre.

125

verhindert wegen München: Nicht nachzuweisen, daß H. B. und Eric. A. Peschler, »Abendland Verlag«, sich in München getroffen haben. Vgl. a. Anm. Br. Nr. 126.

126

»Nervenzusammenbruchbrief«: Am 12. April 1949 schrieb H. B. an Eric A. Peschler, daß er einverstanden sei, wenn im »Abendland Verlag« »Das Vermächtnis« mit anderen Erzählungen zusammen erscheine. Er informierte ihn, daß »Von Lemberg nach Czernowitz« noch im August/September beim »Verlag Friedrich Middelhauve« erscheinen werde. Er forderte Peschler auf, einige Erzählungen zurückzuschicken, u. a. »Die Botschaft«, »Der Mann mit den Messern«, »Aufenthalt in X«, weil sie für den geplanten Erzählungsband bei »Middelhauve« gebraucht würden. Weiter heißt es: »[…] ich habe mich nun dem Verlag M. gegenüber, der mich dauernd mit Vorschüssen unterstützt, verpflichtet gesehen, gewisse Vorrechte einzuräumen, […]. An der Zusammenarbeit mit Ihnen liegt mir nach wie vor sehr viel. […] aber meine theoretische Einsicht und Bereitschaft […]«

haben da ein Ende, wo es praktisch um die nackte Existenz meiner Familie geht.
So wie ich bisher hin und her laboriere, um mich gerade über Wasser zu halten, geht es nicht mehr: ich bin restlos erschöpft, physisch und psychisch, und [unleserliches Wort] einem Zeitpunkt, wo meine Schulden eine für meine Verhältnisse enorme Höhe erreicht haben. Ich kann einfach nicht mehr, es ist mir fast alles gleichgültig, ich lebe seit einiger Zeit vom Verkauf meiner Bibliothek und vom Stundengeben, und ich muss Sie wirklich dringend bitten, mir Endgültiges zu sagen: wann ich mit Vertrag und Vorschuss für das ›Vermächtnis‹ rechnen kann. Ich kann nur sagen: möglichst bald. Wie es mit meinen weiteren Arbeiten steht, hängt davon ab, ob ich den drohenden Nervenzusammenbruch abwenden kann.«

für »Lemberg« und ein Erzählungsbändchen je 1500 Vorschuß: Mit Datum vom 29. April 1949 erhielt H. B. einen Verrechnungsscheck in Höhe von DM 550,00. Damit hatte er bis zu diesem Zeitpunkt als Vorschuß auf »Zwischen Lemberg und Czernowitz« DM 1.500,00 erhalten. Ein Vorschuß für einen Sammelband stand noch nicht an.

Patenkind: Marie-Therese Böll, älteste Tochter von Alois Böll.

Hella: Hella Spieker.

127

»Die letzte Nacht«: Sybille Schmitz und Karl John in einem Film um Spionage, Liebe, Sensationen.

128

»Texas«: Zigarettenmarke.

M.: »Middelhauve Verlag«.

zweiten Band fest gemacht (25-45 Erzählungen): »Wanderer, kommst du nach Spa ...«, erschien 1950.

»Lemberg«: »Zwischen Lemberg und Czernowitz« erschien u. d. T. »Der Zug war pünktlich« erst im Dezember 1949.

»Vermächtnis«: »Das Vermächtnis«. Die einzige überarbeitete Fassung lag beim »Abendland Verlag«.
Paul Schaaf, der ebenfalls an diesem Stoff interessiert war, kannte nur die

Fassung in Brief-Form. Für eine Veröffentlichung im »Middelhauve Verlag« hätte H. B. den Text noch einmal überarbeiten müssen.

Rodenkirchen: Gemeinde im Süden von Köln, am Rhein gelegen. Ausflugsziel für viele Kölner.

Motto Götz von Berlichingen: In der Urfassung des Dramas »Götz von Berlichingen« von Johann Wolfgang von Goethe sagt Götz zum Trompeter der Kaiserlichen Armee: »Sag deinem Hauptmann vor ihro Kayserlichen Majestät hab ich, wie immer, schuldigen Respeckt. Er aber, sags ihm, er kann mich im Arsche lecken.«

33 (!) Kinos: im April 1949 gab es 33 Lichtspieltheater, im Dezember 1949 schon 46.

in Frankfurt: Eine Reise H. B.s nach Frankfurt läßt sich für diesen Zeitraum nicht nachweisen.

»Ende und Anfang«: »Ende und Anfang«, im Untertitel: »Zeitung der jungen Generation«, erschien von April 1946 bis Februar 1949, Herausgeber Franz Josef Bautz und Lothar Kolb. H. B. hatte die Erzählungen »Lohengrins Tod« und »An der Angel« eingereicht. Fritz Wagner, Redakteur von »Ende und Anfang«, schickte beide Erzählungen am 19. Juni 1949 zurück.

M.: »Middelhauve Verlag«.

neuen Roman: »Der Engel schwieg«.

Carlheinz: Carl Heinz Ortmeyer, der spätere Ehemann von Wera Kunz.

129

»Lemberg«: »Von Lemberg nach Czernowitz«.

eine größere Arbeit angegangen: Eintrag Notizbuch 1. Mai 1949: »Anfang ›Verlorenes Paradies‹«. Die Arbeit wurde am 2. und 4. Mai 1949 fortgesetzt, am 26. Mai 1949 notierte H. B.: »2. Kapitel verlorenes Paradies«. Die Arbeit wird dann abgebrochen.

der Münchener: Eric A. Peschler vom »Abendland Verlag«.

»Aufenthalt in X.«: Der Titel dieser Erzählung war von H. B. ursprünglich als Titel des Sammelbandes »Wanderer, kommst du nach Spa ...« vorgesehen.

Arbeit für den »tagesausklang«: Gemeint sind hier Kurzgeschichten, Glossen, kleine Feuilletons für die tägliche Sendung »Echo des Tages« des »Nordwestdeutschen Rundfunks«, Köln. Die Sendung wurde immer von 18.30

bis 19.00 ausgestrahlt. In einem Brief vom 20. April 1949 teilte Paul Schaaf H. B. mit, daß er telefonisch mit Edmund Ringling vom »Nordwestdeutschen Rundfunk«, Köln, gesprochen und ihm »Ihr Können so nahe wie möglich ans Herz gelegt« habe. »Haben Sie sich mit einem Manuskript für den Tages-Ausklang befreunden können?« Erst 1952 und 1953 schrieb H. B. dann einige Texte für die Reihe »Echo des Tages«.

einen Anzug anmessen: Durch die Verbindung von Wera Kunz zu Carl Heinz Ortmeyer bestand die Möglichkeit, gute Anzugstoffe preiswert zu erwerben.

130

»Heiligen Johanna«: George Bernard Shaw, »Die heilige Johanna«. Aufführung der Städtischen Bühnen Gelsenkirchen. Uraufführung am 3. 5. 1949. Regie: Jost Dahmen.

Märchenvorstellungen: »Das tapfere Schneiderlein«.

Herten: Stadt im Ruhrgebiet.

Leiter der Reportagen: Bernhard Ernst.

Irene: Irene Bienek.

Opa: Viktor Böll.

Phips: Alfred Böll.

131

Zuzugsgenehmigung: Ohne Genehmigung der alliierten Behörden war es weder möglich innerhalb einer Besatzungszone seinen Wohnsitz frei zu wählen noch von der einen in die andere Besatzungszone umzuziehen.

von einem Bekannten: Franz Kusch.

die Engländer: Mary und Robin Daly.

alle Neuerscheinungen [. . .] »zur Ansicht«: H. B. hatte gute Beziehungen zu Friedrich Pustert, dem Geschäftsführer der »Köselschen Buchhandlung« in Köln. Nicht nur Bücher, sondern auch Zeitschriften bekam er zur Ansicht.

»Aufenthalt in X«: Vgl. Anm. Br. Nr. 129.

132

Hinweisen auf Funk: Vgl. Br. Nr. 131.

20 DM Reinverdienst: Um zu ermessen, was 20 DM wert waren, einige Durchschnittspreise für Lebensmittel im Mai 1949. Die Preise beziehen sich auf ein Kilo: Weizenmischbrot DM 0,49; lose Marmelade DM 1,90; Butter DM 5,12; Margarine 2,44; Emmentaler Käse DM 6,20; Fleischwurst DM 3,06; Leberwurst DM 4,92; Suppenfleisch DM 3,00; Kaffee DM 28,00; Kakao DM 7,00.

Märchen: Vgl. Anm. Br. Nr. 130.

Gusmann »Odysseus«: Georg Gusmann, »Odysseus – Aufzeichnungen eines Heimgekehrten«, 1947.

Zolas Schnapsbude: Emile Zola, »Die Schnapsbude«.

Karl Heinz: Carl Heinz Ortmeyer.

Zigarettenpreisliste: Bei der Firma Paul Schrader in Bremen hatte die Familie Kunz seit den 20er Jahren Kaffee, später auch Tee bestellt. Beste Qualität zu günstigen Preisen. Die Firma lieferte auch Zigaretten und alkoholische Getränke.

133

beim Funk: »Nordwestdeutscher Rundfunk«, Köln.

der Bonze: Edmund Ringling.

Taube: Vgl. Anm. Br. Nr. 26.

»Neues Wohnen«: »Neues Wohnen«, eine Ausstellung des »Deutschen Werkbundes«, vom 14. Mai bis 3. Juli 1949 in der Kölner Messe.

»Malerei und Plastik der Gegenwart«: Wahrscheinlich in Zusammenhang mit der Ausstellung »Moderne Abt. Sammlung Haubrich«, vom 14. Mai bis 3. Juli 1949 in der »Alten Universität« am Ubierring.

Kölner Zeitung: Am 9. Mai 1949 schrieb Wilhelm Mogge, Feuilleton-Redakteur »Kölnische Rundschau«, er habe »So ein Rummel« zur Veröffentlichung angenommen, »muß allerdings gestehen, daß ich mit einigen Sorgen an den Abdruck und sein evtl. Echo denke. Sie werden selber wissen, daß Ihre Arbeiten für einen derartigen Leserkreis, wie ihn die Kölnische Rundschau hat, nicht gerade geeignet sind.« Der Leserkreis der »Kölnische[n] Rundschau« ist konservativ und meist katholisch. Trotzdem bat er H.B., »in der nächsten Woche einmal bei mir vorzusprechen, damit wir uns über eine evtl. Mitarbeit unterhalten können.«

Passgeschichte: Die Ausstellung eines Visums für Großbritannien, um endlich die geplante Reise anzutreten.

134

Kolpingfamilien: Der katholische Theologe Adolf Kolping gründete 1846 in Elberfeld und 1849 in Köln Gesellenvereine, um den Handwerkern religiöse und sittliche Werte zu vermitteln, und sie gleichzeitig in ihrem Anliegen nach sozialer Gerechtigkeit zu unterstützen. Aus den Gesellenvereinen entwickelte sich das Kolpingwerk.

»Die heilige Gräfin« (Genoveva): »Die heilige Frau« von Walther Storm. Aufführung »Union heimatvertriebener Bühnenkünstler«, Herten, Leitung Walther Storm. Privattheater, gegründet Frühjahr 1949. E.-A. K. spielte in dem Stück den Burgvogt Bruno.

Heuer: Hein Heuer, Intendant »Theater des Westens«, Gelsenkirchen. Privattheater.

Oberstadtdirektor: Emil Zimmermann.

Märchenladen: Vgl. Anm. Br. Nr. 130.

135

»Erzählungsbändchen«: »Aufenthalt in X«.

Manuskripte aus Innsbruck: »Das Vermächtnis« und eine nicht genau zu ermittelnde Anzahl von Erzählungen. In Frankfurt traf H. B. den Verleger Neumann vom »Abendland Verlag«, wobei er, wie er es in einem Brief vom 2. Juni 1949 an Paul Schaaf nannte, »alle Beziehungen liquidierte«. Im Brief an Paul Schaaf heißt es »vorgestern«, das wäre der 31. Mai 1949 [H. H.], im Notizbuch H. B.s steht als Datum der 2. Juni 1949.
Den Aufenthalt in Frankfurt benutzte H. B. zu einem ersten Kontakt mit Alfred Andersch, der zu der Zeit Leiter des Abendstudios im »Hessischen Rundfunk« war.

zweite Bändchen: Band mit Erzählungen. Arbeitstitel: »Aufenthalt in X«.

pol. Zeugnis: polizeiliches Führungszeugnis.

engl. Freunde: Robin und Mary Daly. Vgl. Anm. Br. Nr. 113.

Weras Schmuck: Um an Geld zu kommen, wollte Wera Kunz über Harry [vgl. Anm. Br. Nr. 117 u. 136] ihren Schmuck verkaufen.

gestern spielte Edwin Fischer: Der Pianist Edwin Fischer und das Kölner Kammerorchester spielten am 12. 6. 1949 in der Aula der Universität zu Köln Werke von Mozart.

leidenschaftlicher Dreher: H. B. drehte die Zigaretten selbst.

stockend an einem neuen Roman: »Der Engel schwieg«.

Max und Moritz auf Latein: Max et Moritz puerorum facinora scurrilia septem fabellis quarum materiam repperit depinxitque Guilelmus Busch demonstrata isdem versibus quibus auctor Latine reddidit Ervinus Steindl. Monachii: Braun & Schneider 1951.

136

Bühnenbildner Storm: Walther Storm.

»Union heimatvertriebener Künstler«: Vgl. Anm. Br. Nr. 134.

»Heilige Genoveva«: »Die heilige Frau« von Walther Storm; vgl. Anm. Br. Nr. 134.

Heiligen Vincent: Eine Geschichte über den hl. Vincent ist nicht nachzuweisen. U. d. T. »Dasein in der Heiligkeit« schrieb H. B. für den »Nordwestdeutschen Rundfunk«, Köln, einen Essay, der sich mit dem Leben des hl. Goar, Joseph von Cupertino, Marcellinus aus Constanza, Benedikt Joseph Labre, des hl. Paphnuzius, Edith Stein und des hl. Martin von Tours beschäftigte. Die Sendung wurde vom »NWDR«, Köln, aber erst am 1. November 1953 ausgestrahlt.
Vgl. a. H. B. »Ein skythischer Knabe«, dtv 1, S. 105 f.

Papa wurde ziemlich gefeiert: 75. Geburtstag von Ernst Kunz.

Grundstück verkaufen: Grundstück in Gelsenkirchen-Schalke mit dem ausgebrannten Haus. Die Familie Kunz erhielt für das Haus 8000,00 DM, abzüglich 800,00 DM Provision für den Vermittler.

Harry: Freund von Wera Kunz; vgl. a. Anm. Br. Nr. 118.

K.-Heinz [...] tolle Pläne: Carl Heinz Ortmeyer wollte sich als freier Architekt niederlassen.

Englandtrip: Vgl. Anm. Br. Nr. 150.

137

Harry: Vgl. Anm. Br. Nr. 136.

Supronalum: Aufputschmittel.

Visa-Offizier: Besatzungsoffizier der Britischen Besatzungszone, der für Reisen nach Großbritannien Visa ausstellte.

Taube: Vgl. Anm. Br. Nr. 26.

Kanaldampfer auf eine Mine gelaufen: Am 21. 6. 1949 lief der Belgische Passagier-Dampfer »Princeß Astrid« auf dem Weg von Ostende nach Dover vor Dünkirchen auf eine Mine. Das Schiff sank, fünf Besatzungsmitglieder kamen ums Leben.

Das Steigen: Hier die Versetzung in die nächst höhere Klasse.

Feuilletons fällig: Vgl. Anm. Br. Nr. 135. Ebenfalls stand das Honorar für »In der Finsternis« noch aus.

Artikel für eine Tageszeitung über die »Volksschule seit 8. Mai 1945«: »Die Volksschulen nach dem 8. Mai 1945«, abgeschlossenes Typoskript im Nachlaß. Wahrscheinlich für die »Kölnische Rundschau« geschrieben, den einzigen direkten Kontakt, den H. B. zu dieser Zeit zu einer Tageszeitung hatte. Am 29. August 1949 erhält H. B. von der »Kölnische[n] Rundschau« eine Arbeit zurück. In dem vorgedruckten Schreiben hieß es, aus »Raumgründen« sehe man sich nicht in der Lage, »Ihre Arbeit abzudrucken«. Um welche Arbeit es sich handelt, ist nicht zu ermitteln.

Geschichten aus der Kölner Vergangenheit: Über eine Realisierung ist nichts bekannt.

Hl. Vinzent: Vgl. Anm. Br. Nr. 136.

»Was ihr wollt«: William Shakespeare, »Was ihr wollt«. Erstaufführung der »Bühnen der Stadt Köln« am 25. 3. 1949 in der Aula der Universität. Regie: Friedrich Siems.

Session im Boulevardcafé: Möglicherweise das Cafe von Gigi Campi auf der Hohestraße. Zu dieser Zeit gab es dort schon regelmäßig Jazzkonzerte.

Pläne Deiner Mutter: Vgl. Anm. Br. Nr. 136.

Mein Schwager: Eduard Imdahl, Bruder von Annemarie Böll.

die Gasgeschichte: Gasanschluß im Haus Schillerstraße 99.

goldenen Doktor: 50 Jahre Promotion.

Carl-Heinz: Carl Heinz Ortmeyer.

138

Kritiken: »Neuer Westfälischer Kurier«, 6. Juli 1949: »[...] Immer wieder mußten Künstler und Autor vor den Vorhang treten und wurden mit reichem Beifall belohnt. Von den Darstellern überragte Ernst-Adolf Kunz [...].«

Wiederholung in Herten: Vgl. Anm. Br. Nr. 130.

journalistischen Ideen: Vgl. Br. Nr. 137.

139

französisches Unternehmen: H. B. u. E.-A. K. beabsichtigten, zusammen nach Frankreich zu fahren.

englische Stelle in D-Dorf: S. u.

Verleger: Friedrich Middelhauve war seit Januar 1946 Vorsitzender der nordrhein-westfälischen FDP, außerdem deren Franktionsvorsitzender im Landtag.

General Bishop: Nicht zu ermitteln. Wahrscheinlich oberster General der Britischen Besatzungstruppen im Rheinland.

140

Richtlinien für Frankreichreise: Vgl. Anm. Br. Nr. 139.

Unternehmen in Herten: Vgl. Anm. Br. Nr. 139 und Anm. Br. Nr. 134.

»Heilige Frau«: »Die heilige Frau« von Walther Storm; vgl. Anm. Br. Nr. 134.

Märchen: »Aschenputtel«, Märchen von Robert Bürkner. Aufführung »Theater des Westens«, Gelsenkirchen. E.-A. K. spielte einen fahrenden Gesellen.

»Geisterzug« von dem Ami Ridley: Arnold Ridley (eigentl. Ruth Alexander), »The Ghost Train«, 1927.

Malvolio: Figur aus William Shakespeares »Was Ihr wollt«.

Gutehoffnungshütte [...] 20 000 Mark: Ernst Kunz war Knappschaftsarzt.

Buer: Stadtteil von Gelsenkirchen.

Kritiken: Vgl. Anm. Br. Nr. 138.

141

Aussicht [. . .] bald zu bauen: Vgl. Br. Nr. 140.

fährt auch meine Frau: Vgl. Anm. Br. Nr. 150.

grosse Konferenz bei Middelhauve: Georg Zänker, Paul Schaaf, Friedrich Middelhauve und H. B. trafen sich im »Middelhauve Verlag« in Opladen und besprachen die zukünftige Zusammenarbeit. Nach Erscheinen von »Zwischen Lemberg und Czernowitz« wollten sie H. B. möglichst fest an den Verlag binden.

das Visum holen: Vgl. Anm. Br. Nr. 139.

Sulfonamid-Präparate: Chemotherapeutisches Arzneimittel gegen Infektionskrankheiten.

Z.: Georg Zänker.

Paris muß klappen: Vgl. Br. Nr. 139.

142

Unterstützung: Arbeitslosenunterstützung.

Parole: Vgl. Anm. Br. Nr. 106.

143

fertig zur Abfahrt: Vgl. Anm. Br. Nr. 150.

Verlagsbrüdern: Georg Zänker, Paul Schaaf und Friedrich Middelhauve vom »Middelhauve Verlag«.

Erzählungsbändchen: »Aufenthalt in X«.

Fixum: Am 17. August 1949 bestätigte Georg Zänker in einem Brief an H. B. die getroffenen Verabredungen: »Schließlich haben wir im beiderseitigen Einverständnis auch eine Lösung zur Behebung Ihrer finanziellen Schwierigkeiten gefunden. Danach haben wir uns verpflichtet, Ihnen beginnend ab September mit einer Laufzeit zunächst bis zum 31. 12. 49 monatlich einen Betrag von je DM 200.– zu überweisen, der auf Ihr Honorar angerechnet werden soll.«

die beiden Bücher: »Von Lemberg nach Czernowitz« und »Aufenthalt in X«.

Lemberg: »Von Lemberg nach Czernowitz«.

Schuhe: Damenhalbschuhe kosteten zu der Zeit durchschnittlich 31,63 DM.

Roman: »Der Engel schwieg«.

lit. Revue, die im April fällig war: »In der Finsternis«, in: »Literarische Revue«, Jg. 4, Heft 4, April 1949, S. 204 ff. Wurde erst im August 1949 ausgeliefert.

144

meine Frau fährt wohl diese Nacht: Vgl. Anm. Br. Nr. 150.

neuen Roman: »Der Engel schwieg«.

dem Verlag: »Middelhauve Verlag«.

drei Romane angefangen: Im Nachlaß befinden sich aus jener Zeit folgende Romanfragmente: »Wie das Gesetz es befahl«, im März 1948 liegen 40 Seiten vor. Die Kurzgeschichte »Die Musterung«, am 13. August 1948 an Axel Kaun vom »Horizont Verlag« geschickt, ist diesem Romanfragment entnommen. »Am Rande«, Beginn laut Notiz-Kalender am 16. 1. 1948. »Aus dem Tagebuch eines jungen Priesters«, Beginn laut Notizbuch am 23. Januar 1948.
Die Erzählung »Die Verwundung«, erschienen 1983 im gleichnamigen Sammelband, ist von H. B. anfangs als Roman konzipiert, Eintrag Notizbuch vom 17. Januar 1948: »angefangen Roman: Die Verwundung«.

Jack London in Readers Digest: Irving Stone, »Zur See und im Sattel«. In: »Das Beste aus Reader's Digest, 1. Jg., 1948/49, Nr. 12. August 1949, S. 103 ff.

warten auf die Fahrkarten: Vgl. Anm. Br. Nr. 141.

145

Verlag: »Middelhauve Verlag«.

Der Titel: Georg Zänker am 17. August 1949 [vgl. a. Anm. Br. Nr. 143] an H. B.: »Für Ihre Kriegserzählung, die bisher den Arbeitstitel ›Zwischen Lemberg und Czernowitz‹ trug, haben Sie als endgültigen Titel vorgeschlagen: ›Der Zug war pünktlich‹. [...] Inzwischen wollen Sie die Einleitung der Erzählung so verändern, daß der erste Satz, der mit Ihrem Titelvorschlag übereinstimmt, wegfällt und die Zeile in den Anfang der Erzählung und evtl. auch später noch einmal hineingearbeitet wird.«

die »Revue«: »Literarische Revue«, vgl. Anm. Br. Nr. 143.

es war schön bei Euch: Vom 10. bis 12. August war H. B. in Gelsenkirchen bei Kunzens.

Verlag: Hier »Willi Weismann Verlag«, in dem die »Literarische Revue« erscheint.

Dr. Middelhauve [. . .] in den Bundestag gewählt: War am 14. August 1949 als FDP-Abgeordneter in den Deutschen Bundestag gewählt worden. Legte sein Bundestagsmandat Ende Oktober 1950 nieder.

Ostseekandidaten: Wera Kunz und Carl Heinz Ortmeyer verbrachten ihre Ferien an der Ostsee.

146

Der Titel: Vgl. Br. Nr. 145.

das neue Stück: Nicht zu ermitteln.

Irene: Irene Bienek.

Willi Diehl: Sachverhalt nicht zu ermitteln.

Dein Foto: Nicht zu ermitteln, welches Foto E.-A. K. meint.

Hella: Hella Spieker.

K. H.: Carl Heinz Ortmeyer.

Von Middelhauve habe ich gelesen: Vgl. Br. Nr. 145.

147

Willi Diehl: Vgl. Anm. Br. Nr. 146.

»Verschwörung«: Walter Erich Schäfer, »Die Verschwörung«. Premiere am 21. August 1949 durch die Städtischen Bühnen Essen.

Reinhold von Walter, der an 3 Abenden hochinteressant im Nachtprogramm über Rußland sprach: »Ein Jahrtausend Rußland« von Reinhold v. Walter, eine Sendereihe im Nachtprogramm des »Nordwestdeutschen Rundfunk« (NWDR), Köln. I. »Name und Geschichte«, »NWDR«, Köln, 22. August 1949. II. »Geglaubte Bilder – Zeichen des Glaubens«, »NWDR«, Köln, 23. August 1949. III. »Puschkin – die Rechtfertigung Rußlands«, »NWDR«, Köln, 25. August 1949.

148

Herbst, gute Zeugnisse: Die sogenannten Zwischenzeugnisse wurden zu der Zeit im Herbst ausgestellt.

Meine Frau fährt: Vgl. Br. Nr. 150.

Deinem Geburtstag: E.-A. Kunz wurde am 19. September 1923 geboren.

Roman: »Der Engel schwieg«.

Lemberg: D. i. »Der Zug war pünktlich«. Eintrag Notizbuch 24. August 1949: »Korrektur Lemberg beendet«.

Verlag: »Middelhauve Verlag«.

»Egmont«: Johann Wolfgang von Goethe, »Egmont«. Erstaufführung der »Bühnen der Stadt Köln« am 1. 9. 1949 in der Aula der Universität. Regie: Herbert Maisch.

Goethejahr: 200. Geburtstag von J. W. v. Goethe am 28. August 1949.

mein erstes Œuvre: Gemeint »Der Zug war pünktlich«.

149

das fertige Stück: Nicht zu ermitteln.

W. Diehl: Willi Diehl, vgl. Anm. Br. Nr. 146.

Lemberg: D. i. »Der Zug war pünktlich«.

151

Dein Kommen: H. B. war am 18. und 19. September 1949 in Gelsenkirchen bei Kunzens.

Première: Nicht zu ermitteln.

152

Deltgen spielt erst Montag-Abend: »Des Teufels General« von Carl Zuckmayer. Aufführung der »Bühnen der Stadt Köln«. Inszenierung Herbert Maisch. René Deltgen spielte den Fliegergeneral Harras.

»*Cosi van tute*«: »Così fan tutte«, Oper von Wolfgang Amadeus Mozart, mehrere Aufführungen im September/Oktober 1948 in der Aula der Universität zu Köln.

»*Boheme*«: »La Bohème, Oper von Giacomo Puccini, mehrere Aufführungen im September/Oktober 1948 in der Aula der Universität zu Köln.

153

C.H.O.: Carl Heinz Ortmeyer.

Willi Diehl: Vgl. Anm. Br. Nr. 146.

ob Deltgen spielt: Vgl. Anm. Br. Nr. 152.

154:

Direktor einer Arbeiter-Hochschule: Willi Hammelrath.

ins Studio zu Deltgen: Vgl. Anm. Br. Nr. 152.

155

Unterredung mit Schaaf: H. B. und Paul Schaaf hatten sich am 3. Oktober 1949 in Köln getroffen.

Familie gut angekommen ist: Vgl. Anm. Br. Nr. 150.

Roman: »Der Engel schwieg«.

»Der Zug war...«: »Der Zug war pünktlich«.

Theaterkarten: Wahrscheinlich für »Des Teufels General«; vgl. Anm. Br. Nr. 152.

156

die Dollars umgesetzt: Gemeint ist hier der monatliche Vorschuß vom »Middelhauve Verlag«. Vgl. Anm. Br. 143.

Reichard-Terrasse: Berühmtes Kölner Café, gegenüber dem Hauptportal des Doms. Zentrales Motiv im Roman »Billard um halb zehn«. Vgl. WA,

Bd. 2, S. 886-1171.

Der Pater: Alois Schuh. Sachverhalt nicht zu ermitteln.

meine Frau kam Dienstag – Nacht: Rückkehr aus England.

Levantiner: Bewohner des Mittelmeerraumes.

Besprechung mit Schaaf: Vgl. Anm. Br. Nr. 155.

zwei Kapitel meines neuen Romans vorlesen: »Der Engel schwieg«, Eintrag Notizbuch vom 14. Oktober 1949: »Besuch von [Paul] Schaaf und Z. [Georg Zänker], denen ich Kapitel aus meinem neuen Roman vorlesen mußte; scheinbar begeistert«, im Tagebuch offenbar ein Schreibfehler, das Treffen hat am 4. Oktober 1949 stattgefunden; vgl. a. Anm. Br. Nr. 155.

Kinderbuch: Lewis Carroll, »Alice im Spiegelreich«.

»Werbi«: Konzept für eine Werbeagentur von E.-A. K. Vgl. Nachwort.

157

Schauspiel: »Wie das Gesetz es befahl«.

zwei Revue-Stories: »Wiedersehen in der Allee«, in: »Literarische Revue«, 3. Jg., H. 7, Juli 1948, S. 403 ff. »In der Finsternis«, in: »Literarische Revue«, 4. Jg., H. 4, April 1949, S. 204 ff.

Roman: Gemeint ist die Erzählung »Der Zug war pünktlich«.

Korrekturabzug: Von »Der Zug war pünktlich«.

Stefan Zweig: »Die Welt von Gestern. Erinnerungen eines Europäers«, 1944 (engl. 1943).

Selbstmord: Stefan Zweig beging am 23. Februar 1942 in Petropolis bei Rio de Janeiro Selbstmord.

Vertretertätigkeit: Vgl. Anm. Br. Nr. 156 u. Nachwort.

Vorsprechrollen [...] zu Maisch: Herbert Maisch, von 1946 bis 1959 Generalintendant der Städtischen Bühnen.

158

Buches: »Der Zug war pünktlich«.

Leseprobe angenommen: Wahrscheinlich »Über die Brücke«. Gesendet am 2. 1. 1950 im »Hessischen Rundfunk«. Vgl. a. Nachwort.

Anzeige im Börsenblatt des Deutschen Buchhandels: Nicht zu ermitteln.

Karl Staudinger: Hat für den »Rowohlt Verlag« u. a. die Umschläge für Bücher von Erich Kästner, Joachim Ringelnatz, Wolfgang Borchert, Ernst Kreuder und Arno Schmidt gestaltet.

neuen Roman: »Der Engel schwieg«.

Novelle zur Hälfte fertig: »Der Tod der Belladonna«, Novelle im Nachlaß, angefangen laut Notizbuch am 15. Oktober 1949.

die Kaffee-Geschichte: Der Kaffee wurde zu dieser Zeit noch rationiert. Vor allem aus Belgien werden zu dieser Zeit große Mengen Kaffees ins Rheinland geschmuggelt. Wahrscheinlich lag der Bemerkung »Verhaftung« ein solcher Sachverhalt zugrunde.

Tillas Masche: Vgl. Anm. Br. Nr. 156.

der anderen Geschichte: »Das Vermächtnis«, vgl. a. Anm. Br. Nr. 72

für M. ein ganzes Märchenbuch übersetzen: Am 21. Oktober 1949 schrieb H. B. an Georg Zänker und fragt an, ob er »Through the looking-glass« von Lewis Carroll (»Alice im Spiegelreich«) übersetzen könnte.

zum Grab unserer Mutter: Maria Hermanns, Mutter von H. B., wurde in Ahrweiler, Kleinstadt an der Ahr, begraben. Später Überführung nach Köln.

Alois dankt Carl-Heinz: Carl-Heinz Ortmeyer kannte sich als Architekt in den Gepflogenheiten öffentlicher Ausschreibungen aus. Sein Wissen stellte er dem Schreinermeister Alois Böll zur Verfügung. Näheres nicht zu ermitteln.

Schilderaufträge: Gemeint sind Schilder und Werbetafeln, die von Kunzens Agentur »Werbi« hergestellt wurden. Vgl. Anm. Br. Nr. 157 und Nachwort.

Stück: »Wie das Gesetz es befahl«.

vom Kultusministerium eine Existenzbeihilfe: Am 3. November 1949 schrieb H. B. an das Kultusministerium des Landes Nordrhein-Westfalen ein »Gesuch um Gewährung einer Existenzbeihilfe«. Er stellt sich als »freier Schriftsteller« vor, verweist auf seine Kontrakte zum »Middelhauve Verlag« und macht folgende Rechnung auf: »Meine laufenden monatlichen Ausgaben belaufen sich auf:

Miete	53,50
Zeitschriften, Porto, Schreibwaren	30,00
Miete für Schreibmaschine	15,00
Krankenkasse	21,00
	119,50

So verbleiben für den Unterhalt meiner vierköpfigen Familie 80 DM. […]
Ich bitte, mein Gesuch wohlwollend zu prüfen.

Möglicherweise auch ergibt sich die Gelegenheit, mich mit Arbeiten zu beauftragen, wie sie vielleicht im Rahmen des Kultusministeriums vergeben werden: berichterstattende, kritische, auswertende oder Uebersetzungsarbeiten (Englisch).«

die Frau Minister: Christine Teusch, Kultusministerin des Landes Nordrhein-Westfalen.

Buchhandlung: Wahrscheinlich die »Köselsche Buchhandlung« in Köln.

159

Stück: »Wie das Gesetz es befahl«.

den alten Suntinger: Vater von Adalbert Suntinger.

Fabrikant[en] von Kugelschreibern: Firma »Pfannkuch-Büroartikel«, Essen.

Althoff in Essen: Warenhaus in Essen.

K. H. hatte keine Aufträge für Kaffee: Carl Heinz Ortmeyer; vgl. Anm. Br. Nr. 158.

Schmuckmacherin Gustedt: Silberschmiedin in Gelsenkirchen. Kunstgewerblich ausgerichtet.

Verlagsadresse: Adresse vom »Friedrich Middelhauve Verlag«.

Hörspiel »Der seidene Schuh«: Paul Claudel, »Der seidene Schuh«. Funkbearbeitung: Felix Lusset, Regie: Wilhelm Semmelroth. Sendung »Nordwestdeutscher Rundfunk«, Köln, 1. 11. 1949.

160

Kugelschreiber: Vgl. Br. Nr. 159.

Haus (Grundstück): Vgl. Br. Nr. 140.

Reklamehaus: Das neue Haus war ein Fertigbau. Außen mit Heraklitplatten, innen mit Rigipsplatten ausgekleidet. Der Innenausbau sollte gleichzeitig eine Empfehlung für Carl Heinz Ortmeyer als Architekt sein. Das Haus hatte eine Einbauküche nach Maß, zu der Zeit eine absolute Neuheit.

Roman: »Der Engel schwieg«.

161

D. – H.: Duisburg – Hamborn.

Pneumonie: Lungenentzündung.

endliches Erscheinen des Buches: »Der Zug war pünktlich«. Eintrag ins Notizbuch 7. Dezember 1949: »Warte immer noch vergeblich auf einige Exemplare meines Buches von M. [»Middelhauve Verlag«]«. Notizbuch 8. Dezember 1949: »Ankunft der ersten Exemplare von ›Der Zug war pünktlich‹«.

162

Pate: H. B. war Pate von Raphael Wunsch, Sohn von Paul Wunsch.

Roman: »Der Engel schwieg«.

»Der Z. w. p.«: »Der Zug war pünktlich«.

An Zeitungen könnte ich gleich unterkommen: H. B. bezieht sich hier auf erste Kontakte zu Wilhelm Mogge von der »Kölnischen Rundschau«.

Beihilfe: Vgl. Anm. Br. Nr. 158.

Maisch: Herbert Maisch; vgl. Anm. Br. Nr. 157.

den neuen Greene: Graham Greene, »Das Herz aller Dinge«, 1949 erschienen als RO-RO-RO [Rowohlts-Rotations-Roman].

Radio Frankfurt: »Über die Brücke«, »Hessischer Rundfunk«, 2. 1. 1953.

Leiter des Nachtprogramms: Alfred Andersch war seit August 1948 Leiter des »Abendstudio[s]« beim »Hessischen Rundfunk«. Am 2. November 1949 schrieb Alfred Andersch an H. B.: »… danke Ihnen für […] die beigelegte Kurzgeschichte, die ganz hervorragend ist und die wir, soweit ich das beeinflussen kann, bestimmt im Sender bringen werden. Der zuständige Herr dafür heißt Leo M. Faerber. Ich habe ihm das Manuskript gegeben. Er ist ebenso begeistert wie ich und wird Ihnen in den nächsten Tagen dazu schreiben. […] Im ›Abendstudio‹ habe ich leider das Programm für das erste Vierteljahr 1950 bereits aufgestellt. Ich hoffe aber, Sie im weiteren Verlauf auch einmal für diese Sendereihe heranziehen zu können.«

Radio Stuttgart: Beim »Süddeutschen Rundfunk« läßt sich für die von H. B. angegebene Zeit keine Sendung nachweisen.

Köln: »Nordwestdeutscher Rundfunk«, Köln. Auch hier läßt sich für diese Zeit keine Sendung nachweisen.

OST UND WEST: »OST UND WEST«, herausgegeben von Alfred Kantorowicz, hatte mit der Dezembernummer 1949 das Erscheinen eingestellt. Am 3. Oktober 1949 schrieb Wolfgang Weyrauch an H. B., daß er, »was die neue deutsche Literatur betrifft«, an der Zeitschrift mitarbeite, und bat H. B. um Beiträge. Eine Erzählung von H. B. ist dort nicht erschienen.

lit. Revue: »Die Literarische Revue« war zu diesem Zeitpunkt schon eingestellt.

Mein Schwager: Edmund Imdahl.

Bei Alois geht es rapide aufwärts: Die Schreinerei war zu der Zeit geschäftlich sehr erfolgreich. Vgl. a. Anm. Br. Nr. 158.

Übersetzungsaktion gestartet: Den Essay über Stephan Spender erwähnt H. B. auch in einem Brief an Alfred Andersch vom 24. Oktober 1949. Gleichzeitig machte H. B. auf den Roman »The Seven Storey Montain« von Thomas Merton aufmerksam.

das Mädchen wirklich zur Lebensnotwendigkeit: Gemeint ist hier eine Haushaltshilfe.

Feiertag: Allerheiligen.

163

Kaufhof: Warenhaus in Köln.

Maisch: Herbert Maisch; vgl. Anm. Br. Nr. 157.

164

K.: Kaufhof; vgl. Br. Nr. 163.

nach Gummersbach: Gummersbach, Stadt im Oberbergischen Kreis. Dort wohnte der Maler Paul Wunsch.

166

Gasanzünder: Durch seine Tätigkeit als Propagandist war es E.-A. K. auch möglich, andere Artikel des täglichen Gebrauchs preisgünstiger zu bekommen.

Röselings: Familie Kaspar Röseling, bei denen E.-A. K. während seines Aufenthalts in Köln gewohnt hatte.

Rai: Raimund Böll.

Né: René Böll.

Bürohengst: Am 23. Januar 1950 schrieb H. B. an Paul Schaaf: »Andererseits muss meine Familie natürlich leben – und worum ich bitten würde wäre: mir behilflich zu sein, eine ständige Beschäftigung zu finden, die im Rahmen meiner Fahigkeiten als geldverdienender Sklave liegen. Ich will arbeiten – ob als Schreiber, kaufmännischer Angestellter oder als Intellektueller –, es ist mir wirklich gleich, es muss mir gleich sein – sogar zur letzten Erniedrigung bin ich bereit: mich der Presse zur Verfügung zu stellen. [...] es ist völlig unmöglich, dass es so weiter geht; meine Frau ist zu Ende, ich bin zu Ende – soweit, dass mir alle Romane und Kurzgeschichten gleichgültig erscheinen gegen eine einzige Träne meiner Frau: das ist es. Sie verstehen mich. Möglicherweise würde es mir sehr nützlich sein, der Literatur für einige Jahre ›Auf Wiedersehen‹ zu sagen, vielleicht für immer: es schmerzt mich weniger als man glauben wird. So wie es bisher war, konnte ich weder ›frei arbeiten‹ noch verdiente ich Geld genug, um die Schuhsohlen meiner Kinder zu bezahlen. [...] Jeglicher Versuch, irgendwie zu einem ›Brotberuf‹ zu kommen, war unmöglich und eine Unterstützung annehmen von jener Oeffentlichkeit, die meine Arbeiten ablehnt, das wäre ein Denk- und Handlungsfehler, der sich mit Recht rächen würde. Ausserdem muss ich meine Familie schützen vor jenen Fällen von Krankheit, in denen ich arbeitsunfähig werde – wie in den letzten sechs Wochen – und auf die Almosen meiner Verwandten angewiesen bin. [...] Ich will Sie nicht mit meinen politischen Anschauungen behelligen, eines jedoch dürfte klar sein: es ist aus kulturellen Gründen klar, dass ich als Schriftsteller nicht meine Familie ernähren kann – das Gegenteil würde mir verdächtig erscheinen – aber es dürfte nicht unmöglich sein, als Sklave sein Geld zu verdienen. Zum letzten bin ich bereit und ich kann nur sagen: es ist mir ernst. [...] bin ich sogar bereit, Reden für die Herren von der CDU – SPD oder FDP wie auch immer die Parteien heissen mögen, zu verfassen und zwar so, dass ich mir dabei nichts vergebe und doch weder der Redner noch der Zuhörer etwas merkt.« Außerdem bewarb sich H. B. am 4. Januar 1950 als »Berichterstatter« beim »Stadt- Anzeiger« [»Kölner-Stadt-Anzeiger«, die größte Tageszeitung in Köln; H. H.].

Möppens Gebaren: Möpp = Spitzname von Eduard Keller, Arzt in Rheinhausen. Schwager von Carl Heinz Ortmeyer.

Sendung: »Der Mäzen in unserer Zeit«, »Nordwestdeutscher Rundfunk«, Hamburg, 24. Februar 1950. Manuskript der Sendung von: Leippe, Norbert Jacques, Kurt W. Marek und Wolf v. Niebelschütz.

167

Kaspar Roes'lings: Familie Kaspar Roeseling.

ausgedehnte Jour: Bei Roeselings gab es einen jour fixe, der bis in die frühen Morgenstunden dauerte.

Jenny: Jenny Roeseling.

Kunzoblomow: In Anlehnung an »Oblomow«, Figur aus dem gleichnamigen Roman von Iwan A. Gontscharow.

168

Jäger: Besitzer des Hauses in der Zeppelinallee. Nach einem Prozeß wegen Mietstreitigkeiten lebten die Familien in Feindschaft.

komplizierten Lage: E.-A. K. spricht hier die beengten Wohnverhältnisse im Haus Schillerstraße 99 an.

nach Köln ziehen: Diesen Wunsch hatte E.-A. K. öfter geäußert, ihn aber nie realisiert.

Althoff: Kaufhaus in Gelsenkirchen-Buer.

Paul: Paul Kempgen, Textilkaufmann. Schwager von Carl Heinz Ortmeyer.

»Schau heimwärts Engel«: Roman von Thomas Wolfe.

Monate: »Der Monat«. Erschien von Oktober 1948 bis 1971, alleiniger Herausgeber Melvin J. Lasky.

»Lady von Shanghai«: »Die Lady von Shanghai« (»The Lady from Shanghai«), USA 1948, Regie: Orson Welles; Rita Welles, seine Frau, spielt darin mit.

Köhlchen: Umschreibung für Geld.

169

neues Mädchen: Haushaltshilfe.

Alfred: Alfred Böll.

Schwägerin: Maria Böll, Frau von Alois Böll.

(100.–Mark Geburtszulage): In einem Brief vom 26. Januar 1950 bot Georg Zänker H. B. für das erste Halbjahr 1950 ein monatliches Fixum von DM 100,00 an. Deshalb ein Scheck über DM 200,00.

Köln sendet am 4. 4. 16.30 zwei Geschichten: Nicht zu ermitteln. Weder die Programmfahnen noch das Findbuch des »Westdeutschen Rundfunks« weisen eine Erzählung H. B.s nach.

Buch 2: »Wanderer, kommst du nach Spa . . .«.

charakteristische Rolle: Bezieht sich auf Dr. Ernst Kunz, der sich in der Familie als Patriarch aufführte.

Walter: Vgl. Anm. Br. Nr. 172.

Marienburg: Stadtteil von Köln, in unmittelbarer Nähe von H. B.s Wohnung; vgl. Anm. Br. Nr. 19.

Deinen »Artikel«: Gemeint ist hier ein neuer Artikel, den E.-A. K. als Propagandist vertreiben sollte. Um welches Produkt es sich handelte, ist nicht zu ermitteln.

170

Das Roß: Gemeint ist hier die Haushaltshilfe von Bölls.

Radio Frankfurt: »Hessischer Rundfunk«. Am 6. April 1950 schrieb Alfred Andersch an H. B.: »Ich finde beide Arbeiten sehr stark, die Geschichte ›Wanderer kommst du nach Spa‹ aber stärker als ›An der Angel‹. [. . .]

doch kann ich Ihnen schon jetzt sagen, daß sie nicht genommen würden, weil sie zu lang sind.«

Vorsprechen: Es ist nicht belegt, daß E.-A. K. beim »Nordwestdeutschen Rundfunk«, Köln, vorgesprochen hat, um als Rundfunksprecher zu arbeiten.

171

Fahrt verschieben: H. B. hatte kein Geld, um sich eine Fahrkarte nach Gelsenkirchen zu kaufen.

Schülerzulauf: Wieder mehr Nachhilfeschüler.

172

Pressepläne: Um welche konkreten Pläne es sich handelt, ist nicht zu ermitteln.

Sulfonamidstöße: Konzentrierte Einnahme von Sulfonamidpräparaten. Sulfonamid: chemotherapeutisches Arzneimittel gegen Infektionskrankheiten.

Fräulein Schmitz: Freundin von Mechthild Böll.

Korrekturfahnen: Von »Wanderer, kommst du nach Spa . . .«.

Geld für April: Gemeint ist der monatliche Vorschuß von DM 100,00; vgl. Anm. Br. Nr. 169.

von Frankfurtern ebenfalls noch nichts: Für die Ausstrahlung von »Über die Brücke« hatte H. B. offensichtlich noch kein Honorar erhalten, obwohl eine Honoraranweisung vom 2. Januar 1950 vorliegt.

»Dein« Zimmer: Gemeint ist das Zimmer, in dem E.-A. K. bei seinem längeren Aufenthalt in Köln gewohnt hatte.

Trauung: Kirchliche Trauung von Wera Kunz und Carl Heinz Ortmeyer.

Möpp: Paul Kempgen.

173

»Wahner Heide«: Militärgelände der englischen Besatzungstruppen im rechtsrheinischen Köln.

Personal – Dezernent: Für Montag, den 15. Mai 1950 wurde H. B. zu Dr. Löns, Kulturdezernent der Stadt Köln, bestellt. Dieses Treffen ging auf eine Vermittlung von H. B.s Verleger Friedrich Middelhauve zurück.

Zeppelinallee: Wohnung der Familie Kunz in Gelsenkirchen von Herbst 1945 bis Anfang Mai 1950.

Walter: Vgl. Anm. Br. Nr. 172.

174

statistischen Amt: Vom 1. Juni 1950 bis 30. April 1951 war H. B. als Aushilfsangestellter bei der Gebäude- und Wohnungszählung eingesetzt. Eine Vollzeitbeschäftigung mit 48 Stunden in der Woche. Der Vertrag, der zunächst für zwei Monate galt, wurde immer wieder verlängert.

Roman: »Der Engel schwieg«.

für mich nun doch beim Funk etwas tun: Paul Schaaf hatte gute Kontakte zu Edmund Ringling vom »Nordwestdeutschen Rundfunk«, Köln.

Baubude: Gemeint der Hausbau in Gelsenkirchen-Buer.

»besten Kurzgeschichte der Welt«: Vgl. Anm. Br. Nr. 172.

Zeppelinalle: Vgl. Anm. Br. Nr. 173.

Retina: Marke eines Photoapparates.

175

»neue deutsche Rundschau«: Am 3. Mai 1950 informierte Alfred Andersch H. B., daß er die Herausgabe eines Sonderheftes der »Neuen Rundschau« mit dem Arbeitstitel »Neue deutsche Schriftsteller« übernommen hätte. Er forderte H. B. auf, ihm einen unveröffentlichten Beitrag einzureichen. Am 5. Juni 1950 schrieb Alfred Andersch an H. B.: »›Parole Sieg‹ ist großartig! Beglückwünsche Sie zu dieser konzentrierten Studie.«

mein Gehalt: Als Angestellter der Stadt Köln.

500.– Dm von der Stadt: Gemeint ist die von H. B. beantragte Förderbeihilfe; vgl. Anm. Br. Nr. 173.

Roman: »Der Engel schwieg«.

»die beste Kurzgeschichte der Welt«: Vgl. Anm. Br. Nr. 176.

Caspar: Kaspar Röseling.

das Heft: Vgl. Anm. Br. Nr. 174.

176

der Bau: Vgl. Anm. Br. Nr. 168.

Weras Verlobung: Mit Carl Heinz Ortmeyer.

Förderungsbeihilfe: Vgl. Anm. Br. Nr. 173.

kein Ross, keine Taube: Bezeichnung der bei Bölls beschäftigten Haushaltshilfen.

meine Geschichte an die Welt: Am 29. Juni 1950 schickte H. B. die Erzählung »Das Abenteuer« an »Die Welt«.

meine gute Geschichte für das Sonderheft: Vgl. Anm. Br. Nr. 175.

leicht literarisch: Sendereihe des »Nordwestdeutschen Rundfunk[s]«, Köln. Eine Mischung aus literarischen Texten und Musik. Nicht nachzuweisen, daß in dieser Sendereihe Kurzgeschichten von H. B. ausgestrahlt worden sind.

»Die schwarzen Schafe«: Eine Sendung von »Die schwarzen Schafe« ist zu diesem Zeitpunkt nicht nachzuweisen. Erstdruck am 20. 6. 1951 in: »Das literarische Deutschland«. Am 12. 6. 1951 sendet der »Südwestfunk« die Erzählung.

Jour auf Meergartenscher Terasse: Erich Meergarten

Angebote von anderen Verlagen: Nicht zu ermitteln.

Walter: Vgl. Anm. Br. Nr. 172.

P.: Pervitin.

177

bald einziehen: Vgl. Anm. Br. Nr. 168.

meine Beschäftigung: Die Tätigkeit beim Statistischen Amt der Stadt Köln endete am 31. Juli 1950. Ab 1. September 1950 hatte H. B. einen Anschlußvertrag.

Fahnenbogen der beiden Geschichten: Aus »Wanderer, kommst du nach Spa…«, einzelne Geschichten nicht zu ermitteln.

Roman: »Der Engel schwieg«.

178

Roman: »Der Engel schwieg«.

Rente von 100 Dm: Am 21. Juli 1950 schrieb Georg Zänker vom »Middelhauve Verlag« an H. B.: »... wollen wir die im Januar vereinbarten monatlichen Zahlungen im Betrag von je DM 100.– weiterführen.« Diese Verabredung galt zunächst bis zum 31. Dezember 1950.

beruflich nach Kassel: Am 26. und 27. August 1950 traf sich in Kassel die »gruppe junger autoren« zu ihrem ersten Treffen. Sekretär und Initiator war Johannes M. Hönscheid. Die »gruppe junger autoren« verstand sich als »Zweckvereinigung (mit ideeller Prägung)« [J. M. Hönscheid am 28. Juli 1950], deren Aufgabe es war, jungen Schriftstellern die Möglichkeit zu geben, sich im Literaturbetrieb zurechtzufinden bzw. zu etablieren. Monatlich erschien ein Informationsblatt für die Mitglieder. Außerdem gab die Gruppe einen Pressedienst heraus, d. h. regionale Korrespondenten berichteten über Theater, Literatur, Film, schickten diesen Bericht nach Kassel, von wo er dann an verschiedene Zeitungen und Rundfunkanstalten geschickt wurde. Mitglieder der Gruppe waren u. a. Hans Bender, Josef Reding, Gert Kalow, Kay Hoff, Paul Schallück, Janheinz Jahn. H. B. wurde am 1. Juni 1950 in die »gruppe junger autoren« aufgenommen. Vgl. H. B.s Artikel über die Tagung im Anhang.

179

fange [. . .] wieder bei der Stadt an: Vgl. Anm. Br. Nr. 177.

Romanmanuskript an M.: »Der Engel schwieg« schickte H. B. am 17. August 1950 an den »Middelhauve Verlag«.

Sklavenjoch: Gemeint die Arbeit beim Statistischen Amt der Stadt Köln.

Ihr bald einzieht: Vgl. Br. 177.

Schwiegertöchter: Annemarie und Maria Böll.

der Kleinste: Vincent Böll.

gehe ich zum Jour: Jour fixe bei Kaspar Röseling.

Schuh: Pater Alois Schuh.

Militarismus: Am 18. August 1950 forderte Bundeskanzler Konrad Adenauer deutsche Verteidigungstruppen als Gegengewicht zur Volkspolizei der DDR. Es wurde auch darüber diskutiert, daß bundesdeutsche Truppen im Rahmen einer Europäischen Verteidigungsgemeinschaft eingesctzt werden sollten. Anlaß für den Streit mit Pater Alois Schuh war offensichtlich die Haltung der katholischen Kirche. Am 23. Juli 1950 erklärte der Kölner Kardinal Frings die Unvereinbarkeit christlichen Denkens mit der Wehrdienstverweigerung. Anders der Rat der Evangelischen Kirche Deutschlands: Am 27. August 1950 sprach er sich gegen eine Remilitarisierung aus. Die Diskussion um die Wiederbewaffnung fand auch vor dem Hintergrund des Korea-Krieges statt, der am 25. Juni 1950 ausbrach.

Tagung in Kassel: Vgl. Anm. Br. Nr. 178.

»Ausschussmitglied«: Ausschußmitglieder entschieden über Neuaufnahmen und den Kurs der »gruppe junger autoren«.

Spesen: Spesen hatte H. B. für die Reise nach Kassel nicht bekommen.

Uraufführung von B. v. Heiseler: Bernt von Heiseler. Vgl. H. B.s Artikel im Anhang.

Feldhege: Edith Feldhege, Schauspielerin.

Pressedienst: Im Rahmen der »gruppe junger autoren«. Vgl. Anm. Br. Nr. 178 u. Anm. Br. Nr. 182.

Mein 2. Buch: »Wanderer, kommst du nach Spa . . .«.

»Zug«: »Der Zug war pünktlich.

180

Merheim: Rechtsrheinischer Stadtteil von Köln.

der Kleine: Vincent Böll.

Roman und das »Vermächtnis«: »Der Engel schwieg« und »Das Vermächtnis« waren vom »Middelhauve Verlag« angezeigt worden, sind aber nicht erschienen.

»Wanderer«: »Wanderer, kommst du nach Spa . . .

»Zug«: »Der Zug war pünktlich«.

Radio Frankfurt will das Buch übrigens dramatisieren: Kein Hinweis, daß der »Hessische Rundfunk« »Der Zug war pünktlich« als Hörspiel senden wollte.

Beamtenschufterei: Gemeint H. B.s regelmäßige Tätigkeit als Angestellter der Stadt Köln.

182

Propagandamaschine: Für die Firma »Pfannkuch-Büroartikel« verkaufte E.-A. K. Schreibmaschinen, neue und gebrauchte, ein Haus-zu-Haus-Geschäft.

Habe sofort nach Bochum geschrieben i. A. von Schallück: Paul Schallück war ebenfalls Mitglied der »gruppe junger autoren« und schrieb Theaterkritiken für den Pressedienst. In seinem Namen besuchte E.-A. K. zwei Aufführungen des Bochumer Schauspielhauses und beabsichtigte, zwei Kritiken für den Pressedienst der »gruppe junger autoren« zu schreiben. Näheres nicht zu ermitteln.

jetzige Beschäftigung: E.-A. K. war immer noch Propagandist bzw. Vertreter für Kugelschreiber.

Bausparkasse: E.-A. K. arbeitete im Herbst/Winter 1949/50 für die Bausparkasse Wüstenrot.

Pfannkuch: Als Propagandist für Kugelschreiber hatte E.-A. K. für die Firma W. »Pfannkuch-Büroartikel«, Essen, gearbeitet.

Das Haus: Vgl. Anm. Br. Nr. 168.

183

von morgens 7 bis abends 6 unterwegs: Gebäude- und Wohnungszählung für das Statistische Amt der Stadt Köln; vgl. a. Anm. Br. Nr. 177.

Das Buch ist raus: »Wanderer, kommst du nach Spa . . .«.

Frankfurter Hefte: »Wanderer, kommst du nach Spa . . .«, in: »Frankfurter Hefte«, Jg. 5, H. 11, November 1950, S. 1176 ff.

Prospekte: Aus Anlaß von »Wanderer, kommst du nach Spa …« hatte der »Middelhauve Verlag« einen Sonderprospekt der beiden ersten Bücher H. B.s herausgebracht. Auflage des 4seitigen Faltprospekts: 15.000 Exemplare.

Südwestfunk: Die Erzählung »Der General« war im Rahmen eines Feature von Wolfgang Amadeus Peters über die Kasseler Tagung der »gruppe junger autoren« [vgl. Anm. Br. Nr 179] gesendet worden: »Junge Literatur mit Vorbehalt«, »Südwestfunk«, 18. 12. 1950. Bei »Der General« handelt es sich um Auszüge aus dem 1. Kapitel von »Wo warst du, Adam?«.

Stuttgart: Der »Süddeutsche Rundfunk« sendete »Wanderer, kommst du nach Spa …« in vom Autor genehmigter Kürzung am 2. 2. 1951 in der Reihe »Neue deutsche Prosa«.

Bescheid von den Kölner Tränen: Gemeint sind die Redakteure des »Nordwestdeutschen Rundfunk«, Köln. Eine Sendung ist zu diesem Zeitpunkt nicht zu ermitteln.

deine Geschichte: E.-A. K. hatte angefangen, Geschichten zu schreiben, die ab 1953 auch regelmäßig veröffentlicht wurden. Vgl. Nachwort.

wo es wieder »aufwärts« geht: Am 26. Oktober 1950 wurde der CDU-Politiker Theodor Blank Beauftragter der Bundesregierung für Fragen der alliierten Besatzungstruppen. Die »Dienststelle Blank« wurde zum Vorläufer des Verteidigungsministeriums der Bundesrepublik Deutschland.

184

am 12. 12. arbeitslos: Die Anstellung beim Statistischen Amt der Stadt Köln wurde über den 31. Dezember 1950 hinaus fortgesetzt. Vgl. a. Br. Nr. 185.

185

der Mantel: Dr. Ernst Leopold, Hautarzt in Gelsenkirchen, Freund der Familie Kunz, schenkte H. B. einen von ihm nicht mehr getragenen Wintermantel.

Am 30. bekomme ich Geld: Monatliches Gehalt von der Stadt Köln; DM 340,00.

186

friedlichen Tage: Wann genau H. B. E.-A. K. besucht hatte, ob Sylvester [vgl. Br. Nr. 185] oder später, ist nicht zu ermitteln.

Dreikönigentag: Der 6. Januar, Heilige Drei Könige, war zu dieser Zeit im katholischen Köln noch ein Feiertag.

Geld (am 15.): Gehalt von der Stadt Köln.

mit Statistik bis zum Rande angefüllt: Vgl. Anm. Br. Nr. 185.

Jerry: Der Hund von Kunzens.

Guni: Gunhild Haack, spätere Gunhild Kunz.

die beiden Kleinen: René und Vincent Böll.

187

Schallück [. . .] Karte: Paul Schallück, der beim Pressedienst der »gruppe junger autoren« mitarbeitete, übertrug E.-A. K. Theaterkarten, wenn er eine Aufführung selbst nicht besuchte. Um welche Theateraufführung es sich handelte, und ob E.-A. K. Kritiken für den Pressedienst der »gruppe junger autoren« geschrieben hat, ist nicht zu ermitteln.

statistische Impotenz: Die stumpfsinnige Arbeit der Gebäude- und Wohnungszählung.

»Wem die Stunde schlägt«: »For Whom the Bell Tolls«, Spielfilm, USA, 1943, Regie: Sam Wood, nach dem gleichnamigen Roman von Ernest Hemingway, mit Gary Cooper und Ingrid Bergman.

188

beruflichen Mißerfolge: E.-A. K. war nicht mehr Propagandist für Kugelschreiber. Er arbeitete jetzt für die Bausparkasse »Wüstenrot«. Vgl. a. Anm. Br. Nr. 182.

Erdmann: Richard Erdmann war zu dieser Zeit schon bei den Bühnen der Stadt Gelsenkirchen.

Stift: Umgangssprachlich für Lehrling.

einen neuen Anouilh: Jean Anouilh, »Die bestrafte Liebe«. Deutsche Erstaufführung am 14. Februar 1951 in den Kammerspielen der Stadt Köln. Regie: Karl Pempelfort.

189

Büroarbeit: Beim Statistischen Amt der Stadt Köln.

Gruppe 47: Die Tagung der Gruppe 47 fand vom 3. bis 7. Mai 1951 in Bad Dürkheim statt. In einem Brief vom 30. Januar 1951 schrieb Janheinz Jahn an H. B.: »An den 47ern ist nichts Geheimnisvolles. Die Gruppe ist kein Verein und keine Gesellschaft, hat keine ›Mitglieder‹, keine Beiträge und kein Vereinsblatt. Im Mai, Anfang Mai ist eine Tagung. Dazu wird man eingeladen oder nicht eingeladen. Wenn man eingeladen wird, gehört man dazu, packt seine Manuskripte unter den Arm, liest sie vor, läßt sie zerreißen und überläßt den Rest den Verlegern. Der Einlader ist Hans Werner Richter. Er war vor vier Wochen hier. Ich habe kein Wort mit ihm

sprechen können. Beim Abschied sagt er: Sie sind der Jahn? – Ja. – Wir
sehn uns im Mai bei der Tagung. Das war alles. Ihren Namen hat er, so erzählte mir [Friedrich] Minssen, in sein Notizbuch geschrieben. Er will
von Ihnen was lesen. [...] Er liest also nun was von Ihnen und wenns ihm
und den andern, dem [Alfred] Andersch, dem [Friedrich] Minssen, dem
[Walter] Kolbenhoff auch gefällt, dann kriegen Sie im April nehm ich an
einen Brief. C'est tout.« Mit Datum vom 2. April 1950 schrieb Hans Werner Richter: »Sehr geehrter Herr Böll, die Tagung der Gruppe 47 findet
vom 3.-7. Mai in Bad Dürkheim, Heim für internationale Begegnung, Dr.
Kaufmannstrasse, statt; der 3. ist Anreise-, der 7. Abreisetag. Wir würden
uns sehr freuen, Sie dort zu treffen.«
Vgl. a. H. B. »Für Hans Werner Richter«, in: H. B., »Wir kommen von weit
her«, Göttingen 1986, S. 52.

Kusch: Franz Kusch.

Kommunalpolitische[n] Blätter: Organ der Kommunalpolitischen Vereini-
gung der CDU/CSU Deutschlands, mit Sitz in Recklinghausen. Erstmals
erschienen im Januar 1949.

Presse-Möglichkeiten: E.-A. K. hat nicht für die »Kommunalpolitischen Blätter« gearbeitet.

Dein Vetter: Hans-Clemens Winner, beim Kulturamt der Stadt Bochum
beschäftigt.

im »Dienst«: Im Volkszählungsbüro.

Taube: Elisabeth Böhle.

190

Preis der »Gruppe 47«: Für die Erzählung »Die schwarzen Schafe«.

eine Menge Dinge abschließen können: Konkret nicht zu ermitteln. Für H. B.
war es wichtig, hier Kontakte zu knüpfen, um aus seinem Kölner Getto
herauszukommen.

»Ring junger Autoren Westdeutschlands«: Ein Ableger des »Westdeutschen
Autorenverbandes«. Im »Ring junger Autoren« schlossen sich junge
Schriftsteller zusammen, die noch nicht Mitglied im regulären Autoren-
verband werden konnten. Sie organisierten vor allem Lesungen.

192

Lesung: Nicht zu ermitteln.

am 8. hier in Köln sein muß: An diesem Tag erhielt H. B. Besuch von Friedrich Middelhauve. Abends um 18.00 Uhr las H. B. im Musikwissenschaftlichen Institut der Universität zu Köln die Erzählung »Der General«. Die Lesung wurde veranstaltet von der »Buchhandlung an der Universität – Dr. Heinz Weniger & Co.«.

193

Tage in Gelsenkirchen: Vgl. Br. Nr. 192.

am 14. 6. lese ich in Duisburg: Nicht zu ermitteln.

194

Roman: »Wo warst du, Adam?«, begonnen im Mai 1950.

Vorschuss in Höhe von fast 4000 Dm: Eine Abrechnung des »Middelhauve Verlag[s]« vom 22. Januar 1951 wies einen Saldo in Höhe von DM 3.604,16 zu Lasten H. B.s aus.

Schallück mit einem Roman bei M.: Paul Schallück, »Wenn man aufhören könnte zu lügen«, »Friedrich Middelhauve Verlag« 1951.

fahren nach Paris: Vgl. Br. Nr. 196.

195

Roman: »Wo warst du, Adam?«.

jedes Kapitel einzeln an verschiedene Zeitungen und Zeitschriften: Nicht zu ermitteln. Einziger Hinweis: Die Zeitschrift »Hochland« bestätigt am 30. Juli 1951, einzelne Kapitel aus »Wo warst du, Adam?« erhalten zu haben.

Theodor Haeckers Tag- und Nachtbüchern: Theodor Haecker, »Tag- und Nachtbücher 1939-1945«, München 1947. Das Motto heißt: »Eine Weltkatastrophe kann zu manchem dienen. Auch dazu, ein Alibi zu finden vor Gott. Wo warst du, Adam? ›Ich war im Krieg‹.« Eintrag bei Theodor Haecker 31. März 1940.

Exupérys »Flug nach Arras«: Antoine de Saint-Exupéry, »Flug nach Arras«, Düsseldorf 1949. Das Motto heißt vollständig: »Früher habe ich Abenteuer erlebt: die Einrichtung von Postlinien, die Überwindung der Sahara, Südamerika – aber der Krieg ist kein richtiges Abenteuer, er ist nur Abenteuer-Ersatz. Der Krieg ist eine Krankheit. Wie der Typhus.«

Reichard Terasse: Vgl. Anm. Br. Nr 156

Paris: Vgl. Br. Nr. 196.

Dein »Beamtenleben«: Von Juli bis Oktober 1951 arbeitete E.-A. K. für das Bochumer Schauspielhaus. Er verkaufte Theaterabonnements und bekam dafür ein monatliches Fixum von 400,00 DM.

196

5 Tage hier: In Paris; vgl. Anm. Br. Nr. 194.

197

Roman: »Wo warst du, Adam?«

Zeitschriften [...] Zeitungen: Vgl. Anm. Br. Nr. 195.

Funkhäuser: Lesungen aus »Wo warst du, Adam?« sendeten der »Südwestfunk«, 23. 10. 1951, in der Reihe »Erzähler der Woche« und der »Nordwestdeutsche Rundfunk«, Hamburg, 15. 12. 1951, in der Reihe »Leseprobe«.

Frankf. Hefte: U. d. T. »Durchbruch bei Rossapfel« erscheint das erste Kapitel von »Wo warst du, Adam?« in: »Frankfurter Hefte«, 6. Jg., H. 8, August 1951.

»Michael«: Katholische Wochenzeitschrift. Erschien in Düsseldorf.

Buchmesse: Fand vom 13. bis 18. November 1951 in Frankfurt statt.

Funk: »Hessischer Rundfunk«.

Paris: Vgl. Br. Nr. 196.

198

Postkarte: Vgl. Br. Nr. 196.

Augustheft: »Frankfurter Hefte«; vgl. Anm. Br. Nr. 197.

Roman: »Wo warst du, Adam?«

Leitartikel von Dirks: Walter Dirks, »Man braucht deutsche Soldaten«, in: »Frankfurter Hefte«, 6. Jg., H. 8, August 1951, S. 533 ff.

linkskatholischen antimilitaristischen Bewegung: Als Organisation nicht zu ermitteln. Es könnte sich hier um die Internationale der Kriegsdienstverweigerer (WRI) handeln, der Katholiken und Protestanten angehören. Zum Beispiel schrieb Reinhold Schneider in einem Brief vom 9. September 1951 an das WRI: »Ich nehme die Ehrenmitgliedschaft der WRI und der Friedensgesellschaft dankbar an; sie scheint mir eine der schönsten Ehren zu sein, die man in dieser Stunde erlangen kann, und ich hoffe inständig, das mir geschenkte Vertrauen zu rechtfertigen und im Sinne der beiden Vereinigungen, deren Anliegen ganz und gar die meinen sind, wirken zu können.« [vgl. »Dokumente zu Kriegsdienstverweigerung«, 2. Jg., Mai 1958, München] Die Stellungnahme von Reinhold Schneider wurde zu der Zeit in vielen Zeitungen verbreitet. Vgl. a. Anm. Br. Nr. 73.

»Zug«: »Der Zug war pünktlich«.

die Messe: Buchmesse; vgl. Anm. Br. Nr. 197.

Bochumer Theaters: Vgl. Anm. Br. Nr. 195.

Theatertombola: Vgl. Anm. Br. Nr. 195.

in jeder großen Zeitung zu annoncieren: Vgl. Br. Nr. 199.

199

Tätigkeit ist hier praktisch beendet: Die Tätigkeit beim Bochumer Schauspielhaus. Vgl. Anm. Br. Nr. 195.

Annonce in der »Welt«: Am 3. November 1951 fanden sich in »Die Welt« mehrere Inserate, in denen Werbefachleute ihren Dienst anboten. Die meisten der Anzeigen erschienen unter Chiffre. Näheres nicht zu ermitteln.

Rheydt: Stadt am Niederrhein, hier wohnen Wera Kunz und Carl Heinz Ortmeyer.

Ortmeyerschen Wochenschauen: Carl Heinz Ortmeyer besaß verschiedene Filme der »Deutschen Wochenschau« aus dem 3. Reich.

Dein neues Buch: »Wo warst du, Adam?«.

200

der Adam: »Wo warst du, Adam?« erschien im November 1951 im »Middelhauve Verlag«, Auflage 2700 Exemplare. Es dauerte fast sieben Jahre, bis
die 1. Auflage vergriffen war. 1954 erschien im Verlag »Kiepenheuer &
Witsch« eine Lizenzausgabe.

201

traurige Nachricht: Dr. Ernst Kunz starb am 9. November 1951.

202

mit sämtlichen Orden begraben: Dr. Ernst Kunz wünschte, mit allen Orden
aus dem ersten Weltkrieg, den er als Oberstabsarzt mitgemacht hatte, begraben zu werden.

Uhu! ruft: Als Dr. Ernst Kunz schon bettlägrig war, rief er nie jemanden beim
Namen, wenn dieser zu ihm kommen sollte. Er rief immer nur »Uhu«.

Witwenrente: Dr. Ernst Kunz war Knappschaftsarzt. Deshalb hatte seine
Witwe Gertruda Kunz Anspruch auf eine Knappschaftsrente.

Kapitel über Oberst!: Oberst Bressen, 2. Kapitel in »Wo warst du, Adam?«.

in Frankf. eine 1/2 stündige Sendung: In den Reihe »Den Freunden der Dichtung« sendete der »Hessische Rundfunk« am 8. 11. 1951 einen 30minütigen
Ausschnitt aus »Der Zug war pünktlich«.

203

»An der Brücke«: »An der Brücke« in: »Westdeutsche Allgemeine Zeitung«,
Nr. 292, 15. 12. 1951, Illustrierte bunte Blätter, S. 2.

Versicherungen: Vgl. Br. Nr. 202.

Notizbücher: E.-A. K. hatte für H. B. durch einen Ärzteverlag Notizbücher
bestellt.

wie Alois durchkommt: Vgl. Br. Nr. 162.

204

neue Lebensjahr: H. B. hat am 21. Dezember Geburtstag.

Ich miete den Bunker nicht: E.-A. K. wollte sich mit einer Hemdennäherei selbständig machen und suchte ein passendes Ladenlokal.

205

Middelhauves Geld: Der Vorschuß vom »Middelhauve Verlag« war überfällig. Am 21. Dezember 1951 schrieb Georg Zänker an H. B.: »Wir haben heute DM 200.– per Postbarscheck an Sie auf den Weg gebracht und hoffen, daß das Geld Sie noch vor Weihnachten erreicht.«

von der Stadt 500.–: Es handelte sich um eine einmalige Existenzbeihilfe von DM 500,00. Vgl. Anm. Br. Nr. 173.

Kritik aus der Nz: »Neue Zeitung«; vgl. Anm. Br. Nr. 206.

Alois: Alois Böll; vgl. hier a. Anm. Br. Nr. 203.

Verlagswahl: Seitdem H. B. im Mai 1951 den »Preis der Gruppe 47« bekommen hatte [vgl. Br. Nr. 190], hatten verschiedene Verlage mit ihm Kontakt aufgenommen und ihm mehr oder weniger offen einen Verlagswechsel vorgeschlagen. Am 20. November 1951 schrieb ihm Moritz Hauptmann, inzwischen Lektor beim »Insel-Verlag«, »es ist nicht Sache des Insel-Verlags, anderen Verlagen ihre Autoren abzujagen«, aber »es könnte ja [...] vielleicht Ihr Wunsch sein, dem Insel-Verlag einmal etwas vorzulegen, sei es nun ein künftiger Roman oder eine grössere Erzählung [...].« Am 1. November 1951 schrieb sich Hans Franke vom »Schneekluth Verlag« und wollte wissen, »was Sie so unter der Feder haben und ob sich darunter ein grösserer Roman befindet«. Am 7. November 1951 schrieb Friedrich Podszus vom Suhrkamp Verlag: »Versäumen Sie es nicht, im Schaumainkai [Verlagssitz des Suhrkamp Verlags; H. H.] vorzusprechen, wenn Sie in Frankfurt sind.« Am 25. November 1951 schrieb Alfred Andersch: »... habe ich lange mit Dr. Witsch gesprochen. Er hat den ›Adam‹ gelesen, ist begeistert davon und möchte Sie sofort übernehmen. Er sagte mir, Sie könnten sofort ein Fixum von ihm haben. Bitte, setzen Sie sich doch unter Bezugnahme auf diese Mitteilung mal mit ihm in Verbindung – ich habe den Eindruck, dass Sie da in sehr guten Händen wären.« Am 26. April 1952 schloß H. B. mit dem »Verlag Kiepenheuer & Witsch« einen Vertrag über »Und sagte kein einziges Wort« ab.

ein Nachtprogramm in Auftrag: Am 18. Dezember 1951 schrieb Alfred Andersch an H. B.: »Denken Sie gelegentlich an den Plan einer Bloy-Sen-

dung?«»Existenz in Gott und in der Armut. Léon Bloy« wird im »Abendstudio« des »Hessischen Rundfunk[s]« am 5. August 1952 gesendet.

Heiligen-Buch für die FH: Ein Plan von Alfred Andersch u. H. B. Der erste
Titel in einer von Alfred Andersch betreuten Buchreihe der »Frankfurter
Verlagsanstalt« [kooperiert mit dem »Verlag der Frankfurter Hefte«;
H. H.] sollten Heiligengeschichten von H. B. sein. Das Buch ist nie erschienen. Vier abgeschlossene Texte, entstanden im Winter 1951/52, befinden sich im Nachlaß: »Der heilige Goar«, »Joseph von Cupertino«, »Der
heilige Paphnuzius«, »Katharina von Siena. U. d. T. »Ein skythischer Knabe« ist eine Geschichte über den hl. Marcellinus erschienen in: »Frankfurter Hefte«, 8. Jg., H. 9, September 1953. Später griff H. B. teilweise auf diese
Arbeiten zurück. U. d. T. »Dasein in der Heiligkeit« sendete der »Nordwestdeutsche Rundfunk«, Köln, am 1.11.1953 sieben Lebensberichte vom
hl. Goar, Joseph von Cupertino, Marcellinus aus Constanza, Benedikt Joseph Labre, dem hl. Paphnuzius, Edith Stein und dem hl. Martin von
Tours.

206

»Staub«: Reinhard Stalmann, »Staub«, Roman, 1951.

Bosemüller: Werner Beumelburg, »Die Gruppe Bosemüller«, 1930. Ein
Durchhalteroman aus der Zeit des 1. Weltkriegs.

Kritik in NZ: Konrad Stemmer, »Krieg mit und ohne Pathos«, in: »Die
Neue Zeitung«, Nr. 295, 15./16. 12. 1951. Es handelt sich um die Kritik zu
H. B., »Wo warst du, Adam?« und um Reinhart Stalmanns Buch »Staub«.

hätte ich »Staub« nur vor der Diskussion gelesen: Am 12. Dezember 1951 traten
H. B. und Reinhard Stalmann bei den von Gerhard Ludwig veranstalte-
ten »Kölner Mittwochgesprächen« im Wartesaal 3. Klasse des Haupt-
bahnhofs auf. Vgl. a. »Freier Eintritt. Freie Fragen. Freie Antworten. Die
Kölner Mittwochgespräche 1950-1956«, Historisches Archiv der Stadt
Köln 1991. Bei dieser Veranstaltung saß E.-A. K. im Publikum.

Stalm.: Reinhard Stalmann.

H. W. Richter schicke ich bald: Hans Werner Richter, »Sie fielen aus Gottes
Hand«, 1951.

Nachtprogramm: Vgl. Anm. Br. Nr. 205.

Meine Büchereigeschichte: Der alte Traum E.-A. K.s, eine Buchhandlung aufzumachen. Diesmal gekoppelt mit einem Buchverleih. Verleihbuchhand-
lungen waren in den 50er Jahren weit verbreitet.

was mit CH machen: E.-A. K. überlegte, die Bauleitung von Projekten C. H. Ortmeyers zu übernehmen, damit dieser sich ganz der Planung und Entwicklung widmen könnte.

Notizbuch: Vgl. Anm. Br. Nr. 203.

Im FH. von Jan.: »Krippenfeier«; in: »Frankfurter Hefte«, 7. Jg., H. 1, Januar 1952, S. 36 ff.

207

Notizbuch: Vgl. Anm. Br. Nr. 206.

Kusch: Franz Kusch war er zu der Zeit schon in Köln. Er arbeitet als Redakteur beim »Nordwestdeutschen Rundfunk«.

208

im Nachtprogramm: »Literatur und Restauration«, »Nordwestdeutscher Rundfunk«, Hamburg, 7. 1. 1952.
Eine Sendung in drei Teilen mit Beiträgen von:
Wolfgang Weyrauch, »Die Schuld der Literatur an der Restauration in Deutschland«
Walter Jens, »Restauration und müde alte Männer«
Peter von Haselberg, »Die literarische Restauration und das Publikum«.

Meine Zeitungsannonce: Gertruda Kunz bot E.-A. K. die Summe von 3000,00 DM an, damit dieser sich selbständig machen könnte. E.-A. K. gab Zeitungsannoncen auf und bot in diesen seine Beteiligung an Geschäften verschiedener Art an.

2 Verlage bieten sich an: Auf die Zeitungsannonce, s. o., meldeten sich auch zwei Buchverlage. Näheres nicht zu ermitteln.

209

Textilgeschäft: E.-A. K. entschloß sich, sich an einem Textilunternehmen, Herren- und Damenoberbekleidung, zu beteiligen.

positiven Weg für A.: positiven Weg für Alois Böll. H. Böll bezieht sich auf die geschäftliche Entwicklung der Schreinerei.

210

lese [...] in Dortmund, Essen, Witten: Am 28. Januar 1952 in Dortmund in der
»Brücke«. Am 29. Januar 1952 in Essen in den »Theaterstuben«. Am 30.
Januar 1952 in Witten im »Wittener Hof«.

Dein[em] Geschäft: Vgl. Anm. Br. Nr. 209.

»Die Literatur«: Erschien von März bis November 1952, herausgegeben von
Hans Werner Richter. Redaktion: Hans Georg Brenner. »Die Literatur«
wurde nicht, wie H. B. meint, von der »Gruppe 47« herausgegeben. Eine
enge Verbindung gab es insofern, als H. W. Richter derjenige war, der
auch zu den Tagungen der »Gruppe 47« einlud.

Angebote von Verlegern: Hans Georg Brenner schrieb am 15. Januar 1952 im
Namen der »Deutsche[n] Verlags-Anstalt« an H. B.: »Ich habe mit Herrn
Dr. Helmut Dingeldey [Verlagsleiter; H. H.] und mit Herrn Dr. Willi-
August Koch [Cheflektor; H. H.] gesprochen, die mir beide zu verstehen
gaben, dass sie ernsthaft an Dir interessiert sind.«

211

mein Geschäft eröffnet: Vgl. Anm. Br. Nr. 209.

»Organ« der 47er: »Die Literatur«; vgl. Anm. Br. Nr. 210.

Ist ja billig: »Die Literatur« kostete je Heft DM 0,50.

2 X positiv im »Spiegel« genannt: 1. Kurzrezension von »Wo warst du, Adam?«
in: »Der Spiegel«, 6. Jg., H. 2, 1952, S. 30. »...das bildkräftigste Kriegsbuch
aus deutscher Feder. Hinter den kühl getupften Impressionen Bölls
nimmt der Krieg seine schrecklichste Form an – er wird zur alles beherr-
schenden Selbstverständlichkeit.«
2. Leserbrief von Franz Kusch zum »Kölner Mittwochgespräch« mit Reinhold Stalmann und H. B. (vgl. Anm. Br. Nr. 206) in: »Der Spiegel«, 6. Jg.,
H. 3, 1952, S. 35. »...daß nicht über die vorhandenen grundsätzlichen Un-
terschiede der beiden Bücher ›Staub‹ von Stalmann und ›Wo warst du,
Adam?‹ von Böll diskutiert wurde, sondern allgemein über die Frage, ob
Kriegsbücher erwünscht und angebracht sind. Während Stalmanns
Werk eines der üblichen Kriegsbücher ist, geht Böll viel mehr in die Tiefe.
Außerdem ist Bölls Werk echte Dichtung und zählt zu den führenden Bü-
chern unseres Nachkriegsdeutschlands.«

212

Frl. Nelsen: Ilse Nelsen, spätere Frau von Paul Schallück.

Das Geschäft: Vgl. Anm. Br. Nr. 209.

an die Zechen verkaufen: Damals erhielten die Bergleute am 10. und am 20. eines jeden Monats eine »Abschlagzahlung« und am 30. eines jeden Monats die endgültige Lohnabrechnung. Der Lohn wurde bar ausgezahlt. Viele, die etwas verkaufen wollten, stellten sich an diesen Tagen vor die Zechentore und boten ihre Ware feil.

Tomballe: Teilhaber von E.-A. Kunz.

213

nach Berlin fahren: Thomas Gnielka, der in Berlin lebte, vermittelte H. B. an Hans Schwab-Felisch, Redakteur der »Neue[n] Zeitung«; an Günther Giefer, Literaturredakteur von »RIAS Berlin«, sowie an Hans Rittermann und Thilo Koch vom »Nordwestdeutschen Rundfunk«, Berlin. Um den Kontakt zu intensivieren, war eine Reise H. B.s nach Berlin geplant. Vgl. a. H. B. »Besuch auf einer Insel«, dtv 1, S. 11-21. In Auszügen gesendet am 14. 5. 1952 in der Reihe »Berliner Feuilleton« des »Nordwestdeutschen Rundfunk[s]«, Berlin.

Middelhauve: Am 6. Februar 1952 trafen sich Friedrich Middelhauve, Georg Zänker, Annemarie und H. Böll in Köln im »Domhotel«. Die Unterredung führte zu folgendem Ergebnis, das Friedrich Middelhauve in einem Brief an H. B. vom 26. Februar 1952 festhielt:
»Die im § 8 unseres beiderseitigen Vertrages vom 2. 5. 49 vorgesehene Verpflichtung, nach der Sie uns das Vorkaufsrecht für alle weiteren Werke einräumen, wird auf Ihren Wunsch hin mit sofortiger Wirkung aufgehoben
2. Sie erklären sich statt dessen bereit, Ihre weiteren Werke 3 verschiedenen Verlagen, darunter auch meinem Verlag, zur Veröffentlichung anzubieten. Sollten Sie dabei von einem anderen Verlag Vorschläge erhalten, die entweder in der Höhe einer einmaligen Pauschalzahlung, Vorschußzahlung oder in Bezug auf das Erfolgshonorar günstiger sind als die von uns gemachten, so wollen Sie sich bereit erklären, das Buch auch dann in meinem Verlag erscheinen zu lassen, wenn Ihnen dabei die gleichen Bedingungen eingeräumt werden wie von anderer Seite
3. Die zwischen uns vereinbarten monatlichen Zahlungen in Höhe von je DM 200.- werden auf Ihren Wunsch bis März dieses Jahres weitergeführt, so daß Sie im Februar und März wie bisher jeweils am 15. den Betrag von DM

200.– erhalten. Diese Zahlungen werden ebenso wie die vorhergehenden auf das Honorar Ihrer bisher bei uns veröffentlichten Bücher angerechnet Vom Monat April an werden die Zahlungen eingestellt.«

neuen Roman: »Und sagte kein einziges Wort«.

am Kölner Funk tut sich was: In einem Brief vom 16. Februar 1952 bezog sich Gert H. Theunissen, »Nordwestdeutscher Rundfunk«, Köln, auf ein Treffen mit H. B. und machte folgenden Vorschlag: »[...] wir haben im Programm eine sehr gute Sendereihe, die zu einer sehr guten Zeit gebracht wird. Es handelt sich um ›Gedanken zur Zeit‹, sonntags 18.20 Uhr [...]. Ich möchte sehr gern, daß Sie in dieser Sendereihe erscheinen.«

214

eine Woche in Berlin: Vgl. Anm. Br. Nr. 213. Datum der Reise nicht zu ermitteln.

»Ehrung« im Rahmen der Verleihung des René-Schickele-Preises: Die Verleihung des »René-Schickele-Preises« fand am 29. Februar 1952 in München statt. Preisträger ist Hans Werner Richter für seinen Roman »Sie fielen aus Gottes Hand«. Für »Wo warst du, Adam?« erhielt H. B. eine »Ehrung« im Rahmen des »René-Schickele-Preises«. Weitere »Ehrungen« erhielten: Ilse Aichinger, Franziska Becker, Siegfried Lenz, Luise Rinser und Heinz Risse.

Roman: »Und sagte kein einziges Wort«.

Von Berlin erzähle ich Dir: Vgl. a. »Besuch auf einer Insel«, dtv 1, S. 12-21.

216

Tomballe abgefunden haben: Vgl. a. Anm. Br. Nr. 212.

Bernhard: Neuer Teilhaber von E.-A. K. Es stellte sich jedoch heraus, daß dieser aus anderen Geschäften sehr viele Schulden hatte, die E.-A. K; nachdem es zum Bruch mit Bernhard gekommen war, mit übernehmen mußte.

Literaturzeitung: »Die Literatur«; vgl. Anm. Br. Nr. 210.

alte Knacker: An »Die Literatur« haben u. a. mitgearbeitet: Kurt Hiller, Jacques Prévert, Ernst Glaeser, Walter Mannzen. E.-A. K. spielte hier vor allem auf Wilhelm Emanuel Süsskind an.

217

Geschäft: Vgl. Anm. Br. Nr. 209 u. 215.

218

mit Kiepenheuer einen Vertrag: Vertrag vom 26. April 1952 zwischen H. B. und dem »Verlag Kiepenheuer & Witsch«. Der Vertrag bezog sich auf den Roman »Und sagte kein einziges Wort« und erhielt auch die Option auf weitere Werke H. B.s.

Aufträge für den Funk, Zeitschriften: Für das »Abendstudio« des »Hessischen Rundfunks« hatte H. B. gerade ein Feature über Leon Bloy abgeschlossen [s. u.]. Für Clemens Münster, »Bayerischer Rundfunk«, schrieb er ein Feature über Evelyn Waugh, daß jedoch im »Bayerischen Rundfunk« nie zur Ausstrahlung kam. Engere Kontakte bestanden inzwischen zu Thilo Koch, »Nordwestdeutscher Rundfunk«, Berlin, und zu Günther Giefer, »RIAS Berlin«. Auch zum »Nordwestdeutschen Rundfunk«, Köln, bestanden inzwischen Kontakte [vgl. Nachwort]. Besonders Johannes Schlemmer, »Süddeutscher Rundfunk«, Sendestelle Heidelberg – Mannheim, bemühte sich intensiv, H. B. als freien Mitarbeiter an den Sender zu binden. Am 12. Mai 1952 schrieb er: »Da wir aber versuchen, auch den Kreis unserer eigenen Mitarbeiter zu erweitern, wenden wir uns mit der Bitte an Sie, uns von Ihren Arbeiten diejenigen einmal zuzuschicken, die Sie für rundfunkgeeignet halten [...]. Vielleicht haben Sie sich auch selbst schon an rundfunkeigenen Formen versucht, an Hörszenen, Hörbildern, erdachten Dialogen oder an Formen, die eine Mischung aller dieser Möglichkeiten darstellen. Gerade in dieser formalen Hinsicht ist der Rundfunk nach wie vor ein grossartiges Experimentierfeld. Vielleicht dürfen wir Ihnen sogar von uns aus einige Themen vorschlagen, z. B.: ›Rettet den Menschen vor dem Menschen‹, ›Vom seelischen Gleichgewicht‹, ›Angst vor dem Leben oder Mut zum Sterben?‹.« Und der Brief schließt: »[...] aber dieser Brief, von dem wir hoffen, dass er der erste von vielen sein möge, sollte in wenigen Zeilen möglichst viele unserer Wünsche an Sie enthalten.«
Auf seine kontinuierliche Mitarbeit setzten weiterhin die »Frankfurter Hefte«, die H. B. auch aufforderten, Rezensionen zu schreiben, und »Die Literatur«, in der er nicht nur Prosa veröffentlichen sollte, sondern die auch um journalistische und essayistische Arbeiten bat. U. d. T. »Die Katzen und der heiße Brei« berichtete H. B. über das 81. »Kölner Mittwochgespräch« mit Fritz Sänger, Chefredakteur »dpa« und den Bundestagsabgeordneten Carlo Schmidt und Rudolf Vogel über das Thema: »Die

Presse ist frei«, (»Die Literatur«, 1.Jg., Nr. 7, 1952, S. 7.). Kurz zuvor war H. B.s Essay »Bekenntnis zur Trümmerliteratur« erschienen (»Die Literatur«, 1. Jg., Nr. 5, 15. Mai 1952, S. 1-2) Hinzu kommt die Mitarbeit bei Tageszeitungen, die an Kurzgeschichten interessiert waren; vgl. Nachwort. Außerdem war H. B. in dieser Zeit oft auf Lesereisen.

meine Frau hat aufgehört: Annemarie Böll arbeitete nicht mehr vertretungsweise als Lehrerin.

im Sommer arbeite ich dann richtig: Bezieht sich auf die Arbeit am Roman »Und sagte kein einziges Wort«.

wurden auf Band aufgenommen: Carl Heinz Ortmeyer besaß ein Magnettonband und nahm die Stimmen aller Freunde und Verwandten auf.

im RIAS 1/2 Stunde: Vgl. Anm. Br. Nr. 219.

am 5. 8. in Frankf. ein Abendstudio: »Existenz in Gott und in der Armut. Leon Bloy«, »Hessischer Rundfunk«, 5. 8. 1952, Feature, 60 Minuten. Eine auf 30 Minuten gekürzte Fassung sendete der »Südwestfunk« am 30. 3. 1953.

Hörspieltermin noch nicht festgelegt: »Die Brücke von Berzcaba«, im Februar 1952 fertiggestellt, wurde im »Hessischen Rundfunk« am 8. 6. 1952 gesendet.

Rachjacken: Eine Jacke mit Raglanärmel.

219

Jagd nach Geld: Wegen der von seinen Teilhabern übernommenen Schulden und der schlechten Zahlungsmoral der Käufer mußte E.-A. K. ständig Geld auftreiben, um neue Ware kaufen und Miete und andere Kosten tragen zu können.

»Ein Beruf – ein richtiger Beruf«: »RIAS Berlin«, 11. 7. 1952. Die Sendung war aus aktuellem Anlaß kurzfristig auf diesen Termin verschoben worden. In der Rundfunkzeitung »Hör Zu« steht noch das ursprüngliche Sendedatum 15. 5. 1952. Bei diesem Text handelt es sich um eine umgearbeitete, mit neuer Einleitung versehene Fassung von »Die Suche nach dem Leser«. Erstdruck: »Die Neue Zeitung«, 7. März 1952. Vgl. a. WA, Bd. 2, S. 539-543.

220

suchte seine Wohnung auf: Kunde von E.-A. Kunz; vgl. Anm. Br. Nr. 219.

Reportage Auftrag für NWDR: Es handelte sich um ein Ruhrgebiet-Projekt des »Nordwestdeutschen Rundfunk[s]« Köln. Nach einer zweiten Besprechung, Mitte Juni 1952, schrieb der verantwortliche Redakteur Gert H. Theunissen am 17. Juni 1952 an H. B.: »Es hat mich sehr gefreut, dass sie auch an der zweiten Besprechung über das Ruhrgebiet teilgenommen haben. Da es vielleicht notwendig sein könnte, dass Sie sich mit den anderen Herren, die sich ebenfalls auf das Ruhrgebiet stürzen wollen, in Verbindung setzen, schicke ich Ihnen die Anschriften:
Eberhard Schulz [...]
Herbert Küsel [...]
Kurt Pritzkoleit [...]
Joachim W. Reifenrath [...].

221

Bochumerstr. 136: Anschrift von E.-A. K.'s Textilgeschäft in Gelsenkirchen.

222

im Zeichen des Megaphonbandes: Vgl. Anm. Br. Nr. 218.

Artikel von dem guten Lenz: Michael Lentz.

Käseblatt: Westdeutsche Allgemeine Zeitung.

Geschäft: Vgl. Anm. Br. Nr. 219.

223

in der Eifel: Vgl. Br. Nr. 218.

lasse mich mit Vorschüssen überhäufen: Nicht zu ermitteln.

Roman: »Und sagte kein einziges Wort«.

Rente: Bezieht sich auf den Vertrag mit dem »Verlag Kiepenheuer & Witsch« [vgl. Br. Anm. Nr. 205], in dem eine »monatliche Rentenzahlung von 400.– DM« vereinbart worden war. Gemeint ist ein Vorschuß, der mit dem Honorar verrechnet wurde.

Rundfunkpflichten: Am 12. Juli 1952 fragte Johannes Schlemmer, »Süddeutscher Rundfunk«, Sendestelle Heidelberg – Mannheim, bei H. B. an, ob er eine Sendung über Robert Morel schreiben wolle. In einem Brief Schlemmers vom 7. Januar 1953 heißt es: »Morel ist in Ordnung«. Sendung am 21. 1. 1953 im Süddeutschen Rundfunk.
Mit Clemens Münster, »Bayerischer Rundfunk«, vereinbarte H. B. ein Feature über Evelyn Waugh. Eine Sendung im »Bayerischen Rundfunk« ist nicht nachzuweisen. Am 23. 6. 1953 sendete der »Nordwestdeutsche Rundfunk«, Köln, »Evelyn Waugh – Porträt eines Schriftstellers«.

»Das Wartezimmer im Ruhrgebiet«: »Quer durch ein Wartezimmer«, Hörspiel im Nachlaß. Eine Sendung ist nicht nachzuweisen. Vgl. Anm. Br. Nr. 220.

Feierabend im Ruhrgebiet: »Was machen Sie am Sonntag?«, Hörspiel im Nachlaß. Eine Sendung ist nicht nachzuweisen. Vgl. Anm. Br. Nr. 220.

mein Abendstudio: Vgl. Anm. Br. Nr. 218.

in F.: In Frankfurt, »Hessischer Rundfunk«.

224

tolle Dinge ereignet: Teilhaber Bernhard mußte Konkurs anmelden. Vgl. a. Anm. Br. Nr. 215.

225

Trenkercord: Bezieht sich auf den Schauspieler und Schriftsteller Luis Trenker, der in allen seinen Bergfilmen einen Cordanzug getragen hat.

das Unternehmen: Hier handelt es sich um Überlegungen zur Gründung einer literarischen Agentur, später dann »RUHR-STORY«. Vgl. die nachfolgenden Briefe u. Nachwort.

Geschichte in »Welt«: Gemeint sind hier allgemein die Mehrfachverwertungen von Erzählungen, Kurzgeschichten und Romanausschnitten.

226

Korrespondenz-Büro: Vgl. Anm. Br. Nr. 225.

Schallück: Paul Schallück arbeitete bereits seit 1949 als Theaterkritiker und war regelmäßiger Mitarbeiter des Rundfunks.

den Stevenson aus England: Robert Louis Stevenson. Buchtitel nicht zu ermitteln.

Kohlenpott-Feature: Vgl. Anm. Br. Nr. 223. Nicht zu ermitteln, welches Feature H. B. hier meint.

227

Mama nach Elkeringhausen: Gertruda Kunz besuchte in Elkeringhausen ihre spätere Schwiegertochter Gunhild Haack, die dort als Hauswirtschaftsleiterin in einer Pension arbeitete.

Christel: Haushilfe bei Bölls.

keine Feier: Verlobungsfeier Gunhild Haack – E.-A. K.

Tomballe ist raus: Gegen ihn liefen schon staatsanwaltschaftliche Ermittlungen wegen Betrugs, als er Teilhaber von E.-A. K. wurde. Davon wußte E.-A. K. nichts, als er ihn als Teilhaber auszahlte.

Hörspiel über Leon Bloy: E.-A. Kunz meint das Feature »Existenz in Gott und in der Armut«; vgl. Anm. Br. Nr. 205.

228

Schwägerin Maria: Maria Böll.

Haushalt um 4-5 Personen erweitern: Vgl. Anm. Br. Nr. 229.

Stevenson: Robert Louis Stevenson; vgl. Anm. Br. 226. Das Projekt ist nicht realisiert worden.

229

Wahnsinn 9 Kinder: 3 Kinder von H. B.: Raimund, René und Vincent. 6 Kinder von Alois Böll: Marie-Therese, JohannesFranziscus, Gilbert, Clemens, Birgit, Viktor. Vgl. Br. Nr. 228.

231

Riedel: Schneider aus Herne, der für E.-A. K. und seinen Teilhaber Bernhard arbeitete. Später Teilhaber von E.-A. K. als Bernhard ausgeschieden war. Vgl. a. Anm. Br. 215.

Mama und Guni kommen pünktlich: Gunhild Kunz hatte drei Monate in Elkeringhausen [vgl. Anm. Br. Nr. 227] gearbeitet. Frau Gertruda Kunz nur drei Wochen.

der Alte: Dr. Kurt Haack, Vater von Gunhild Kunz.

232

Guni [...] andere Stelle: Gunhild Kunz arbeitete noch als Hauswirtschaftsleiterin [Vgl. Anm. Br. Nr. 227]. Sollte die Agentur gegründet werden, mußte sie diesen Beruf aufgeben.

törichte Vorschläge, was sie tun soll: Da das Geld sehr knapp war, waren auch die Stellen für Hauswirtschaftsleiterinnen sehr rar. Die Eltern Haack bestanden darauf, daß ihre Tochter Gunhild irgendeine Arbeit annahm.

entscheidenden Tatsache: Die Verlobung zwischen E.-A. Kunz und Gunhild Kunz, geb. Haack.

Rauchjacke: Gemeint ist eine Rachjacke. Vgl. Anm. Br. Nr. 218.

233

Roman: »Und sagte kein einziges Wort«.

Hörspiel: »Die neuen Steine«, vgl. Anm. Br. Nr. 218. Das Hörspiel ist nicht gesendet worden.

die beiden Kohlenpottberichte: »Was machen Sie am Sonntag?« und »Quer durch ein Wartezimmer«. Vgl. a. Anm. Br. Nr. 223.

Milo Dor: Dor wurde Autor der Agentur »RUHR-STORY«.

Schallück: Paul Schallück wurde Autor der Agentur »RUHR-STORY«.

234

Angebot einer Wohnung: Ein nicht ausgebauter Dachboden mit Gas-, Wasser- und Stromanschluß.

Hausfeld: Hausfeld 5, im Stadtteil Buer gelegen, Haus der Eltern von E.-A. K.

Schalke: Stadtteil von Gelsenkirchen.

Tante Berta: Berta Kunz, Cousine von Dr. Ernst Kunz. Lebte in Bonn.

Den alten Haack: Dr. Kurt Haack hatte nichts von der Verlobungsfeier gewußt.

»Husten im Konzert«: »Husten im Konzert«, in: »Die Welt«, Nr. 230, 3. 10. 1952, S. 6. Erstdruck u. d. T. »Reine Nervensache« in: »Rheinischer Merkur«, Nr. 23, 6. 6. 1952.

Papas Kriegstagebuch: Das Dr. Ernst Kunz während des 1. Weltkriegs geschrieben hatte, den er als Oberstabsarzt mitgemacht hat.

Roman: »Und sagte kein einziges Wort.«

235

Deine Kritik über Rommelfilm: H. B., »Der Wüstenfuchs in der Falle« in: »Aufklärung«, Jg. 2, H. 3, 1952 und »Die Literatur«, 15. 9. 1952. Vgl. a. H. B. »Der Wüstenfuchs in der Falle«, dtv 1, S. 41 f. Es handelte sich um die Kritik des Films »Rommel der Wüstenfuchs«, USA 1952. Regie: Henry Hathaway.

236

Funkschmarren [. . .] Echo des Tages: »Echo des Tages«, tägliche Sendereihe (18.30 bis 19.00 Uhr) des »Nordwestdeutschen Rundfunks«, Köln und Hamburg. Werner Höfer, Redakteur von »Echo des Tages«, verschickte mit Datum vom 29. Oktober 1952 ein Rundschreiben: »Diese ›Postwurfsendung‹ geht an ein gutes halbes Hundert von deutschen Autoren, wobei ›deutsch‹ nur die Sprache meint. Es ist unser Anliegen [. . .], Sie zu einem Experiment einzuladen. [. . .] Wir haben uns aber vorerst einmal vorgenommen, in unserer aktuellen Sendung ›Echo des Tages‹, die [. . .] von einigen Millionen Menschen gehört wird, so etwas wie eine ›Dichterecke‹ einzurichten. Die Erfahrung hat uns nämlich gelehrt, dass die anspruchsvolleren literarischen Äusserungen vom Hörer umso leichter und lieber aufgenommen werden, je unbetonter und unauffälliger sie auf ihn zukommen. Welchem Schriftsteller also daran liegt, auch von dem Massenauditorium einer abendlichen Rundfunksendung gehört zu werden, dem bietet sich hier eine Chance.« Die Beiträge sollten eine Länge von 3 bis 5 Minuten haben. Am 3. November 1952 bedankt sich Werner Höfer bei H. B. für die »Bereitwilligkeit, bei unserem publizistisch-belletristischen Experiment« mitzumachen.

Am 6. November 1952 wurde »Der Briefträger als Götterbote« gesendet; d. i. »Jünger Merkurs«, vgl. dtv 1, S. 56 f.; der Erstdruck erschien in: »Hamburger Abendblatt«, 28. Oktober 1953.

Am 27. Dezember 1952 wurde »Die Kinder von Bethlehem« gesendet; vgl. »Die Kunde von Bethlehem«, WA, Bd. 2, S. 544-546.

Bereits am 11. September 1952 wurde in »Echo des Tages« gesendet: »Pole, DP, Schwarzhändler, Lebensretter«.

Welche Abschrift H. B. hier meint, ist nicht zu ermitteln.

Vier Tagungen:
Düsseldorf: Nicht zu ermitteln.
Heidelberg: Auf Einladung des »Süddeutschen Rundfunks« fand am 24. und 25. Oktober 1952 eine »Autoren-Tagung« in Heidelberg statt.
Köln: Nicht zu ermitteln.
Göttingen: Die 11. Tagung der »Gruppe 47« fand vom 31. Oktober 1952 bis 2. November 1952 auf »Burg Berlepsch« bei Göttingen statt.

mit Vorschüssen versehen: U. a. für das Hörspiel »Die neuen Steine« nach einer Erzählung von Janheinz Jahn, für das H. B. am 3. Oktober 1952 honoriert wurde, das er aber noch umarbeiten soll. Aus diesem Grund schickte ihm Helmut Jedele, Redakteur des »Süddeutschen Rundfunks«, am 6. November 1952 zwei Abzüge des Hörspiels.

in den letzten vier Monaten geschrieben habe: Neben der Arbeit an »Und sagte kein einziges Wort« und dem Hörspiel »Die neuen Steine« noch das Hörspiel »Eine von Einhundertzwanzig«, ein Hörspiel über die Arbeit der Nachrichtenredaktionen, gesendet am 4. März 1953 vom »Süddeutschen Rundfunk«. Hinzu kamen Erzählungen, Features und Glossen für den Rundfunk; vgl. die Briefe und die dementsprechenden Anmerkungen Juli bis Oktober 1952.

drei Erzählungen: »Beethoven durch den Lautsprecher gequetscht« d. i. »Krippenfeier«, in: »Aufwärts«, Nr. 25/26, 11. 12. 1952, S. 5.
Am 11. November 1952 wurde H. B. vom »Rheinischen Merkur« aufgefordert, »nach einer Weihnachtserzählung [zu] kramen«.

Zeitungen (auch für Eure): Gemeint ist die »Westdeutsche Allgemeine Zeitung«.

Hörspiel: Am 4. November 1952 bestätigte Günther Sawatzki, »Nordwestdeutscher Rundfunk«, Hamburg, den Auftrag für das Hörspiel »Wir waren Wimpo«. Das Hörspiel wurde dann aber am 9. August 1953 vom »Süddeutschen Rundfunk« erstgesendet.

zehn Bücher liegen zur Besprechung: Im einzelnen nicht nachzuweisen, welche Bücher H. B. besprechen sollte. Bis zum Ende des Jahres 1952 lassen sich folgende Rezensionen nachweisen:
u. d. T. »Einsames Herz«, Carson McCullers: »Das Herz ist ein einsamer Jäger«, in: »Frankfurter Allgemeine Zeitung«, Nr. 271, 22. November 1952, Literaturblatt. Vgl. a. dtv 1, S. 58 f.
u. d. T. »Trompetenstoß in schwüle Stille«, Alfred Andersch: »Die Kirschen der Freiheit, ein Bericht«, in: »Welt der Arbeit«, Nr. 48, 28. November 1952, S. 26. Vgl. a. dtv 01, S. 62 f. Noch einmal beschäftigte sich H. B. mit diesem Bericht und der Frage nach den Deserteuren: »Wo sind die Deserteure?« in: »aufwärts«, 5. 2. 1952.
u. d. T. »Das andere Amerika«, Truman Capote: »Die Grasharfe«, in: »Frankfurter Allgemeine Zeitung«, Nr. 276, 28. November 1952, Literaturblatt. Vgl. a. dtv 01, S. 60 f.
u. d. T. »Das Schwert zwischen ihnen«, Horst Lange: »Ein Schwert zwischen uns«, in: »Frankfurter Allgemeine Zeitung«, Nr. 277, 29. November 1952, Literaturblatt.
u. d. T. »Glück und Glas«, Erhard Wittek: »Dort hinter dem gläsernen Berge«, in: »Frankfurter Allgemeine Zeitung«, Nr. 283, 6. Dezember 1952, Literaturblatt. Vgl. a. dtv 1, S. 24 f.

drei Vorträge: »Die Freuden und Tücken des Sonntags«, »Nordwestdeutscher Rundfunk«, Köln, 4. 1. 1953. Erstdruck u. d. T. »Müßiggang ohne Muße«, in: »Deutsches Volksblatt«, Nr. 10, 11. 7. 1953.
»Das Auge des Schriftstellers«, d. i. »Bekenntnis zur Trümmerliteratur« [vgl. dtv 01, S. 27-31], »Süddeutscher Rundfunk«, 20. Januar 1953. In einem Brief vom 21. Oktober 1952 von Jürgen Petersen, »Nordwestdeutscher Rundfunk«, Hamburg, merkte dieser an, daß »Das Auge des Schriftstellers« bereits vom »Nordwestdeutschen Rundfunk«, Köln, gesendet worden war. Ein Sendedatum läßt sich nicht nachweisen. Im Findbuch des »Westdeutschen Rundfunks« ist als Aufnahmedatum der 9. 8. 1952 angegeben.
»Masken«, »Nordwestdeutscher Rundfunk«, Köln, 16. Februar 1953. Vgl. dtv 1, S. 176-180.

»Weihnachtszeit«: »Nicht nur zur Weihnachtszeit«, Einzeldruck »studio frankfurt«, herausgegeben von Alfred Andersch, »Frankfurter Verlagsanstalt«, Frankfurt 1952.
Sendung im »Nordwestdeutschen Rundfunk«, Hamburg, 30. 12. 1952.
Sendung »Hessischer Rundfunk«, 29. 9. 1954 als Übernahme des NWDR.

237

Tagungen: Vgl. Anm. Br. Nr. 236.

am Tage schlafen und nachts arbeiten: Gegenüber E.-A. K. äußerte H. B., er träume davon, am Tage, wenn alle geschäftig sind, zu schlafen und nachts in der Stille zu arbeiten.

noch allerlei gedreht werden: Umbau und Renovierung der neuen Wohnung und die damit verbundenen Maggeleien.

Verlage: Gemeint ist hier die »Frankfurter Verlagsanstalt«.

Briefträgergeschichte: »Der Briefträger als Götterbote«, d. i. »Jünger Merkurs« [vgl. dtv 1, S. 56 f.], »Nordwestdeutscher Rundfunk«, Köln, 6. 11. 1952. Erstdruck u. d. T. »Der Jünger Merkurs« in: »Welt der Arbeit«, Nr. 44, 30. 10. 1953.

Tante Heti: Heti Seidensticker, Cousine von Dr. Ernst Kunz.

Unna: Stadt im Ruhrgebiet.

238

Joachim Jung: Schulfreund E.-A. K.s im Landschulheim Burg Nordeck. Sein Vater Edgar Jung war Mitarbeiter von Papens, Reichskanzler und Hitlers Stellvertreter während der ersten beiden Jahre des NS-Regimes. Edgar Jung war beim Röhmputsch 1934 erschossen worden.

Fritz Szepan: Berühmter Fußballspieler in den 30er Jahren.

Andersch' neuen Deserteurroman: Alfred Andersch, »Die Kirschen der Freiheit«, 1952. Alfred Andersch nannte das Buch im Untertitel »Bericht« und nicht Roman. Vgl. a. Anm. Br. Nr. 236.

im Funk »Der alte Mann und das Meer«: Ernest Hemingway, »Der alte Mann und das Meer«, eine Lesung, »Nordwestdeutscher Rundfunk«, Köln, 18. November 1952.

»Fiesta«: Erzählung von Ernest Hemingway.

»Stunde«: »Wem die Stunde schlägt«, Roman von Ernest Hemingway.

239

Mansardenausbau: Vgl. Anm. Br. Nr. 239.

Schnee wie in Rußland: E.-A. K. war während des 2. Weltkriegs drei Jahre in Rußland. Er mußte bei minus 50° im Freien schlafen. Die Kälte, die unendlichen Schneefelder, die Angst, der Krieg, das alles verband sich für ihn immer wieder miteinander.

240

Roman: »Und sagte kein einziges Wort«.

»Erika«: Schreibmaschine der Firma Olympia.

Manuskripte, die Ihr abtippen könnt: Es handelte sich um bereits veröffentlichte Erzählungen bzw. Kurzgeschichten und Typoskripte, die über die in Gründung befindliche Agentur vertrieben werden sollten. Vgl. a. Nachwort.

Neue Zeitung: »Die Neue Zeitung«.

Frankf.: »Frankfurter Allgemeine Zeitung«.

Feuilleton Redakteurin von der Welt: Ilse Urbach.

meinen neuen Roman bringen: Vorabdruck von »Und sagte kein einziges Wort« ist nicht in »Die Welt« erschienen.

lerne Sie am Mittwoch hier kennen: Ilse Urbach trat zusammen mit Friedrich Sieburg am 10. Dezember 1952 bei den »Kölner Mittwochgesprächen« im Hauptbahnhof auf. Thema des Abends: »Wo bleibt die Gleichberechtigung des Mannes?«. H. B. war häufiger Gast der »Mittwochgespräche«. Vgl. u. a. Anm. Br. Nr. 206 u. Nachwort.

Krefeld: Stadt am Niederrhein.

241

Ab 1. Januar 53 fangen wir an: Offizieller Beginn der Agentur »RUHR-STORY«.

242

Thurber: James Thurber. In jener Zeit in Deutschland vor allem bekannt durch die beiden Sammelbände »Rette sich, wer kann!«, 1948 und »Achtung, Selbstschüsse!«, 1950.

Pentzold: Ernst Penzoldt. Sein bekanntester Roman ist »Die Powenzbande«, erstmals erschienen 1930.

Brockmanns Zeichnungen: Henry Mayer-Brockmann illustrierte »Nicht nur zur Weihnachtszeit«.

Was kostet es?: »Nicht nur zur Weihnachtszeit« kostete 6,80 DM.

der Verlag: »Frankfurter Verlagsanstalt«.

Schallücks Radiosendung: Paul Schallück, »Vom Dynamit zum Friedenspreis. Die Gestalt und das Wirken Alfred Nobels«, »Nordwestdeutscher Rundfunk«, Köln, 10. 12. 1952.

Preis für Literatur Mauriac!: François Mauriac erhielt 1952 den Nobelpreis für Literatur.

Lese gerade Milo Dor: »Tote auf Urlaub«, 1952.

Plakat an einem Textilgeschäft: Aufschrift: »Totalausverkauf wegen Rückgabe des Geschäfts an den jüdischen Besitzer«. Dieses Erlebnis verarbeitete E.-A. K. später in der Zeitungsgeschichte »Und keiner empörte sich«, in: »Hannoversche Presse«, 23. 1. 1954. Vgl. a. Nachwort.

SPDzeitung [...] Redakteur: Nicht zu ermitteln. Bei der Zeitung könnte es sich um die »Westfälische[n] Nachrichten« handeln.

243

Kammerbeck: Vertreter für Stoffe, vermittelt durch Carl Heinz Ortmeyer.

Rheydt: Stadt am Niederrhein.

Mamas wirtschaftliche Situation: Die Rente der Knappschaftskasse reichte kaum aus, um den Lebensunterhalt zu bestreiten. Außerdem mußten noch die Raten an die Bausparkasse gezahlt werden.

Firma Bernhard a K.: Gemeint ist die Firma »Bernhard und Kunz«. Vgl. a. Anm. Br. Nr. 215.

Die alten Haacks: Kurt und Theodora Haack.

244

Baupläne: Die Wohnung in der Schillerstraße 99 wurde zu klein. Es bestand der Plan, für die Familie H. B. ein Haus zu bauen, mit einer Einliegerwohung für den Vater Viktor Böll und Mechthild Böll.

nördlichen Stadtrand: H. B. erwarb ein Grundstück im Stadtteil Müngersdorf, in der Belvederestraße.

Witsch den Roman angenommen: »Und sagte kein einziges Wort« erschien als erstes Buch H. B.s beim »Verlag Kiepenheuer & Witsch« im Frühjahr 1953. »Acquainted with the nigth« erschien 1954 in den USA bei Criterion Books, New York. »Rentrez chez-vous, Bogner!« erschien 1954 in Frankreich bei Editions du Seuil, Paris.

Vertrag mit Paris: Bezieht sich hier auf die Erzählung »Der Zug war pünktlich«. »Le train était à l'heure« erschien 1954 in Frankreich bei Denoël, Paris.

Kurzgeschichten-Bombardement auf Frankreich: Nicht zu ermitteln. Als einzige Kurzgeschichte erschien »Die Postkarte«, frz. »La carte Postale« in: Documents, H. 5, 1952. Die französische Übersetzung erschien noch vor dem deutschen Erstdruck. Deutscher Erstdruck in: »Frankfurter Hefte«, Jg. 8, Heft 1, 1953, S. 38 ff.

»gängige« Geschichten: Gemeint sind hier Kurzgeschichten und Erzählungen, die sich unter die Rubrik »leicht literarisch« gruppieren lassen. Weniger solche, die sich eindeutig auf die »Trümmerliteratur« beziehen. Vgl. a. Nachwort.

beiden Mädchen: Anita und Wera Kunz, verh. Ortmeyer.

(Rühmann liest sie wirklich am 30. 12.): Heinz Rühmann hat »Nicht nur zur Weihnachtszeit« für den Funk gelesen, vgl. Anm. Br. Nr. 236.

245

»Spiegel«: Kritik von »Nicht nur zur Weihnachtszeit«, in: »Der Spiegel«, 6. Jg., Nr. 52, 24. 12. 1952, S. 26.

Schnurrbart: Im »Spiegel« [s. o.] erschien ein Foto H. B.s, das ihn mit einem Schnäuzer zeigt.

246

»Aschermittwoch«: Die erste Erzählung, die über die Agentur »RUHR-STORY« vertrieben wurde. Erstdruck in: »Frankfurter Allgemeine Zeitung«, Nr. 32, 7. 2. 1951, S. 6. Eine weitere Veröffentlichung erschien in: »Westdeutsche Allgemeine Zeitung«, Nr. 48, 27. 2. 1952, S. 4.

»Dünnpost«: H. B. selbst hatte auf diesem Papier geschrieben.

Dünnpost [...] Porto spart: Weil Dünnpost viel weniger wiegt als ein normaler Briefbogen. Etwa vergleichbar mit dem heutigen Luftpostpapier.

Pöschl: Wolfgang Pöschl.

Dr. Sperr: Hans-Jürgen Sperr.

Dr. Frisé: Adolf Frisé.

Kurzgeschichtenagentur: Ein Anschreiben aus den Anfängen der Agentur »RUHR-STORY« gibt es nicht mehr. Die Anschreiben waren und sind sehr persönlich gehalten.

Konzerthuster: »Husten im Konzert«, Erstdruck u. d. T. »Reine Nervensache« in: »Rheinischer Merkur«, Nr. 23, 6. 6. 1952, S. 9. Ein weiterer Abdruck erscheint in: »Die Welt«, Nr. 230, 3. 10. 1952, S. 6.

247

Deine Sendung: »Nicht nur zur Weihnachtszeit«; vgl. Anm. Br. Nr. 236.

Die Einführung: Nicht mehr zu ermitteln.

Wiemann den Hemingway: Mathias Wieman. Vgl. Anm. Br. Nr. 238.

Mit Deinen Geschichten: »Aschermittwoch«, »Husten im Konzert«; vgl. Anm. Br. Nr. 246.

248

»Freuden und Tücken des Sonntags«: »Nordwestdeutscher Rundfunk«, Köln, 4. 1. 1953. U. d. T. »Müßiggang ohne Muße« in gekürzter Fassung in: »Deutsches Volksblatt«, Nr. 10, 11. 7. 1953, S. 5.

249

Onkel Fred: »Mein Onkel Fred«. Erstdruck in: »Frankfurter Allgemeine Zeitung«, Nr. 87, 12. 4. 1952, S. 21.

E.: Karl Eiland.

WAZ: »Westdeutsche Allgemeine Zeitung«.

Verteilung« [...] nach dem beiliegenden Muster: Der Plan von H. B. ist nicht mehr vorhanden. Gemeint war, daß die Verteilung der einzelnen Erzählungen so erfolgen muß, daß das Verbreitungsgebiet der Zeitungen sich nicht überschnitt.

Die Decke keinesfalls der WAZ: »Die Decke von damals« war bereits erschienen in: »Westdeutsche Allgemeine Zeitung«, Jg. V, Nr. 175, 2. 8. 1952, S. 9.

Die Besichtigung: »Besichtigung« (erweiterte Fassung von »Im Gewölbe stand der Himmel«), in: »Rheinische Post«, Jg. 7, Nr. 241, 15. 10. 1952, S. 3.
»Im Gewölbe stand der Himmel«, in: »Die Welt«, Jg. 6, Nr. 214, 13. 9. 1951, S. 3.

Wanderer: »Wanderer, kommst du nach Spa . . .«.

»Abschied«: Erstdruck in: »Westfälische Rundschau«, Nr. 124, 16. 12. 1948, S. 3.

Aschermittwoch: »Aschermittwoch«, Erstdruck in: »Frankfurter Allgemeine Zeitung«, Nr. 32, 7. 2. 1951, S. 6. Weiterer Abdruck in: »Westdeutsche Allgemeine Zeitung«, Nr. 48, 27. 2. 1952, S. 4.

Konzerthuster: »Husten im Konzert«, u. d. T. »Reine Nervensache« in: »Rheinischer Merkur«, Nr. 23, 6. 6. 1952, S. 9. Weiterer Abdruck in: »Die Welt«, Nr. 230, 3. 10. 1952, S. 6.

noch einigen Leuten geschrieben wegen Geschichten: Auf Vermittlung von H. B. waren u. a. Milo Dor und Reinhard Federmann zur Agentur »RUHR-STORY« gekommen.

Geschichten beim RIAS: »PIG GI II« d. i.: »Erinnerungen eines jungen Königs« und »Bodo Bengelmann« d. i.: »Die unsterbliche Theodora«; »RIAS Berlin«, 30. 1. 1953.

RIAS bringt 4. 2. Hörspiel: »Die Brücke von Berczaba«, »RIAS Berlin«, 4. 2. 1953. Es handelte sich um eine Zweitverwertung des Hörspiels, das für den »RIAS Berlin« und auf dessen Wunsch bearbeitet worden war, was für den Autor den Vorteil hatte, daß das Honorar, im Gegensatz zu einer normalen Übernahme, wesentlich erhöht werden konnte.

Belege zurück: Die Abschriften der Erzählungen, die über die Agentur »RUHR-STORY« vertrieben wurden, wurden, soweit es sich nicht um Erstdrucke handelte, fast immer von Belegen gemacht.

2-3 neue Hörspiele in Arbeit um Bau zu finanzieren: »Das Lächeln« (Köln 1952), nach dem gleichnamigen Roman von Francis Stuart. Erstsendung: »Westdeutscher Rundfunk«, Köln, 19. 1. 1957.
»Ein Tag wie sonst«, nach einem Kapitel aus H. B.s Roman »Und sagte kein einziges Wort«. Erstsendung: »Hessischer Rundfunk«, 20. 4. 1953.
»Wir waren Wimpo«. Erstsendung: »Süddeutscher Rundfunk«, 9. 8. 1953.

»Mönch und Räuber«, nach Ernest Hello, »Heiligengestalten«, Köln 1953.
Gemeinschaftsproduktion von »Süddeutscher Rundfunk« u. »Nordwestdeutscher Rundfunk«, Hamburg. U. d. T. »Der heilige und der Räuber«,
»Süddeutscher Rundfunk«, 18. 11. 1953. U. d. T. »Der Mönch und der Räuber«, »Nordwestdeutscher Rundfunk«, Hamburg, 18. 11. 1953.
Am höchsten werden zu jener Zeit Hörspiele honoriert. Das Honorar für
ein Hörspiel von ca. 60 Minuten liegt bei ca. 3000,00 DM.

250

2 Entwürfe für Briefkopf der Agentur: Einen Briefkopf der Agentur »RUHR-
STORY« gab es erst Ende der sechziger Jahre. Bis dahin wurde jeder Brief
rot gestempelt.

Unterlagen von Guni müssen aus der Ostzone: Gunhild Kunz war in Chemnitz
geboren worden. Von dort muß die Geburtsurkunde besorgt werden.

Fey: Ernst Fey.

251

die Sache nicht doch unter Fr. G. Kunz laufen lassen: Die Agentur »RUHR-STORY«
lief von Anfang an unter dem Namen von Frau Gunhild Kunz. Vgl. Br.
Nr. 252 und 253.

beängstigende Aufgaben: Wohnungsausbau, Heirat und die Schulden, die
von seinen Teilhabern auf E.-A. K. übergingen.

von Mama (3000.-) und Dr. Haack (1000.-): E.-A. K. hatte sich von seiner
Mutter 3000,00 DM [Existenzgründung, vgl. Anm. Br. Nr. 208] und von
seinem Schwiegervater Kurt Haack 1000,00 DM für den Umbau und die
Einrichtung der neuen Wohnung geliehen.

252

Westerburg: Ort im Westerwald. Alfred Böll und H. B. machen dort Ferien.

auf 50:50 arbeiten: Das Honorar für Zweit- und nachfolgende Verwertun-
gen wurde zwischen H. B. und der »RUHR-STORY« geteilt. Vgl. a. Nachwort.

Aschermittwoch-Geschichten: »Aschermittwoch«; vgl. Br. Nr. 249.

wegen der »Baulust« [. . .] grösseren Objekten widmen: Gemeint sind hier verschiedene Hörspiele; vgl. Anm. Br. Nr. 249.

Die beiden »heiteren Geschichten«: »PIG GI II« und »Bodo Bengelmann«; vgl. Anm. Br. Nr. 249.

Bei solchen –.Unveröffentlichten – arbeiten wir dann auf 35:65: Das Honorar für unveröffentlichte Texte, die über die »RUHR-STORY« vertrieben werden, geht zu 65% an H. B. und zu 35% an die Agentur.

Bühnenfassung meines ersten Hörspiels: »Die Brücke von Berczaba«. Im Nachlaß erhalten ist ein Ende 1951/Anfang 1952 entstandenes Film-Exposé, das dann die Grundlage für die Hörspielbearbeitung bildete. Eine Bühnenfassung ist nicht erhalten.

studio: »Studio«, kleinste Spielstätte der »Bühnen der Stadt Köln« in der Venloer Straße. In der Spielzeit 1952/53 von 72 auf 210 Plätze erweitert.

Zimmertheater: Kleine Kölner Privatbühne.

RIAS bringt es: »Die Brücke von Berczaba«; vgl. Anm. Br. Nr. 249.

»Weihnachtszeit«: »Nicht nur zur Weihnachtszeit«. Die Ausstrahlung im Hörfunk [vgl. Anm. Br. Nr. 237] hat eine heftige Kontroverse ausgelöst. Der Leiter der kirchlichen Rundfunkzentrale, Pfarrer Hans-Werner v. Meyenn, schrieb in »Kirche und Rundfunk« vom 12. 1. 1953 einen offenen Brief an H. B. [vgl. dtv 1, S. 321-324] H. B. antwortete ebenfalls in einem »Offenen Brief an den Pfarrer von Meyenn« in: »Frankfurter Hefte«, Jg. 8, 1952, H. 2, S. 166. [vgl. dtv 1, S. 72-74]

NOVUM: Den Briefentwurf der Agentur »RUHR-STORY« gibt es nicht mehr.

253

unter G. K. anfangen: Die Agentur lief auf den Namen Gunhild Kunz; vgl. Br. Nr. 252 u. 253.

Finanzierung: H. B. bekam von Banken Kredite und von Verlagen Vorschüsse. Mechthild Böll, als einzige mit einem festen Einkommen, trug ebenfalls zur Finanzierung des Hausbaus bei.

254

Konzerthuster: »Husten im Konzert«, u. d. T. »Nervensache« in: »Westdeutsche Allgemeine Zeitung«, 7. 2. 1953.

Hans-Sachs-Haus: Rathaus von Gelsenkirchen.

Trauung: H. B. und Anita Kunz waren Trauzeugen.

dass du heute in Baden-Baden bist: Für den 9. Februar 1953 war H. B. mit Christian Boehme, Leiter der Abteilung Hörspiel beim »Südwestfunk« in Baden-Baden verabredet. H. B. sagt das Treffen in Baden-Baden wegen Krankheit kurzfristig ab.

255

Sonntag abend wieder zurückgekommen: Die Hochzeitsreise von G. K. und E.-A. K. ging nach Breckerfeld. Nach zwei Tagen brachen sie die Reise ab, weil sie mit der Unterkunft am Ort nicht zufrieden waren.

nach dieser dummen Affäre [...] Unfähigkeit der Fa.: E.-A. K. hatte den Schneider Riehl [vgl. Anm. Br. Nr. 251 u. 257] als Teilhaber in das Textilgeschäft aufgenommen, nachdem Bernhard ausgeschieden war. Kurz darauf übernahm Riehl das Geschäft ganz, und E.-A. K. wurde sein Angestellter.

nach 30 Jahren erstmals für »Verpflegung« sorgen: Die Wohnung in der Immermannstraße in Gelsenkirchen, in die E.-A. K. zusammen mit G. K. zog, war seine erste eigene Wohnung.

»Onkel Fred«: »Mein Onkel Fred«.

»Aschermittwoch«: U. d. T. »Stilleben am Aschermittwoch« in: »Rheinische Post«, Nr. 41, 18. 2. 1953.

bei der Rheinischen: »Rheinische Post«.

Geschichten von Rias: »RIAS Berlin«; »PIG GI II« und »Bodo Bengelmann«, vgl. Anm. Br. Nr. 249.

dass Du am 13. gekommen bist: Tag der Hochzeit von E.-A. und G. K.

Mann aus Essen: Hans Dieter Schwarze.

256

Tagung in Hamburg: »Die aktuellen Probleme der deutschen Dramatik«, 19. bis 21. Februar 1953. Veranstalter: »Nordwestdeutscher Rundfunk«, Hamburg. An dieser Tagung nahmen neben H. B. u. a. teil: Hans Georg Brenner, Milo Dor, Reinhard Federmann, Walter Kolbenhoff, Hans Werner Richter, Georg Seidel, und Günther Weisenborn.

Höfer: Werner Höfer, Redakteur der Sendung »Echo des Tages«, »Nord-westdeutscher Rundfunk«, Köln. E.-A. K. hatte nicht bei Werner Höfer vorgesprochen.
Gunhild Kunz erinnert sich, daß E.-A. K. aber beim »Westdeutschen Rundfunk«, Köln, vorgesprochen hatte und abgelehnt wurde, weil er einen »S«-Fehler habe.

Lesung in Wuppertal: Nicht zu ermitteln.

Reise nach Frankfurt, Heidelberg, Baden-Baden:
Frankfurt: »Hessischer Rundfunk«.
Heidelberg: Am 3. März 1953 traf H. B. mit Johannes Schlemmer, »Süd-deutscher Rundfunk«, Sendestelle Heidelberg-Mannheim, zusammen.
Baden-Baden: Am 5. März traf H. B. mit Christian Boehme und Horst Krüger, »Südwestfunk«, Baden-Baden, zusammen.

Federmann: Reinhard Federmann.

Krämer-Badoni besuche ich Anfang März: H. B. traff Rudolf Krämer-Badoni, als er sich in Frankfurt [s. o.] aufhielt. Genaues Datum nicht zu ermitteln.

Brücke von B.: »Die Brücke von Berczaba«.

In Hamburg habe ich einige Aufträge bekommen: Bezieht sich auf die Tagung des »Nordwestdeutschen Rundfunk[s]«, Hamburg [s. o.]. Um welche Aufträge es sich handelte, ist nicht zu ermitteln.

Von Aachen und D-Dorf bekam ich Belege: Vgl. Anm. Br. Nr. 255. Näheres nicht zu ermitteln.

RIAS Geschichten: »PIG GI II« und »Bodo Bengelmann«; vgl. Anm. Br. Nr. 249. H. B. brauchte die Geschichten noch für die Lesung in Wupper-tal [s. o.].

257

10 tägigen Reise: Vgl. Br. Nr. 256.

Dünnpostpapier: Vgl. Anm. Br. Nr. 246.

leben hier eben in einem Dorf: Anspielung auf den Gelsenkirchener Stadtteil Buer.

Riehl: Vgl. Anm. Br. Nr. 255.

»Decke«: »Die Decke von damals«.

sein[em] Buch: Milo Dor, »Tote auf Urlaub«, 1952.

Aachenern: Es handelt sich hier wahrscheinlich um die »Aachener Volkszeitung«. Vgl. Anm. Br. Nr. 255.

258

beiliegenden Geschichten: Vgl. Br. Nr. 259.

aus »Wanderer« Aufenthalt in X: »Aufenthalt in X«, in: »Wanderer, kommst du nach Spa ...«.

Aachener Zeitung: »Aachener Volkszeitung«.

soviel Durchschläge, wie gut gehen: Auf Dünnpostpapier [vgl. Br. Nr. 257] lassen sich 5 Durchschläge herstellen.

»Huster«: »Husten im Konzert«. U. d. T. »Neurose im Konzertsaal« in: »Rheinische Post«, Nr. 29, 4. 2. 1953. »Westdeutsche Allgemeine«; vgl. Anm. Br. Nr. 254.

259

»Der Brotbeutel des Gemeinen Stobski«: D. i. »Abenteuer eines Brotbeutels«.

eine kleine Änderung vorgenommen: Die von E.-A. K. geänderte Jahreszahl wurde nicht in die Erzählung letzter Hand übertragen. Dort heißt es: »Walter hielt den Brotbeutel hoch in Ehren. Er trug ihn zu seiner eigenen kotbraunen Uniform vom Jahre 1936 bis 1944 [...].« Vgl. »Abenteuer eines Brotbeutels«, in: WA, Bd. 1, S. 592.

»Onkel Fred«: »Mein Onkel Fred«. U. d. T. »Blumen ohne ...« in: »Süddeutsche Zeitung«, Nr. 51, 3. 3. 1953.
In: »Westdeutsche Allgemeine Zeitung«, 14. 3. 1953.
U. d. T. »Onkel Fred und die Blumen«, in: »Hannoversche Presse«, Nr. 62, 14. 3. 1953.

Sonntagskarte: Verbilligte Bundesbahnfahrkarten. Sie galten von Samstag 0.00 Uhr bis Montag 3.00 Uhr.

260

»Baum«: »Ein Pfirsichbaum in seinem Garten stand«; vgl. Br. Nr. 261.

261

Theodora: »Die unsterbliche Theodora«. U. d. T. »Lieder an Theodora« in: »Die Neue Zeitung«, Nr. 65, 18. 3. 1953.

Postkarte ist frei: »Die Postkarte« ist in deutsch erstveröffentlicht in: »Frankfurter Hefte«, 8. Jg., H. 1, 1953, S. 38 ff. Erstdruck: »La carte Postale«, in: »Documents«, H. 5., Mai 1952.

Leser: »Die Suche nach dem Leser«.

Decke: »Die Decke von damals«.

Hamburger Agentur: Agentur Liepman. Nach dem Tod ihres Mannes verlegte Ruth Liepman die Agentur nach Zürich. Die Agentur widmete sich vorwiegend angelsächsischen Autoren.

Krämer-B, ob er nicht was schicken kann: Rudolf Krämer-Badoni wurde nicht durch die Agentur »RUHR-STORY« vertreten. Am 25. März 1953 schrieb er an H. B., daß er »soeben angefangen« habe, »einen eigenen Zweitdruckvertrieb zu kreieren«.

Auch mit Schallück spreche ich: Paul Schallück war auf Vermittlung von H. B. zur Agentur »RUHR-STORY« gekommen. Vgl. Br. Nr. 262.

Roman: »Und sagte kein einziges Wort«.

wegen unseres Planes ununterbrochen »dran« bleiben: Der Plan zielte daraufhin, die Agentur »RUHR-STORY« möglichst kostendeckend und später dann gewinnbringend zu betreiben. Deshalb mußte H. B. ständig neue Erzählungen liefern.

262

Schallück sagte mir auch Mitarbeit zu: Vgl. Anm. Br. Nr. 261.

[im] Mai, wenn Gruppe 47 tagt: Die 12. Tagung der »Gruppe 47« fand vom 22. bis 24. Mai 1953 in Mainz statt.

Frei ist jetzt auch die Theodora: »Die unsterbliche Theodora«; vgl. Anm. Br. Nr. 261.

NZ: »Die Neue Zeitung«. Vgl. Anm. Br. Nr. 261.

Funkarbeit: In erster Linie sind hier Hörspiele gemeint; vgl. Anm. Br. Nr. 249.
Außerdem die Mitarbeit bei der Sendung »Echo des Tages« des »Nordwestdeutschen Rundfunk«. Am 26. 3. 1953 erschien dort »Der fiskalische

Hundefänger«, d. i. »Bekenntnis eines Hundefängers«. [WA, Bd. 2, 179-181]

Mit Johannes Schlemmer, »Süddeutscher Rundfunk«, Sendestelle Heidelberg-Mannheim, hatte H. B. sogenannte »Schriftstellerporträts« von jeweils 15 Minuten Sendelänge abgesprochen. Am 21. 1. 1953 das Porträt über Robert Morel. Am 22. 4. 1953 das Porträt über Kay Cicellis; vgl. a. »Englisches Talent aus Griechenland«, dtv 1, S. 82 f. Am 29. 5. 1953 das Porträt über Léon Bloy; vgl. a. »Jenseits der Literatur«, dtv 1, S. 45-51 und »Léon Bloy«, dtv 1, S. 84 f. Am 26. 8. 1953 das Porträt über Ernst Kreuder; vgl. »Ernst Kreuder, 50 Jahre alt«, dtv 1, S. 96-98. Am 25. 11. 1953 das Porträt über Alfred Andersch; vgl. »Trompetenstoß in schwüle Stille«, dtv 1, S. 62 f.

Schnurr: Wolfdietrich Schnurre, der durch Vermittlung von H. B. ebenfalls Autor der Agentur »RUHR-STORY« wurde.

263

feierliche Briefkopf: Stempel der Agentur »RUHR-STORY«.

Dein Buch: »Und sagte kein einziges Wort«. H. B.s erstes Buch im »Verlag Kiepenheuer & Witsch«.

Verlag: »Verlag Kiepenheuer & Witsch«.

Buch Erfolg hat: Der Roman »Und sagte kein einziges Wort« war nicht nur ein literarischer, sondern auch ein buchhändlerischer Erfolg. 1. Auflage April-Juni 1953 mit 3.000 Exemplaren. 2. Auflage Juli-September 1953 6.000 Exemplaren. 3. Auflage Oktober 1953 mit 3.000 Exemplaren. 4. Auflage November/Dezember 1953 5.000 Exemplaren.

»Fred«: »Mein Onkel Fred«. Vgl. Anm. Br. Nr. 259.
»Badische Zeitung«, 14. März 1953.

»Volk«: »Das Volk«, Freiburg. Näheres nicht zu ermitteln.

Weis: Heiner Weis, Redakteur »Badische Zeitung«.

Matern-Dienst: Agentur, die zur »Hannoversche[n] Presse« gehörte.

Huster: »Husten im Konzert«, nicht in der »Süddeutschen Zeitung« erschienen.

Einige Ztg., so auch Kassel: »Hessische Nachrichten«.

mit ihrem Dicken: Wera Kunz wohnte mit Carl Heinz Ortmeyer in Rheydt. Im Haus ihrer Schwiegermutter bewohnten sie eine Mansarde.

264

Erinnerungen eines jungen Königs: »Erinnerungen eines jungen Königs«. U. d. T. »Revolution in Capota« in: »Süddeutsche Zeitung«, Jg. 9, Nr. 122, 30./31. 5. 1953, S. 19. U. d. T. »Aber sie lächelten nur. Erinnerungen eines jungen Königs«, in: »Michael«, Jg. 11, Nr. 41, 1953, S. 7.

Beim RIAS gesendet: Vgl. Nr. 249.

in Köln beim Funk: »Nordwestdeutscher Rundfunk«, Köln. Eine Sendung von »Erinnerungen eines jungen Königs« läßt sich nicht nachweisen.

Neuen Illustrierten: Ein Abdruck von »Erinnerungen eines jungen Königs« in der »Neue[n] Illustrierte[n]« ist nicht nachzuweisen.

Hundefänger: »Bekenntnis eines Hundefängers«, ein Abdruck in »Die Welt« ist nicht nachzuweisen. Erstdruck u. d. T. »Hundefreund im Dilemma«, in: »Frankfurter Allgemeine Zeitung«, Nr. 89, 17. 4. 1953.

Tod der Elsa Baskoleit: »Der Tod der Elsa Baskoleit«. U. d. T. »Spitzentanz im Hinterhof« in: »Süddeutsche Zeitung«, Nr. 71, 26. 3. 1953.

evtl. in Berlin versuchen: Ein Abdruck von »Der Tod der Elsa Baskoleit« in einer Berliner Tageszeitung läßt sich nicht nachweisen.

Witsch ist mit den Vorbestellungen [. . .] zufrieden: Vgl. Anm. Br. Nr. 263.

Lektor für Witsch: H. B. hatte für den »Verlag Kiepenheuer & Witsch« Gutachten geschrieben. U. a. zu Manès Sperber »Die verlorene Bucht«, Köln 1955. Manuskript im Nachlaß.

Buchbesprechungen: Inzwischen war H. B. ein gefragter Rezensent geworden. Allein für das Jahr 1953 lassen sich über 30 Buchbesprechungen und Autorenporträts nachweisen. Vgl. Anm. Br. Nr. 236 u. 262.

265

Neuen Ill.: »Neue Illustrierte«, Erscheinungsort Köln.

»Baskoleit«: »Der Tod der Elsa Baskoleit«; vgl. Anm. Br. Nr. 264.

»Hundefänger«: »Bekenntnis eines Hunderfängers«; vgl. Anm. Br. Nr. 264.

266

Der kleine König: »Erinnerungen eines jungen Königs«.

Hundefänger«: »Bekenntnis eines Hundefängers«. Mit ihren ca. 4500 Anschlägen ließ sich eine solche Erzählung gut in Zeitungen plazieren. Im Unterschied zu »Erinnerungen eines jungen Königs« mit ca. 12.600 Anschlägen.

»Husten«: »Husten im Konzert«, in: »Hannoversche Presse«, 14. 8. 1953.

Schnurre mit 4 sehr guten Geschichten: Titel nicht mehr zu ermitteln. Generell merkt Gunhild Kunz an, daß die Erzählungen von Wolfdietrich Schnurre meist für Zeitungen zu lang waren. Und an die großen überregionalen Zeitungen hat er selbst geliefert.

Lentz: Michael Lentz, zu der Zeit Literaturredakteur der »Westdeutschen Allgemeinen Zeitung«.

Opa: Viktor Böll wurde am 26. März 1870 geboren.

267

»schwarzen Schafe«: »Die schwarzen Schafe«, Erstdruck in: »Das literarische Deutschland«, 2. Jg., Nr. 12, 20. 6. 1951. Weitere Veröffentlichung in: »Die Welt«, Nr. 144, 23. 6. 1951.

»Neuen Zeitung«: »Die schwarzen Schafe«, in: »Die neue Zeitung«, 6. 3. 1952.

»Michael«: »Die schwarzen Schafe«, in: »Michael«, Nr. 14, 5. 4. 1953, S. 10 und Nr. 15, 12. 4. 1953, S. 9.

»Documents«: »Les Brebis Noires«, Nr. 7/8, Juli-August 1951, S. 731-737.

»Du und die Welt«: »Die schwarzen Schafe«, Jg. 1/Oktober 1952.

268

»Hundefänger«: Bekenntnis eines Hundefängers«. U. d. T. »Hundefreund im Dilemma«, in: »Frankfurter Allgemeine Zeitung«, Nr. 89, 17. 4. 1953.

Witsch: Joseph Caspar Witsch.

Oberspielleiter: Erich Bormann.

Buchhandlung: H. B. denkt hier offenbar an die »Köselsche Buchhandlung« mit derem Geschäftsführer Friedrich Pustert er gut bekannt war.

Wunderbares Grundstück gekauft: In der Belvedere Straße im Kölner Stadtteil Müngersdorf.

269

Hörspiel: »Ein Tag wie sonst«, Regie: Fritz Schröder-Jahn, »Hessischer Rundfunk«, 20. 4. 1953. Zur selben Zeit erscheint das Hörspiel auch im Druck mit einer Einführung von Jürgen Möller; in: »Rundfunk und Fernsehen«, Jg. 1, H. 3, 1953, S. 92-111.

Buch geht gut: »Und sagte kein einziges Wort«, vgl. a. Anm. Br. Nr. 263.

Französische Übersetzung: »Rentrez chez vous, Bogner!«, Übers. von André Stachy. Paris: Editions du Seuil 1954.

Lesung auf UKW Köln: Eine Lesung von »Und sagte kein einziges Wort« war im »Nordwestdeutschen Rundfunk«, Köln, ausgestrahlt worden. In der Kladde des Westdeutschen Rundfunks findet sich als Aufnahmedatum der 21. August 1953, dahinter der Vermerk: »gelöscht«.

Büchergilde Gutenberg: »Und sagte kein einziges Wort« erschien 1955 in der »Büchergilde Gutenberg«, Frankfurt/M.

270

Kritiken Deines Buches in der »Neuen literarischen Welt«: U. d. T. »Die enge Pforte« rezensiert Rolf Schroers den Roman H. B.s »Und sagte kein einziges Wort«, in: »Neue Literarische Welt«, Nr. 7, 10. 4. 1953, S. 12.

Buch des Monats: Die »Neue Literarische Welt« wählte H. B.s Roman »Und sagte kein einziges Wort« zum Buch des Monats April 1953. In der Begründung heißt es: »Für die Auszeichnung war in erster Linie die Bedeutung des Romans als eines tief in die geistigen und moralischen Nöte der Zeit eindringenden Werkes maßgebend. Die Problematik einer durch das Elend der Lebens- und Wohnverhältnisse gefährdeten Ehe wird vom Autor mit sicherer Hand aufgedeckt und auf eine künstlerisch bezwingende Weise gelöst.« Vgl. »Neue Literarische Welt«, Nr. 8, 25. 4. 1953, S. 10.

Fußballbeingeschichte: »Meines Bruders Beine«. Erstdruck u. d. T. »Die Beine meines Bruders« in: »Der Mittag«, Nr. 266, 14./15. 11. 1953.

bald Endspiel: 1. FC. Kaiserslautern gegen VLB Stuttgart am 21. 6. 1953 in Berlin. Die Kurzgeschichte war zum Zeitpunkt des Endspiels nicht gedruckt worden.

Von Dor ist eine Geschichte erschienen: Nicht mehr zu ermitteln, welche Erzählung von M. D. durch die Agentur »RUHR-STORY« vertrieben worden war.

Immermannpreis: Den Immermannpreis der Stadt Düsseldorf für das Jahr 1953 erhielt Georg Britting.

271

Jack London: »Wie vor alters zog die Argo«. Laut Auskunft von Frau Gunhild Kunz hatte E.-A. K. die Arbeit von J. L. zu einem Hörspiel umgearbeitet. Näheres nicht zu ermitteln.

»Du und die Welt«: Nicht zu ermitteln.

König: »Erinnerungen eines jungen Königs«. U. d. T. »Revolution in Capota«, in: »Süddeutsche Zeitung«, Nr. 122, 30./31. 5. 1953.

Hundefänger: »Bekenntnis eines Hundefängers«. U. d. T. »Monolog eines Hundefängers« in: »Hannoversche Presse«, Nr. 104, 6. 5. 1953.

Theodora: »Die unsterbliche Theodora«. U. d. T. »Unsterbliche Theodora« in: »Westdeutsche Allgemeine Zeitung«, Nr. 158, 11. 7. 1953.

Darlehen von Dr. Haack: Zum Ausbau der Wohnung; vgl. Anm. Br. Nr. 251.

Guni näht: Gunhild Kunz nähte Kleider u. a. für ihre Schwestern. Der eingesetzte Arbeitslohn für die Näharbeit wurde mit dem Darlehen von Kurt Haack verrechnet.

Oberst a. D. Oster: Freund von Dr. Ernst Kunz.

begeistert von Deinem Buch: »Und sagte kein einziges Wort«.

der nachbarliche Bildhauer: Alfons Kirschbaum.

Neuen literarischen Welt [...], die begeistert über Dich schrieb: Vgl. Anm. Br. Nr. 270. »Die unsterbliche Theodora« ist nicht in »Neue Literarische Welt« erschienen.

Am 12. 5. war Evelyn Waugh von Dir: »Evelyn Waugh – Porträt eines Schriftstellers«, »Nordwestdeutscher Rundfunk«, Köln, 23. 6. 1953. Die Sendung war ursprünglich für den 12. Mai 1953 angesetzt, dann aber kurzfristig verschoben worden.

272

Paris und Mainz: vom 18. bis 21. Mai 1953 fand in Paris eine deutsch-französische Schriftstellertagung statt. Eingeladen hatte das »Bureau International de Liaison et de Documentation« und die Zeitschrift »Documents«, organisiert hatte das Treffen René Wintzen. Eingeladen von deutscher

Seite waren: Alfred Andersch, Hans Bender, Heinrich Böll, Rolf Bongs, Rudolf Hagelstange, Hans Egon Holthusen, Rudolf Krämer-Badoni, Karl Krolow, Luise Rinser, Paul Schallück, Günther Weisenborn; von französischer Seite nahmen etwa 50 Schriftsteller teil, u. a.: Jean Cayrol, Luc Estang, Pierre Emmanuel, Jean Follain, Hugues Fouras, Jean Rousselot; vgl. a. H. B., »Rendezvous in Paris«, dtv 1, S. 86-90.

In Mainz fand vom 22. bis 24. Mai 1953 die 12. Tagung der Gruppe 47 statt. Vgl. Anm. Br. Nr. 262.

273

Tagung in Paris: Vgl. Anm. Br. Nr. 272.
Bericht über die Tagung in Paris von Ernst Weisenfeld u. d. T. »Réunion deutscher Dichter in Paris« in der Reihe »Echo des Tages«, »Nordwestdeutscher Rundfunk«, Köln, 23. 5. 1953.

274

Federmann-schen story Band: »Es kann nicht ganz gelogen sein«, Wien 1951.

Das Auge des Schriftstellers: D. i. »Bekenntnis zur Trümmerliteratur«. In: »Die Literatur« 1, Nr. 5, 15. 5. 1952, S. 1 f. U. d. T. »Das Auge des Schriftstellers« ist eine gekürzte Fassung erschienen in: »Deutsche Studentenzeitung«, 12. Dezember 1952. Für den »Süddeutschen Rundfunk«, Sendestelle Heidelberg – Mannheim, 20. 1. 1953, hat H. B. diesen Essay als Vortrag gehalten. Vgl. dtv 1, S. 27-31. Vgl. a. Anm. Br. Nr. 236.

Masken: »Masken«; »Nordwestdeutscher Rundfunk«, Köln, 16. 2. 1953. Erstdruck u. d. T. »Maskerade« in: »Frankfurter Allgemeine Zeitung«, Nr. 48, 27. 2. 1954. U. d. T. »Auf der Suche nach dem Menschengesicht« in: »Süddeutsche Zeitung«, Nr. 48, 27./28.2.1954. Vgl. dtv 1., S. 176-180.

Was ist aktuell für uns?: »Was ist aktuell für uns?«, in: »Welt der Arbeit«, Nr. 29, 17. 7. 1953, S. 9. U. d. T. »Über echte und falsche Aktualität«, »Nordwestdeutscher Rundfunk«, Köln, 18. 5. 1953. Unklar ist, welche Textfassung H. B. hier meint. Die in »Welt der Arbeit« gedruckte oder die wesentlich umfangreichere, die im »Nordwestdeutschen Rundfunk« gesendet worden ist.

Hörspiel: Vgl. Anm. Br. Nr. 271.

275

Artikel über Dich: Walter Jens, »… und sagte kein einziges Wort«, in: »Westdeutsche Allgemeine Zeitung«, Nr. 118, 23. 5. 1953.

Geschichte oder Aufsatz: Vgl. Br. Nr. 276.

Prix: »Prix Italia«, bedeutender internationaler Hörspielpreis.

276

»Besenbinder«: »Wir Besenbinder«.

»Trauriges Gesicht«: »Mein trauriges Gesicht«.

»Odessa«: »Damals in Odessa«.

»Theodora«: »Die unsterbliche Theodora«.

»Baskoleit«: »Der Tod der Elsa Baskoleit«.

»König«: »Erinnerungen eines jungen Königs.«

»Auge d. Schrifts.«: »Das Auge des Schriftstellers«, d. i. »Bekenntnis zur Trümmerliteratur«.

»Was ist aktuell«: »Was ist aktuell für uns?«.

»Badische Ztg.« (Fred): »Mein Onkel Fred« in: »Badische Zeitung«, 14. 3. 1953.

»Nord-West Ztg« (Husten): »Husten im Konzert«, in: »Nord-West-Zeitung«, Nr. 84, 11. 4. 1953.

»Hannoversche Presse« (Husten): »Husten im Konzert«, in: »Hannoversche Presse«, 18. 4. 1953.

»Generalanzeiger Wuppertal« (Fred): »Mein Onkel Fred«, in: »Generalanzeiger der Stadt Wuppertal«, 16. 4. 1953.

Hannoversche Sache [. . .] Matern-Dienst: Vgl. Anm. Br. Nr. 252.

»Nord-West-Ztg«: »Nord-West-Zeitung«, Oldenburg, s. o.

»Theodora«: »Die unsterbliche Theodora«. Erstdruck u. d. T. »Lieder an Theodora« in: »Die Neue Zeitung«, Nr. 65, 18. 3. 1953.

»König«: Auch »Erinnerungen eines jungen Königs« kann nicht mehr als Erstdruck angeboten werden, da bereits erschienen. U. d. T. »Revolution in Capota« in: »Süddeutsche Zeitung«, Nr. 122, 30./31. 5. 1953. Vgl. a. Br. Nr. 277.

Ursula Risse: Redakteurin der »Neue[n] Literarischen Welt«.

Federmanngeschichten: Vgl. Br. Nr. 274.

Quittung: Für die abgetippten Geschichten unterschrieb H. B. einen Beleg. Die Kosten für das Abschreiben wurden mit den eingehenden Honoraren verrechnet.

277

»Baskoleit«: »Der Tod der Elsa Baskoleit«; in: »Neue literarische Welt«, Nr. 15, 10. 8. 1953, S. 3. Erstdruck u. d. T. »Spitzentanz im Hinterhof«, in: »Süddeutsche Zeitung«, Nr. 71, 26. 3. 1953.

Hörspiel: Hörspiel von E.-A. K.; vgl. Br. Nr. 271.

N. lit. Welt: »Neue Literarische Welt«.

278

Hausfeld: Hausfeld 5, Wohnung von Getruda Kunz.

Kirschbaums: Alfons Kirschbaum, Nachbar von Gertruda Kunz.

König: »Erinnerungen eines jungen Königs«; vgl. Anm. Br. Nr. 276.

279

auf der »Durchreise«: 21. Juni 1953 Lesung in Stuttgart. 22. Juni 1953 Lesung in der Volkshochschule Ulm, Treffen mit Inge Aicher-Scholl. 23. Juni 1953 Lesung in Baden-Baden.

morgen nach Hamburg: 25. bis 27. 6. 1953, Treffen in Hamburg beim »Nordwestdeutschen Rundfunk« mit Alfred Andersch und Ernst Schnabel. Die Besprechung mit Ernst Schnabel, zu der Zeit Intendant des »Nordwestdeutschen Rundfunks«, hatte zum Ergebnis, daß H. B. ein monatliches Honorar überwiesen bekam. Brief vom »Nordwestdeutschen Rundfunk«, Hamburg, 27. Juni 1953: »Unser Intendant, Herr Schnabel, traf mit Ihnen die Abmachung, daß, beginnend am 1. 7. 1953, monatlich DM 500,– als Vorschuß an Sie zu zahlen und später a conto zu verrechnender Honorare zu verbuchen sind.«

8 Geschichten freizubekommen: Die Geschichten lagen bei der Hamburger Agentur Liepman. Vgl. Anm. Br. Nr. 261.

Waage der Baleks: »Die Waage der Baleks«, in: »Wetzlarer Neue Zeitung«,
20. 6. 1953. Erstdruck in: »Frankfurter Allgemeine Zeitung« , Nr. 134,
13. 6. 1953.

280

Neue Württ. Zeitung: »Neue Württembergische Zeitung«.

Dr. Zacharias: Günther Zacharias, Redakteur der »Welt am Sonntag«.

281

neuen Adressen: Vgl. Br. Nr. 280.

Mama: Gertruda Kunz.

Oma Ortmeyer: Lucie Ortmeyer, Mutter von Carl Heinz Ortmeyer.

Hellersen: Ortsteil von Lüdenschied. Hier arbeitete Anita Kunz als medizinisch-technische Assistentin.

»Huster«: »Husten im Konzert«. Abdruck in »Der Mittag« nicht nachzuweisen.

»Teures Bein»: »Mein teures Bein«, in: »Hannoversche Presse«, Nr. 159, 11. 7. 1953.

Mann von der »Badischen«: Heiner Weis, »Badische Zeitung«.

Paul Schaaf: Paul Schaaf hat nie mit der Agentur »RUHR-STORY« zusammengearbeitet.

Rostow [...] damals drei Wochen zu der Fahrt: Rostow, Stadt in Rußland. E.-A.
K. war im 2. Weltkrieg in Rostow gewesen.

Annemarie, deren Übersetzung: Kay Cicellis, »Kein Name bei Leuten«. Vgl.
Anm. Br. Nr. 283.

282

Oma-Mama: Gertruda Kunz.

Sommerunterkunft: In Kirchheim, Ort bei Euskirchen; vgl. a. Br. Nr. 283.

Wera-Alexa: Wera-Alexa Ortmeyer.

Hörspiel: Hörspiel von E.-A. K.; vgl. a. Anm. Br. Nr. 271.

283

Preis: »Deutscher Kritiker-Preis«, verliehen vom Verband der deutschen Kritiker e. V. in Berlin. Verleihung am 26. September 1953 in Berlin. Vgl. Br. Nr. 297.

Übersetzung: Kay Cicellis, »Kein Name bei den Leuten«, Roman. Aus d. Engl. von Annemarie und H. Böll. Erschien im Herbst 1953 im »Verlag Kiepenheuer & Witsch«.

Volkszeitung: »Deutsche Volkszeitung«.

KP: »Kommunistische Partei Deutschlands«.

284

»Fred«: »Mein Onkel Fred«, in: »Das Fenster«, August 1953. Zu diesem Zeitpunkt gab es mindestens schon 10 Abdrucke von der Erzählung.

»Theodora«: »Die unsterbliche Theodora«; ein Abdruck in »Hannoversche Presse« ist nicht nachzuweisen.

Fuldaer Volksztg.: Gemeint war die »Deutsche Volkszeitung«; vgl. Br. Nr. 283. Die »Fuldaer Volkszeitung« ist eine konservative Tageszeitung.

Wirth: Josef Wirth, Herausgeber der »Deutschen Volkszeitung«. 1920 Reichskanzler.

»Fred«: »Mein Onkel Fred«, in: »Deutsche Volkszeitung«, 20. Juli 1953.

»Was ist aktuell-«: »Was ist aktuell für uns«, in: »Welt der Arbeit«, Nr. 29, 17. 7. 1953. Erstdruck in: »Neue Literarische Welt«, Nr. 12, 25. 6. 1953, S. 4.

Dohrenbusch: Hans Dohrenbusch, Feuilletonredakteur von »Welt der Arbeit« und Redakteur des »Aufwärts«, Jugendzeitung des Deutschen Gewerkschaftsbundes.

»Postkarte«: »Die Postkarte«; vgl. Anm. Br. Nr. 261.

FH: »Frankfurter Hefte«.

285

Waage der Baleks: »Die Waage der Baleks«; in: »Frankfurter Allgemeine Zeitung«, Nr. 134, 13. 6. 1953.

286

»Wiedersehen«: »Wiedersehen in der Allee«.

»der Badischen: »Badische Zeitung«, Freiburg oder »Badische Neueste Nachrichten«, Karlsruhe. Mit beiden Zeitungen hat die »RUHR-STORY« zusammengearbeitet.

Der Mittag: »Die unsterbliche Theodora« in: »Der Mittag«, Nr. 172, 28. 7. 1953.

Brües: Otto Brües, Feuilletonredakteur bei »Der Mittag«.

»Ein Tag wie sonst«: U. d. T. »Ich begegne meiner Frau«, »Nordwestdeutscher Rundfunk« (Mittelwelle), Hamburg, 30. 7. 1953. Es handelte sich um eine Wiederholung von »Nordwestdeutscher Rundfunk« (UKW), Hamburg, 8. 4. 1953.

mein Hörspiel: Vgl. Br. Nr. 282.

Hübner: Heinz Hübner; vgl. Br. Nr. 282.

Frankfurt hat sich noch nicht gemeldet: »Hessischer Rundfunk«; vgl. Br. Nr. 282.

deutsche Volkspartei: »Gesamtdeutsche Volkspartei« (GVP), gegründet von Gustav Heinemann 1952, nachdem er aus der CDU ausgetreten war. Im Oktober 1950 wurde er als Bundesminister des Inneren durch Robert Lehr abgelöst, weil er sich gegen die Aufrüstung der Bundesrepublik aussprach.

Wirthpartei Bund der Deutschen: »Bund der Deutschen für Einheit, Frieden und Freiheit« (BdD), gegründet von Joseph Wirth.

dass die DVP dort sehr geschätzt wird: Die »Gesamtdeutsche Volkspartei« vertrat in Fragen der Deutschland- und Sicherheitspolitik ähnliche Positionen wie die KPD, die »Kommunistische Partei Deutschlands«.

Fr. Wessel: Frau Wessel, Helene Wessel, »Deutsche Zentrumspartei«.

KPD-Saal: Möglicherweise der Versammlungssaal im sog. Schierenviertel, einer Bergmannssiedlung in Gelsenkirchen.

Hausfeld: G. u. E.-A. K. wohnten noch im Haus von Gertruda Kunz, da diese wegen der Geburt der Enkeltochter Wera-Alexa noch in Rheydt war. Vgl. Br. Nr. 281.

Geschichten sind von mir angenommen: Im Juli 1953 erschienen die ersten Geschichten von E.-A. K.
»Der Dunkelmann«, in: »Im Wartezimmer«, 29. Jg. H. 7, Juli 1953.
»Wir sind weder Hochstapler noch Spione«, in: »Freie weite Welt«, Nr. 13, 3. 7. 1953.
»Er lebte in Paris«, in: »Freie weite Welt«, 31. 7. 1953.

»Nachts in der Mansarde«, in: »Welt der Arbeit«, 7. 8. 1953.
Vgl. a. Nachwort.

Theodora: »Die unsterbliche Theodora«. Ein Abdruck in der »Süddeutschen Zeitung« läßt sich nicht nachweisen.

Hp: »Hannoversche Presse«.

Dr. Rasche: Friedrich Rasche, Feuilletonredakteur »Hannoversche Presse«.

287

Dorf: »Wiedersehen mit dem Dorf«. Vom Umfang (ca. 4200 Anschläge)
für einen Abdruck in Tageszeitungen geeignet.

Decke: »Die Decke von damals«. Die Erzählung hat ebenfalls einen Umfang von ca. 4200 Anschlägen.

Dorf ist erschienen: »Wiedersehen mit dem Dorf«, Erstdruck in: »Frankfurter Allgemeine Zeitung«, Nr. 287, 10. 12. 1951.
U. d. T. »Stilles Dorf« in: »Die Welt«, Nr. 18, 22. 1. 1952.
U. d. T. »Wo die Panzer standen«, in: »Die Neue Zeitung«, Nr. 71, 24. 3.
1952.
U. d. T. »Es wächst schon wieder Gras darüber« in: »Deutsches Allgemei-
nes Sonntagsblatt«, 22. 3. 1953.
Bis zu diesem Zeitpunkt eine weitere Veröffentlichung unter dem Origi-
naltitel in: »Aufwärts«, Nr. 20, 2. 10. 1952, S. 5.

Decke: »Die Decke von damals«, Erstdruck in: »Westdeutsche Allgemeine
Zeitung«, Nr. 175, 2. 8. 1952.
In: »Kölner Stadt-Anzeiger«, Nr. 204, 4. 9. 1952.
U. d. T. »Die Decke«, in: »Rheinischer Merkur«, Nr. 34, 22. 8. 1952.

Zwerg und Puppe: »Der Zwerg und die Puppe«, in: »Michael«, Nr. 20, 18.
5. 1952, S. 4 und Nr. 21, 25. 5. 1952, S. 4.
Erstdruck in: »Mit offenen Augen. Ein Reisebuch deutscher Dichter«,
hrsg. v. Ernst Glaeser, Stuttgart 1951, S. 195 ff.

Über die Brücke: »Über die Brücke«, in: »Frankfurter Allgemeine Zeitung«,
Nr. 107, 10. 5. 1951.

Pfirsichbaum: »Ein Pfirsichbaum in seinem Garten stand«. Erstdruck u. d.
T. »Ich bin Ribbeckianer« in: »Die Neue Zeitung«, Nr. 253, 27. 10. 1952.

Versuche beim Funk ergebnislos: H. B. wollte versuchen, E.-A. K. als Sprecher
beim Rundfunk unterzubringen.

Dramaturg: Carl Werckshagen.

288

Nichte: Wera-Alexa Ortmeyer.

Hauptquartier der Europaarmee: Heutiger Standort der Britischen Rheinarmee.

CH hat natürlich einige Einwände: Carl Heinz Ortmeyer war Architekt und hatte Annemarie und Heinrich Böll beim Bau des Hauses in der Belvedere Straße beraten. Vgl. Anm. Br. Nr. 268.

(Fred): »Mein Onkel Fred«, in: »Deutsche Volkszeitung«; vgl. Anm. Br. Nr. 284.

289

Glückwunsch zu Philipp Wiebes Erfolgen: Philipp Wiebe, Pseudonym von Ernst-Adolf Kunz. Gertruda Kunz, seine Mutter, ist eine geborene Wiebe. Vgl. Anm. Br. Nr. 286 und Nachwort.

Dohrenbusch: Hans Dohrenbusch, »Welt der Arbeit«, informierte H. B., daß »Die Ratten verlassen das Schiff nicht« schon in Satz gegangen war. Die Geschichte erschien in: »Welt d. Arbeit«, Nr. 36, 4. 9. 1953.

Gestern war ich in Rheydt: H. B. hatte mit Carl Heinz Ortmeyer die Baupläne für sein Haus durchgesprochen. Vgl. a. Anm. Br. 288.

Wera-Alexa [...] christianisiert: Wera-Alexa Ortmeyer sollte baldmöglichst getauft werden.

290

gut bezahlen: »Welt der Arbeit« zahlte für den Abdruck 100,00 DM.

»Postkartengeschichte«: »Die Postkarte«; vgl. Anm. Br. Nr. 261. Ein Abdruck in »Welt der Arbeit« ist nicht nachzuweisen.

»DER TAG«: »Der Tag«, Berlin. Sachverhalt nicht zu ermitteln.

Rias: »Heinrich Bölls neuer Roman: ›Und sagte kein einziges Wort‹«, »RIAS Berlin«, 10. 8. 1953. Um was für eine Art Sendung es sich handelte, ist nicht zu ermitteln.

Wartezimmer: »Das Wartezimmer«, Ärztezeitschrift.

Theodora: »Die unsterbliche Theodora«, in: »Hannoversche Presse«; vgl. Anm. Br. Nr. 284; in: »Der Mittag«; vgl. Anm. Br. Nr. 286.

Arbeiten Deines Bruders Alfred: Alfred Böll schrieb Erzählungen und Betrachtungen. Über die Agentur »RUHR-STORY« sind sie nicht verbreitet worden.

die uns bekannten Pfarrer: Der evangelische Pfarrer Wichmann war ein entfernter Verwandter der Familie Kunz. Er lebte in derselben Straße wie Gertruda Kunz.

291

Geschichten von mir [...] dem Funk anbieten: Die erste Erzählung von E.-A. K. im Rundfunk war »Die hohe Kunst der Boldarreks«, »Süddeutscher Rundfunk«, 21. 6. 1954.

292

Gespräch zwischen Pater L-Siemer und mir: Gespräch mit Pater Laurentius Siemer über H. B.s Roman »Und sagte kein einziges Wort«, »Nordwestdeutscher Rundfunk«, Köln, 4. 9. 1953. Das Sendeband ist gelöscht.

mein(e) Sekretär(in) werden: Diese Idee ist nie realisiert worden.

293

Warsinski: Werner Warsinsky. In der Sendung mit Pater Laurentius Siemer [vgl. Anm. Br. Nr. 292] trat auch Werner Warsinsky auf. Ob und wie weit er in die Diskussion um den Roman »Und sagte kein einziges Wort« eingebunden war, läßt sich nicht ermitteln, da daß Sendeband gelöscht ist.

Brücke von B.: »Die Brücke von Berczaba«; vgl. Anm. Br. Nr. 249.

Hübner vom Funk in Stuttgart: Heinz Huber, »Süddeutscher Rundfunk«; vgl. Anm. Br. Nr. 291.

Bonner Tante: Bertha Kunz.

(Katharina Knie): »Katharina Knie« von Carl Zuckmayer. Helga Rädel spielte darin die Katharina Knie; vgl. Anm. Br. Nr. 23.

Alexa von unserem Vetter [...] getauft: Wera-Alexa Ortmeyer; vgl. Anm. Br. *Domno-Geschichte:* »Wiedersehen mit Domno«, in: »Welt der Arbeit«, Nr. 48, 27. 11. 1953. Vgl. a. Nachwort.

Weiherzeitung des Lesezirkels: Nicht zu ermitteln.

294

Kirschbaum: Alfons und Maria Kirschbaum.

Warsinski: Werner Warsinsky; vgl. Anm. Br. Nr. 293.

Pater: Laurentius Siemer. Die Diskussion mit Pater Siemer setzte sich in den folgenden Wochen fort. Eintrag Notizbuch v. 10. September 1953: »Diskussion im Agnessaal (P. Siemer u. a.)«. Der Agnessaal ist der Pfarrsaal der Gemeinde St. Agnes in Köln. Pfarrer der Gemeinde war Dr. Heinrich Poth, der sich sehr für die Auseinandersetzung um den Roman »Und sagte kein einziges Wort« interessierte. Er nahm die Radiosendung auf und stellte sie bei der Veranstaltung im Agnessaal zur Diskussion. Weiterer Eintrag Notizbuch v. 21. Dezember 1953: »Diskussion mit P. Siemer vor Oberprima«.

Saffianpantoffelchen: Pantoffeln aus feinem Ziegenleder.
Die Stelle im Roman heißt: »Der Bischof war sehr groß und schlank, und sein dichtes weißes Haar quoll unter dem knappen Käppi heraus. Der Bischof ging gerade, hatte die Hände gefaltet, und ich konnte sehen, daß er nicht betete, obwohl er die Hände gefaltet hatte und die Augen geradeaus gerichtet hielt. Das goldene Kreuz auf seiner Brust baumelte leicht hin und her im Rhythmus seiner Schritte. Der Bischof hatte einen fürstlichen Schritt, weit holten seine Beine aus, und bei jedem Schritt hob er die Füße in den roten Saffianpantöffelchen ein wenig hoch, und es sah wie eine sanfte Veränderung des Stechschrittes aus. Der Bischof war Offizier gewesen. Sein Askentengesicht war photogen. Es eignete sich gut als Titelblatt für religiöse Illustrierte.« [WA, Bd 2, S. 68]
Dein »verstehen Sie«?: Diese rhetorische Wendung hat H. B. in Gesprächen und Diskussionen immer wieder benutzt. Zum Beispiel häufig beim 44. »Kölner Mittwochgespräch« am 17. Oktober 1951 »Die Aufgabe des Schriftstellers in unserer Zeit«, als sich H. B. mit Ernst von Salomon über dessen Bericht »Der Fragebogen« stritt. Tonbandmitschnitt: Historisches Archiv der Stadt Köln.

Frings: Josef Kardinal Frings, von 1942 bis 1969 Erzbischof von Köln.

Kritik: U. d. T. »Die unterbrochene Ehe« rezensiert Klaus Harpprecht H. B.s Roman »Und sagte kein einziges Wort«, in: »Christ und Welt«, 6. 8. 1953.

mein Schwiegervater: Dr. Kurt Haack.

am Sonntag Zentrum wählen: Die Wahlen zum Zweiten Deutschen Bundestag fanden am 6. September 1953 statt.
Die Deutsche Zentrumspartei war mit 3 Abgeordneten vertreten. Schriftliche Anmerkung von Frau Gunhild Kunz: »E.-A. K. hat vielleicht reflektiert, diese Partei zu wählen, weil sie – zusammen mit der GVP von

Gustav Heinemann – am heftigsten gegen die Wiederbewaffnung kämpfte, vielleicht hat er sie auch gewählt. Für mich war es undenkbar, eine Partei wie das ZENTRUM zu wählen!«

CDU macht doch das Rennen: Die CDU wird stärkste Partei mit 36,4 v. H.

295

Beingeschichte: »Meines Bruders Beine«. Zur weiteren Verwertung durch die Agentur »RUHR-STORY« schickte H. B. den Abdruck aus »Der Mittag«; vgl. Anm. Br. Nr. 270.

D.: Hans Dohrenbusch.

einer der nettesten Redakteure: Dohrenbusch war Redakteur bei »Welt der Arbeit«.

Büchergilde Gutenberg sucht »eigene Autoren«: Die »Büchergilde Gutenberg« hatte Abstand genommen von der Idee, eigene Autoren zu haben.

Schubert-Hörspiel: H. B. zusammen mit Richard Hey, »19. November 1828« [Hörspiel zum Todestag von Franz Schubert; H. H.], »Rias Berlin«, 15. 11. 1953.

296

Beingeschichte: »Meines Bruders Beine«; vgl. Anm. Br. Nr. 295.

Kritik über Dein Buch: U. d. T. »Seelische Ruinenlandschaft« rezensiert Walter Lennig H. B.s Roman »Und sagte kein einziges Wort, in: »Der Tagesspiegel«, Nr. 2364, 21. 6. 1953.

»Wirth-Zeitung«: »Deutsche Volkszeitung«.

eine Arbeit von mir: »Er lebte in Paris«, in: »Deutsche Volkszeitung«, 11. 8. 1953. Vgl. a. Anm. Br. Nr. 286.

nach verlorenem Wahlkampf: Bei den Wahlen zum Zweiten Deutschen Bundestag am 6. September 1953 erzielte die Kommunistische Partei Deutschlands 2,2 v. H. und war nicht mehr im Deutschen Bundestag vertreten.

Der Plan: Vgl. Br. Nr. 295.

ein paar gedruckte Geschichten: Vgl. Anm. Br. Nr. 286 und Nachwort.

viele Zeitungen lehnen meine Themen ab: Hierbei handelte es sich um die Geschichten, die den Krieg beschrieben oder in denen sich E.-A. K. kritisch mit der jüngsten deutschen Vergangenheit auseinandersetzte.

»gängige« Geschichten: Zum Beispiel die Geschichten »Wir sind weder Hochstapler noch Spione«, in: »Freie weite Welt«, 31. 7. 1953. Oder »Pamela und der Tiger«, in: »Die Neue Zeitung«, 19. 11. 1954.

D.: Hans Dohrenbusch.

Betrachtung von Alfred: Vgl. Anm. Br. Nr. 290.

Gunis Tante: Hertha Rottmann.

Mama, deren Freundinnen: Elvie Krips u. Maria Leopold.

297

am 24. in Berlin sein: H. B. flog erst am 25. September 1953 nach Berlin, um am 26. September den »Deutschen Kritikerpreis« entgegenzunehmen.

zwei Lesungen: Am 18. September 1953 in Düsseldorf. Zweite Lesung nicht zu ermitteln.

Unterstützung: Arbeitslosenunterstützung.

Sekretärsangebot [...] konkrete Notwendigkeit: H. B. zählte inzwischen zu den bekanntesten Schriftstellern der Bundesrepublik Deutschland mit allen Konsequenzen, die das mit sich brachte. Seine tägliche Büroarbeit konnte er kaum noch bewältigen. Vgl. a. Br. Nr. 292.

298

gestern aus Berlin zurück: Laut Eintrag Notizbuch war H. B. am 30. September 1953 aus Berlin [vgl. Anm. Br. Nr. 297] zurückgeflogen.

Coburger Zeitschrift: Sachverhalt nicht zu ermitteln.

alle lasen Deine Geschichte: »Er nannte sie: Verführung«, in: »Freie weite Welt«, Nr. 19, 25. 9. 1953.

299

Erzählung: »Dialog am Drahtzaun«, in: »Westdeutsche Allgemeine Zei tung«, Nr. 242, 17. 10. 1953. Hierbei handelte es sich nicht um einen Prosa-text, sondern um eine szenische Darstellung. Vgl. Anm. Br. 300 u. 302.

an die Gefangenen denkt, die vor zwei Jahren kamen: Die Rückkehr aus sowjeti-scher Kriegsgefangenschaft war im wesentlichen 1950 abgeschlossen. Bis zum Ende 1950 betrug die Quote noch 3,82%.

300

»Die blasse Anna«: »Die blasse Anna«, in: »Frankfurter Allgemeine Zei-tung«, Nr. 230, Beilage »Bilder und Zeiten«, 3. 10. 1953.

»Im Lande der Rujuks«: »Im Lande der Rujuks«, in: »Die Neue Zeitung«, Nr. 224, 25. 9. 1953.

Dialog: »Dialog am Drahtzaun«; vgl. Anm. Br. Nr. 299 u. 302.

bearbeitete Botschaft: »Die Botschaft«, in: »Westdeutsche Allgemeine Zei-tung«, Nr. 303, 24. 10. 1953. Vgl. Br. Nr. 299.

301

eine Geschichte: »Krippenfeier«, in: »Frankfurter Hefte«, 7. Jg., H. 1, Januar 1952, S. 36 ff. U. d. T. »Beethoven durch den Lautsprecher gequetscht« in: »Aufwärts«, Nr. 25/26, 11. 12. 1952, S. 5. U. d. T. »Auch eine Art Krippen-feier«, in: »Die neue Zeitung«, Weihnachten (24. 12.) 1952.

Hausfeld: Hausfeld Nr. 5 in Gelsenkirchen, Wohnung von Gertrude Kunz.

Rheydt: Hier wohnten Wera, Wera-Alexa und Carl Heinz Ostmeyer.

302

zwei meiner Geschichten: »29 Kerben«, in: »Freie weite Welt«, Nr. 22, 6. 11. 1953. »Wiedersehen mit Domno«, in: »Welt der Arbeit«, 27. 11. 1953. Beide Geschichten hatten den Krieg zum Thema. Vgl. a. Nachwort.

unser Zusammentreffen: Am 8. Oktober 1953 in Köln: Hans Dohrenbusch, E.-A. K. und H. B. Vgl. Br. Nr. 298.

Rujuk-Geschichte: »Im Lande der Rujuks«. Ein Abdruck in »Süddeutsche Zeitung« läßt sich nicht nachweisen.

Decke«: »Die Decke von damals«, in: »Hannoversche Presse«, 25. 9. 1953.

Coburger Diebe: Vgl. Br. Nr. 298.

Hundefänger: »Bekenntnis eines Hundefängers«.

Dialog: »Dialog am Drahtzaun«; vgl. Anm. Br. Nr. 299.

Nobelpreis: Den Nobelpreis für Literatur erhielt im Jahr 1953 Sir Winston Churchill für seine Memoiren.

304

wieder umgesiedelt: In die Schillerstraße 99 in Köln-Bayenthal.

Roman: »Haus ohne Hüter«. Eintrag Notizbuch 17. November 1953: »Beginn Roman«.

305

Hp: »Hannoversche Presse«.

»Theodora«: »Die unsterbliche Theodora«, in: »Neue Würtembergische Zeitung«, 7. 11. 1953.

Huster: »Husten im Konzert«, in: »Neue Würtembergische Zeitung«, 9. 1. 1954.

»Schafe«: »Die schwarzen Schafe«, hier der Einzelband im »Middelhauve Verlag«.

Thomas Wolfe. Wunderbar dicke Bücher: Hier »Geweb und Fels«, 1953 im »Rowohlt Verlag« erschienen, 691 Seiten. U. d. T. »Unerschöpflicher Thomas Wolfe« hatte H. B. den Roman rezensiert, in: »Frankfurter Allgemeine Zeitung«, Nr. 254, Beilage »Bilder und Zeiten«, 31. 10. 1953. Vgl. a. H. B. »Thomas Wolfe und das bittere Geheimnis des Lebens«, dtv 1, S. 75-77. »Von Zeit und Strom«, 1953 im »Rowohlt Verlag« erschienen, 977 Seiten. U. d. T. »Das fremde und bittere Geheimnis des Lebens« hatte H. B. den Roman rezensiert in: »Süddeutsche Zeitung«, Beilage »SZ im Bild«, 7. 3. 1953.

306

für eine Woche weg: Fahrt u. a. nach München (6. November 1953) und Frankfurt (8. November 1953). Näheres nicht zu ermitteln.

die Umsiedlung: Von der Kirchheim in der Eifel nach Köln; vgl. a. Br. Nr. 304.

307

Wolfgang Hildesheimer: Wolfgang Hildesheimer wurde nicht durch die Agentur »RUHR-STORY« vertreten.
Schon früh hatte H. B. über Wolfgang Hildesheimer ein Autorenporträt geschrieben. »Wolfgang Hildesheimer – Porträt eines Schriftstellers«, »Süddeutscher Rundfunk«, Sendestelle Heidelberg-Mannheim, 20. 1. 1954.

308

(Jünger): »Jünger Merkurs«. In: »Hamburger Abendblatt«, Nr. 252, 28. 10. 1953. In: »Welt der Arbeit«, Nr. 44, 30. 10. 1953.

Dein Buch: »Und sagte kein einziges Wort«.

Verkauf müßte demnach gut sein: Vgl. Anm. Br. Nr. 263.

die Sache mit Kesten: Beim 152. »Kölner Mittwochgespräch«, am 21. Oktober 1953, hielt Hermann Kesten das Eingangsreferat: »Die Situation der deutschen Literatur 1953«. Er hält den Schriftstellern der jungen Generation vor, im großen und ganzen seien sie »mittelmäßig«. Zu H. Kestens Äußerungen gibt H. B. zwei Stellungnahmen ab.
»Seinen Stil finden«, in: »Deutsches Volksblatt«, 24. 10. 1953.
»Wir sind nicht rastaurativ«, in: »Westdeutsche Allgemeine Zeitung«, Nr. 277, 28. 11. 1953. Neben H. B. gaben noch Walter Jens, Paul Schallück, Günther Weisenborn, Stefan Andres und Wolfgang Weyrauch eine Stellungnahme ab.
Abdruck des Artikels im Anhang.

Tausende von Arbeitern [...] arbeitslos: Die Arbeitslosenquote für 1953 betrug 8,4%.

vorige Woche etwas von mir: »29 Kerben«; vgl. Anm. Br. 302.

Arbeit zum Totensonntag: Vermutlich »Denn dort wie hier«; in: »Almanach der Hannoverschen Presse für das Jahr 1954«, S. 91-94.

in UKW eine Sendung von Dir: »Verführtes Denken. Ein Hörbild nach dem gleichnamigen Buch von Czeslaw Milosz« »Nordwestdeutscher Rundfunk«, Köln, 12. 11. 1953. Vgl. a. H. B. »Verführtes Denken«, dtv 1, S. 99 f.

310

»Botschaft«: »Die Botschaft«; in: »Westdeutsche Allgemeine Zeitung«, Nr. 248, 24. 10. 1953.

Honig: Werner Honig, Redakteur »Nordwestdeutscher Rundfunk«, Köln.

312

Marienburg: Vgl. Anm. Br. Nr. 19. Der Verlag Kiepenheuer & Witsch zog in die Rondorfer Straße 5.

Korrespondenz: Gemeint ist die Agentur »RUHR-STORY«.

König: »Erinnerungen eines jungen Königs«; in: »Freie weite Welt«, Nr. 1, 1. 1. 1954, S. 3.

314

»Beine«: »Meines Bruders Beine«; vgl. Anm. Br. Nr. 270.

Jünger«: »Jünger Merkurs«, in: »Der Mittag«, 25. 11. 1953.

»So war es«: in: »Westfälische Rundschau«, Nr. 277, 28. November 1953. Abdruck des Textes im Anhang.

Merle: Robert Merle.

SÜDWESTFUNK hat eine meiner Geschichten angenommen: »Er nannte sie: Verführung«, »Südwestfunk«, 2. 3. 1954.

Rosengarten: Walter Rosengarten, Redakteur, »Südwestfunk«, Baden-Baden.

»Rujuks«: »Im Lande der Rujuks«, in: »Badische Zeitung«, 27. November 1953.

315

Tour ins Saargebiet: Am 11. Dezember 1953 eine Lesung in Sulzbach/Saar, auf Einladung des Städtischen Kulturamts. Am 12. Dezember 1953 eine Lesung im »Saarländischen Rundfunk«, Saarbrücken. Näheres nicht zu ermitteln.

kleine Geschichte zum Tag des Buches: Im »Börsenblatt des deutschen Buchhandels« läßt sich kein Text H. B.s zum »Tag des Buches« nachweisen. Vgl. aber Anm. Br. Nr. 314, »So war es«.

316

»Unter Zweiseiten Geschichten«: Vgl. Br. Nr. 315.

Dein neuestes Buch: »Und sagte kein einziges Wort«.

Wettbewerb des Süddeutschen Rundfunks: Für die Erzählung »Die hohe Kunst der Boldarreks« erhielt E.-A. K. den 3. Preis im Erzählwettbewerb des »Süddeutschen Rundfunks«, Stuttgart. Ein erster und zweiter Preis wurden nicht vergeben. Sendung: 21. 6. 1954.
Bücher an die Redakteure: Die Agentur »RUHR-STORY« verschickte als Weihnachtspräsent Bücher H. B.s [vgl. Br. Nr. 309] an verschiedene Redakteure.

317

Aschermittwoch: »Aschermittwoch«. Am Aschermittwoch 1954, 3. März 1954, erschien die Erzählung u. a. in: »Frankfurter Rundschau«, Nr. 52, 3.3.1954. U. d. T. »Am Aschermittwochmorgen« in: »Der Mittag«, Nr. 52, 3. 3. 1954.

Rasch: Friedrich Rasche.

Arbeitstagung in Kassel

Die erste Tagung bewies, daß die Gruppe fast nur eine Fiktion ist. Nur drei oder vier der ihr Nahestehenden können sich der Öffentlichkeit präsentieren. Was bei der Vorlesung im übrigen herauskam, war nicht etwa nur unmöglich – und (un)möglich ist fast alles – sondern es war peinlich; peinlicher noch diese Empfindsamkeit der Vorlesenden gegen die Kritik, für die sie hätten dankbar sein müssen; gewaltsam verteidigten sie ihre Fehlgeburten, wollten sie unter allen Umständen zu hübschen Kindern zurechterklärt haben und bewiesen eine verhängnisvolle Unfähigkeit zur Selbstkontrolle. Der Eindruck, den die Gäste gehabt haben müssen, ist insofern nicht recht, als einige Arbeiten nicht Anwesender vorzulesen versäumt wurde – von Waldemar Charles und E. Euringer, T. Quade – so kann nur auf deren Veröffentlichungen aufmerksam gemacht werden, um den peinlichen Eindruck dieses Sonntagnachmittages etwas zu mildern.

Außerdem erwies sich die Ambition der Gruppe als undurchführbar: in Deutschland, wo jeder Dritte ein Dichter ist und von drei Millionen nur einer etwas von Literatur versteht, ist es Wahnsinn, sich zum Sieb für alles Geschriebene machen zu wollen. Daraus ergibt sich eine Arbeit, die der von 30 Verlagslektoren entspricht – unbezahlte und unfruchtbare Arbeit.

Die Gruppe hat sich also schlechter gemacht als sie ist, eine Naivität erwiesen, deren Folge eine gewisse – wiederum sehr peinliche Rührung war.

In jedem Falle wertvoll war die Möglichkeit, sich kennenzulernen, mit den Gästen ins Gespräch zu kommen und manche Anregung zu erfahren, die besonders aus der späten abendlichen Diskussion über »handwerkliche« Dinge sich ergab, zu der einige Gäste freundlich bereit waren.

Es wurde der Entschluß gefaßt, sich in Zukunft brieflich – da zu treffen vorläufig kein Geld da ist – schonungslos zu kritisieren, die Gruppe als »Organisation« fallen zu lassen – die Bezeichnungen »Mitglieder« –, »Arbeitsausschuß« und ähnliche fallen zu lassen; wer dazu gehört, gehört dazu und die zentrale Adresse bleibt Herr Hönscheid in Kassel, der auch den Pressedienst weiter redigiert.

(Typoskript aus dem Nachlaß)

Heiseler-Uraufführung in Köln

Zum Abschluß der Internationalen Jugendwoche in Köln veranstaltete der »Quell«, die in Köln neugegründete »Bühne für christliche Kunst«, in der Aula der Universität die Uraufführung von Bernt von Heiselers »Haus der Angst« oder »Der goldene Schlüssel«.

Schon im Programm war das Stück vom Autor als christliche Antwort auf den Existenzialismus angekündigt, eine Umdichtung des Blaubartmärchens in der Form des Mysterienspiels. Das bedeutete von vornherein einen gewissen Verzicht auf künstlerische Freiheit des Wortes und der Form und leider blieb der Teil, der als Lobpreis der Gottesschöpfung die dichterische Möglichkeit des Stückes gewesen wäre, zu mager: die Szene, in der die Kammern des Hauses (gleich Welt) geöffnet werden und ihr Inhalt gezeigt wird, entbehrte der erfreulichen Fülle und war auch schauspielerisch zu eng, während andere Szenen – Gewissensqualen und Angst nach dem Zutritt in die verbotene Kammer – Längen aufwiesen, die um so peinlicher wirkten, da an sich das Mysterienspiel keinen Raum für psychologische Entwicklungen bietet.

Die Aufführung als ganzes litt unter einigen allzu grellen Effekten, die der Autor leider nicht hatte verhindern können: So traten Versucher und Versucherin – ersterer als eine der vielen Mephistovarianten – immer in glühendrotes Scheinwerferlicht getaucht auf: den Zeigefinger gleichsam stetig auf der Brust.

Es bleibt die Tragik dieser Stücke, daß die Bösen sowohl textlich wie schauspielerisch immer die gelungensten Figuren sind, während die Guten sich allzu oft lebloser Phrasen bedienen müssen und dadurch starr wirken.

Grundsätzlich wäre allerdings zu sagen, daß ein christlicher Autor gegen einen Existenzialisten nicht mit gleichen Waffen kämpfen kann; die »gebundene Freiheit«, für die Heiselers Stück eintrat, kann sich nicht wahllos aller verfügbaren Reizmittel bedienen wie sie den Existenzialisten auf Grund ihrer angenommenen absoluten Freiheit zur Verfügung stehen.

Leider gab es kaum Gelegenheit, während des Stückes wirklich zu lachen: Die Freude wäre auch eine Verteidigung des
Guten; aber die obligate Figur des Narren – hier die Zofe Ros-
wetha – wirkte wenig überzeugend, ihre Komik, die sich in der
Kategorie des Praktisch-Nüchternen bewegte, war zu wenig originell.

Das Ensemble des »Quell« zeigte einige gute Leistungen: Ursula
Feldhege als Roswitha, obwohl auch ihre Stimme unter Un-
freiheit litt, und W[?] Greuel als Versucher. Leider war die
Hauptfigur der Prinzessin weder überzeugend noch sicher (Elisabeth Able). Die Musik von Jürg Baur – Untermalung, einge-
streute Tanzstücke und die Chöre der unsichtbaren guten Gei-
ster – entsprach dem religiösen Rahmen des Stückes und der
Aufführung.

Es bleibt in jedem Falle ein Verdienst für Bernt von Heiseler, seine Arbeit in den Dienst eines Anliegens gestellt zu haben, für
das zu opfern schon Sinn hätte. Die Besucher der ausverkauften
Premiere dankten dem Autor und den Spielern herzlich, aber es
bleibt [abzuwarten], ob das wirklich existenzialistische Publikum für dieses Stück ansprechbar sein wird.

Seinen Stil finden

Die »schrecklichen Vereinfachungen Hermann Kestens nehme ich, wie sie ausgesprochen wurden und wie ich sie aus dem Auszug seiner Rede kenne, der in der NEUEN PRESSE veröffentlicht wurde. Zunächst entdecke ich einige logische Fehler: Der jüngeren Generation wird vorgeworfen, daß sie nicht kühn sei – aber es fragt sich, ob nicht Kühnheit dazu gehört, so bewußt und fast einstimmig sich aus der innerdeutschen literarischen Tradition zu lösen. Es fragt sich, ob die Hörspiele Günther Eichs niedlich sind, ob seine Gedichte friedlich sind und ob die Prosa von Arno Schmidt oder Wolfgang Hildesheimer restaurativ ist.

Im Jahre 1946 schickte ein jüngerer Schriftsteller zwei Erzählungen an eine literarische Zeitschrift und bekam sie mit dem Bemerken zurück, sie seien zwar gut, aber zu sehr Kafka. Der jüngere Schriftsteller hatte aber noch keine Zeile von Kafka gelesen – was nun? Es ist ein wenig seltsam, sich vorzustellen daß der junge Borchert durch die Trümmer von Hamburg lief, im Jahre 1945, mit einem Buch von Hermann Hesse, mit Thomas Mann in der Hand oder einem Remarque: es hätte ihm wenig genutzt, denn diese Sprache, diese Prosa sprach ihn einfach nicht mehr an. Wahrscheinlich hat Borchert seinen Thomas Wolfe gelesen – und diese Sprache, gegen die man manches mag sagen können, diese Sprache verstand er, er verstand sie besser als die Sprache etwa Remarques.

Die Schuld lag nicht bei Borchert, wie es überhaupt sinnlos ist, einem Schriftsteller vorzuwerfen, daß er sich X, den Ausländer X, zum Vorbild nimmt, und nicht Y, den guten deutschen Y, der ihm die Sicherheit der Tradition bietet. Wichtig ist, was jemand aus dem Vorbild macht, ob er es imitiert, oder ob er Elemente daraus in seiner Sprache verarbeitet und seinen Stil findet.

Es fragt sich, ob es unter der jüngeren Generation nicht einige gibt, die ihren Stil gefunden haben: das ist das einzige Argument, das Geltung hat. Kenntnisse nützen einem Schriftsteller nichts. Erfolglosigkeit ist kein Argument gegen ihn (einer der erfolglosesten deutschen Dichter hieß Friedrich Hölderlin), und so kühn zu sein wie etwa Thomas Mann und Remarque waren, bedeutet heute nicht, Schüler oder Nachfolger einer dieser beiden zu sein.

Deutsches Volksblatt, Stuttgart, 24. 10. 1953

So war es

Verloren in der Masse der Millionenheere wurden einige junge Männer auf Flugzeugen, Schiffen, Eisenbahnen durch den Zweiten Weltkrieg geschleppt oder schleppten sich zu Fuß durch die Kontinente, junge Männer, die außer ihrem Gepäck und ihrer Todesangst noch etwas Schwereres mit sich herumschleppten: den leidenschaftlichen Vorsatz über dieses alles zu schreiben. Die jungen Männer hießen Mailer oder Merle, Borchert oder Shaw, und sie waren so jung, wie Stendhal war, als er in den Sog Napoleons geriet, so jung wie Balzac, als er Paris und Dickens, als er London zu erkunden begann, sie waren nur ein wenig jünger als der Arzt Döblin, der das Phänomen Berlin darzustellen unternahm.

Diese jungen Männer schrieben über den Krieg, obwohl niemand mehr etwas davon wissen wollte, allen verlegerischen Prognosen zum Trotz führten sie ihren leidenschaftlichen Vorsatz aus, wurden gelesen und fanden eine Bestätigung, die bewies, daß ihre Leidenschaft aufrichtig und ihre Mittel, sie auszuführen, die richtigen waren: alle die, die lasen, fanden bestätigt, was sie selbst nicht hatten ausdrücken können, wohl aber gespürt hatten. Diese Schriftsteller machten – soweit sie das Echo auf ihre Arbeiten noch erlebten – Erfahrungen, die zu den merkwürdigsten Überraschungen gehören, die ein junger Schriftsteller erleben kann: Dinge, die sie erfunden hatten, um den Krieg darzustellen, wurden ihnen vom Leser bestätigt, mit den Worten: »So war es«. Es ging ihnen wie dem jungen Mann Thomas Wolfe, der die Menschen mit Eigenschaften ausstattete, die sie gar nicht hatten, die aber so gut zu ihnen paßten, daß sie sich wiedererkannten; daß sie dachten »So bin ich«, wütend wurden auf diesen jungen Mann, der Thomas Wolfe hieß und ihnen eine Wirklichkeit verliehen hatte, die wirklicher war als die, in der sie sich bewegten.

Was für den Krieg zutrifft, trifft für jede Zeit zu, über die einer schreibt, der in dieser Zeit lebt: der gängige Vorwurf, daß er einen Abklatsch schaffe, ist der am wenigsten zutreffende, sonst brauchte man nicht Mailer zu lesen, um über den pazifischen Krieg »etwas zu erfahren«, sondern könnte sich Wochenschauen darüber ansehen. Nicht das Material macht es – das Material liegt auf der Straße – die große Forderung, die an den Schriftsteller gestellt ist, ist die, zu formulieren, mit einem Namen zu versehen, was jeder spürt, aber nicht ausdrücken kann.

Westfälische Rundschau, 8. 1953, Nr. 277, S. 28, 28. 11. 1953

Register